W9-CHS-206

LA GÉORGIENNE

ANNE RIVERS SIDDONS

LA GÉORGIENNE

FRANCE LOISIRS
123, boulevard de Grenelle, Paris

Titre original :
Peachtree Road
Traduit de l'anglais par Jacques Martinache

Édition du Club France Loisirs, Paris
avec l'autorisation des Presses de la Cité

Édition originale : Harper et Row, New York

ISBN 2-7242-5073-7

Quelquefois, en rentrant chez moi, je deviens
Aveugle et ne peux la trouver.
La maison où j'ai vécu enfant et qui m'accueillait
Au sortir du lycée est éventrée
Abattue et déblayée
Pour faire place à une autre construction mais cela ne m'arrête pas.
La première place au cœur
De ma tache aveugle revient
Aux Buckhead Boys. Il suffit que j'en trouve un seul pour
Être chez moi. Et si je le trouve, si je l'attrape dans
Buckhead ou à l'entour, je ne mourrai jamais ; ma jeunesse entrera
En moi comme une reine.

JAMES DICKEY
Looking for the Buckhead Boys

Pour Lee, Kemble, Rick & David,
mes hommes,
et pour Betsy Fancher

PROLOGUE

Le Sud tua Lucy Bondurant Chastain Venable le jour même de sa naissance. Simplement, son agonie dura jusqu'à maintenant. Ce fut un meurtre dans les règles – conception classique, exécution sans faille. Une œuvre d'art, vraiment. Et rien d'étonnant à cela. C'est ce que nous faisons de mieux, tuer nos femmes. Ou les mutiler. Ou en faire des monstres, ce qui est peut-être le pire.

Je roulais cette pensée dans ma tête devant la tombe de Lucy, au cimetière d'Oakland, sous le soleil jaune pâle d'un après-midi d'automne géorgien. Cette pensée et bien d'autres, puisque l'occasion et le lieu passent pour inciter à la réflexion : un enterrement silencieux dans un vieux cimetière où reposent, où reposeront tous vos parents, amis et connaissances. Je songeais à la tranquillité d'esprit, à l'insouciance, presque, que j'éprouve invariablement ici. J'ai toujours aimé Oakland. Lucy et moi y jouions enfants, il y a une quarantaine d'années.

Ce n'est pas que je sois morbide, encore qu'il se serait trouvé dans notre clan nombre de gens pour contester cela. Morbide est pour nous synonyme de bizarre, et aucune des personnes rassemblées, pas même moi, n'eût nié que Shep Bondurant, le cousin de Lucy, fût un être « bizarre ». Mais la morbidité n'est pas la forme que prend ma bizarrerie. C'est plutôt le contraire, je crois. Je suis à tout prendre assez gai et optimiste, même si je ne sors désormais quasiment plus. Si j'avais des tendances morbides, je suppose que je serais déjà mort.

Non, le cimetière d'Oakland n'est pas pour moi un lieu d'ombre et de stagnation, ni même de mort. Il y règne une atmosphère d'animation et de vie – sur le mode silencieux et invisible, bien sûr – qui est extrêmement attirante, comme dans tous les endroits où des gens proches et semblables vivent en harmonie, unis par un même dessein. Les gens d'ici ont leurs petits châteaux moussus plantés l'un près de l'autre sur de minuscules pelouses ombragées, et un dédale de rues pavées se faufilant entre les collines, de vieux chênes et magnolias superbes, une haute muraille pour tenir la racaille à l'écart, une vue magnifique d'Atlanta, au nord-ouest, et des domestiques en uniforme pour entretenir pelouses, rues et demeures. Que les habitants de ce lieu soient tous morts m'a toujours paru sans importance. L'important, c'est qu'ils soient ensemble, comme ils l'étaient dans la vie, et qu'ils n'aient jamais à se soucier de la chose qu'ils détestaient et redoutaient le plus de leur vivant : l'intrusion croissante, dans leur monde ordonné, des vauriens et des parvenus. Tout cela, ils nous l'ont laissé, à nous qui ne sommes ici qu'en visiteurs ; et parmi les gens chics et beaux venus dire adieu à Lucy en cet après-midi d'automne, un assez bon nombre seront soulagés de rejoindre les rangs bien abrités des habitants d'Oakland. Pour les vieilles familles d'Atlanta, dont je parle, les joies du paradis sont à coup sûr inséparables du caractère exclusif d'Oakland.

Dans notre bande, on s'est toujours rendu à Oakland aussi fréquemment et avec autant d'aisance qu'on entre ou qu'on sort de la maison ou d'un de nos clubs. Dès notre petite enfance, on nous y menait pique-niquer, Lucy et moi, et avant que la municipalité ne devienne stricte sur les heures de fermeture et le vandalisme, c'était l'endroit idéal pour se peloter. Lucy jurait toujours que c'était là qu'elle avait fait l'amour pour la première fois avec Red Chastain, sur la tombe de Margaret Mitchell, une nuit de printemps après un bal d'étudiants, quand elle avait seize ans.

« Je te jure que la terre a bougé, Gibby, disait-elle. Ce vieux Red s'imaginait que c'était parce qu'il baisait comme un dieu mais je suis sûre que c'était Peggy Mitchell qui applaudissait. »

Je doute que ce soit vrai, bien que, je le sais, Lucy couchât avec Red à cette époque, et la tombe de Margaret Mitchell aurait exactement été le genre de stimulant solennel qu'elle eût choisi pour marquer leur premier accouplement. D'abord, parce que Lucy était une menteuse extravagante et douée, ensuite parce que Red aimait son confort et qu'il ne fourrait jamais que sur terrain plat, et uniquement sur la couverture immaculée qu'il gardait dans le coffre de sa M.G. pour de telles occasions.

Depuis cent trente ans environ qu'il abrite les morts privilégiés d'Atlanta, le cimetière d'Oakland n'a guère changé. La ville prétend avec fierté que toutes les classes sociales y reposent, du pauvre Noir à la *gentry* la plus huppée, des paysans inconnus aux citadins qui firent bâtir des mausolées victoriens tarabiscotés et donnèrent leur nom à nombre de parcs, de rues et de bâtiments. A strictement parler, c'est exact. Pendant quatre ans, jusqu'à la construction du cimetière de Westview, Oakland détint une sorte de monopole, et quelques Noirs y furent effectivement enterrés, généralement à la demande des familles blanches pour lesquelles eux-mêmes ou leurs aïeux avaient travaillé. Il y a aussi une partie juive et un secteur réservé aux soldats confédérés, mais au fil des ans notre clan s'est approprié la plupart d'Oakland, et les vauriens et le vulgaire n'y sont plus guère honorés.

Malgré son homogénéité, c'est un endroit excentrique, et c'est pour cela, je crois, que je l'aime. J'entends ma mère, qui y repose, me répliquer : « Comment peux-tu dire une chose pareille, Shep ? On n'y trouve que des gens comme nous. Les gens bizarres sont tous à Arlington. » Pourtant Oakland a du mordant, de l'originalité, un côté criard et camelote qui m'attire, quoi qu'en dise ma mère. Parmi les anges omniprésents et les inscriptions sinistres, on y voit les images gravées de la vénalité et du pragmatisme qui sont l'âme de cette ville. L'ancêtre d'une grande famille a fait inscrire sur son mausolée qu'il était docteur en philosophie ; un autre a fait reproduire sur le sien la façade de sa somptueuse demeure terrienne, de style grec, sans oublier le numéro de la rue, de peur qu'on ne le confonde avec quelqu'un d'autre.

Mon préféré a toujours été le mausolée de la famille Smith, dont l'un des membres, un certain Jasper N., s'est fait sculpter grandeur nature, solidement campé au sommet du monument, le chapeau sur le genou, contemplant au nord-est le panorama qu'offre la ville. De son vivant, dit une légende locale, Jasper se refusa à porter cravate et il ne capitula pas dans la mort. Qu'il contemple maintenant non plus la ville mais la gare Martin-Luther-King et les nouveaux entrepôts de l'ancienne filature de coton Fulton ne semble pas le troubler. Il ne voit plus Cabbagetown*, terrain vague envahi de vieilles cabanes entourant l'usine, et il en est peut-être reconnaissant. Moi, je le serais, de tout cœur. Je n'ai pas vu Cabbagetown depuis plus de vingt-cinq ans et je ne m'en approcherai pas avant que vienne mon tour d'établir résidence à Oakland. Cabbagetown fut le catalyseur qui acheva de me transformer en reclus, mais il ne déclencha certainement pas le processus. On peut sans doute dire que j'étais génétiquement programmé pour cela.

Le mausolée des Bondurant, port d'embarquement de ma propre famille, est situé au sommet d'une des nombreuses collines d'Oakland, à l'ombre d'un magnolia gigantesque et d'un vieux houx tordu et stérile. Comparé aux autres mausolées d'Oakland, il est peu engageant, aussi sévère et austère que le vieil érudit qui le fit construire, mon grand-père. Mais il occupe une position privilégiée puisqu'il jouxte l'emplacement de l'ancienne maison du maire d'où le général John B. Hood assista à la bataille d'Atlanta. Pourquoi cet épisode ignominieux** plaisait-il autant à ma famille, je ne

* *Cabbage :* chou, *town :* petite ville. (N.d.t.)

** L'incendie d'Atlanta pendant la guerre de Sécession. (N.d.t.)

l'ai jamais compris, mais tel était pourtant le cas, en particulier pour ma mère. Elle qui n'était pas née à Atlanta parvenait toujours à verser une larme quand nous nous rendions devant notre caveau. « Je vois la fumée et les flammes, disait-elle. J'entends le canon. Cela me serre le cœur. »

– Tu as le cœur serré pour de drôles de choses, lui avait répondu mon père lors d'une de ces visites.

– Cela irait mieux pour tout le monde s'il t'arrivait parfois d'avoir le cœur serré, avait-elle répliqué.

Avec le recul, je constate maintenant qu'ils avaient tous deux raison.

Aujourd'hui, par-delà la carcasse imposante de la gare et les lugubres entrepôts, on découvre les tours commerciales qui ont fait de nous le moyeu de la Sunbelt, la capitale incontestée du Sud-Est, le carrefour, pour ainsi dire, du pays : une mégalopole écrasante où s'agitent et jouent des coudes près de trois millions d'habitants d'une vaste zone métropolitaine couvrant dix-huit comtés.

Certaines des tours du centre – Trust Company of Georgia, First National Bank, Georgia-Pacific, Westin-Peachtree, I.B.M. – sont très hautes. Mais c'est selon moi tout ce qu'elles sont. Elles griffent le ciel comme des doigts pâles et fins d'adolescent. Elles n'ont aucun signe distinctif, hormis leur hauteur tant vantée. Elles donnent à la ville un profil nerveux, déchiqueté, qui rappelle à l'observateur que ce ne sont pas les artères riches et profondes des vieux fleuves tranquilles mais les veines minces et robustes des voies ferrées qui nourrirent Atlanta. Dès l'origine, elle était destinée, ou condamnée selon le point de vue, à être une ville d'affaires.

Et une ville d'argent, ô combien. Avec la hauteur des bâtiments, l'argent est l'autre particularité de la ville. Mon vieil ami Charlie Gentry me déclara un jour, au sortir d'un déjeuner de bienfaisance au Commerce Club : « L'aristocratie de cette ville est celle de l'argent, quoi qu'on en dise au Driving Club. En tout cas, ce ne sont pas les vieilles familles.

Aucun d'entre nous n'était ici il y a plus de cent cinquante ans. A l'époque, il n'y avait même pas de cabinet pour pisser. Et ceux d'entre nous qui sont ici depuis le début venaient d'ailleurs – Savannah, Charleston, Richmond –, où on sait vraiment ce que c'est qu'une vieille famille. Pas étonnant que nous parlions tant de cran et de débrouillardise. C'est ce qui nous tient lieu de sang bleu. »

Ce bon Charlie, Dieu le garde. Il avait raison, naturellement. Il était placé pour le savoir. Dépourvu lui-même de véritable fortune, il devint l'un des hommes les plus influents de la ville. La plupart d'entre nous, plus les ploucs, les Texans et les Arabes que nous avons la prétention de mépriser, briguèrent tôt ou tard la faveur de Charlie Gentry. Il prit la chose naturellement et fit de son mieux pour nous aider, avec une conscience claire de ce que nous étions. L'argent et les affaires sont et ont toujours été notre *ethos*. Pas de sensibilité artistique ni même de décadence cultivée. Juste les affaires.

Je n'ai jamais particulièrement aimé ce côté-là d'Atlanta mais je concède qu'il en résulte une vigueur extraordinaire et que j'en ai moi-même savouré les fruits. Je ne suis pas ingrat, juste indifférent. Atlanta ne m'a jamais charmé. Un des liens les plus forts qui m'unissaient à Lucy était notre attitude commune à l'égard de la ville : nous ne l'aimions pas tellement mais nous ne nous décidions pas à la quitter. Je me souviens qu'un jour, vers la fin des tumultueuses années 60, lorsqu'elle me demanda pourquoi j'y restais, je me surpris moi-même en débitant :

– C'est une ville froide, calculatrice, contente d'elle-même, intolérante, vulgaire et même sans âme... mais c'est une ville vivante ! Bon Dieu ! l'énergie qu'elle possède. Mais surtout, c'est *ma* ville, je la connais. Je n'ai jamais connu aucun autre endroit aussi bien.

– C'est si important, connaître ? dit Lucy.

– C'est tout, assurai-je.

– Connaître, ça vaut pas un pet de lapin, Gibby. Cela ne change rien à la réalité.

Lucy était devenue précocement réaliste, et pour toujours.

Au cours d'une soirée, à l'époque où je sortais encore, une femme mince et distinguée parlant avec le ton reconnaissable entre mille de l'axe New York-Palm Beach me demanda d'un air mécontent où il fallait aller pour rencontrer « le vieil Atlanta ».

– Certainement pas dans les soirées auxquelles j'ai assisté, et je n'en ai manqué aucune cet hiver, ajouta-t-elle.

Je parcourus des yeux le vaste salon : tous les invités étaient ce que les vieilles dames de mon clan auraient appelé des gens vulgaires, et la moitié semblaient exercer la profession d'avocat. Je ne connaissais personne. J'étais venu avec Marty Fox, que je venais juste d'engager pour m'aider à mettre de l'ordre dans les biens de mon père, et que j'aimais énormément.

– Aux enterrements, répondis-je. En particulier au cimetière d'Oakland.

– Vous voulez dire qu'ils sont tous morts ? répliqua-t-elle en me dévisageant d'un air hostile pour voir si je me fichais d'elle.

– Non. Je veux dire que les seules fois où ils sont rassemblés, c'est à un enterrement, ou devant une tombe d'Oakland.

Je n'ajoutais pas « ou au Driving Club, ou au Capital City Club ». Cela, elle ne le découvrirait jamais elle-même. C'était encore l'époque où les fortunes récentes, aussi grandes soient-elles, n'avaient pas accès aux clubs les plus anciens. Comme presque tout le reste, cela a changé, bien sûr, et c'est un changement que j'approuve vigoureusement – ou que j'approuverais si je fréquentais encore les clubs. La période pré-parvenus au Driving Club fut l'une des plus étonnamment assommantes de l'histoire du monde.

J'avais dit la vérité à la dame de New York, quoique sur un ton facétieux. Cet après-midi, nous étions tous là : le Vieil Atlanta au complet, ou ce qui en tient lieu. Morts et vifs. Une poignée d'hommes et de femmes, jeunes et vieux, ayant passé toute leur vie à moins de cinq kilomètres les uns des autres, ayant grandi ensemble, fréquenté les mêmes lycées et facultés, flirté, dansé ensemble, ri et pleuré ensemble. Riches, du moins ce que le monde appelle ainsi, pour un bon nombre d'entre eux. Immensément riches pour quelques-uns. Autrefois tout-puissants dans la petite sphère qu'était l'Atlanta de leur jeunesse.

Devant la tombe de Lucy, il y avait un maire et un ex-maire, un gouverneur et un ex-gouverneur, un sénateur, des hommes qui avaient transformé des affaires familiales en multinationales, gagné des millions avec Coca-Cola, directement ou indirectement ; des hommes qui avaient transformé de façon spectaculaire le visage du Sud, et dans certains cas, du pays, avec leur aménagement monolithique des villes et des banlieues ; des hommes qui, seuls ou avec cinq ou six de leurs pairs, avaient doté la ville, au cours des volcaniques années 60, d'un gigantesque stade, de cinq équipes sportives professionnelles, d'un centre culturel en marbre blanc et d'un chef d'orchestre mondialement connu pour l'utiliser, d'un aéroport international et d'un système éducatif irréprochable qui attira les industries nécessaires pour faire marcher tout le reste.

Ce sont pour l'essentiel de vieux lions édentés dont les jours de gloire sont passés, peut-être, mais dont le territoire reste ce monde cloîtré dans lequel ils ont tout façonné, et qui demeure inviolable, même s'il a maintenant rétréci et vacille parfois sur ses bases.

Et leurs épouses, vieillies mais encore chic dans les tons pastel de leur jeunesse ; et leurs veuves, tout aussi élégantes, droites et minces dans leurs vêtements coûteux et discrets : toutes là. Et leurs enfants : nous, ma bande, garçons et filles de ma génération et de celle de Lucy, aux rangs clairsemés à présent, aux visages étonnés par la maturité. Et même leurs petits-enfants, quelques-uns du moins. Nos enfants. Les deux filles de Sarah Gentry – du vif-argent ; et Circe, âgée de dix-huit ans, la fille unique de Little Lady Rawson ; et les fils dégingandés de Lelia Cheatham. Et la fille de Lucy, Malory, accablée de chagrin mais ressemblant encore de façon stupéfiante à sa mère quand elle était jeune et mince.

Mon œil surprit un éclat de rouge parmi les gris et les bleu marine et je souris involontairement devant le foulard écarlate, défiant ouvertement les usages, noué autour de la gorge brune et robuste de Sarah Cameron Gentry. Aucune des filles de notre bande n'avait beaucoup aimé Lucy, et Sarah, entre toutes, avait de bonnes raisons de la détester. Trop bien élevée pour se réjouir en ce jour de deuil, elle avait cependant hissé les couleurs. La petite Sarah, dévouée, faite à la perfection, une autre amie d'enfance et, à une certaine époque, plus qu'une amie. Sarah que j'aurais pu épouser, ce qui m'aurait sauvé... Remarquant que je la regardais, elle m'adressa un lent clin d'œil couleur d'ambre. Ses cheveux bruns sont maintenant striés de gris mais elle a gardé la coiffure de son adolescence : une masse de boucles souples, coupées court pour pouvoir nager et plonger. Son corps a conservé ses muscles plats de sportive et je me rappelle encore avec plaisir le reflet nacré de l'huile solaire sur son dos doré, la grâce de ses plongeons dans la piscine du Driving Club.

Je me demande si Sarah nage et plonge encore. Cela fait très longtemps que je ne suis pas allé au club.

A la gauche des femmes, nous, espèce particulièrement menacée, vestiges masculins du Vieil Atlanta, largement surpassés en nombre par nos veuves et nos filles. Nous adressant l'un à l'autre dans un jargon particulier qui nous date et nous définit.

Quelques vieux hommes riches qui ont changé un monde. Enfin, leurs fils qui, à mes yeux, quelle qu'ait été notre réussite collective, ne leur arrivèrent jamais à la cheville.

Les Buckhead Boys.

Une journaliste fort sérieuse qui ne faisait pas partie du clan mais mourait d'envie d'en être écrivit un jour un article sur nous dans *Cityscope Magazine*. Un papier trop exalté, romantique à l'extrême, et qui suscita dans nos rangs un amusement dédaigneux, mais dont j'ai toujours pensé qu'il parvenait à saisir de nous quelque chose de juste, une sorte de vérité trop simplifiée.

« *Là-bas,* écrivit-elle, *dans un berceau de rêve suspendu entre Dépression et Camelot, il y avait à Atlanta un groupe privilégié de garçons et de filles appelé les Roses et les Gods. C'étaient pour la plupart les rejetons des grandes familles marchandes qui avaient reconstruit Atlanta sur les cendres de la guerre de Sécession, et si tant est que la ville nouvelle eût une aristocratie, ils en étaient les héritiers... et les victimes désignées.*

James Dickey, qui fut l'un d'eux, les surnomma les Buckhead Boys, les garçons de Buckhead, une banlieue verdoyante au nord d'Atlanta. C'est de ce groupe que vinrent les hommes qui, à leur propre étonnement, changeraient à jamais la définition du mot Sud.

Quoique doré, leur monde cachait des récifs et des bancs de sable pouvant mener au naufrage les imprudents, les non-conformistes, les vulnérables et les doux.

Les Roses et les Gods. Les Buckhead Boys et leurs compagnes. Un groupe restreint, puissant et parfois condamné, d'être nés dans un monde riche et hors d'atteinte où ils évolueraient toute leur vie, et dont la principale artère en même temps que le symbole était Peachtree Road. »

Plus que n'importe lequel d'entre nous, Lucy détestait cet article. « C'est de l'eau de rose, Gibby, jeta-t-elle avec mépris. La pire des conneries parce qu'elle contient quand même une parcelle de vérité. Cette idiote n'a pas creusé plus profond pour arriver là où se trouvait *toute* la vérité sur notre bande. Jim Dickey est le seul qui l'ait fait et personne ne lit de poésie dans cette ville. »

Comme je l'ai dit, Lucy était tout à fait réaliste. Elle avait depuis sa plus tendre enfance une connaissance intime de ce que sont vraiment les choses. C'est un fardeau terrible, ce don de la vérité, en particulier pour une enfant aussi fragile que Lucy Bondurant, mais c'était, je le soupçonne, la source de son charme.

Je crois qu'on peut dire aussi que c'est ce qui a fini par la tuer. Par l'envoyer reposer parmi les autres Bondurant, près de la pierre tombale d'une tante antipathique où on pouvait lire : « Comme un roc, elle tint tête à tous les vents. » L'inscription eût fait s'esclaffer Lucy, de son rire profond et rauque. Elle n'avait rien d'un roc. Elle était chatoiement, mouvement, fumée et lumière.

Il y avait tant de Bondurant ce jour-là au cimetière, la plupart sous terre, Dieu merci. Ma grand-mère et mon grand-père, mon père et ma mère, la tante sus mentionnée. Une triste et courte rangée de nouveau-nés et de jeunes enfants, aux petites pierres tombales datant de l'époque de la typhoïde, de la variole et de la diphtérie. Jamie, le jeune frère de Lucy. Et au-dessus du sol, la vieille Willa Bondurant, telle une chimère de laque parmi les autres femmes, au bras de sa fille rescapée, Adelaïde, Little Lady Bondurant Rawson, la sœur cadette de Lucy. La « bonne » fille.

Lucy elle-même.

Et moi, Sheppard Gibbs Bondurant III, le dernier du nom. Suis-je bien le dernier ? C'est et cela restera probablement à jamais le mystère de ma vie.

Jack, le deuxième mari de Lucy, ne repose pas près d'elle dans le caveau des Bondurant. Il est enterré avec les Venable, à la sortie de Nashville. S'il n'était pas mort le premier, il ne serait quand même pas venu aujourd'hui en ce lieu éminemment bondurantien. Il n'avait jamais eu de sympathie pour les Bondurant – moi compris, je pense. Personnellement, je l'aimais bien, mais du jour où il disparut ce fut comme si sa vie n'avait jamais ridé la surface de la nôtre, pas plus la mienne que celle de Lucy. Je n'assistai pas à ses funérailles et elle non plus.

Sa veuve. La veuve Venable. Je n'arrive pas à penser à Lucy en ces termes. Le mot veuve évoque la solitude et Lucy ne fut jamais seule, à aucun moment de sa vie. C'est ce qu'elle craignait le plus, la solitude, ce qu'elle s'efforça toute sa vie d'éloigner. Elle y parvint.

Ce qu'elle redoutait aussi par-dessus tout, c'était la mort. Voilà pourquoi il m'est impossible de faire le lien entre elle et ce que nous avons enterré aujourd'hui au cimetière d'Oakland. Je l'ai vue après sa mort, et bien qu'on dise que voir ses morts est le seul moyen de prendre conscience de la réalité d'un deuil, ce pauvre mannequin avachi ne ressemblait absolument pas à Lucy, si bien que je n'éprouvai aucun chagrin et que je n'en ressens toujours pas. J'éprouve plutôt un grand soulagement mais je ne peux m'attendre à ce qu'il dure.

Dans les jours qui suivirent l'arrivée de Lucy à la maison de Peachtree Road, le cercle protestant de ma mère se réunit dans notre salon et l'une de ses membres avait apporté des diapositives du cimetière américain de Rome où l'un de ses parents était enterré. Lucy et moi avions obtenu de la vieille Martha Cater, qui s'occupait de nous, la permission de nous glisser dans la pièce et d'assister en silence à la projection. Après une série de pierres tombales, de mausolées, d'anges et de citations classiques éclipsant aisément Oakland, Lucy se mit à pleurer. Avant que Martha ne la fasse précipitamment sortir de la pièce, elle sanglotait et lorsqu'on l'eut mise au lit, dans la petite chambre du deuxième étage jouxtant la mienne, elle hurlait. Ce fut la première des terribles crises d'hystérie qui secouèrent son enfance. Tout ce qu'on parvint à lui arracher fut : « J'ai peur de mourir ! J'ai si peur de mourir ! »

Deux ans plus tard, environ, alors qu'elle avait sept ans et moi neuf, j'étais couché dans le hamac de la gloriette, comme cela m'arrivait souvent, ne pensant à rien, noyé dans les taches d'ombre et de lumière du treillage, lorsque Lucy apparut silencieusement près de moi. Je savais qu'elle venait de jouer seule avec la balançoire installée devant le bassin des poissons rouges. Les jours d'été, elle se balançait pendant des heures en fredonnant d'une voix blanche, perdue dans ses pensées. Son visage était plus pâle encore que d'habitude ; ses yeux bleus n'étaient plus que pupilles, des yeux presque fous.

– Tu sais quoi, Gibby ? me dit-elle. Je crois qu'il n'y a pas de Dieu.

Le petit chrétien par gavage que j'étais alors fut choqué.

– Bien sûr qu'il y a un Dieu, idiote. Tu iras en Enfer si tu parles comme ça.

– Non. S'il n'y a pas de Dieu, il n'y a pas d'Enfer.

– Ben, où t'iras alors, quand tu seras morte, s'il n'y a ni Dieu ni Paradis ni Enfer ?

– Nulle part, voilà. Je serai nulle part et toi aussi. Il y aura juste... rien du tout. Ferme les yeux et essaie d'imaginer ça, Gibby. Du noir, du noir, du noir, partout et pour toujours, toujours...

J'essayai et, peu à peu, tandis qu'elle poursuivait sa litanie, le poids écarlate du soleil sur mes paupières s'allégea, la journée de juin perdit sa chaleur et je me retrouvai soudain suspendu dans un néant noir sans fin. Des larmes de frayeur et de désespoir piquèrent mes yeux, et lorsque je les ouvris, le monde tournoya, mon cœur battit follement sous l'effet de la première et de la pire terreur que j'aie jamais connue.

Lucy avait les larmes aux yeux, elle aussi ; sa poitrine commençait à se soulever, annonçant une de ses épouvantables crises.

– N'importe quoi vaut mieux que la mort, dit-elle, avec dans la voix ce ton de panique familier. *N'importe quoi !*

– Il y a des tas de choses qui sont pires que la mort, répondis-je, répétant comme un perroquet les propos de ma mère et des femmes qui lui rendaient visite l'après-midi. Le déshonneur, être pauvre, être vaincu, être vulgaire, se faire violer, tout ça, c'est pire que la mort.

– C'est des conneries, répliqua-t-elle d'une voix aiguë, usant de son gros mot préféré cet été-là. Ça vaut mille fois mieux qu'être mort. La seule chose que je supporterais pas, c'est qu'il n'y ait rien !

– Tu ne le saurais pas s'il y avait rien, arguai-je, délibérément cuistre, tentant d'éloigner la crise en me montrant obtus, bien que mon propre cœur se tordît encore de frayeur.

Le stratagème fonctionna, pourtant.

– Si, je le saurais, répliqua-t-elle, têtue.

Son menton se releva, ses larmes disparurent. Lucy n'aimait pas qu'on la contredise.

J'ai ri, je m'en souviens. Mais aujourd'hui, perdu dans les horreurs nocturnes de l'âge mûr qui me tirent du sommeil couvert de sueur, avec dans la bouche un avant-goût de néant, je sais qu'elle avait raison. Que la mort est véritablement ce terrible vide sans fin, l'expérience *ad aeternam* du néant. Non pas la vie mais la mort éternelle.

Tandis que nous nous rassemblions pour laisser Lucy entamer sa longue villégiature, je sentis sur moi le regard des femmes et j'entendis la vieille Mrs. Dorsey dire à Mrs. Rawls, de sa voix nasale et forte de sourde :

– Il paraît que Shep est bouleversé. Ils étaient aussi proches que des jumeaux.

Je souris intérieurement.

– Allez au diable, Mrs. Dorsey, fis-je à mi-voix. Vous allez vous ennuyer, vieille truie, maintenant que vous n'avez plus Lucy Bondurant à étriller.

Elle avait toutefois raison, mais pas de la façon qu'elle croyait. Lucy et moi partagions en effet une extraordinaire et étrange intimité, extérieure au reste de notre vie. Je n'aimais pas toujours ça ; parfois même j'en avais horreur, mais c'était un fait. Je pouvais toujours lire dans les pensées de Lucy. Quand elle était jeune, belle et sans cœur, j'étais son cœur. Plus tard, lorsqu'elle se conduisit souvent en écervelée, je fus son cerveau. Je ne sais plus que faire maintenant des vestiges de Lucy que je porte en moi.

Assis dans la vieille gloriette de la maison de Peachtree Road, où je suis né, que je possède depuis plus d'un quart de siècle et où je ne suis venu que quelques fois en presque autant d'années, il me vient à l'esprit que lorsque cet agréable engourdissement cessera, je découvrirai peut-être que je ne puis plus vivre dans un monde où Lucy n'est pas... Mais pas, encore une fois, pour la raison que Mrs. Dorsey et consorts avanceront. Cela ne me sera peut-être pas possible, tout simplement. En ce cas, je crois savoir comment j'arrangerai les choses. Lucy apprécierait l'ironie et l'à-propos de ma solution, qui égalerait le panache de sa propre sortie. Si j'en viens là, sera-ce la fin des Bondurant ? Comme je l'ai dit, je ne suis pas en mesure de le savoir, que je m'accroche ou que je sorte par une porte dérobée. Dans un cas comme dans l'autre, c'est sans importance.

Il est sept heures, les ombres des vieux chênes du jardin tombent sur la gloriette et la véranda. Au-delà, autour de l'ovale vide du bassin des poissons rouges, l'herbe est sèche, jaunie par la canicule de septembre qui vient juste de s'achever, mais les ombres ont en elles le bleu froid de l'hiver qui approche. Tout semble vieux et poussiéreux, comme toujours à Atlanta pendant l'été indien. Si j'en crois les glands qui s'amoncellent dans l'herbe, leur crépitement sur le toit d'ardoise de la gloriette, nous aurons un hiver rigoureux et long. L'image de Lucy gisant sous terre, le visage tourné vers l'hiver – elle qui détestait tant le froid que le seul fait d'être en février la faisait pleurer de désespoir – sera peut-être plus que je ne peux supporter.

Je saurai bientôt ce qui m'arrivera.

La vieille Willa Bondurant fut la dernière des femmes à passer devant moi pour quitter le cimetière. On la dirait parfaitement conservée, momifiée dans sa beauté, tout comme Little Lady, qui tenait le bras marbré et fragile de sa mère avec autant de précaution qu'une porcelaine ancienne. Momifiée par l'âge et non par l'alcool, comme Little Lady. Willa a toujours pris grand soin d'elle-même. Elle s'est arrêtée, m'a souri, l'air d'une vieille jeune fille avec sa robe noire toute simple, ses perles, ses talons plats et l'accent « Vieil Atlanta » qu'elle s'était efforcée de prendre dès son arrivée à la maison de Peachtree Road. De tous ses occupants, elle seule aujourd'hui demeure et règne. Je savais qu'après le cimetière elle retournerait là-bas pour s'installer près du feu dans le petit salon, retrouver ses éternelles cigarettes, ses verres de xérès, ses parties de bridge, ses bonnes œuvres et la compagnie d'autres vieilles femmes arrogantes.

Je devinai, avant même qu'elle ouvre la bouche, qu'elle

lâcherait quelque chose de si terrible que le temps s'en trouverait à jamais séparé en avant et après.

Oh oui ! nous fabriquons nos propres monstres, mais ils prennent invariablement leur revanche.

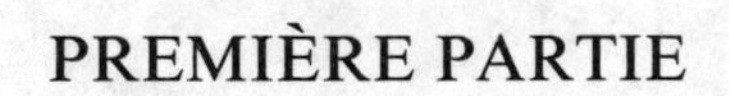

PREMIÈRE PARTIE

1

Lucy vint vivre avec nous dans la maison de Peachtree Road quand elle avait cinq ans et moi sept, et, avant que cette journée d'avril s'achève, j'avais appris deux choses qui modifièrent le paysage et le climat de ma courte existence. Je découvris que toutes les femmes ne pleurent pas la nuit après l'acte d'amour.

Et j'appris que nous étions riches.

Que ces informations bouleversent un monde peut paraître étrange aujourd'hui, à une époque où des enfants de sept ans digèrent sereinement la révélation quotidienne des frasques sexuelles de personnalités en vue et des scandales financiers impliquant divers gouvernements. Mais Buckhead et Atlanta étaient alors des villes beaucoup plus petites que maintenant, et mon propre univers était minuscule. N'ayant littéralement rien à quoi comparer ma vie, je présumais, à la manière des enfants uniques et cloîtrés, que tout le monde était comme nous.

Je savais que ma mère pleurait la nuit après avoir eu des rapports avec mon père parce que, depuis que j'étais bébé, je dormais dans une petite pièce qui aurait dû leur servir de cabinet de toilette, et j'entendais distinctement le moindre grognement étouffé de ces accouplements muets et furieux, le grincement accéléré des ressorts du lit, les halètements de mon père. Je n'entendais pas ma mère pendant l'acte même mais, chaque fois que mon père en avait terminé et se mettait à ronfler, elle commençait à pleurer, et je demeurais étendu, muscles raidis, retenant ma respiration. Puis les sanglots s'arrêtaient sur un profond soupir, et lorsque les ressorts indiscrets gémissaient de nouveau, indiquant qu'elle se tournait sur le côté pour s'endormir, alors seulement je desserrais les poings et me laissais glisser dans le sommeil à sa suite.

Je ne me souviens pas de m'être interrogé sur ce qu'ils faisaient la nuit qui provoquait ces étranges cris rauques et ces pleurs, car en toute autre circonstance ma mère était une des femmes les plus maîtresses d'elles-mêmes que j'aie connues. A peine savais-je marcher que je sus ce qui se passait dans leur chambre, bien qu'il me fallût attendre la venue de Lucy pour donner un nom à cet acte et bien que, même alors, je n'eusse qu'une fort vague notion de son importance. Ma mère ne fermait jamais la porte séparant les deux pièces et ne permettait jamais à mon père de le faire, si bien que pendant plusieurs mois, alors que j'avais deux ans environ et que je venais juste d'apprendre à passer par-dessus les barreaux de mon petit lit, je m'approchai furtivement du seuil de leur chambre et assistai à leur accouplement silencieux.

Je devais être effrayé de voir les deux titans de mon existence s'empoigner sur le grand lit à baldaquin, mais je ne me précipitai jamais dans la pièce en criant, et j'ignore encore aujourd'hui s'ils se doutaient de ma présence. Au bout de quelque temps, je cessai de les épier et n'eus bientôt plus peur, mais je ne m'endormais jamais avant qu'ils aient fini et ne perdis jamais le sentiment de violation que ces bruits faisaient naître en moi, ni la rage coupable qui en résultait. Curieusement, ce n'était pas vers mon père mais vers ma mère que se braquait ma fureur. Mon père était un homme massif, extrêmement simple, rougeaud et blond, qui assouvissait immédiatement ses passions et laissait éclater ses terribles colères, où et quand que ce soit. Autant éprouver de la rage contre un volcan, une conduite d'eau brisée.

Non, c'était ma mère, la nonchalante, la svelte, l'exquise

victime de ses débordements qui faisait bouillonner ma colère. Il me semblait qu'un être aussi mesuré n'aurait jamais dû accepter qu'on lui fasse quoi que ce soit qui pût la faire pleurer, et je lui en voulais à la fois pour ses larmes et parce qu'elle me les faisait écouter. Mais comme mon monde se réduisait à mes parents, que j'aimais ma mère et craignais terriblement mon père, je n'admis jamais ma fureur et ne fermai jamais la porte. Je passai simplement les sept premières années de ma vie dans un brouillard sombre de colère et de sexualité refoulées ; je ne maudis jamais cette obscurité, je n'y vis jamais rien d'anormal avant que Lucy Bondurant la dissipe d'une rafale de son rire extraordinaire.

Pour la même raison, j'ignorais que nous étions riches : rien, dans la sphère de mon existence, ne m'apparaissait différent de nous, et sans notion de pauvreté il ne peut y avoir de notion de richesse. Bien sûr, il y avait Shem et Martha Cater, qui vivaient au-dessus de l'ancienne écurie transformée en garage, derrière la maison, travaillaient dans la cuisine et à l'office, conduisaient la Chrysler, et servaient parfois dans la grande salle à manger quand nous avions des invités. Il y avait Amos qui s'occupait du jardin, et Lottie qui faisait la cuisine, et Princess qui apportait le linge lavé à la main, soyeux, odorant et encore chaud, dans un panier d'osier.

Et il y avait les hommes et les femmes à la peau sombre qui travaillaient dans les quelques autres grandes maisons de Peachtree Road auxquelles j'avais accès. Je savais qu'ils n'étaient pas comme nous, qu'ils ne menaient pas la même vie, mais pour moi ils n'étaient pas pauvres, ils étaient noirs. L'un n'avait rien à voir avec l'autre. Je les aimais, pour la plupart, comme de bons amis, et ce bien plus que les adultes blancs car ils ne me demandaient et ne me donnaient jamais rien, ne voyant rien d'autre en moi qu'un élément plutôt agréable de ce royaume magnifique, exclusif et ridicule où ils servaient.

J'avais de la pauvreté une idée abstraite : étaient pauvres les enfants affamés d'Albanie auxquels ma mère m'invitait à songer chaque fois que je ne voulais pas manger. Mais j'ignorais où se trouvait l'Albanie, et mes parents aussi, je crois, du moins ma mère, car le jour où je posai la question devant la carcasse d'un poulet qui, le matin même, avait frénétiquement tourné en rond dans le jardin après que Shem lui eut coupé la tête, mon père avait éclaté de son rire sonore et sans joie, pointé un doigt court et rouge vers ma mère et répondu : « Demande à ta mère. Elle s'imagine que c'est plus au sud, juste après Griffin. Elle a des parents là-bas qu'elle n'a jamais vus parce que son papa ne les jugeait pas dignes d'elle. »

Ma mère, née et élevée en fille unique adorée et morose d'un homme simple, relativement riche, et de sa pâle effigie d'épouse, à Griffin, petite localité de Géorgie située à cinquante kilomètres au sud-est d'Atlanta, où se trouvaient les taudis dont la famille Redwine était propriétaire, lui adressa un sourire sans chaleur.

– Ton papa fait de l'esprit, dit-elle. L'Albanie, c'est en Europe, et les gens y sont pauvres parce qu'on les opprime.

– Qui ça ? demandai-je.

– Les soldats. L'armée, répondit ma mère.

– Quelle armée ? insistai-je.

Comme tous les enfants des mondes ordonnés, je raffolais de drames, et cette histoire avait un authentique parfum dramatique.

– Oui, Olivia, quelle armée ? intervint mon père avec son sourire de loup. Dis-le-nous.

– Dis-le-nous, dis-le-nous, chantonnai-je, soulagé que le sourire ne me fût pas adressé.

– Eh bien... leur propre armée, déclara ma mère d'un ton assuré. C'est une guerre civile, comme celle que notre pauvre Sud a subie. Frère contre frère : la pire des guerres, la pire des souffrances. L'Albanie est désespérément pauvre, comme Atlanta et le Sud le furent autrefois. Le poulet qu'il y a dans ton assiette nourrirait une famille albanaise pendant une semaine.

– Alors, pourquoi nous ne l'envoyons pas en Albanie ? fis-je.

– L'Albanie ne figure pas sur la liste des bonnes œuvres de ta mère, expliqua mon père.

Ma mère se leva de table avec cette grâce amphibienne qui me faisait toujours penser à une salamandre, à quelque animal glissant sous la surface de l'eau.

– Vous êtes grossiers, tous les deux, déclara-t-elle en s'éloignant sans tourner la tête.

« Grossier » était la pire épithète du vocabulaire succinct de ma mère, et je passai une bonne partie de mon enfance à lutter contre la grossièreté naturelle se déchaînant dans ma personne.

J'avais profondément honte de mes envies d'aller à la selle, de mes vomissements fréquents, de mes étouffements asthmatiques parce qu'elle quittait alors la pièce et chargeait Martha Cater de s'occuper de ma dégoûtante personne, et bien qu'elle ne s'exprimât jamais sur ce point, ses soupirs et ses silences étaient une accusation implicite de « grossièreté ».

Mon père sourit en la regardant sortir, moi non. Même si elle ne m'apportait qu'un mince réconfort, ma mère était l'artère qui me reliait à la vie. Mes camarades, comme par exemple Sarah et Ben Cameron qui habitaient juste au coin de la rue, avaient des parents différents des miens, des parents jeunes et rieurs qui chantaient, dansaient, les embrassaient et les pressaient contre eux en public, mais je voyais ces autres parents comme un caprice de la nature, un coup de chance, un hasard, comme le fait d'avoir des taches de rousseur, des yeux bleus et non marron. Il ne me venait pas à l'idée de désirer avoir les mêmes. Je mangeai le poulet.

Mon père avait toutefois raison : notre famille ne pratiquait pas depuis longtemps le « noblesse oblige », peut-être parce que notre noblesse était d'acquisition trop récente, même selon les critères d'Atlanta, pour que nous la ressentions comme une obligation. Pour reprendre un cliché, il existait à l'époque à Atlanta deux sortes d'aristocrates : ceux qui étaient en train de bâtir une fortune et ceux qui dépensaient la leur. Dorothy et Ben Cameron, les parents de Sarah et du jeune Ben, faisaient partie de ces derniers. Les Bondurant entraient dans la première catégorie.

J'étais alors incapable de le comprendre, bien sûr, mais notre demeure, toute belle qu'elle fût, était une maison de déviance et d'aberration. Trop de passions refrénées, trop de faims inassouvies, trop de frayeurs non exprimées et de besoins non satisfaits. Mes parents n'étaient ni intelligents, ni actifs, ni heureux. Ils ne s'intégraient pas parfaitement au monde auquel ils avaient accédé avec l'argent et les terrains des Redwine, la ruse et la perspicacité des Bondurant. Ils n'étaient pas originaires d'Atlanta et même si, dans leur milieu, les véritables Atlantais étaient relativement rares, ni Olivia ni Sheppard Bondurant ne se sentirent jamais tout à fait à l'aise dans la vaste maison qui symbolisait leur entrée dans ce monde. Ils ne portaient pas avec naturel leur cape d'aristocrate car il s'agissait de vêtements achetés, non hérités, et ma mère tout au moins ne l'oubliait jamais. Elle qui aurait pu régner sans effort sur Griffin s'était péniblement hissée au pinacle de la hautaine ville du Nord, et elle s'y accrochait avec une terreur impeccablement dissimulée qui n'avait pas tardé à en faire un être plein de raideur.

Mon père, qui avait été un jeune homme suprêmement satisfait, à l'aise dans la société mal dégrossie de Fayetteville, se montrait maladroit et agressif dans les clubs, les salons et les salles à manger d'Atlanta qui lui semblaient avoir fait leur temps. Ma mère en vint à penser qu'elle s'était mariée en dessous de sa condition, et la vitalité, l'exubérance qui l'avaient naguère séduite devinrent des entraves qui alourdirent son cœur et ralentirent son ascension dans la bonne société d'Atlanta. Il finit par croire que la délicatesse, l'éclat qui l'avaient tant charmé s'étaient transformés en armes grâce auxquelles elle le coupait des gens de son espèce. Elle avait apporté en dot une fortune considérable dont il avait utilisé une partie pour acheter la maison de Peachtree Road ainsi que la propriété située au nord-ouest de la ville, ce qui, avec les immeubles insalubres que les Redwine avaient légués à ma mère, avait quasiment décuplé cette fortune. Elle considérait qu'il s'était servi d'elle de manière éhontée ; il pensait qu'elle le méprisait, qu'elle ne l'appréciait pas à sa juste valeur. Tous deux avaient entièrement raison.

Que personne d'autre ne les vît comme les inadaptés qu'ils se sentaient être au plus secret d'eux-mêmes – car nul dans leur entourage n'était assez clairvoyant ou sensible pour cela –, ils ne s'en aperçurent jamais. Leurs distorsions étaient internes, et ils vivaient secrètement selon ces critères gauchis. Il était inévitable que, dès le départ, je sois ce que ma mère appelait Sensible (elle donnait toujours l'impression de mettre une majuscule à ce mot), et ce que mon père qualifiait de poule mouillée.

« Tu vas en faire un fichu pasteur, Olivia », beuglait-il lorsqu'il me trouvait plongé dans la lecture de la Bible, sans comprendre que c'était la beauté de la langue et non les préceptes du Livre qui m'attirait. J'en avais plus ou moins conscience mais ne parvenais pas, devant ce visage congestionné, à l'expliquer, et il passait dans son bureau d'un pas lourd, marmonnant à ma mère par-dessus son épaule :

– Toujours en train de tousser et de rater la balle quand il essaie de jouer au football. Tout juste s'il ne vomit pas quand il accroche un ver à un hameçon. Et il se met à hurler quand je le mets sur un cheval. Il ne se dégourdira jamais si tu le laisses tout le temps le nez fourré dans un livre.

– Il est Sensible, Sheppard, disait ma mère, relevant de mon front la virgule de cheveux plats et blonds hérités de mon père pour découvrir les lunettes aux montures de plastique couleur chair que je détestais tant.

Lorsque je sus lire, ma mère cessa d'être dégoûtée par mes fonctions corporelles et se mit à me surprotéger avec passion.

– La sensibilité, tu ne sais pas ce que c'est, bien sûr, ajoutait-elle, mais c'est ce qui a fait de mon père l'homme qu'il est, et je l'apprécie chez mon fils plus que tout au monde.

Je continuais à fixer les pages de la Bible sans regarder mon père, mais intérieurement je jubilais. A cette époque, je recherchais l'approbation de ma jolie mère par tous les moyens dont je disposais.

Quand je revois l'enfant que j'étais, je comprends maintenant que c'était d'amour que j'avais le plus besoin. Un amour inconditionnel, éternel, immuable. L'amour de ma mère, essentiellement, mais à ce stade, celui de n'importe qui eût fait l'affaire. Je ne crois pourtant pas l'avoir cherché. J'attendais au contraire qu'il vienne et qu'il m'emporte à travers le monde. C'est avec Lucy qu'il vint. Cette tornade d'amour et d'approbation, ce fut le plus beau cadeau qu'elle me fît jamais.

Mes parents avaient raison l'un et l'autre à mon sujet. J'étais à la fois un garçon sensible et une poule mouillée, étant pourvu, comme beaucoup d'enfants uniques précoces, d'une imagination vive, capable de projeter une lumière d'une impitoyable clarté sur l'ensemble des dangers que recelait le monde. J'étais aussi, comme Lucy, cet être excessivement vulnérable et inventif, un garçon tout à fait réaliste et même, je suppose, assez perspicace. Ces qualités me permettaient de discerner les périls qui m'entouraient, de les estimer pour ce qu'ils étaient exactement. Cela ne faisait pas de moi un enfant facile, ni pour les adultes ni pour la plupart des autres enfants que je connaissais. Généralement, les enfants sentent ce qu'il y a de différent en l'autre, même s'ils ne le comprennent pas. Cela ne me priva pas d'amis mais de pairs, et les deux seuls vrais copains que j'avais alors – Pres Hubbard, qui boitait des suites d'une polio et portait une armature orthopédique à la jambe, et Charles Gentry, qui était diabétique – furent aussi les seuls de notre bande à rester comme moi sur la touche. Contrairement à moi, ils ne manquaient pas de débrouillardise mais ne pouvaient s'en servir. J'étais heureux que mon handicap fût dans ma tête, comme le soutenait mon père, car il m'épargnait le monde terrifiant des activités résolument viriles qu'il envisageait pour moi.

Cependant, je me reprochais amèrement et sans relâche, quoique silencieusement, de ne pas aimer la plupart des choses que mes camarades appréciaient et de ne pas plaire au grand élément mâle qui dominait mon enfance et l'écrasait sous ses rugissements. Et je ressentais de manière confuse les coups de langue d'une rage vaine contre ma mère, qui m'avait si vite condamné à être Sensible, et contre mon père, qui ne voulait pas, qui peut-être ne pouvait pas, me sauver d'elle. Et je haïssais et je craignais cette rage, et je sentais la culpabilité qu'elle provoquait se putréfier dans mon âme. Ce n'était pas, pour un enfant, le plus enrichissant des mondes, malgré ses indéniables avantages.

Mais quelle séduction et quelle beauté époustouflante il avait ! Avant de devenir une banlieue chic, encombrée de voitures et regorgeant d'écoles pour la jeunesse dorée ne songeant qu'au plaisir, Buckhead était un des plus magnifiques endroits du monde. Je ne parle pas du quartier commercial. C'était alors, comme aujourd'hui, un ramassis de constructions élevées à la diable avec des matériaux de fortune, petites boutiques et magasins, banques et bureaux, quais de chargement et parkings, drugstores, cafés et stations-service, auxquels s'ajoutaient quelques banals édifices publics en briques, festonnés de fils électriques et de câbles téléphoniques, surmontés d'enseignes blessant l'œil. Non, je parle du Buckhead résidentiel, ce rectangle vert sombre de vieux arbres, de rues sinueuses et de jolies maisons à l'ancienne, bâties en retrait sur des pelouses de velours émeraude, isolé de la sueur, des odeurs et de la cacophonie de la ville proprement dite par des couches d'argent. Personne n'a jamais su exactement quelles étaient les limites officielles de Buckhead, mais pendant de nombreuses années, mon Buckhead personnel fut cette étendue de six kilomètres carrés environ, délimitée au sud par Peachtree River, au nord par West Paces Ferry Road, à l'ouest par Northside Drive et à l'est par Peachtree Road.

Peachtree Road... Ce nom est doué pour moi d'un pouvoir évocateur bien supérieur à celui qu'une vingtaine de kilomètres d'asphalte devraient normalement posséder. Le flot de visiteurs riches et agités qui viennent chaque année à Atlanta pour se réunir, faire des affaires ou du tourisme, pensent qu'ils voient la ville quand ils sont dans Peachtree Street mais ils se trompent. Peachtree Street, c'est pour les touristes. Atlanta vit – ou vivait – le long de Peachtree Road. Bien que la ville ne me plaise guère maintenant, je continue à aimer Peachtree Road d'un amour pervers, malgré ce qu'elle est devenue. Elle représente pour moi tout ce que cette ville a d'exigeant, de puissant, d'illusoire et de beau. Même sa laideur – et elle est en grande partie tout simplement laide – me semble riche, complexe et unique. J'en conviens, je la vois à travers le prisme de l'enfance, mais je pense qu'elle ne ressemble à aucun autre lieu au monde. Son nom même résonne dans mon cœur comme une cloche. Et pour moi, l'endroit le plus beau et le plus singulier de Peachtree Road, c'est la maison au numéro 2500, où je suis né et où j'ai habité toute ma vie.

Tels étaient donc mes mondes en ce prodigieux printemps où Lucy vint chez nous : celui, plus étendu, de Buckhead, et celui, plus restreint, du 2500 Peachtree Road. Des mondes qui, malgré la pénurie véritable et durable, avaient un charme dont je n'ai jamais retrouvé l'équivalent.

Aussi, lorsque arriva, début avril, le télégramme de ma tante Willa Bondurant annonçant que l'oncle Jim l'avait abandonnée à La Nouvelle-Orléans et qu'elle n'avait d'autre ressource que se réfugier chez nous avec ses enfants, ce fut un gigantesque cataclysme, non seulement pour mon père et ma mère, mais aussi pour moi. Tout médiocre que fût mon statut auprès d'eux, c'était au moins celui d'enfant unique. L'idée de partager ma maison et leur attention engendra en moi une rage si meurtrière que je n'eus d'autre solution que de la traiter comme j'avais appris à le faire de toutes les choses menaçantes : je la chassai totalement de mon esprit. Le lendemain matin, le petit groupe pitoyable de mon infortunée famille n'avait jamais existé pour moi.

Même le jour de leur arrivée, même après que ma mère,

soupirant et roulant des yeux, eut chargé Martha Cater de préparer les chambres d'amis, et que mon père, cramoisi, parcourant la maison d'un pas lourd, eut envoyé Shem les chercher à la gare routière avec la Chrysler, je demeurai imperturbable. J'avais au plus profond de moi la certitude absolue qu'aucune tante, aucun cousin « petit Blanc* » – qualificatif surpris dans la bouche de ma mère – n'apparaîtrait dans l'entrée ronde de mon domaine. J'aurais pu réciter mot pour mot le message qui nous parviendrait bientôt par télégramme ou téléphone : « Désolé mais tous vos parents ont été tués dans un accident et ne peuvent donc venir. » Je savais même quelles paroles de réconfort je dirais à mon père, qui venait de perdre la femme et les enfants de son frère cadet. C'était uniquement en ces termes que je pouvais penser à l'oncle Jim – le frère de papa – parce que je ne l'avais jamais vu et que je ne me doutais absolument pas que j'avais, quelque part dans le monde, un jeune oncle blond au regard paresseux qui était l'opposé de mon père, son côté radieux, et auquel je finirais par ressembler d'une manière presque étrange. Il n'y avait dans notre maison aucune photo de James Clay Bondurant et son nom franchissait rarement les lèvres de mon père.

Lorsque la sonnette retentit, je dévalai l'escalier derrière ma mère, persuadé de découvrir, en ouvrant la porte, le visage lugubre du télégraphiste, et les quatre silhouettes se tenant sur le seuil me parurent aussi aberrantes, aussi scandaleuses qu'une bande d'assassins ou de trolls. Je ne pus que les regarder fixement, le cœur battant si fort à mes oreilles que je ne saisis même pas les mots de bienvenue de ma mère, qui furent en tout cas brefs et sans chaleur.

Après un moment de stupeur, la première pensée claire qui me vint fut que ma tante Willa agressait simultanément l'œil, le nez et l'oreille, quoique d'une façon que je ne trouvais pas désagréable. Elle avait une chevelure d'un noir profond qui prenait des reflets bleus à la lumière de l'entrée, un rouge à

* Blanc pauvre du Sud. (N.d.t.)

lèvres et un vernis à ongles grenat, « étalé à la truelle », comme ma mère le raconta plus tard à quelqu'un au téléphone, d'une voix à peine amusée. Elle dégageait une âcre odeur de transpiration masquée toutefois par un parfum plaisant, évocateur, que j'associais toujours avec le drugstore Wender & Roberts à Noël.

– « Soir de Paris », une bouteille entière, ajouta ma mère dans l'appareil.

Le visage de ma tante Willa était blanc de poudre et de fatigue, et de minuscules perles de rimmel s'accrochaient au bout de ses longs cils. Elle avait les yeux de ce bleu impossible que prend un feu de charbon quand il est presque éteint. Sa robe de rayonne imprimée accentuait la souplesse de sa taille, la rondeur de sa poitrine et de ses hanches au-dessus de longues jambes nues et sales. Elle vacillait sur ses hauts talons pourvus d'une bride enserrant la cheville, et les ongles de ses orteils étaient du même rouge sang séché que ceux de ses mains. Je la trouvai resplendissante dans notre entrée sombre, avec ses tapis d'Orient sombres, ses murs sombres, ses portraits sombres de mes ancêtres Redwine. Sombre, sombre... Il me sembla tout à coup qu'avant que ces quatre inconnus surgissent de la nuit tiède d'avril pour illuminer le vestibule de leur vitalité, toute ma vie avait été sombre.

Je découvris ensuite que ma tante tenait au creux du bras un chérubin blond de moins d'un an et donnait l'autre main à une petite fille tout aussi angélique, âgée de trois ans peut-être, solennelle et couverte de sueur dans son manteau trop habillé de velours fuchsia, avec bonnet et guêtres assortis. Derrière, une main posée sur l'épaule de sa petite sœur, une fillette plus grande que moi mais manifestement plus jeune me dévisageait ouvertement avec les extraordinaires yeux bleus de sa mère. Quelque chose dans son regard traversa le mien et s'enfonça droit dans mon cœur avec une telle force que j'eus l'impression d'avoir avalé une flèche enflammée. Je clignai des yeux, déglutis en silence, comme un poisson hors de l'eau, puis, à ma grande surprise, je souris.

Elle sourit en retour. Ses cheveux couleur feuille morte flottaient comme des fils de soie autour de son mince visage. Ses cils étaient des toiles d'araignée sur ses joues roses. Comme sa mère, elle était svelte et grande, longiligne, avec des mains et des pieds menus. Elle portait une salopette en velours, des bottes crottées.

De toutes les personnes rassemblées dans le hall, elle fut la première à parler.

– Il y a quelque chose qui pue, déclara-t-elle d'une voix lente et profonde, comme de la musique, comme du miel.

– Lucy ! s'écria ma tante Willa, scandalisée.

Mes parents échangèrent un regard.

– Ah ! oui, alors, acquiesçai-je, une joie inexplicable chantant dans mes veines. C'est Martha, à la cuisine. Elle fait cuire de l'agneau pour le dîner. Pouah !

– On dirait plutôt qu'elle fait cuire du chien, dit Lucy Bondurant.

Elle s'esclaffa, d'un rire semblable à une bannière de soie. Je l'imitai, et même après que les adultes nous eurent forcés à nous excuser et nous eurent expédiés en haut nous « calmer », nous continuâmes à rire. C'était le premier vrai rire que j'entendais dans la maison de Peachtree Road.

Quand notre hilarité cessa, Lucy me demanda :

– Y a pas d'autre enfant que toi, ici ?

– Non, répondis-je, honteux sans savoir pourquoi.

– Ça ne devait pas lui plaire quand ton papa lui montait dessus, alors, dit Lucy.

– Qu'est-ce que tu racontes ?

Je sentais sur ma peau des fourmillements annonçant qu'il allait se passer quelque chose.

– Moi, ma mère, elle riait et elle poussait des cris quand mon père montait sur elle, reprit Lucy. C'est pour ça qu'on est trois. Comme tu es tout seul, c'est que ta maman n'aimait pas ça et qu'elle a arrêté de le faire.

– Elle n'a pas arrêté, répliquai-je, indigné. Il lui monte dessus tout le temps mais elle ne rit pas. Elle pleure. Elle pleure presque toutes les nuits. Je le sais parce que je couche dans leur chambre.

Elle me regarda de ses yeux bleus étonnés.

– Pourquoi ? Pourquoi tu n'as pas une chambre à toi, riches comme vous êtes ?

– Riches ? répétai-je stupidement.

– Bien sûr. Pourquoi tu crois qu'on a fait tout ce chemin pour venir ici ? Maintenant, on sera riches, nous aussi.

C'était trop de révélations soudaines et étranges. Mon estomac se souleva, je courus à la salle de bains et je vomis. Martha me mit immédiatement au lit et j'avais encore le cœur barbouillé quand ma mère téléphona à ses amies pour leur narrer l'invasion des Infidèles. Je mis longtemps à trouver le sommeil.

Je finis cependant par m'assoupir et je dormis cette nuit-là dans un pays différent, un pays où nous étions riches, et donc différents des autres, où les femmes riaient et criaient leur plaisir pendant l'amour.

Un pays où, avec Lucy, tout devenait possible.

J'ai dit que je ne sors plus mais ce n'est pas exact. Je sors en fait presque tous les soirs. Après que les dernières lumières se sont éteintes, quelles que soient l'heure et la saison, j'enfile mes baskets et je cours dans Buckhead. Certains soirs, je couvre jusqu'à vingt ou trente kilomètres. Je ne sais jamais, au moment où je me lance, lequel de mes nombreux itinéraires je prendrai. Mes pieds décident pour moi.

Courant d'une foulée régulière, par une odorante nuit de printemps ou sous un ciel d'hiver semé d'étoiles, j'égrène les noms des rues et des habitants comme les perles d'un rosaire, sans réfléchir, sans m'interroger sur leur sens ou leur importance. Ces noms sont mon catéchisme.

Je prends à droite et je descends Muscogee Avenue, je passe devant la maison des Cameron – Merrivale, l'appelaient-ils, du nom du berceau de la famille de Dorothy, dans le Dorsetshire –, 17 Muscogee Avenue. Elle fut construite en 1921 par Neel Reid, architecte classique dont Atlanta faisait grand cas et dont les années d'études à l'étranger constellèrent les collines boisées du nord-ouest de la ville de propriétés de style grec antique, Renaissance ou baroque italien. Ces villas étaient parfois conçues comme des maisons de campagne, parfois comme le symbole éclatant de la position sociale élevée de leur propriétaire. A l'époque où la plupart d'entre elles furent bâties, dans les années 1910, 1920, et au début des années 1930, réceptions et jardins étaient les deux passions du Vieil Atlanta. La plupart des maisons avaient – et ont peut-être encore – des jardins vastes comme des parcs, dessinés par un paysagiste, qui s'étiraient l'un après l'autre, sur des kilomètres, si bien que, au printemps, des rues entières semblaient n'être qu'un grand jaillissement de couleurs.

Nombre de vieilles maisons ont cédé la place à des immeubles clinquants qui défigurent Buckhead ; d'autres passent aux mains des Arabes et des parvenus, qui seuls ont les moyens de les entretenir. En 1907, quand fut créée la première ligne de trolleybus reliant Buckhead au centre, on pouvait acheter du terrain dans West Paces Ferry Road pour quatre-vingt-dix dollars l'acre. Aujourd'hui, les prix grimpent parfois jusqu'à deux millions.

Quelle ironie : c'est l'argent qui a bâti Buckhead et c'est l'argent qui le tue.

Je ne vois cependant pas les pancartes des agents immobiliers, les mauvaises herbes poussant là où ondoyaient autrefois des pelouses de la couleur et de la texture d'un tapis de billard. Je vois à leur place Sarah, Ben et moi, dans le jardin du 17 Muscogee Avenue, courant à travers le jet du tuyau d'arrosage tenu par Leroy Pickens, le chauffeur des Cameron, occupé à laver les limousines noires Packard de Ben Cameron.

– C'est comme ça que mon père se baigne, crie Ben.

Il saute haut dans l'arc-en-ciel liquide en se contorsionnant de manière extraordinaire.

– Non, comme ça, corrige la petite Sarah.

Elle bondit à son tour, le corps cambré en un superbe arc brun, comme une loutre entrant dans l'eau. En cet instant, elle laisse deviner la mince et adorable créature aquatique qu'elle deviendra.

Je me tords de rire sous le jet parce que l'idée que des parents puissent se baigner, même Dorothy et Ben Cameron père, que j'adore, me paraît inconcevable.

– Et ton papa, Shep ? Comment il se baigne ? demanda Ben. Je parie qu'il se vautre dans la boue en grognant, comme un phacochère !

Ben n'est pas cruel. La comparaison entre l'animal et mon père, massif et rougeaud, s'impose curieusement. De plus, Ben et Sarah ont effectivement vu un phacochère dans sa souille au cours du voyage en Afrique qu'ils ont fait avec leurs parents.

Mon rire se tarit.

– Je ne crois pas qu'il se baigne, dis-je, incapable d'imaginer mon père nu et mouillé.

– Alors, il doit puer, réplique Ben, saisi d'un nouvel accès d'hilarité.

Sarah arrête ses cabrioles, fusille son frère de ses grands yeux marron.

– Shep a raison, dit-elle. Arrête de ricaner, Ben Cameron, parce que je sais que maman et papa ne prennent pas de bain non plus.

Elle tourne vers moi un regard d'où coule un flot apaisant.

– On inventait, Shep, assure-t-elle. Maman et papa ne prennent jamais, jamais, jamais de bain.

C'est un énorme, un superbe mensonge. Nous nous remettons à rire et je continue ma course, abandonnant la maison, obscure à présent, que j'ai toujours considérée comme la plus romantique des propriétés de Buckhead.

A gauche, dans Rivers Road, devant la maison en bois blanc des Slaton. Je vois Alfreda, menue comme un oiseau dans ses nombreux jupons, monter dans la Chevrolet 1935 de Tom Goodwin, dépourvue de pare-chocs, de toit et de pot d'échappement, pour se rendre à un bal d'étudiants. La petite Freddie, aussi jolie qu'elle le sera jamais, une main possessive sur le bras de Tom.

Je suis à l'arrière de la Chevrolet avec Lucy – c'est la période pré-Red Chastain – et les yeux vifs de Freddie remarquent la petite forêt d'orchidées ornant la robe, les cheveux et le poignet de Lucy. Elles ne viennent pas de moi mais des garçons avec qui elle a rendez-vous au bal et de ses admirateurs en général. C'est une coutume barbare mais immuable. Freddie, elle, ne porte qu'une modeste fleur violette car Tom, dont le père n'a pas une fortune comparable aux nôtres, n'a pas les moyens d'offrir de somptueuses orchidées blanches. Le visage de Freddie se durcit.

– Ma parole, Lucy, tu ressembles à une salade de fruits, dit-elle d'un ton doucereux.

Pauvre Freddie, ses envies la projettent toujours dans des compétitions où elle est surclassée.

– Oui, sûrement, répond Lucy de sa voix paresseuse. Et toi, ma chérie, tu as l'air d'une assiette vide.

Victoire éclatante. Freddie demeure murée dans sa peine et sa rage pendant le reste du trajet jusqu'au Brookhaven Country Club. La nuque de Tom a viré au rouge foncé et je lance à Lucy un regard sévère. Je suis dans mon humeur de saint Shep le Défenseur, et la souffrance féminine, même celle de Freddie, m'est intolérable. Lucy me considère d'un air renfrogné puis sourit.

– Vache, la fille, murmure-t-elle.

Et je ne peux m'empêcher de sourire moi aussi.

Peachtree Battle Avenue, coupée par son parc boisé. C'est le printemps, je crois : avril, avec les feuilles nouvelles, tendres et délicates, les étoiles blanches des cornouillers, incandescentes à la lumière des réverbères. Les réverbères à travers le feuillage printanier... Ils sont suspendus au-dessus de mon enfance, petites icônes de l'enfant des villes. Je passe Woodward Way, remonte Dellwood, à droite, parviens devant l'énorme édifice où vivait la famille de Carter Rawson. Il y habite encore, avec Little Lady. La maison est aujourd'hui baignée de lumière comme elle devait l'être alors, à l'époque où je ne connaissais pas Carter. En fait, je n'ai pas mis les pieds dans cette maison avant la réception que les parents de Carter donnèrent pour ses fiançailles avec Little Lady, et ce que je vois maintenant, c'est le long jardin aux proportions exquises dont l'allée centrale conduit à un belvédère ionique couvert d'un dôme, où Little Lady, encadrée par des colonnes, se tient près de Carter telle une bergère de porcelaine.

– Bonsoir, Mrs. Draper, dit-elle d'une voix aimable à une énorme matrone en la gratifiant d'un battement de ses célèbres cils dorés. Bonsoir, Mrs. Dorsey. Comme c'est gentil à vous de venir partager ce jour de bonheur avec Carter et moi. J'espère que vous serez parmi les premiers à nous rendre visite quand nous rentrerons de Sea Island. Nous raffolons tout simplement de votre splendide porte-toasts. C'est une pièce de famille, n'est-ce pas ?

Et les deux vieilles dames se décident à sourire, projetant Little Lady comme une fusée dans l'ionosphère de la bonne société d'Atlanta.

– Merde, grommelle à mi-voix Lucy, qui se trouve derrière moi au bras de Red Chastain. Qu'est-ce qui manque à ce film ? Je sais. Il n'y a pas de fond musical. Il devrait y avoir un orchestre caché derrière les buissons et jouant *Fascination*.

A droite dans West Wesley, à gauche dans Habersham, puis une longue montée jusqu'à la maison de Tom Goodwin, beaucoup plus petite, un bâtiment de briques et de bois aux lignes nettes qui ne fut pas dessiné par Neel Reid ou quelque autre célébrité mais par un entrepreneur dont la firme était cliente du père de Tom, propriétaire de la première agence de publicité de la ville. La famille de Tom a de l'argent, mais pas assez, des ancêtres, mais pas assez, et la maison est loin d'être assez majestueuse pour maintenir les Goodwin en toute sécurité dans le « grand monde » où ils vacillent. L'endroit cependant est irréprochable et cette adresse de Habersham Road finira par valoir à Tom la petite main délicate de Freddie Slaton.

A droite, dans la grande artère qu'est West Paces Ferry Road. Elle mène au fleuve, où un certain Hardy Pace exploitait effectivement un ferry*, et est devenue aujourd'hui l'un des axes est-ouest le plus embouteillés de la ville. Mais pendant les nuits au temps immobile que traverse ma course, on n'aperçoit dans les bois sombres que les lumières des quelques grandes maisons qui la bordent de chaque côté. Là où se dresse aujourd'hui la nouvelle résidence du gouverneur, trente ans après, je ne vois que la forêt. Le grand édifice de pierre situé plus bas est encore la demeure de la famille Grant et non le Cherokee Town Club, prétendant malheureux au trône du Driving Club. Les bois, et l'odeur du chèvrefeuille, du goudron chaud dans l'air fraîchissant de la nuit, de l'herbe tondue... et plus loin les lumières éparpillées, l'écho occasionnel de la circulation de Buckhead même.

Parvenir à l'intersection familière de Peachtree Road, de West Paces Ferry et de Roswell, c'est comme sortir du noir de l'Enfer pour entrer dans la blancheur radieuse et éternelle du Walhalla. J'ai toujours eu cette impression. Tout est là, dans ce carrefour minable des années 50. Quel pouvoir ces enseignes fluorescentes pâlottes, jaunes, roses et bleues, ont-elles sur les myriades de fantômes qui volettent comme des papillons de nuit autour de Buckhead ! Jim Dickey en parle dans *Looking for the Buckhead Boys*. Ce poème me bouleversa la première fois que je le lus et j'essayai de joindre Jim pour lui dire ce qu'il signifiait pour moi, mais il avait quitté l'État et le Sud, m'expliqua sa sœur, et il ne serait probablement pas de retour avant longtemps. Jim sait ce qu'il faut pour survivre à Buckhead : un éloignement qui ne se mesure pas en kilomètres.

Il écrivit :

La première place au cœur
De ma tache aveugle revient
Aux Buckhead Boys. Il suffit que j'en trouve un seul pour
Être chez moi. Et si je le trouve, si je l'attrape dans

* Ferry : bac. (N.d.t.)

Buckhead ou à l'entour, je ne mourrai jamais ; ma jeunesse entrera
En moi comme une reine.

Oui ! Et j'accélère mes foulées en courant dans Buckhead. A ma droite, le drugstore Wender & Roberts, et chez Lane, et de l'autre côté de la rue, à l'intersection de Peachtree Road et de Roswell Road, la pharmacie Jacob et la station-service Madder, et, au-dessus, la grosse lune de l'enseigne Coca-Cola. Juste après Roswell, le cinéma de Buckhead, avec le balcon pour les Noirs ayant la chance d'avoir leur soirée libre et de pouvoir quitter les grandes maisons environnantes. Je ne crois pas qu'il y eut à l'époque dans le quartier une seule tête noire qui ne fût pas domestique. Je nous vois, toute une bande, nous bousculant, nous donnant des bourrades avec des cris joyeux, sortant de chez Wender & Roberts, le drugstore d'en face, pour la séance de minuit. Au bout d'East Paces Ferry, il y avait la station de taxi où même le plus petit d'entre nous pouvait poser un penny sur le comptoir et recevoir en échange une cigarette. Et la boutique de spiritueux de Burt, derrière laquelle un ours efflanqué et déprimé dépérissait dans une cage.

En face, là où l'on construit maintenant le hideux Buckhead Plaza (invisible, invisible !), il y avait un circuit automobile miniature au centre duquel Caroline Gentry, la petite sœur de Charlie, attachait le poney de sa charrette. Elle traversait ensuite la rue pour aller au Wender retrouver Boo Cutler et prendre un Coca avec un paquet de chips. Malgré l'interdiction parentale, tous deux se rendaient ensuite au cinéma pour s'embrasser dans le noir. Personne, ni Mr. et Mrs. Gentry, ni les professeurs de Caroline au lycée de North Fulton, ni même Charlie lui-même ne parvinrent à rompre cette idylle.

Boo Cutler. Avec ses yeux bleus aux paupières tombantes, son visage de bébé gâté et pervers, sa lèvre inférieure rose bubble-gum, ses cheveux blonds coupés court et la Mercury 48 la plus rapide de tout le Sud. Boo des légendes et des rumeurs : on disait qu'il passait de l'alcool en contrebande pendant le week-end, que la police et les agents fédéraux lui avaient souvent tiré dessus sans jamais l'atteindre. Qu'il avait couché avec plus de cinquante femmes avant d'avoir l'âge de conduire, et que l'une d'elles enseignait au lycée de North Fulton. Qu'il avait dans le coffre de sa Mercury un fusil de chasse avec des entailles représentant le nombre de nègres qu'il avait tués. Qu'il avait baisé une vache.

Je crois que la contrebande d'alcool, c'était vrai. En tout cas, je me souviens qu'un soir – j'avais quinze ans et lui seize – le bruit courut qu'il traverserait Buckhead à minuit précis avec un chargement, à deux cents à l'heure, et qu'il se fichait que les flics l'attendent parce que sa Merc pouvait tous les semer. C'était à la fin de l'automne, un vendredi soir après un match de football. Nous avions dit à nos parents que nous allions au cinéma et nous nous étions cachés au coin d'East Paces Ferry et de Peachtree pour attendre Boo, dans le froid. A cette heure de la nuit, il n'y avait généralement aucune circulation et pas de lumière, excepté celle du cinéma, et le silence résonnait de nos efforts pour entendre son moteur. Le bruit fut d'abord si aigu, si perçant, que nous crûmes que c'était simplement le vent, puis Snake Cheatham s'écria : « C'est lui ! C'est lui ! »

Nous sortîmes de notre abri et nous vîmes Boo Cutler débouler au milieu de Peachtree Road déserte, le moteur rugissant, à fond, terrible et merveilleux.

Nul ne parla. Avant que nous nous fussions vraiment rendu compte de la vitesse et de la splendeur de sa course, il était passé, dans sa Mercury si basse que le pot d'échappement arrachait à la chaussée de grandes gerbes d'étincelles. Nous n'avions même pas tourné la tête qu'une bagnole noir et blanc surgissait, loin derrière, sirène hurlante, et toutes deux disparurent en un clin d'œil. Pendant un moment, nous restâmes silencieux.

– Bon Dieu, il faisait au moins du deux cent vingt, dit Tom d'une voix faible.

– J'en ai juté dans mon froc... fit Charlie d'un ton plein de respect.

Buckhead tire son nom d'une tête de daim* qu'un nommé Hardy Ivy accrocha à un arbre en 1838, au-dessus de sa taverne et de son magasin situés au carrefour. L'arbre auquel le macabre trophée était suspendu se dresse encore dans le parking d'une boutique de vins et spiritueux. Hardy paya six cent cinq dollars le terrain constituant le cœur de Buckhead, deux cent deux acres où pousse maintenant le Buckhead Plaza. Nous avons toujours entendu dire qu'il y avait sous terre de l'or qu'un vieillard et son esclave y avaient enfoui pendant le siège de la ville, « pour que ces foutus Yankees ne mettent pas la main dessus ».

C'était de bon augure. Buckhead passa toujours pour la plus riche banlieue de toute l'Amérique. Elle ne devint pas une municipalité parce qu'une ville entêtée du comté de Morgan, également appelée Buckhead, refusa de la laisser utiliser ce nom, sinon elle serait depuis longtemps une ville à part entière. Buckhead s'est toujours considérée comme distincte du géant plastronneur situé juste en dessous d'elle et s'est battue bec et ongles contre l'annexion. Je me souviens que, lorsque j'avais dix ans, notre communauté repoussa une tentative dans ce sens et organisa un simulacre d'enterrement avec trois cercueils portant les noms de Harsfield, le maire d'Atlanta, du *Journal* et du *Constitution*, qu'on trimbala fièrement aux accents de *Finlandia* joué laborieusement par la fanfare du lycée de North Fulton. Ce ne fut qu'en 1950 que la ville parvint à nous absorber et cela reste, pour nombre d'habitants de Buckhead encore en vie, une catastrophe presque aussi grave que celle provoquée par le général Sherman**.

Quittant le centre de Buckhead, je retrouve l'obscurité en continuant ma course vers le sud. Dans ce secteur, il y avait

* C'est le sens de *buckhead.* (N.d.t.)

** Qui incendia Atlanta pendant la guerre de Sécession. (N.d.t.)

de chaque côté de Peachtree Road quelques commerces épars et moribonds, puis, sur la gauche, le quartier de Garden Hills, solidement petit-bourgeois, plaisant et résidentiel, mais tout à fait différent du royaume situé de l'autre côté de la chaussée. Ce ne fut qu'en entrant au lycée de North Fulton que je fis la connaissance de quelques habitants de Garden Hills, et si, autant que je me souvienne, nous n'étions pas, nous les enfants, particulièrement snobs – du moins pas sur des questions de quartier –, c'est comme si, dans ma petite enfance, Peachtree Road constituait une ligne de démarcation aussi nette et infranchissable que le mur d'Hadrien. Plus tard, j'appris à connaître et à estimer de nombreux camarades de lycée vivant de l'Autre Côté de la Ligne, et l'un d'eux, A. J. Kemp, devint peut-être mon meilleur copain après Charlie Gentry.

Je continue à courir le long de Peachtree Road, passant devant le lycée de North Fulton et l'école primaire de Garden Hills, tous deux hors de ma vue, sur la gauche ; devant la cathédrale Saint-Philip, à droite, où nous nous rendions chaque dimanche avec une piété toute superficielle quand elle n'était encore qu'une petite église paroissiale ; devant les dernières vitrines éclairées avant de plonger dans l'ombre des maisons endormies. De vastes maisons s'alignent sur ma droite, des maisons qui pouvaient abriter, qui abritèrent effectivement des principicules, et qui subirent pendant un nombre incroyable d'années le siège de la ville. Bâties pour la plupart en briques roses, ces bâtisses avaient deux ou trois étages, des boiseries ornementales noires ou vertes, parfois des impostes, parfois des colonnes et de magnifiques façades géorgiennes. Elles dorment dans le noir, en sécurité. Dignes et belles.

Et la dernière avant d'arriver à Muscogee Avenue, la plus digne et, pour moi, la plus belle... la mienne : 2500 Peachtree Road.

Rétrospectivement, il peut sembler, à la lumière de l'enfance inassouvie que j'ai passée dans cette demeure, que ma passion pour elle confine à l'autodestruction. Pour quiconque aurait eu la moindre envie de survivre, la seule chose sensée à faire eût été de rentrer la tête dans les épaules et de nier mentalement l'existence des murs qui l'emprisonnaient et l'affamaient jusqu'à ce que se présente la première occasion de s'échapper, puis de les laisser derrière soi, sans regrets, le cœur léger. Mais ces murs de briques solides et protecteurs ne furent jamais opprimants en eux-mêmes. En fait, ils étaient un refuge, une consolation chaque fois que je les considérais, de fait ou en pensée. Et quand je quittai la maison d'assez bonne heure, ce fut avec un chagrin poignant. Et lorsque je revins, même si, initialement, ce ne fut pas de mon propre chef, mon cœur eut ce petit pincement de joie que je ressentais toujours quand, au sortir du long tournant de Peachtree Battle, je revoyais ses briques rose tendre et son toit à arêtier.

Il m'avait toujours paru que dans cette maison aux proportions exquises, baignée d'une abondante lumière, aucun malheur ne pouvait arriver, quel que fût le degré de discorde qui y régnât momentanément, qu'elle était simplement endormie sous l'effet d'un charme qui serait bientôt rompu et que le bonheur y pénétrerait à nouveau à flots lorsqu'elle s'éveillerait. Je crois que, si je n'y fus jamais vraiment malheureux, c'est parce que j'y attendais la joie avec une confiance absolue. Quel enfant ose regarder en face le principal danger qui le menace ? Encore aujourd'hui, alors que l'avenir que j'avais rêvé pour elle s'est évanoui, la maison du 2500 Peachtree Road m'éblouit encore par sa beauté chaque fois que je la contemple.

– Bon sang, elle est grande, hein ? dit Lucy le premier jour qu'elle passa chez nous.

Nous nous tenions dans l'allée en demi-lune devant la maison et les yeux bleus de Lucy avaient un éclat qui n'était pas uniquement dû au soleil.

– Vous faites pas payer les gens qui viennent la voir ?

– Pourquoi ferions-nous ça ? demandai-je, sincèrement intrigué.

– M'man dit que ça se fait, à La Nouvelle-Orléans.

– Pas ici, déclarai-je, sur la défensive.

– Vous vous feriez un paquet de fric, pourtant, je parie. J'vais demander à tante Olivia si je peux le faire. Je suis sûre que des tas de gens paieraient pour voir cette maison.

– Ne fais pas ça, me hâtai-je de répondre, sachant d'instinct que l'idée indignerait ma mère. Si tu veux de l'argent, je t'en donnerai. Combien il te faut ?

– Un *nickel**, dit aussitôt Lucy.

– Tu ne voudrais pas plutôt dix *cents* ? J'ai une pièce de dix *cents*.

– Non, idiot, fit-elle, méprisante. Un *nickel*, ça vaut deux fois plus que dix *cents*.

Je lui donnai le *nickel*.

La maison fut construite en 1917, non par Need Reil mais par un jeune étudiant en architecture cousin du propriétaire initial, un médecin qui avait bâti une des premières fortunes locales en investissant dans les machines à mettre le Coca-Cola en bouteilles, comme nombre de ceux qui édifièrent les premières grandes résidences de Buckhead. De fait, le croisement West Paces Ferry et Roswell Road est encore surnommé le carrefour Coca-Cola. Le jeune architecte mourut un an plus tard au cours de l'année d'étude obligatoirement passée à Florence après l'obtention du diplôme à l'École d'architecture de Géorgie. Il tenta de traverser l'Arno à la nage après une nuit passée à boire et à lire du Byron. Ma mère me raconta cette histoire quand j'avais trois ans à peine, et c'est un de mes premiers souvenirs : assis sur ses genoux dans un fauteuil à bascule, devant la cheminée de sa grande chambre du haut, me balançant d'avant en arrière tandis que le rougeoiement du feu sautait par-dessus ses mains et le sombre rideau de cheveux lisses qui tombait sur son visage et le mien.

– Tragique, conclut-elle. Tragique de mourir si jeune et si doué, si loin de chez soi. Il faut me promettre de ne jamais

* Pièce de cinq *cents*. (N.d.t.)

boire, Sheppie, et de ne jamais quitter maman. Tu me le promets ?

Je suppose que j'ai gardé de ce moment un souvenir vif parce qu'il était d'une grande rareté. En fait, je ne me souviens pas qu'il lui soit arrivé une autre fois de me bercer. La vieille Martha Cater le faisait, et aussi, m'a-t-on dit, ma grand-mère Adelaïde Bondurant, dont je n'ai pas gardé le souvenir, mais je crois que j'étais alors trop prompt à vomir pour l'estomac délicat de ma mère. Quoi qu'il en soit, je lui promis de ne jamais boire et de ne jamais la quitter : en cet instant de bonheur parfait, j'aurais promis d'entrer à la Trappe si elle me l'avait demandé.

Je n'ai jamais oublié le jeune architecte, dont le sort ne me paraissait pas tragique mais romantique et indiciblement noble. Pendant des années, je gardai confusément en moi cette idée : « Quelqu'un est mort pour cette maison. » Et cette mort ignoble à Florence semblait la destiner dès le départ à quelque sort particulier.

C'est une bâtisse géorgienne de briques roses avec un toit à arêtier et des pierres d'angle, une rangée de quatre pignons mettant en valeur les petites fenêtres palladiennes du deuxième étage, et des cheminées jumelles à chaque extrémité. La façade est austère, avec des impostes et des fenêtres latérales sous un portique richement orné soutenu par des colonnes ioniques. Devant, une allée en demi-lune se découpe sur un petit rectangle de gazon, et une grille en fer forgé noire la sépare du trottoir de Peachtree Road. La plus grande partie de la propriété se trouve derrière, où le long jardin, le bassin à nénuphars et la gloriette ont été pris sur une forêt de feuillus qui s'étend jusqu'aux jardins de Rivers Road. Une fois derrière la maison, on ne saurait dire, même maintenant, que la circulation d'une ville de près de trois millions d'habitants passe quasiment devant la porte.

Bien sûr, lorsque mon père l'acquit, en 1930, c'était presque la campagne et il n'y avait guère de circulation. C'est d'ailleurs une des raisons pour lesquelles il la choisit. Venu récemment de Fayetteville, petite localité rurale, pour s'installer à Atlanta, il s'était résigné à l'idée que sa fortune et son avenir se trouvaient en ville, mais jamais il n'aurait accepté de vivre parmi ses bruits et ses humeurs. Quant à ma mère, seul le fait de savoir que Buckhead était la nouvelle adresse chic de la ville l'avait décidée à partir au fin fond des banlieues nord. Née dans une petite ville, elle aurait volontiers habité dans le centre si elle l'avait pu. Mais lorsque mon père l'emmena voir la maison et lui apprit qu'elle aurait pour voisins une des filles Candler Coca-Cola et un ancien gouverneur, elle comprit toute la sagesse de son choix. En outre, le prix demandé par le médecin récemment devenu veuf était peu élevé, et ma mère, quoique de personnalité médiocre, n'était pas idiote. C'était avec *son* argent qu'on achetait la maison.

« C'est un placement pour toi, plus tard, Sheppie », l'ai-je entendue maintes fois répéter pendant mon enfance. Et ce fut le cas, mais pas de la façon qu'elle avait prévue. Elle pensait, je le sais, que je me marierais et que j'y élèverais une famille exemplaire après qu'elle aurait elle-même pleinement profité de l'adresse et du voisinage, tous deux irréprochables. Elle n'imaginait pas que j'y vivrais en exil volontaire, loin du monde.

L'intérieur était d'un style géorgien quasi classique : un hall d'entrée rond surmonté d'un dôme, creusé de niches ornées de fleurs ou de statues, donnait à gauche sur une vaste salle à manger, suivie de l'office et de la cuisine. Un magnifique escalier incurvé s'élevait de l'entrée vers les étages, et quand j'étais enfant, j'imaginais Lucy le descendant en robe blanche de mariée pour me retrouver en bas. Je la vis effectivement le descendre en robe blanche des années plus tard, mais ce n'était pas pour son mariage. Cela, c'était réservé à Little Lady, et je ne puis m'empêcher de penser que ma tante Willa avait commencé à y songer lorsqu'elle avait pénétré dans la maison pour la première fois, ce soir de printemps 1941.

Derrière l'escalier se trouvait une bibliothèque octogonale lambrissée que mon père utilisait comme bureau, et, bien qu'elle fût magnifique, aérée et baignée de lumière comme toutes les pièces du bas, je ne l'aimais pas et on ne me permettait jamais d'y rester longtemps. Les soirs d'hiver, nous y passions une heure tous ensemble avant le dîner, mon père, ma mère et tante Willa, buvant un whisky ou un xérès tandis que les enfants, récurés et peignés, écoutaient la radio en sourdine. Mais la plupart du temps, la famille se tenait dans la petite salle à manger située derrière le séjour ou, pendant les longs printemps tièdes, en été et en automne, dans la confortable véranda un peu délabrée courant à droite de la bibliothèque.

En haut, à gauche de l'escalier, la chambre et la salle de bains de mes parents, avec une véranda rarement utilisée et le petit cabinet de toilette où je dormais d'un sommeil captif et furieux. A droite, les deux chambres qui devinrent celles de tante Willa et de Little Lady, et la chambre de bonne dans laquelle le petit Jamie Bondurant dormit si peu de temps. Derrière l'escalier, au-dessus de la bibliothèque, il y avait une véranda où Lucy et moi jouions quelquefois par les chaudes journées avant de nous approprier la gloriette.

Au deuxième étage, en haut d'un escalier étroit, se trouvaient les chambres basses et humides que les domestiques refusaient d'occuper et qui devinrent notre refuge d'enfants. Elles étaient sombres, sans air, étouffantes en été, mais pour Lucy et moi, c'était un sanctuaire que nous gardâmes jalousement et que nous partageâmes jusqu'à ce que nous fussions trop âgés pour cela. Même alors, lorsque la sagesse de notre séparation m'apparut, je portai le deuil de ces combles et Lucy pleura inconsolablement pendant des jours.

– Qu'est-ce qu'ils s'imaginent qu'on aurait fait de mal ? me lança-t-elle dans la gloriette, après l'incident qui causa notre séparation.

– Ben, tu sais bien, marmottai-je en rougissant.

– Alors, ça, c'est vraiment idiot. Je ne veux pas, et tu ne saurais même pas ce que c'est si je t'en avais pas parlé. Je suis même pas sûre que t'as déjà ton machin, en plus.

– Va-t'en, Lucy, j'entends ta mère qui t'appelle et j'ai des choses à faire, répondis-je, le visage en feu.

– De toute façon, je voudrais pas le faire avec toi, répliqua-t-elle avec des larmes de colère. Tu te mettrais sûrement à tousser ou à vomir.

Lucy, dix ans, connaissait mieux que ma mère les faiblesses de ma chair comme les déficiences de mon âme.

La gloriette ! Elle fut toujours pour moi, puis pour nous deux, un pur enchantement, un lieu à part, exerçant la fascination qu'ont pour les enfants toutes les miniatures parfaites. C'était une réplique fidèle de la maison, avec le même toit à arêtier, des fenêtres palladiennes à volets noirs au rez-de-chaussée et un portique à fronton et colonnes. Elle était enfouie dans un ondoiement de vieux buis et de myrte, adossée à un bois épais. Une glycine s'arquait au-dessus du portique et baignait les deux pièces d'une lumière lavande parfumée chaque printemps. L'une d'elles, qui servait de séjour et de salle à manger, avait un sol carrelé et une petite cheminée en pierre ; l'autre, plus petite, servait de chambre. Entre les deux, il y avait une salle de bains exiguë et une minuscule cuisine. Elle avait été construite pour ma grand-mère Adelaïde, qui vint vivre chez son fils et sa belle-fille à la mort de mon grand-père, avant ma naissance, mais n'y habita que deux ans avant de mourir à son tour ; et la gloriette demeura inoccupée jusqu'à ce que Lucy et moi la revendiquions et en fassions notre base d'opérations. Cela ne dérangeait pas vraiment mes parents ni la mère de Lucy. Le mobilier était trop luxueux pour les domestiques (qui, de toute façon, avaient leurs quartiers au-dessus du garage) et pas assez pour recevoir. Ma mère n'avait jamais aimé les meubles simples et patinés par l'usage de ma grand-mère. Elle avait envisagé de creuser une piscine dans le jardin à l'endroit du bassin et de transformer la gloriette en vestiaires et douches, mais elle et mon père étaient tous deux trop blonds pour prendre de bains de soleil, et quant à moi, je fus jugé trop frêle.

Tout ceci m'appartenait donc depuis la naissance, cette

profusion de grâce, de symétrie et d'isolement, mais il fallut les yeux bleus étincelants de clarté et l'imagination étrange, bondissant comme du vif-argent, de ma cousine Lucy Bondurant pour ouvrir mes propres yeux et mon cœur à la magie unique du lieu. Je ne sais ce que je serais finalement devenu – suicide, carrière d'agent de change ? – si elle n'était pas venue vivre avec nous. Mais elle vint, et à l'instant révélateur où, pénétrant dans le hall circulaire de la maison de Peachtree Road, elle déclara de son extraordinaire voix féline : « il y a quelque chose qui pue », mon destin fut scellé au sien : joie et solitude seraient miennes, à part égale, jusqu'aux marches lointaines de ma vie.

2

Elles n'étaient pas dans la maison depuis une semaine qu'il m'apparut que l'ombre de mon oncle Jim allait planer sur la vie de Lucy, et donc sur la mienne, comme l'un des personnages grotesques et menaçants du défilé organisé par *Macy's** le jour de *Thanksgiving***.

Depuis leur arrivée, je n'avais pas repensé à lui, ou alors de façon abstraite, comme à la cause de l'irruption de Lucy dans ma vie, et personne – ni mes parents, ni ma tante Willa, ni Lucy elle-même – n'y avait fait allusion. Si Little Lady réclamait son père, si elle zézayait son nom en pleurant, nous ne l'entendions pas car elle passait ses journées au premier étage, dans la chambre-nursery hâtivement préparée par Martha et ma mère, sous la surveillance de Toto, la fille de Martha. Le petit Jamie, enfant heureux, ne pleurait jamais, ni pour son père ni pour quoi que ce soit. Pendant une courte période, ce fut comme si Jim Bondurant n'avait jamais existé.

Le cinquième jour de leur présence chez nous, vers quatre heures de l'après-midi, Martha Cater passa la tête dans la chambre exiguë, devenue récemment mienne, où je m'éveillais en bâillant d'une sieste imposée, et me demanda si je

* Chaîne de grands magasins. (N.d.t.)

** Jour d'action de grâces, mais surtout fête familiale célébrée le quatrième jeudi de novembre. (N.d.t.)

savais où était Lucy. Je l'ignorais. A deux heures, comme on en avait pris l'habitude, on l'avait mise au lit dans la chambre voisine de la mienne et elle s'était endormie avant moi. Je le savais parce qu'elle n'avait pas répondu à la dernière des questions que je lui avais posées d'une voix ensommeillée. Peu après, je m'étais assoupi.

Personne en bas ne l'avait vue non plus, et une rapide exploration des abords du jardin se révélant vaine, Martha était remontée en marmonnant prévenir ma mère et tante Willa. A cette époque, en dehors des occasions telles que repas et apéritif où mes parents la conviaient à les rejoindre, Willa Bondurant passait tout son temps dans sa chambre avec ses enfants. Je n'ai aucune idée de ce qu'elle y faisait – elle s'occupait probablement de ses ongles, de ses cheveux et de ses quelques toilettes, car elle était chaque soir plus resplendissante que la veille lorsqu'elle apparaissait dans la « bonne » véranda pour prendre un verre. Je savais en tout cas qu'elle ne lisait pas.

Mère et tante Willa furent suffisamment alarmées par la disparition de Lucy pour descendre en peignoir et en pantoufles, maman interrompue dans son méticuleux maquillage du soir, tante Willa fardée comme une danseuse de kabuki. Ne voulant pas déranger mon père dans son bureau, elles envoyèrent Martha inspecter en haut toutes les cachettes imaginables que la maison recelait et moi-même chercher dans le jardin et la gloriette. De la véranda de derrière, elles appelaient, sans crier trop fort : « Lucy ! Lucy Bondurant ! Reviens immédiatement. » J'entendais leurs voix s'élever et se mêler – l'accent doux et traînant, le miaulement aigu de chaton – tandis que je battais les buissons et parcourais les pièces de la gloriette.

– Tu devrais venir maintenant, disais-je à voix haute, persuadé que Lucy était dans les parages. Tu seras drôlement embêtée si mon père se fâche contre toi.

Mais je n'obtins pas de réponse et bientôt, effrayé par le son de ma propre voix, je cessai d'appeler et revins bredouille à la maison.

Mère fit alors venir Shem Carter, qui traversa les épais sous-bois jusqu'à Rivers Road et frappa même aux portes de plusieurs maisons voisines, sans trouver trace de Lucy. Lorsque mon père, attiré par cette agitation contenue et son bourbon de six heures, sortit de la bibliothèque et fit le tour de la maison pour aller dans la véranda, l'après-midi perdait peu à peu sa lumière, les ombres s'allongeaient, bleuissaient. Shem et lui prirent la Chrysler pour patrouiller dans Buckhead, remontèrent des rues sinueuses et couvertes d'un dais de feuillage, en descendirent d'autres, s'arrêtèrent devant de grandes bâtisses au bout de longues allées. Shem attendait tandis que mon père s'enquérait d'une frêle enfant de cinq ans, brune aux yeux bleus, vêtue d'une salopette de velours côtelé. Personne ne l'avait vue.

J'étais au supplice, submergé de douleur muette. C'était la première fois que j'éprouvais un tel sentiment de perte car, pour une raison quelconque, je n'avais jamais eu ce banal fantasme enfantin que mes parents mouraient et me laissaient seul. N'ayant jamais eu d'animal familier, je n'en avais jamais perdu et je n'avais pas su mettre un nom sur l'impression de malaise que la mort de mon grand-père Redwine, que j'avais peu connu, m'avait laissée. Mais Lucy était pour moi l'être cher par excellence. Elle avait pénétré dans ma vie comme un tourbillon radieux, apportant avec elle la libération, le rire, l'enfance, et j'avais succombé sans qu'un seul coup de feu ait été tiré. En outre, j'avais accueilli la joie qu'elle avait fait naître comme le secret que j'attendais depuis si longtemps, et il ne m'était pas venu à l'esprit que je pouvais le perdre. Je faisais à présent pour la première fois l'expérience de la vulnérabilité, de la fragilité et du terrible pouvoir du monde. La peur, la révolte hurlaient en moi avec une telle force que je ne pus que m'accroupir dans un coin, les bras autour des genoux, la tête basse, en pensant à tout ce qui aurait pu arriver à Lucy.

Agacée et, je le suppose, quelque peu inquiète, ma mère gardait les lèvres serrées tandis que mon père donnait libre cours à son exaspération. Tante Willa paraissait plus embarrassée que bouleversée.

– J'vais lui tanner la peau des fesses quand j'mettrai la main sur elle, répétait-elle en coulant un regard en biais à ma mère impassible, en observant mon père par-dessous ses cils hérissés de rimmel. C'est une grosse têtue, elle tient de son père. Mais d'habitude, elle fait pas ça. Seigneur, j'espère qu'elle est pas partie avec un homme. Elle aime bien les hommes, elle a pas la tr... elle a pas peur de ce qui porte culotte. Je lui ai dit et redit mais c'est comme si elle m'entendait pas...

– Il n'y a aucun homme dans ce quartier qui lui ferait du mal, coupa ma mère d'un ton froid. Nous connaissons tout le monde, y compris les domestiques. Elle ne risque absolument rien avec les gens du voisinage.

– Oui, bien sûr, marmonna ma tante Willa en rougissant. Je voulais pas dire que quelqu'un de votre connaissance pourrait... vous savez...

– Je sais. Vous pouvez être tranquille de ce côté-là, conclut ma mère, et Willa se tut.

Mais moi je ne savais pas, et la chose inimaginable, sans nom, me glaçait le cœur.

Il faisait nuit et mon père s'apprêtait à téléphoner à la police quand Lucy émergea du jardin, les cheveux en désordre semés de brindilles, ses grands yeux couleur de fumée. Même dans l'obscurité verte je pouvais voir la douce blancheur de son sourire.

Elle n'expliqua pas où elle avait été si ce n'est pour dire « là-bas ». Même après que Willa l'eut saisie par ses maigres épaules et secouée jusqu'à ce que sa tête pende au bout de son cou comme celle d'un poulet, et lui eut administré plusieurs fessées d'une telle férocité que mon père finit par intervenir en disant : « Ça suffit », elle ne répondit rien d'autre que « là-bas » et ne fournit jamais d'autre explication. Elle paraissait ne pas comprendre pourquoi on la punissait.

Quand tante Willa cessa de la fesser et, haletante, laissa sa main retomber, Lucy leva la tête vers elle, pâle, l'œil sec, et demanda :

– Tu me fais un câlin, maintenant, maman ?

– Bien sûr que non ! s'écria Willa d'une voie aiguë. Tu as été très vilaine. Tu nous as flanqué une peur bleue, et ton oncle Sheppard t'a cherchée partout avec la voiture, et le dîner est fichu... Pas de câlin pour les vilaines filles.

– Papa me câlinait tout le temps, répondit Lucy, davantage pour moi que pour sa mère furieuse.

– Non, c'est pas vrai. Il te câlinait jamais. T'étais tout le temps vilaine et il t'a jamais câlinée. Il te corrigeait, oui, voilà ce qu'il faisait. T'étais si vilaine qu'il te frappait chaque fois qu'il te voyait.

Lucy se mit alors à pleurer. Ses yeux bleus se plissèrent d'angoisse, ses mains se portèrent à sa bouche.

– Moins qu'il te frappait, toi ! cria-t-elle en s'éloignant de nous. Il te frappait plus que moi !

– LUCY ! glapit tante Willa.

Mais la fillette s'était réfugiée dans la pénombre du premier étage. Ne pouvant supporter le visage cramoisi et marbré de ma tante, je regardai mon père, qui eut une grimace de dégoût. Je tournai les yeux vers ma mère. Fait incroyable, elle souriait. Un lent sourire épanoui que je n'avais pas vu depuis près d'une semaine. Posant une main fine sur le bras de ma tante, elle suggéra :

– Venez donc dans ma chambre, Willa. J'ai dans mon placard quelques vêtements que je ne mets plus. Je pense qu'ils vous iront très bien. Martha s'occupera de Lucy pendant ce temps-là.

J'examinai alors ma tante avec plus d'attention. Avant que ne se baissent ses cils noirs, je découvris dans ses yeux une haine pure et forte.

Une longue et terrible symbiose venait de commencer.

– Merci, Olivia, murmura-t-elle.

Je suivis Lucy en haut, attendis que Martha sorte de la petite chambre pour y entrer à mon tour et m'asseoir au bord du lit. Lucy ne pleurait pas mais regardait droit devant elle dans l'obscurité où je pouvais voir le bleu fiévreux de ses yeux.

– Moi, je te ferai un câlin, si tu veux, proposai-je.

– S'il te plaît, répondit-elle d'une petite voix fluette. Il faut que tu me prennes dans tes bras pour m'empêcher de m'envoler.

Cela ne me parut alors ni étrange ni inquiétant. Je me glissai dans le lit à côté d'elle, l'enlaçai maladroitement et nous demeurâmes ainsi jusqu'à ce que les battements de son cœur ralentissent et qu'elle s'endorme. Juste avant, elle murmura :

– Il me câlinait aussi, tu sais. Mon papa me faisait tout le temps des câlins, jamais aux deux autres ni à ma maman. Rien que moi.

Je la serrai contre moi jusqu'à en avoir les bras douloureux et engourdis, puis je sortis de son lit le plus lentement et le plus doucement possible pour qu'elle ne s'éveille pas. Mais je savais, même alors, bien que j'eusse été incapable d'exprimer clairement cette pensée, que ce n'était pas mes bras que Lucy cherchait. C'étaient ceux d'un fantôme disparu, et, qu'elle eût menti ou dit la vérité avant de glisser dans le sommeil, jamais plus elle ne les retrouva.

Lucy n'était certes pas la première femme à qui les bras de mon oncle Jim avaient apporté joie et souffrance. Toute sa vie il avait fait des promesses, qu'il avait trahies. De six ans plus jeune que mon père, Jim Bondurant fut le préféré de la famille dès l'instant où il entra dans la vie, dans le lit de ma grand-mère Adelaïde, à Fayetteville. L'accouchement avait été rapide et facile pour lui, long et pénible pour mon père. Jim avait à sa naissance des cheveux soyeux d'un blond argenté, des yeux de velours bleu pensée ; la blondeur de mon père confinait à l'albinisme, ses yeux laiteux ne cessaient de cligner. Mon oncle avait un visage de satin rose, un sourire pur ; le visage de mon père était tavelé de rage et de chagrin, et il vagissait son angoisse devant un monde qu'il devait percevoir d'entrée comme peu aimant. Ses traits étaient déjà lourds, et le seraient davantage par la suite ;

ceux de Jim étaient d'une finesse aristocratique. Toute sa vie, mon oncle séduisant, insouciant et plein d'ardeur dut donner l'impression d'être l'homme auquel mon père avait servi de brouillon. Dès sa naissance, les femmes se bousculèrent pour exaucer ses désirs, mériter son sourire magique et pleurer quand il les quittait. De toute son existence, James Clay Bondurant ne jugea jamais utile de s'attarder pour affronter le mauvais temps. Des cieux cléments l'attendaient toujours à proximité.

Mon père, réduit à se frayer un chemin dans la vie avec des poings gros comme des jambons et un visage cramoisi de colère, ne pouvait que le haïr et se réjouir, tout en les déplorant à voix haute, de toutes les escapades qui faisaient sourdre les larmes des yeux de ma grand-mère Adelaïde. Mais il faut dire à son honneur qu'il ne fustigea son frère ni devant ses parents ni devant quiconque d'autre, et que ce fut en définitive cette loyauté taciturne, cette inertie de roc, qui lui valurent l'assentiment réticent de la vieille Adelaïde : « C'est un bon garçon, un garçon sérieux. Et qui gagne de l'argent. »

Elle fit ce compliment devant une assemblée de dames réunies dans le salon de la vaste maison de son fils, pendant le peu de temps qu'elle y vécut, juste avant sa mort. A cette époque, mon père accédait à la vraie richesse et Adelaïde n'avait pas de nouvelles de son fils cadet depuis plus de cinq ans. Les chèques envoyés régulièrement pour couvrir les désastres en série et les faux départs qui constituaient à présent l'existence de Jim provenaient non plus d'elle mais de mon père. Elle savait cependant qu'il était marié mais, comme elle finit par interdire qu'on prononçât son nom en sa présence, elle mourut sans apprendre qu'il avait une fille, Lucy, qui était l'image de sa grand-mère enfant. Ma tante Willa éprouva sans aucun doute une vive amertume de ce que la vieille dame soit morte avant la naissance de la petite-fille portant son nom, encore que Willa Bondurant eût probablement compris alors que toute une ribambelle de petites Adelaïde blondes n'auraient pas fléchi sa belle-mère.

Peut-être choisit-elle le nom d'Adélaïde dans l'espoir que Little Lady, mignonne à croquer, saurait plus tard attendrir mon père, le seul Bondurant encore en vie susceptible de lui lancer une bouée de sauvetage. C'était, après tout, un homme qui gagnait de l'argent.

Dans l'Atlanta d'alors comme dans celui d'aujourd'hui, c'était peut-être le plus grand éloge qu'on pût faire de quelqu'un. Je me souviens d'un jour de ma petite enfance où, étendu par terre derrière le Capehart* dans mon douillet nid d'hiver, j'écoutais ma mère bavarder avec un groupe de bridgeuses, un après-midi de janvier rugissant. Je ne sais de qui elles parlaient et j'ignore pourquoi leurs propos me firent tendre l'oreille, mais je me rappelle que l'une d'elles déclara :

« Il est lamentable à de nombreux égards, je le sais. J'étais là quand il a fait pipi dans le saladier de punch du haut de l'escalier du Driving Club. J'étais avec Laura dans l'ambulance quand on l'a emmené à Brawner, la dernière fois. C'est un ivrogne, un prétentieux. Mais quoi qu'on puisse dire de lui, il faut reconnaître qu'il sait gagner de l'argent. »

J'en suis venu à considérer que le grand cas que nous faisons ici de l'argent n'est pas tant un signe de pur matérialisme qu'une sorte de tic hérité de la période de pauvreté et d'humiliation qui suivit la guerre de Sécession. Nous avions constaté que la foi, la vaillance stupide n'avaient pas suffi à préserver nos terres et nos foyers. Nous avions vu que nos domaines pouvaient être détruits par des armées plus fortes, achetés par des *carpetbaggers* plus riches. La défaite laissa en nous une séquelle quasi génétique de peur, un sentiment d'infériorité, d'agressivité et, oui, de culpabilité, qu'apparemment seul le baume de l'argent pouvait calmer. Aussi grossier que ce soit, cela nous a aussi restitué une ville habitable en un temps très court.

Et le gagneur d'argent industrieux et docile qu'était mon père dut ressentir au moins un petit pincement de satisfaction devant la trajectoire spectaculairement destructrice de

* Poste de radio. (N.d.t.)

son jeune frère. Après avoir été recalé à l'Université de Géorgie, exclu d'Oxford pour ivrognerie, Jim Bondurant avait été envoyé au Georgia Southern College de Statesboro, dans le comté de Bulloch, qui n'était alors qu'une petite école de la plaine côtière géorgienne écrasée de soleil. Savannah, la ville la plus proche, se trouvait à une centaine de kilomètres, et comme l'une des dernières décisions de mon grand-père avant sa mort avait été de confisquer l'automobile de son fils cadet, le jeune demi-dieu gâté devint le captif de ce Lilliput aride. Jim considéra qu'il n'avait pas le choix et entreprit de baiser le maigre contingent féminin de l'établissement.

Alors qu'il était en dernière année, il fit la connaissance de Willie Catherine Slagle, étudiante boursière en première année d'économie ménagère. C'était la fille incroyablement gironde d'un éleveur de poulets mollasson d'un hameau voisin, si petit et misérable qu'il n'avait pas de nom, et lorsqu'elle vint étudier au collège et obtint un emploi de serveuse dans l'unique café miteux de la ville, elle aurait fait n'importe quoi pour échapper aux poulaillers, aux carcasses puantes et aux brasiers de plumes qui constituaient sa vie – y compris coucher avec le beau et, disait-on, riche jeune homme d'une grande famille d'Atlanta qui lui plaisait tant.

Lorsqu'elle s'aperçut qu'elle était enceinte, Jim Bondurant était sur le point de passer son diplôme de fin d'études et sa mère, récemment devenue veuve, paraissait disposée à le reprendre dans son giron et à lui allouer des fonds suffisants pour « l'aider à démarrer dans les affaires ». Sachant pertinemment ce qu'il adviendrait de ce magot avec l'arrivée d'une belle-fille enceinte issue d'une famille de « petits Blancs », il refusa d'épouser Willie. Bon, argua-t-elle, dans ces conditions, il ne lui restait plus qu'à se tuer, mais pas avant d'avoir vu la mère de Jim pour lui parler du petit-fils qui serait bientôt assassiné.

– Je paierai l'avortement, s'empressa-t-il de répondre.

– Tu n'as pas assez d'argent pour ça, dit Willie Slagle

d'un ton calme, en songeant que, finalement, les choses n'allaient pas trop mal.

– Je le trouverai, assura-t-il.

– C'est ça, dit-elle avec un sourire. Trouve-le.

Elle savait ce qu'il se passerait quand Jim demanderait l'argent à sa mère, et c'est ce qui arriva. Jeune homme à l'esprit lent qui n'avait jamais dû recourir à la ruse ou au mensonge dans ses rapports avec elle, Jim téléphona à Adelaïde et lui expliqua pourquoi il avait besoin de cet argent. A sa stupeur et à son indignation, elle lui raccrocha au nez. Willie Catherine Slagle continua à sourire et repassa sa meilleure robe de rayonne.

Ils furent mariés par un juge de Savannah en mai, le jour où Jim obtint de justesse son diplôme. Il n'était pas mécontent de sa nouvelle épouse, dont la beauté campagnarde, quoique banale, était authentique, et dont les appétits paysans, demeurés bruts, étaient insatiables. Furieux que sa mère eût refusé de le tirer de son dernier mauvais pas de jeune homme, regrettant amèrement la splendeur urbaine d'Atlanta, il vit dans la féconde Willie Slagle une source d'inépuisable plaisir sexuel et de juste revanche. Pendant tout le week-end de leur lune de miel, il se roula joyeusement avec elle sur le lit bancal d'un motel de dernier ordre, lui acheta deux nouvelles robes et un déshabillé rose sur le chemin du retour, et finalement, par une belle nuit de la fin du mois de mai, il l'amena devant la porte du 2500 Peachtree Road, où vivaient son frère, sa languisante belle-sœur et, depuis peu, sa mère.

Un Noir hautain d'un gris cendré ouvrit la porte et déclara qu'il n'y avait personne à la maison. Comme Jim pouvait voir de la lumière aux fenêtres, il sut que ce n'était pas vrai. Il injuria le nègre et Willie Catherine, frissonnant sous la soie à fleurs malgré la douceur de la soirée, éclata en sanglots, étreignant d'une main protectrice le petit renflement dur de son ventre. Finalement, le domestique leur claqua la porte au nez et, avant que Jim ne serre les poings pour la marteler, sa femme l'entraîna par le bras. La vieille résidence des Bondurant à Fayetteville ayant été vendue, Jim ne pouvait y emmener Willie. Pour la première fois de sa vie, il dut subvenir à ses besoins et ne s'en remit jamais.

Il obtint un emploi – pomper stupidement de l'essence – dans une station-service mais le perdit immédiatement parce qu'il ne pouvait dissimuler son dégoût pour l'huile, la graisse et les clients, à qui il semblait aussi arrogant qu'il l'était en réalité. On était au cœur de la crise et les places étaient rares, même pour les jeunes gens les plus qualifiés et les plus compétents. Jim, Willa (comme elle avait décidé de s'appeler en devenant une Bondurant) et la petite Lucy dérivèrent d'une bourgade perdue à l'autre à travers tout le Sud-Est, vivant dans une succession de pensions lugubres et de chambres mansardées. La rose Adelaïde naquit alors qu'ils habitaient Charlotte et que Jim travaillait – lorsque cela lui arrivait – comme peintre en bâtiment. Deux ans et demi plus tard, leur premier fils et dernier enfant, James Clay Bondurant Junior, vit le jour à Greensboro, en Caroline du Nord.

Son père ne travaillait alors plus du tout et se contentait de boire en traversant le Sud-Est en direction du Mississippi, gratifiant alternativement de coups et de caresses sa progéniture et sa femme. Finalement, Willa et les deux petits en vinrent à fuir ses poings avec une terreur qui le mettait en fureur et il cessa de les caresser. Mais Lucy la vive, la brumeuse, recevait les coups avec des yeux secs et un petit sourire silencieux qui, curieusement, apaisaient Jim. Après chaque correction, elle tendait vers lui ses bras minces couverts de bleus et, submergé d'amour, il lui prodiguait toutes les caresses que le reste de la famille fuyait.

Quelques mois après le début de l'année 1941, Jim Bondurant partit chercher du travail à La Nouvelle-Orléans et dès son arrivée télégraphia à Willa et aux enfants de lui laisser trois jours pour trouver un endroit où vivre avant de prendre l'autocar afin de le rejoindre. Lorsqu'ils arrivèrent à la gare, Jim n'y était pas, il n'y avait pas de message, et, après avoir attendu près de neuf heures, Willa Bondurant comprit qu'il ne viendrait pas.

Avec son dernier *nickel*, elle appela Sheppard Bondurant à Atlanta et la Travelers'Aid* lui donna de quoi acheter les billets d'autocar. Shem Carter alla les chercher à la gare routière avec la grosse voiture de Sheppard et les conduisit à la maison de Peachtree Road.

Le voyage des plaines humides et infestées de moustiques de la Louisiane aux collines ravinées et couvertes de pins de Géorgie eut une importance qui ne se mesura pas seulement en kilomètres. Quelque part dans cette interminable succession de *miles*, Willa Slagle Bondurant cessa de pleurer et commença à échafauder des plans. Et lorsque, à l'arrière de la grosse voiture, elle traversa l'élégant quartier nord-ouest d'Atlanta, elle évalua d'un œil froid l'architecture, le jardin, les détails de chaque grande demeure devant laquelle elle passait. Quand elle pénétra au 2500 Peachtree Road, elle était résolue à tout faire pour ne plus jamais en repartir.

Tout cela, je l'appris de Lucy des années plus tard, une des rares fois où elle parla de la vie qu'elle avait menée avant de venir à Atlanta. Ce fut au cours de notre dernier séjour ensemble au chalet de Tate. Nous avions évoqué le passé si longuement, avec une telle absence de gêne et de rancœur, que je ne fus pas du tout surpris quand elle enchaîna sur la nuit de cet épouvantable voyage en autocar.

– Il faut lui reconnaître ce mérite, dit Lucy ce soir-là. Elle n'avait pas un sou à elle, pas de véritable instruction, pas de famille, pas d'avenir... rien qu'elle-même et trois enfants. Et elle s'était déjà présentée chez vous, rappelle-toi, et on l'avait renvoyée. Elle devait être terrifiée. Quand j'ai fini par m'endormir, non loin de Biloxi, elle pleurait encore. Mais lorsque je me suis réveillée, à Mobile, elle se remettait du rouge et se recoiffait, avec son petit sourire de Mona Lisa. Je lui ai demandé ce qui la faisait sourire, elle m'a répondu : « L'avenir. Nous aurons une belle vie dans cette grande maison. » « Mais quand c'est qu'on devra partir ? » deman-

* Travelers' Aid Society : organisation qui protège, guide et conseille voyageurs et touristes. (N.d.t.)

dai-je, parce que nous quittions toujours les endroits où nous vivions. « Jamais », dit-elle.

Willa tint parole. Elle s'insinua dans la vie de la maison avec une ténacité aussi aisée en apparence qu'elle devait être pénible en réalité. Elle souriait à tout moment et de façon charmante. Elle rendait service chaque fois que l'occasion se présentait. Elle était serviable, modeste, reconnaissante, effacée, dévouée, déférente envers ma mère, juvénile et quasi adoratrice envers mon père. Et dès le début, comme pour compenser la froideur de ma mère, il montra, me sembla-t-il, une affection inhabituelle chez lui pour la beauté campagnarde à la voix monotone et aux formes rebondies qui était sa belle-sœur, ainsi que pour ses enfants.

Cette attitude était suffisamment insolite pour que ma mère la remarque. Je voyais dans ses yeux, avant que ses longs cils charbonneux ne s'abaissent, une lueur vive et nerveuse comme un jeune animal sauvage lorsqu'elle regardait mon père et ma tante pendant les premières longues soirées à la maison. Moi, cette étrangeté paternelle ne me dérangeait pas. J'en étais heureux. Une partie de sa bienveillance nouvelle rejaillissait sur moi, et, pendant une longue période après leur arrivée, je ne fus plus la cible de ses regards mécontents et de ses questions inquisitrices au cours des repas.

Tante Willa ne s'occupait pas de tenir la maison car elle avait dû rapidement sentir que ma mère ne souhaitait pas qu'elle le fît. Elle acceptait avec la reconnaissance adéquate les vieux vêtements que ma mère lui donnait ; elle accueillait avec un gracieux sourire et un plaisir bienséant le « Bien entendu, vous serez notre invitée au club dimanche pour le déjeuner » que ma mère proférait chaque semaine, sans jamais manquer d'insister sur le mot « invitée » ; elle tenait ses enfants à l'écart des adultes hormis lorsqu'ils étaient lavés, peignés, habillés et prêts à murmurer poliment bonsoir ou merci... Et elle apprenait.

Elle apprenait constamment, par les pores de sa peau et le bout de ses doigts, avec la roublardise d'un animal sur ses gardes, comment devenir une femme digne de la maison. Un an plus tard, quand la Seconde Guerre mondiale eut fait partir de nombreux hommes et détourné notre attention du rituel gracieux et lent des grandes maisons de Buckhead, elle avait quasiment atteint son objectif. Mon père, que sa tension artérielle et ses pieds plats avaient écarté de l'armée, remarqua le changement et l'applaudit. Ma mère elle-même, dont les battements de cils dissimulaient des yeux de harpie, ne retrouvait plus grand-chose en Willa de la jeune femme vulgaire, embarrassée, d'une élégance criarde et d'une sexualité débordante, qui avait débarqué dans son vestibule un an plus tôt. De mauvaise grâce, et sur l'insistance de mon père, elle commença à admettre ma tante Willa dans ses sacro-saints clubs de bridge ainsi que dans plusieurs organisations caritatives de moindre importance.

J'ignore pourquoi mon père réservait à Willa des sourires aussi bienveillants, surtout en présence de ma mère. Remarquer d'autres femmes, du moins ouvertement, lui était tout à fait étranger. Revanche sur le feu follet de frère et l'épouse devenue froide ? Simple concupiscence ? Je ne sais pas pourquoi ma mère se contentait de baisser les yeux et de sourire de son air mystérieux. Je sais maintenant, et je suppose que je devinai alors, ce que ma tante cherchait. De tous, elle était la plus simple, la plus directe.

Lucy sentait avec autant d'acuité que moi ces courants souterrains mais, étant beaucoup plus subtile, elle haussait simplement ses maigres épaules de poulain en disant :

– Ne fais pas attention à eux. S'ils s'aperçoivent que tu les trouves bizarres, ils te dégringoleront dessus.

Le lien qui s'était établi entre nous le premier soir dans l'entrée devenait sans cesse plus profond. En apparence, nos tempéraments n'auraient pu sembler plus différents : j'étais timide alors qu'elle était sociable ; dorloté alors qu'elle avait, par nécessité, pris l'habitude de s'occuper d'elle-même ; physiquement maladroit et affligé d'asthme alors qu'elle était vive et agile ; timoré alors qu'elle était intrépide. Mais nous portions tous deux les stigmates indélébiles de la différence. Nous présentions tous deux la même terrible tare, inexpiable dans notre petit monde, d'être incapable fondamentalement d'adhérer aux règles. Cette similitude rendait Lucy irrésistible à mes yeux.

Et puis il y avait sa beauté. Ma mère et Willa accordèrent d'emblée leur préférence à Little Lady et au petit Jamie, ce que je ne parvins jamais à comprendre. A mes yeux, ma cousine Lucy était de loin la créature la plus intéressante et la plus belle que j'eusse jamais rencontrée.

Il y avait parfois autour de Lucy une lumière, une sorte de halo comme autour des réverbères par temps brumeux. Elle attirait les regards, même en présence de Little Lady, poupée rose et or d'une beauté beaucoup plus classique. J'entendis ma mère dire un jour que Lucy avait les traits de sa mère, des Slagle. En revanche, Little Lady et Jamie, blonds tous les deux, étaient manifestement des Bondurant, des répliques du Jim disparu. Peut-être est-ce la raison pour laquelle ma mère se montra immédiatement aussi froide envers Lucy qu'envers Willa, alors qu'elle était plus gentille, voire affectueuse, avec Little Lady et Jamie. Peut-être Lucy était-elle trop vive, trop vivante, *trop* tout court, pour la maîtresse de maison éminemment convenable du 2500 Peachtree Road.

Lucy vibrait, débordait d'une vitalité que sa peau transparente semblait incapable de contenir. Elle avait un rire profond, presque impudique, et trouvait drôles des choses qui auraient terrifié la plupart des enfants de son âge et bon nombre d'adultes.

Elle était étonnamment brillante, possédait une intelligence fantasque et vive qui s'élevait, tournoyait, s'enroulait sur elle-même. Son esprit décrivait un ballet aérien que peu de gens, hormis moi-même, furent jamais capables de suivre réellement. C'était une menteuse accomplie qui racontait à qui voulait l'écouter des histoires merveilleuses et compliquées dont elle était invariablement l'héroïne en détresse. C'était une rêveuse, un brandon, un poète, une grande lectrice. A l'âge de trois ans, elle avait appris seule à lire et lorsqu'elle vint chez nous, elle avait passé une grande partie de sa vie plongée dans des livres qui n'étaient pas de son âge mais tout à fait à sa portée.

Qui n'eût aimé Lucy ?

Un soir d'automne où il commençait juste à faire assez froid pour allumer un feu dans la bibliothèque lorsque nous nous y retrouvions à l'heure de l'apéritif, ma tante Willa entra dans la pièce un peu plus tard que de coutume et je vis ma mère lever la tête, dilater les narines comme si elle sentait, portée par un vent lointain, une odeur forte, étrangère et dangereuse. Tante Willa me parut particulièrement jolie ce soir-là. Ses joues étaient d'un rose qui ne devait rien au fond de teint, ses yeux bleus étincelaient. Elle portait une robe que je ne lui connaissais pas, toute simple, et qui épousait son joli corps comme de l'eau au lieu de lui coller à la peau comme celles qu'elle avait apportées de La Nouvelle-Orléans. La différence était énorme ; elle se voyait dans les yeux de ma mère, et de mon père.

– J'ai quelque chose à vous annoncer, chantonna-t-elle d'une voix que la pratique et l'excitation avaient débarrassée de sa monotonie.

Nous la regardâmes en silence.

– J'ai trouvé du travail ! s'exclama-t-elle. (Elle éclata d'un rire qui était un roucoulement de plaisir.) Vous avez devant vous une vendeuse de chez Rich. Je commence demain matin et je gagnerai vingt dollars par semaine, plus les primes et les réductions accordées au personnel. Qu'est-ce que vous dites de ça ?

Tout le monde la dévisagea, et ma mère fut la première à réagir.

– Vous n'avez absolument pas besoin d'aller vendre des corsets à Dieu sait qui, Willa, et encore moins à toutes mes amies. C'est de tout cœur, vous le savez, que je... que nous partageons avec vous ce que nous avons.

Le sourire de tante Willa enveloppa ma mère de miel et de fiel.

– Je n'oublierai jamais votre générosité, Olivia, affirma-t-elle de sa voix nouvelle. Mais ma maman disait que chacun doit trouver tôt ou tard un endroit où poser son derrière. Et je ne voudrais pas abuser de votre gentillesse, à Sheppard et à vous.

J'écarquillai les yeux. Je ne l'avais jamais entendue parler d'une mère ni d'une vie quelconque qu'elle aurait menée avant de partager celle de l'oncle Jim.

– Je sais que vos intentions étaient bonnes, Willa, mais vous devez songer à l'impression que cela donnera quand vous irez travailler alors que vous habitez avec votre famille...

Ma mère s'interrompit, eut un sourire sans chaleur.

– Ce qu'Olivia veut dire, c'est que ses amies croiront que c'est nous qui vous avons obligée à travailler, intervint mon père. (Il quitta son gros fauteuil en cuir, whisky à la main, traversa le tapis d'Orient aux tons passés pour déposer un baiser humide sur la joue de ma tante.) Ne faites pas attention à elle. Cela montre que vous avez du caractère et de la jugeote. Je suis fier de vous. En outre, c'est un très joli derrière que celui qui vient de trouver un endroit où s'asseoir.

Lucy et moi les regardions tour à tour, rendus muets par la surprise, l'intérêt et cette sorte de radar que les enfants possèdent et qui les avertit qu'ils doivent se taire. Tante Willa sourit, battit des cils et ne dit rien. Ma mère non plus, mais ses yeux sombres flamboyèrent comme si l'on avait jeté de l'essence dans un brasier, et je crus entendre un grand grincement annonçant un changement dans l'équilibre des forces.

3

– Ce sont des vrais ? me murmura Lucy par-dessus le chant des cigales et les gloussements d'un petit groupe d'enfants dans le jardin des Cameron.

Assis en demi-cercle sur des chaises pliantes, nous regardions le grand Noir Leroy Pickens courir à petits bonds en tenant une longe au bout de laquelle trottait un poney des Shetland monté par un singe. Le propriétaire du singe, un jeune homme basané aux allures de bohémien, observait la scène d'un œil méfiant depuis l'entrée du labyrinthe de buis. Le soleil blanc du mois d'août brûlait les petits cous et les petits bras, les robes d'organdi amidonnées et les chemises à pois. La poignée d'adultes s'était depuis longtemps retirée sous la pergola où le petit Glenn Pickens, le fils de Leroy, la langue rouge pointant entre ses dents blanches, passait avec un plateau de cocktails.

– Comment ça, vrais ? De quoi tu parles ? répliquai-je, dans un de mes rares accès d'humeur.

Depuis une heure, Lucy se montrait aussi boudeuse et têtue que le poney. Je ne savais pas ce qu'elle avait et j'étais vaguement gêné et furieux, parce que j'aurais voulu que notre petit groupe soit aussi charmé par elle que je l'étais.

– De ce stupide poney, répondit-elle, sans prendre la peine de baisser la voix. Et de ce stupide singe. Ils ne peuvent pas être vrais. Tout ce qu'ils savent faire, c'est tourner en rond.

Des têtes se penchèrent pour nous regarder, notamment celles de mes parents et de ma tante, de Ben et de Dorothy Cameron. Ben nous fit un clin d'œil, le sourire de Dorothy nous enveloppa de sa chaleur. Aucun des occupants de la maison de Peachtree Road ne sourit ou ne cligna de l'œil. Mon père semblait décontenancé, ma mère avait ce petit air supérieur qu'elle réservait à tante Willa et à ses enfants, et Willa elle-même, diaphane et superbe dans sa toilette de voile blanc, coiffée d'un chapeau à fleurs à large bord, fusilla Lucy d'un regard blanc de rage. Ben Cameron Junior, du même âge que moi, aussi roux et criblé de taches de rousseur que son père, lui lança également un regard furieux mais sa sœur Sarah, dont le sixième anniversaire avait motivé la fête, devint écarlate et ses yeux couleur d'ambre s'embuèrent. Ignorant tout le monde, Lucy entreprit de gratter avec ostentation la piqûre de moustique qu'elle avait au coude.

Le singe fit un saut périlleux sur le dos du poney et tous les enfants, Lucy exceptée, battirent des mains en criant.

– Ne sois pas idiote, marmonnai-je entre mes dents. Bien sûr qu'ils sont vrais. Tu n'avais jamais vu de singe ni de poney ?

– Juste un million de fois, répondit-elle avec une expression d'ennui. (Mais le rouge lui monta aux joues, ses yeux bleus se plissèrent.) J'avais un singe et un poney quand nous habitions à Charlotte. C'était mon père qui me les avait offerts. Personne d'autre que moi ne pouvait jouer avec eux, et ils savaient faire des tas de choses au lieu de tourner seulement en rond. C'est pour ça que j'ai cru que ceux-là n'étaient pas vrais.

Je savais qu'en fait elle n'avait jamais vu ni poney ni singe, mais que son émerveillement était réduit à néant parce qu'elle les découvrait dans le jardin et pour l'anniversaire d'une autre petite fille qui semblait occuper une place importante dans ma vie. Car, lorsque nous avions fait le tour de la véranda pour nous rendre dans le jardin où commençait la fête, la petite Sarah Cameron avait couru vers moi avec son sourire radieux, ses yeux noisette brillant comme des étoiles, et sa mère m'avait serré dans ses bras avec l'affection qu'elle nous prodiguait à tous. Lucy, qui avait passé la matinée à parler de la fête avec excitation, devint moins bavarde. Comprendre que les ailes froides battant dans ses yeux n'indiquaient pas seulement de l'envie mais aussi une sorte de peur dénote une perspicacité précoce chez un garçon de sept ans, mais dès le début peu de choses m'échappèrent chez Lucy. Ma colère retomba, je lui pris la main. Je ne trouvai pas les mots pour la consoler mais je savais que mon contact avait habituellement le pouvoir de chasser les démons qui la menaçaient.

Une ombre tomba sur nous et Ben Cameron s'accroupit à côté de Lucy, avec ses yeux gris d'Écossais et ses cheveux acajou rivalisant d'éclat avec le soleil. Plus jeune que mon père, c'était un homme de grande taille, au corps mince et musclé d'athlète. Il portait des chaussures et un pantalon blancs, une chemise bleue aux manches remontées sur ses bras couverts de taches de rousseur. Son col était déboutonné et, pour une raison quelconque, il avait noué sa cravate rayée autour de sa taille. Je le trouvai formidable, gai et disponible. Il passa un bras autour des épaules de Lucy, lui sourit et, après un instant d'hésitation, elle lui rendit son sourire.

– Tout le monde sait que les poneys et les singes de Charlotte sont les meilleurs du monde, dit-il. Ces deux-là s'entraînent pour devenir aussi bons. Quand ils seront au point, nous les enverrons à Charlotte. Mais je parie qu'ils n'égaleront jamais ton poney et ton singe.

Lucy le regarda à travers ses cils d'un noir d'encre, sourit et ressembla soudain tout à fait à sa mère.

– Non, dit-elle.

Les nuages quittèrent son front et, pendant tout le reste de l'après-midi, elle fut le centre du groupe, courant dans les buissons, jouant à cache-cache, renversant autant de crème glacée que les autres sur la robe à jabot que tante Willa avait achetée chez Rich pour la circonstance : les débuts de sa fille dans la jeune société de Buckhead.

Lucy avait rencontré un ou deux enfants du voisinage pendant le printemps et l'été qu'elle avait passés chez nous, mais c'était le premier groupe dans lequel elle était admise et il n'était pas bien grand. Si nous formions une bande bien plus nombreuse à l'école primaire E. Rivers en automne et en hiver, aucun des rejetons de ce quartier privilégié ne voyait beaucoup ses camarades pendant la saison chaude. La poliomyélite arpentait les canyons de Buckhead aussi implacablement que les bidonvilles de Cabbagetown et de Vine City au cours de ces longs étés mortels et la peur n'était jamais absente de l'esprit de quiconque. Mon ami Pres Hubbard, qui vivait dans Chatham Road, était devenu pâle et silencieux un après-midi de l'été précédent et s'était plaint de maux de tête. Le lendemain, on le mettait dans un poumon d'acier à l'hôpital de Crawford. Pres avait de la chance : il marchait à présent avec une lourde armature orthopédique, mais il marchait. La petite sœur d'Alfreda Slaton était morte deux ans plus tôt de paralysie infantile.

Lorsque les adultes reposèrent leurs verres tièdes et se levèrent pour partir, Lucy, avec sa hardiesse, son rire contagieux et ses yeux bleus débordants de lumière, avait rassemblé autour d'elle une petite bande qui, à quelques défections près, durerait jusqu'au lycée. Plus d'une fois au cours de cet après-midi, je l'entendis dire « Hé, je connais une histoire », et je les vis tous – Freddie Slaton, Snake Cheatham, Tom Goodwin, Charlie Gentry, Pres Hubbard, et même le jeune Ben Cameron – se presser autour d'elle. Seule Sarah ne succomba pas et, collée à sa mère, observa Lucy de ses grands yeux graves. J'étais alors plus fier de Lucy que je ne le fus jamais. Elle était la reine, elle était mienne.

Cette nuit-là, elle eut un de ses terribles cauchemars, et, après que Martha Cater eut calmé ses violents sanglots, essuyé sur son front la sueur aigrelette de la panique, et fut repartie dans sa propre chambre, Lucy vint se glisser dans mon lit.

– Hé, Gibby, dit-elle – car elle s'était mise à m'appeler

ainsi juste après avoir découvert que mon second prénom était Gibbs –, tu es réveillé ?

– Qu'est-ce que tu crois, après tout ce chahut ?

Je me poussai vers le mur pour lui faire de la place, elle se nicha contre mon flanc comme un petit animal.

– C'était quoi, ton cauchemar ? voulus-je savoir.

– Je rêvais... que j'allais jouer chez les Cameron, que j'entrais et qu'il faisait noir et que je ne trouvais personne. Et puis je les entendais et j'allais derrière, et ils étaient tous là, souriants, me tendant les bras... mais c'étaient... des poupées.

– Des poupées ?

Je ne parvenais pas à comprendre ce qui, dans cette image de jouets, avait pu provoquer les cris et les pleurs de Lucy, mais les tremblements n'avaient pas tout à fait cessé dans les jambes et les bras collés aux miens.

– Oui, tu sais, de grandes poupées, avec des ficelles. Comme celles qu'on est allé voir, quand je suis arrivée.

Des marionnettes. Mes parents et tante Willa nous avaient emmenés au vieux théâtre Erlanger pour Pâques, et je me souvenais que Lucy n'avait pas aimé le spectacle. J'imaginais les Cameron et leurs enfants souriant de leurs lèvres peintes, tendant leurs bras de bois dans la pénombre de la vaste véranda où ils vivaient en été. Image terrible.

– Ils ont essayé de t'attraper ?

– Non, ils n'ont rien fait. Mais je savais qu'ils voulaient me prendre.

– Qu'est-ce que ça avait d'effrayant ? demandai-je pour nous rassurer tous deux. Ils sont vraiment gentils.

– Parce que, répondit Lucy. Ils n'étaient pas vrais.

Comme cela lui arrivait souvent, Lucy avait saisi une réalité qui, dans son cœur vulnérable et affamé, s'était déformée et agrandie jusqu'à apparaître dangereuse. Les Cameron étaient à ce point exemplaires qu'ils pouvaient sembler tout simplement irréels à un esprit original. Moi, je les voyais plutôt comme hyperréels. Surnormaux. Et révélateurs. Je n'aurais jamais connu la gaieté, la normalité et la grâce sans les Cameron et leurs enfants. J'en fis un jour l'aveu à Sarah, des années plus tard, dans le salon lambrissé d'une maison de Muscogee Avenue, après un enterrement.

– Vous étiez pour moi le modèle des gens sains, normaux, actifs, faisant bon usage de leurs privilèges. Je crois vraiment que c'est grâce à vous tous – à ton père et à ta mère, surtout – que je suis juste un peu bizarre et non pas mort

Je n'ai jamais connu de famille possédant une telle vitalité et dont les membres étaient si dévoués l'un pour l'autre, si épris l'un de l'autre même. Ils ne cessaient de jouer ensemble : balades à vélo autour de Buckhead dans la campagne environnante, tennis et natation au Driving Club, parties de badmington et de croquet sur la pelouse soyeuse s'étendant au-delà d'un labyrinthe de buis, derrière la maison, jeux, spectacles, mascarades et farces si nombreux que leur chalet de Tate possédait une estrade construite uniquement à cette fin. Les soirs d'hiver, ils se faisaient la lecture ou écoutaient de la musique sur le gros poste de radio Capehart semblable au nôtre et à ceux de la moitié des maisons de Buckhead – des chansons populaires, de la musique légère et des airs de comédie musicale, car ce n'étaient pas des intellectuels. Ils formaient même une sorte d'orchestre familial : Dorothy était une pianiste accomplie, quoique sans originalité, Sarah se débrouillait assez bien à la flûte, Ben jouait du saxophone et Ben Junior de la clarinette.

Il émanait d'eux, lorsqu'ils étaient ensemble, une sorte de lumière douce, une énergie diffuse, nées de l'amour, de l'admiration et de l'intérêt réciproques, de leur insatiable appétit pour la vie de rêve qu'ils menaient, et, par-dessus tout, d'un respect mutuel qui était pour moi fascinant. L'amour, je connaissais. Même gauchi et boiteux, c'était le sentiment que j'éprouvais pour ma mère. Mais les Cameron furent les premiers à me montrer que respect et amour pouvaient aller de pair. Autant que je sache, aucun d'eux ne fit jamais quoi que ce soit pour ternir ce respect aux yeux des autres. Même après ce qui arriva à Ben Junior, ce respect ne disparut pas, il s'accompagna simplement de consternation et de chagrin.

Et la lumière qu'ils répandaient tombait, aussi naturelle et impartiale que celle des étoiles, sur les gens qui les approchaient. En présence des Cameron, j'avais toujours l'impression d'être plus que ce que j'étais, ou peut-être tout ce que je pouvais être. Je ne comprendrai jamais pourquoi Lucy n'éprouvait pas la même chose. Elle avait coutume de dire, même après que nous étions devenus grands, qu'une heure en compagnie de Ben et Dorothy, ou de Sarah dans une moindre mesure, lui donnait envie de rentrer se coucher.

Bien qu'ayant de multiples activités communes, les Cameron encourageaient aussi chez chacun d'eux l'épanouissement de talents personnels. En plus de ses dons de musicien, le jeune Ben était un sportif appliqué et constant dans l'effort comme son père l'avait été, un joueur doté d'un grand esprit d'équipe, se contentant, malgré sa nature impétueuse et sa grâce flamboyante, du rôle qu'on lui attribuait. Quasiment dès l'enfance, il sut qu'il deviendrait l'architecte visionnaire qu'il fut effectivement plus tard. Sarah, douée pour la peinture et le dessin, charmait ses parents et ses amis en exécutant de curieux et ravissants portraits ou paysages dont elle leur faisait cadeau. Au lycée, elle fit de fructueuses affaires en dessinant sur commande des femmes nues et des chevaux cabrés jusqu'à ce que sa mère, découvrant cette activité artisanale florissante, y mit le holà. Le samedi après-midi, Sarah suivait des cours d'aquarelle et de pastel au musée, et plus d'un professeur recommanda vivement à Dorothy de l'envoyer étudier les beaux-arts dans l'Est ou à l'étranger.

Mais l'idée que sa fille puisse mener une vie indépendante d'artiste ne plaisait pas à Dorothy, et la rayonnante, la docile Sarah, alors amoureuse de sa famille et de son monde, de sa vie quasi amphibienne de nageuse et de plongeuse, n'insista pas pour étudier la peinture. Je me suis souvent demandé ce que perdait le monde quand elle posait ses pinceaux pour s'avancer au bord du plongeoir du Driving

Club. Il m'est toutefois difficile de déplorer tout à fait cette perte. Le souvenir de son petit corps parfait suspendu au sommet d'un gracieux arc comme un cygne en plein vol restera à jamais dans ma mémoire.

Si cela ne semblait aussi banal, on pourrait dire que les Cameron, dans leur ensemble, incarnaient l'idéal aristocratique. Le grand-père de Ben avait bâti la fortune familiale en fabriquant un médicament efficace et populaire. Le père de Ben et Ben lui-même avaient pris le relais avec tant de compétence que, lorsque Ben avait épousé Dorothy et fondé une famille, il était libre de se consacrer à des activités civiques et politiques grâce au soutien et au pouvoir d'une fortune considérable. Peu après que Sarah eut terminé ses études, en 1960, il fut élu maire d'Atlanta et tint le gouvernail de la ville d'une main sûre pendant la décennie de croissance et de bouleversement la plus explosive qu'elle connaîtrait jamais. Sa crinière de cheveux gris acier, son fin visage constellé de taches de rousseur devinrent presque aussi familiers dans les médias nationaux que la mèche châtain et le sourire étincelant du jeune président qui l'admirait et faisait son éloge. Son déclin et sa mort seraient plus tard pleurés bien au-delà d'Atlanta.

Dorothy Cameron était une femme petite et belle, au dos droit, avec l'épaisse chevelure brune, les yeux verts et les sourcils noirs et droits qu'elle léguerait à sa fille. Intelligente, ne mâchant pas ses mots, elle était même trop généreuse pour la société beaucoup plus terre à terre d'Atlanta dans laquelle elle évoluait. Son énergie et sa prodigieuse faculté de concentration constituaient un excellent contrepoids à la grâce paresseuse, à l'indolence féline de Ben. C'était une bénévole inlassable et son action en faveur du gigantesque hôpital de la ville servit de modèle à d'autres programmes d'activités bénévoles dans tout le Sud.

Je la revois, aussi imposante qu'une actrice, dans son uniforme de la Croix-Rouge, photographiée dans les pages mondaines des journaux d'Atlanta. Auprès de toutes ces autres femmes en robes du soir dont je connaissais les visages fixés par la rotogravure, elle me semblait aussi intrépide, aussi extérieure à ce monde, aussi androgyne qu'une jeune Jeanne d'Arc. A la différence des autres femmes, elle n'aimait pas les réceptions et n'y assistait que parce que son appartenance à quelque comité requérait sa présence. Les autres femmes devaient le savoir. Avec le recul, je vois clairement maintenant pourquoi peu d'entre elles l'appréciaient, pourquoi aussi tant de leurs maris et tous leurs enfants l'aimaient vraiment. Car nous l'adorions tous.

L'hiver de mes dix ans, Atlanta connut une de ces chutes de neige rares et magiques qui se produisent peut-être une fois par décennie. Presque chaque année nous avons une petite neige maigrichonne, mais la neige authentique, épaisse, crémeuse, silencieuse, est si rare que, lorsqu'elle tombe, toute la ville s'arrête, tant pour retenir son souffle devant sa magie que parce qu'il devient tout à fait impossible de circuler. Au soir d'une de ces journées, Lucy et moi étions couchés avec un début de rhume dû sans doute à notre refus obstiné de quitter le jardin blanc et silencieux alors que nos mères nous enjoignaient de rentrer.

– J'espère que vous êtes contents, dit ma mère en refermant la porte. Vous resterez cloîtrés dans vos chambres jusqu'à ce que votre toux soit totalement guérie, vous manquerez l'école et vous aurez beaucoup de cours à rattraper.

La neige nous échappait et nous glissions dans un sommeil fiévreux quand la porte se rouvrit sur ma mère, qui entra dans la pièce suivie d'une Dorothy Cameron enveloppée dans son manteau de fourrure.

– J'ai dit à Mrs. Cameron que vous avez un rhume, tous les deux, mais elle m'a persuadée de vous laisser faire quelque chose que je regretterai probablement. Je ne sais pas pourquoi je l'ai écoutée.

– J'assume l'entière responsabilité de ce qui se passera, dit Dorothy. Et je réglerai personnellement les honoraires du docteur s'ils tombent malades. Mais je crois au contraire que c'est tout à fait ce qu'il faut pour les guérir. Allez, debout vous deux. Enfilez vos plus gros manteaux sur vos pyjamas, mettez vos caoutchoucs, vos bonnets, vos cache-nez, vos gants et venez avec moi. Je vous enlève.

Nous obéîmes, silencieux et solennels parce que nous allions faire quelque chose qui déplaisait manifestement à ma mère, incapables d'imaginer ce qui nous attendait en bas.

C'était, merveille des merveilles, un vieux traîneau auquel étaient attelés deux chevaux alezans qui frappaient du sabot et faisaient tinter leurs clochettes dans l'allée. Un Ben Cameron emmitouflé jusqu'aux yeux tenait les rênes, devant Ben Junior et Sarah emmaillottés comme des momies.

– Venez, s'écria-t-il en agitant un élégant fouet noir. J'ai emprunté les bêtes et le traîneau de George Haynes, à l'écurie de Chastain Park, et je dois les rendre dans deux heures. Laissons nos traces !

C'est ce que nous fîmes. Sous le haut galion blanc de la lune, nous traçâmes des sillons magiques dans un Buckhead fantomatique, déserté, où il était quasiment impossible de circuler en voiture. Lucy, les deux autres enfants et moi-même étions tellement subjugués que nous osions à peine murmurer, et le tintement des clochettes des chevaux, le craquement de la neige sous leurs sabots ferrés, les voix basses de Ben et de Dorothy qui bavardaient ou se mettaient parfois à fredonner étaient les seuls bruits dans cette nuit enchantée noir et argent.

Lorsque nous rentrâmes, ma mère nous accueillit avec un air pincé et nous expédia au lit. Tandis que nous montions l'escalier à petits pas rapides, je l'entendis dire à Dorothy Cameron :

– J'espère que ça en valait la peine. Ils vont attraper une pneumonie.

– Non, répondit Dorothy en riant. Je vous garantis que non. Et même dans ce cas, ça en vaudrait la peine.

Naturellement, nous n'eûmes pas de pneumonie et notre début de rhume en resta là. Dorothy avait raison : cette promenade en traîneau sous la lune valait bien davantage encore. Aucun de nous ne l'oublia jamais.

Dorothy et Ben étaient d'ardents défenseurs des Noirs et de leur cause, ce qui est assez surprenant pour leur époque et leur milieu. Comme ils ne ressemblaient en rien aux maîtres traditionnels du Sud, ils pouvaient se permettre la contradiction classique consistant à soutenir les Noirs tout en employant des domestiques de couleur chez eux. Les familles noires qui servaient dans la plupart des grandes maisons avaient pris l'habitude, pendant leur temps libre, de venir participer aux activités des Cameron. Je crois que les liens qui, prenant racine au nord-ouest de la ville, s'étendaient jusqu'aux misérables ghettos furent une des raisons pour lesquelles Ben Cameron fut quasiment le seul Blanc capable de désamorcer les émeutes raciales menaçant la ville dans les années 60, uniquement en parcourant les rues chaudes et en parlant aux foules furieuses. Jusqu'à la fin de cette amère période, Ben Cameron fit en sorte qu'Atlanta reste ce qu'elle avait toujours fièrement proclamé être : une ville « trop occupée pour haïr ». En surface, tout au moins. Ce qui se passait plus bas, dans les eaux sombres et agitées, c'était une autre affaire, et Ben Cameron aurait été le premier à le reconnaître.

– Il y a un garçon à l'école qui dit que Mr. et Mrs. Cameron aiment les nègres, déclara Lucy un soir au dîner peu après son arrivée chez nous.

Elle venait d'entrer au cours préparatoire d'E. Rivers et trouvait la compagnie d'autres enfants à la fois déconcertante et stimulante.

– Il dit que Mr. Cameron dort dans son lit avec une négresse et que Mrs. Cameron embrasse Leroy Pickens tout le temps, continua-t-elle. Il dit que sa maman dit que Ben et Sarah sont sûrement les enfants de Leroy.

– Lucy ! fit Willa d'une voix sifflante en coulant un regard à ma mère. Tu sais que je n'aime pas qu'on parle comme ça.

– C'est pas moi, c'est le garçon, se défendit Lucy.

– Quel garçon ? demanda ma mère, intéressée.

Il y avait dans ses yeux sombres une lueur avide et amusée, et je voulus soudain que Lucy se taise.

Elle n'en fit rien.

– Je connais pas son nom, répondit-elle. C'est un drôle de garçon avec des croûtes sur le nez et des grosses fesses. Le chauffeur noir de ses parents le conduit à l'école tous les jours dans une grosse voiture. Je lui ai mis une volée.

Cette fois une expression indignée apparut sur le beau visage de ma mère.

– Nous ne « mettons pas de volée » dans cette maison, Lucy. Je crois qu'il s'agit du petit Todd Beauchamp. Je vais devoir téléphoner à sa mère pour m'excuser de ta conduite.

– C'était pas dans la maison, plaida Lucy avec flamme. C'était dans la cour de récréation. Il fallait que je le corrige, tante Olivia, parce que c'était pas vrai. Je sais que Mr. et Mrs. Cameron aiment les nègres, parce qu'ils le disent... Et nous aussi, non ? Je veux dire Shem, Martha, et tout... Mais ils ne dorment pas avec eux, ils ne les embrassent pas. Et Ben et Sarah sont pas les enfants de Leroy. J'ai demandé.

– LUCY ! brailla tante Willa.

– Oh ! Willa, pour l'amour de Dieu, fit ma mère d'une voix lasse.

L'amusement que faisait naître en elle l'image de Lucy demandant à l'irréprochable Dorothy Cameron si elle embrassait Leroy Pickens l'emportait apparemment sur la réprobation de la correction infligée au gros Toddy Beauchamp.

– Tout le monde sait que Ben et Dorothy ont un comportement curieux avec les Noirs, poursuivit-elle. Pas étonnant que les enfants en parlent.

En fait, les amis des Cameron ne se souciaient guère des idées saugrenues de Ben et Dorothy, qui auraient valu à tout autre Atlantais d'être exclu si promptement du Driving et autres clubs que la queue de leur habit en aurait pris feu. Les Cameron avaient toujours été « curieux », en particulier du côté de Dorothy. La vieille Milliment, sa mère, femme éminemment respectable, avait un jour chevauché une jument blanche à la tête d'une colonne de suffragettes pour le défilé du 4 Juillet*, ses cheveux noirs flottant sur son dos droit comme une baguette de fusil, alors qu'elle connaissait une pénible ménopause. Après la mort de son mari, elle vécut dans le pavillon situé derrière le labyrinthe de buis des Cameron, qu'elle partagea pendant de longues années avec une sœur célibataire et naine. Les enfants du voisinage juraient que Miss Callie – comme s'appelait la lilliputienne – ne vivait pas du tout dans le pavillon mais dans une énorme niche située derrière, équipée de meubles de poupée et dissimulée sous le chèvrefeuille.

– Elle a une toute petite baignoire et elle fait pipi dans un pot de bébé, assura un jour Lucy à un groupe de dames captivées, lors d'un des innombrables déjeuners organisés par ma mère.

Mais comme Sarah et Ben possédaient une vive imagination, que Lucy avait une solide réputation de menteuse et que j'étais connu pour répéter bêtement tout ce qu'elle disait, on accorda peu de crédit à cette histoire. Moi-même je n'ai jamais vu la niche mais il n'est pas impossible qu'elle ait existé. Une sœur naine de la vieille Milliment était forcément assez excentrique pour avoir ce genre d'exigence. Il y avait et il y a encore dans le Vieil Atlanta une excentricité qu'on tolère, qu'on chérit même, et une excentricité qu'on n'acceptera jamais. Ben et Dorothy relevaient de la première, Lucy de la seconde.

Nous avons tous nos côtés sombres. Mais au cours de cette première année, j'en vins à penser que de véritables ombres planaient sur Lucy. On ne les voyait pas souvent parce qu'elle était presque tout le temps en mouvement, qu'elle semblait voler dans un vent de lumière. Pourtant les ténèbres l'attendaient à la lisière de la zone lumineuse et je les vis un jour s'abattre sur elle.

C'était en automne de cette même année, au cours d'un été indien qui, succédant à des gelées précoces, faisait flamboyer la forêt, et nous nous étions tous rendus au chalet de Tate

* Fête nationale. (N.d.t.)

pour le week-end. Nous n'y avions jamais emmené Willa et ses enfants auparavant, même si sa fraîcheur, son isolement en eussent fait une forteresse idéale contre la poliomyélite. Ma mère n'aima jamais le chalet et je sais qu'elle ne voulait pas y emmener tante Willa. Je l'entendis un jour dire à mon père :

– Si tu trouves qu'elle se fait remarquer ici, attends de la voir à Tate.

Même moi je comprenais ce qu'elle voulait dire. La petite colonie de chalets située dans le comté de Pickens, à une heure de voiture environ au nord-ouest, était d'une telle rusticité que la plupart des Atlantais n'y possédant pas une résidence ignoraient son existence. C'est la raison pour laquelle, naturellement, on la considérait et on la considère toujours comme très fermée. Les familles qui y passent l'été descendent généralement des premiers propriétaires qui fondèrent la Tate Mountain Corporation, bâtirent les vieux chalets, le terrain de golf et le barrage, le débarcadère et les hangars à bateau. Il est extrêmement difficile d'acheter une résidence à Tate si on n'y a pas de racines depuis toujours, et nous avions acquis notre chalet uniquement parce qu'il faisait partie de la transaction globale que nous offrait le docteur veuf. Si les autres vacanciers étaient cordiaux avec nous, ils ne se montraient jamais vraiment chaleureux, et ma mère n'était pas femme à ne pas saisir la nuance ou à l'oublier. Je crois que mon père, avec son amour et sa connaissance de la pêche et de la vie au grand air, aurait fini par y trouver un havre, mais après les deux ou trois premières visites, ma mère refusa d'y retourner et le chalet demeurait le plus souvent désert dans son bois de magnifiques feuillus, à flanc de montagne, tandis que nous passions l'été à Sea Island ou à Highlands.

– Vous ne parviendriez pas à réunir quatre bridgeurs convenables à Tate, même si votre vie en dépendait, disait ma mère. Et vous passez pour moins que rien dès le départ si vous n'aimez pas patauger dans la boue, parcourir des kilomètres pour chasser le castor ou vous geler dans ce fichu petit lac.

Elle avait raison. Il y avait nombre d'occasions de se fréquenter à Tate : autour du plongeoir, sur le terrain de golf, pendant les promenades autour du lac, le soir et le matin, ou même au cours des réunions de fin d'après-midi, pour « briser la glace », comme on disait, dans les vérandas fermées ou devant de grandes cheminées de pierre. Mais ces rencontres reposaient sur une vie communautaire vieille de plusieurs générations, plongeant ses racines chez les résidents originels, et riche d'une tradition d'anecdotes accumulées au fil des étés. A Tate, on dînait en famille, on se couchait tôt et, dans la journée, les activités allaient de la surveillance des enfants, du jardinage et de la promenade au parcours de golf nonchalant et à la pratique de la natation et du canoë. Le tout dans une extrême simplicité, voire dans l'austérité. Il n'y avait pas une seule paire de hauts talons, pas une seule cravate dans cette colonie qui n'avait jamais possédé un seul téléphone. Le chalet des Cameron, le plus vaste et le plus ancien, accueillait à partir de juin un flot incessant d'enfants tournoyant autour de Ben et Sarah. C'était à croire que Tate avait été créé pour les Cameron.

Comme l'avait prédit ma mère, tante Willa parut aussi à sa place à Tate qu'un paon dans un pigeonnier, en ce week-end d'automne 1941. Elle abîma complètement ses chaussures neuves dans la boue, fut chassée de la salle de bains rudimentaire par le scorpion qui y habitait, faillit geler la nuit dans son mince peignoir, finit par dormir avec une des vieilles chemises de flanelle de mon père, et fut terrifiée par l'ourse efflanquée venant fouiller dans les poubelles de la colonie pendant le week-end.

Dans le radieux matin bleu et or, lorsque le soleil apparut au-dessus de la Burnt Mountain, transformant les bois en brasier, elle descendit prendre le petit déjeuner, tremblante, les yeux rouges, pour découvrir que mon père avait emmené les enfants en promenade et que ma mère s'était recouchée en laissant le feu s'éteindre. Et lorsque, d'un pas chancelant, elle sortit et chercha sur la petite route creusée d'ornières entourant le lac une autre présence humaine, elle ne rencontra personne. Nous étions la seule famille venue pour le week-end. La plupart des autres chalets avaient été fermés avant les premières gelées. Tante Willa était au bord des larmes lorsque nous revînmes et allumâmes le feu tandis que ma mère se levait pour préparer notre déjeuner de saucisses chaudes. Nous retournâmes quelquefois à Tate pendant mon enfance, mais jamais au cours de sa longue vie Willa n'y remit les pieds.

Lucy, elle, adora immédiatement le chalet, presque autant que la gloriette, et si on ne l'y emmena pas régulièrement pendant son enfance, elle n'oublia jamais les séjours qu'elle y fit. Plus tard, lorsque nous fûmes adultes, je lui laissai les clefs chaque fois qu'elle le désirait, et je crois qu'elle passa pas mal de temps là-haut. Malory aussi aima l'endroit. Après sa naissance, nous nous y rendîmes souvent tous les quatre. C'est la raison pour laquelle je ne vendis pas le chalet à la mort de mes parents et je ne le vendrai probablement jamais. Il est tout à fait possible que je n'y retourne jamais plus, mais penser à la silhouette longue et mince de Malory, si semblable à celle de Lucy, dansant comme une flamme devant la masse verte de Burnt Mountain me rend heureux.

Le deuxième soir, il y eut une chute de météores et Lucy et moi allâmes sur le débarcadère avec des couvertures pour la contempler. Allongés sur le dos, silencieux, nous retînmes notre respiration tandis qu'au-dessus de nous le ciel se voûtait et éclatait. Lorsque ce fut terminé, nous décidâmes de faire le tour du lac pour prolonger la magie de la soirée. Je me souviens qu'il y avait une grosse lune blanche, parfaitement pleine, si basse qu'elle semblait posée sur le sommet de la montagne. Le monde entier était noir et argent, comme un négatif photographique. Là où la route, le lac et la prairie s'étendaient au clair de lune, on eût dit le monde baigné d'une lumière froide et brûlante, mais dans l'ombre des arbres il devenait d'un noir d'encre. Magique. Cette nuit était magique. Elle vous coupait le souffle, vous incitait à murmurer. Lucy, qui sautillait un peu devant moi, semblait nimbée d'argent. Je savais qu'un événement important et terrifiant allait se produire. Comment aurait-il pu en être autrement ?

Il existe un endroit où la grand-route longe celle du lac mais en surplomb, quatre mètres plus haut environ. A cause des arbres, on ne peut voir ni la grand-route ni le talus qui y mène, et on a l'impression d'approcher d'un tunnel. Soudain, je me sentis mal à l'aise et je dis à Lucy d'une petite voix :

– Faisons demi-tour. J'ai oublié quelque chose au débarcadère.

– Tu n'as rien oublié du tout, répliqua Lucy sans se retourner. Tu as peur de traverser cet endroit sombre. Oh ! le froussard ! Oh ! le froussard !

Et elle s'élança vers le noir. J'eus tout à coup si peur que je ne pus même pas prendre ma respiration pour l'appeler. Il y avait dans l'air quelque chose de lourd qui m'écrasait la poitrine. Je me remis à la suivre mais j'avais l'impression que mes pieds s'enfonçaient dans du béton.

Juste avant que Lucy ne plonge dans le tunnel, une énorme... je ne sais comment dire, une *forme*, une grande ombre noire passa au-dessus d'elle, comme une malédiction tombant du ciel. Puis Lucy disparut sous les arbres ; j'entendis un petit bruit sourd, une sorte de plainte et plus rien.

Mon cœur s'arrêta, littéralement. Je ne pouvais remuer les pieds, mes jambes s'étaient liquéfiées. J'émis un bêlement de peur auquel Lucy ne répondit pas ; j'entendis une masse s'abattre dans les broussailles, du côté du lac ; un cerf bondit hors des sous-bois, traversa la route et fila entre les arbres bordant l'eau. Ce n'était que cela : un cerf, effrayé par une voiture. Je vis le faisceau de ses phares passer au-dessus de nous, entendis un bruit de moteur s'enfler puis mourir. L'animal avait dévalé le talus, sauté par-dessus Lucy, et le bruit sourd que j'avais perçu était celui d'un sabot entaillant sa joue. Nous dûmes la conduire à Jasper pour qu'on lui fasse un point de suture et Lucy, qui n'avait que cinq ans, ne pleura absolument pas pendant que le médecin s'occupait d'elle. C'était tante Willa qui pleurait, bruyamment et – je pense – en manière de protestation. L'incident avait fait déborder la coupe de son dégoût pour Tate.

Je n'ai jamais oublié cette nuit qui, d'une certaine façon, ressemblait tant à un présage, et qui laissa sur Lucy la marque de sa différence.

– C'est bien d'elle d'avoir ses propres présages, commenta plus tard Sarah Cameron quand je lui narrai l'histoire.

Elle était alors beaucoup moins fascinée par Lucy.

Mais, pour Lucy et moi, la nuit du cerf demeura un élément de notre mythologie personnelle. Car si nous étions tous deux, comme je l'ai dit, de petits êtres réalistes aux yeux tristes, quel enfant ne transforme sa vie en légende ?

Nous parlâmes si fréquemment de cette nuit pendant l'automne et l'hiver qui suivirent que nos parents finirent par déclarer que nous étions assommants, que plus personne ne voulait entendre parler du cerf qui avait sauté par-dessus Lucy à Tate. Mais cela n'avait alors plus d'importance car un dimanche de décembre où nous étions rassemblés dans la bibliothèque, attendant que Shem nous conduise en voiture au Driving Club pour le déjeuner, une voix interrompit le programme musical pour nous annoncer que des avions japonais avaient bombardé Pearl Harbor, dans les îles Hawaii.

Je me souviens clairement que ma mère se mit à pleurer, que tante Willa poussa un petit cri aigu, que mon père fourra les mains dans ses poches et alla se planter devant la fenêtre, nous tournant le dos, contemplant en silence le jardin dénudé.

Mais Lucy se leva d'un bond, drapeaux écarlates claquant dans ses joues, yeux bleus flamboyant comme une cascade de diamants. Elle frappa du pied le vieux tapis d'Orient, et fit le tour de la pièce en dansant comme une marionnette. Tout à coup elle courut vers moi, m'enlaça, me fouetta le visage de ses cheveux soyeux.

– C'est là-bas qu'il est ! s'écria-t-elle d'une voix qui

chantait de joie. C'est là-bas que mon papa est parti ! Il ne nous a pas quittés ! Il est parti pour la guerre !

Et à dater de ce jour jusqu'à ce que, quatre ans plus tard, les cloches et les sirènes de Buckhead nous annoncent la victoire, nous suivîmes le déroulement de la guerre et Lucy fut plus heureuse qu'elle ne le serait jamais.

4

Cette première année de guerre fut et demeure nimbée d'un brillant halo d'excitation et de joie de vivre, d'un éclat d'innocent chauvinisme émanant, pour moi, autant de l'esprit de Lucy que de l'état d'esprit de l'Amérique en cette première phase du conflit. Pour la plupart des Américains, à l'exception de ceux qui y prirent réellement part, la Seconde Guerre mondiale fut un épisode extrêmement romanesque. Elle possédait tous les ingrédients d'un poème épique de Tennyson : impératif moral clairement défini, forces de la lumière et de l'ombre nettement distinctes, héros et méchants simples et plus grands que nature, sacrifices, violence autorisée, hommes braves luttant et mourant pour leur pays, femmes courageuses attendant leur retour.

Et Lucy fut la plus fervente des acolytes de cette messe. Beaucoup plus tard, elle devait écrire un brillant petit essai traitant des premiers jours du conflit à Atlanta et intitulé « La dernière des grandes guerres en dentelle », dans lequel elle décrit le chauvinisme confus qui empêcha la ville et le pays de percevoir l'horreur épouvantable sous la dentelle. Mais en cette première année de guerre, aucun Américain, grand ou petit, ne colla l'oreille au poste de radio ou ne feuilleta journaux et magazines avec plus d'ardeur obsédée que la petite Lucy Bondurant, du 2500 Peachtree Road, Atlanta.

Je déployais volontiers la même ardeur et, en cette année

1942, nous fîmes, nous pensâmes et nous dîmes peu de choses qui n'eussent trait à la guerre.

Buckhead était alors encore un village et, lorsque le conflit effleurait du bout de son aile un de ses fils, il touchait inévitablement quelqu'un que nous connaissions. Au début de 1942, un Buckhead Boy, fils d'un vendeur de l'épicerie Cantrell de Roswell Road, reçut une balle dans la gorge aux îles Salomon et nous nous rendîmes tous chez ses parents, et nous contemplâmes avec solennité la *gold star* *, la première de Buckhead, à la fenêtre d'un petit bungalow de Mathieson Drive. Puis ce fut le tour d'un maître-nageur de la piscine de Garden Hills, puis d'un champion de course du lycée, et bientôt Buckhead eut une petite constellation d'étoiles d'or.

Nous les considérions comme *nos* morts. Plus tard, un tout petit nombre de pères de nos camarades quittèrent le centre d'incorporation de Fort MacPherson, au sud-ouest d'Atlanta, pour aller se battre, mais, dans leur grande majorité, nos pères ne partirent pas. Les hommes mariés ayant charge de famille ne prirent pas part aux premiers combats et lorsque, plus tard, on eut besoin d'eux, il sembla qu'ils étaient encore plus utiles pour les empires commerciaux de la ville. Dans la plupart des cas, c'était vrai et l'on fit peu appel au piston à Buckhead pour échapper à la guerre. Le Sudiste agressif aux idées étroites, dont la violence n'est jamais loin sous un vernis de courtoisie et d'indolence, a toujours su qu'il se bat mieux et avec plus de sauvagerie que les autres Américains. Pas question pour lui de laisser passer l'occasion de verser le sang au nom de l'honneur. La formule « occupation essentielle » accolée aux noms de la plupart de nos géniteurs était exacte. Quand je pense aux miens comme à une famille, un groupe de personnes unies par le sang et un but commun, je revois les soirées dans la bibliothèque paternelle, lorsque nous nous rassemblions pour écouter les nouvelles à la radio et regarder dans *Life* et le *Journal* d'Atlanta les images de la guerre.

* Envoyée aux parents d'un soldat mort. (N.d.t.)

Elles demeurent pour moi indélébiles : familles entières gisant sans vie devant l'entrée d'un abri à Chungking, piétinées dans la panique. Les corps ressemblaient à des poupées chinoises sens dessus dessous. Pourquoi étaient-ils tous dénudés sous la taille ? Pourquoi n'y avait-il pas de sang ?

Fumée noire au-dessus de tourelles des cuirassés dérivant lentement, à Pearl Harbor.

Joe Louis en uniforme de soldat de deuxième classe ; Veronica Lake répandant sa chevelure de soie sur une machine à percer, pour illustrer les règles de sécurité en vigueur dans nos usines.

Tête calcinée d'un tankiste japonais enfoui dans le sable noirci de Guadalcanal.

Regard d'insecte monstrueux des masques à gaz.

Après quoi on nous expédiait au lit, Lucy et moi, mais cela ne nous dérangeait pas car nous étions alors libres dc parler jusqu'à ce que nous tombions de sommeil, et notre sujet de conversation était invariablement la guerre. Ou, pour être exact, le rôle qu'y jouait mon oncle James Clay Bondurant, le père de Lucy.

Car il était partout. Son visage apparaissait juste derrière la grosse lune joviale de celui de Roosevelt, aux actualités du cinéma de Buckhead. « Il est là, tu le vois ? » chuchotait Lucy dans le noir en me poussant du coude, et l'assistant anonyme devenait le légendaire oncle Jim.

Il était aux îles Salomon, aux Philippines, en Birmanie, à Bornéo et à Singapour. Il avait quitté Corregidor avec le général MacArthur et défilé avec les squelettes de Bataan. Lui seul survivait ; lui seul conduisait le petit groupe des survivants. Lucy ne semblait pas se soucier des défaites et des morts de ces premières batailles ; peut-être ne s'en rendait-elle même pas compte. Il m'arrivait parfois de m'écrier, poussé par une jalousie obscure envers ce père-oncle fantôme qui flottait comme un nuage de fumée au-dessus de ces batailles perdues sans jamais mourir :

– Nous n'avons pas gagné, idiote ! Nous avons perdu ! Tout le monde est mort. C'est une défaite.

– Non, répondait-elle clairement. Tout le monde n'est pas mort. Il n'est pas mort. Sinon, comment il aurait eu sa photo dans le journal ?

– Ce n'était pas sa photo ! répliquai-je un jour avec rage. C'était quelqu'un dont tu n'as jamais entendu parler. Quelqu'un qui ne ressemble pas du tout à ton père !

– Comment tu le sais ? Tu ne l'as jamais vu.

– Alors comment ça se fait qu'il ne t'écrit jamais si c'est un si grand héros, s'il survit à toutes ces batailles et qu'il a sa photo dans *Life* ?

– Il est trop occupé, imbécile.

Il l'était effectivement ! James Bondurant renversa seul le cours de la guerre à la bataille de Midway, dans la mer de Corail, débarqua avec la première vague de combattants à Guadalcanal. Traversant bientôt mers et montagnes pour gagner les déserts d'Afrique du Nord, il posa modestement devant l'objectif après avoir taillé en pièces l'Afrikakorps de Rommel. Quand je fis observer à Lucy que c'était une bataille britannique dans laquelle les soldats américains n'avaient rien à voir, elle me répondit, d'un air raisonnable :

– Alors, c'est pour ça que j'ai pas eu de lettre. Mon papa ne sait pas écrire en britannique.

Je ne crois pas que tante Willa et mes parents soupçonnèrent l'étrange obsession de Lucy pour son père, du moins pendant la première année du conflit. Il était pourtant difficile de l'ignorer car elle ne faisait aucun effort pour la cacher. Tante Willa finit cependant par s'en rendre compte et s'abattit sur sa fille comme une furie. J'assistai à la scène, que je n'oublierai jamais.

C'était un peu avant Noël 1942 ; cela faisait un an environ que nous étions en guerre. Étendue sur le sol du petit bureau, un dimanche après midi, Lucy était plongée dans le journal. Blotti dans mon repaire habituel, derrière le Capehart, je lisais une aventure de *Captain America*. La conversation à bâtons rompus des adultes, rassasiés par la cuisine de temps de guerre du Driving Club, tourbillonnait au-dessus de nos têtes.

Las de mon illustré, je sortis de ma cachette, m'approchai de Lucy.

– Qu'est-ce que tu fais ? demandai-je.

Je voyais pourtant qu'elle lisait ou qu'elle regardait tout au moins les photos du journal. Il pleuvait, on nous avait interdit de sortir. L'après-midi semblait interminable.

– Je lis quelque chose sur mon papa, répondit-elle. Il est en Yougo... Yougo... Là.

Son petit doigt indiqua une carte aux contours grossiers puis glissa vers une photo des légendaires partisans yougoslaves, hommes, femmes, enfants, surgissant d'une forêt sombre pour se jeter dans la gueule même d'une colonne de blindés nazis. L'index de Lucy s'attarda avec amour sur une silhouette floue et impossible à identifier, à l'arrière-plan, bras levé comme pour lancer une grenade. Le visage était sombre ; on n'aurait pu dire s'il s'agissait d'un homme, d'une femme ou d'un adolescent.

– Ah ! oui, me contentai-je de dire.

Mais tante Willa quitta son fauteuil, s'agenouilla à côté de sa fille, arracha la page du journal et la froissa dans son poing.

– Lucy Bondurant ! cria-t-elle d'une voix perçante. C'est un mensonge et tu le sais. Je ne le laisserai pas mentir comme ça le jour du Seigneur. Ce n'est pas lui ! Ton bon à rien de père n'est pas en... dans ce pays étranger. Il n'est même pas dans l'armée, l'armée ne voudrait pas de lui ! L'armée *allemande* ne voudrait pas de lui ! S'il est encore en vie, il se cache pour ne pas partir. C'est le plus lâche des hommes et tu peux mettre ta tête à couper qu'il se tient le plus loin possible de la guerre – s'il vit encore, ce dont je doute. Il est probablement mort depuis longtemps d'avoir trop bu. Alors plus un mot sur lui. Je ne peux plus entendre ces stupidités !

Elle s'interrompit, regarda autour d'elle comme si elle émergeait d'une eau profonde. Mon père s'abritait derrière son propre journal, mais ma mère fixait sa belle-sœur, ses longues mains tricotant avec agilité quelque lainage kaki, une cigarette fumant dans le cendrier à côté d'elle. Elle eut un sourire d'odalisque.

Tante Willa devint cramoisie, baissa ses yeux étincelants.

– Je ne voulais pas crier, dit-elle, non à Lucy mais à ma mère. Je ne supporte pas qu'elle mente.

– Nous sommes tous très tendus ces temps-ci, concéda ma mère d'une voix doucereuse. Je suis sûre que Lucy ne faisait que jouer.

Lucy tourna le petit masque livide de son visage vers sa tante.

– Non, je ne jouais pas. C'est mon père, Je me fiche de ce qu'elle dit, je me fiche de ce que dit tout le monde. Il est là-bas, et ceux qui disent le contraire sont des menteurs.

– LUCY... glapit Willa.

– Je te déteste, lança l'enfant à sa mère. J'espère que tes bras et tes jambes pourriront et tomberont, que ta langue deviendra noire et t'étouffera.

Elle se leva, récupéra et lissa la page de journal, sortit de la pièce, raide et majestueuse. Nous entendîmes son pas assuré dans l'escalier, le claquement assourdi de la porte.

– Je m'excuse pour elle, murmura Willa. Je monte lui parler.

Elle quitta à son tour la bibliothèque. Mon père garda le silence, ma mère continua à sourire.

Lucy refusa de laisser sa mère entrer dans la chambre fermée à clef. Même à moi elle en interdit l'accès et n'ouvrit que le lendemain matin, comme si rien ne s'était passé. Autant que je sache, ma tante ne s'en prit plus jamais aux fantasmes de sa fille.

Curieusement, la guerre assainit la maison de Peachtree Road. Je suppose que seul un événement de l'ampleur d'une guerre pouvait arracher notre attention des sables mouvants de l'ego et de la névrose et la tourner vers l'extérieur. Tous, de Lucy et moi à nos parents en passant par les domestiques, nous avions un objet sur lequel concentrer nos appétits et notre énergie, et qui plus est un objet universellement approuvé. Lucy et moi avions notre combattant fantôme, mon père son « occupation essentielle », ma mère et tante Willa leur participation à l'effort de guerre. Je crois que c'était la première – et rétrospectivement la seule – fois de leur vie qu'Olivia et Willa Bondurant recevaient l'approbation de leurs pairs pour ce qu'elles *faisaient* et non pour ce qu'elles étaient.

Il faut dire qu'à cette époque, toutes les femmes de Buckhead travaillaient. Celles des quartiers modestes, que nous croisions tous les jours sans vraiment les voir, occupèrent les emplois laissés vacants par les jeunes gens partis à la guerre. Elles conduisirent les taxis, servirent dans les restaurants, pompèrent l'essence. Certaines s'embauchèrent à la nouvelle usine de bombes de Marietta, dont la masse réconfortante domina toute mon enfance telle une forteresse dressée entre Nous et Eux, l'ennemi. Ces femmes remplacèrent leurs bas de Nylon ou de soie par des bas de fil ou teignirent leurs jambes en brun. Elles portèrent des pantalons, des turbans, des bérets et des treillis. Les plus jeunes endossèrent l'uniforme d'infirmière ou de W.A.C.*. Tout le monde avait apparemment un costume tout prêt pour la Grande Guerre en dentelle. Lucy eut pour Noël une hideuse tenue de W.A.C. et je reçus un petit uniforme blanc de marin.

Les femmes de *notre* Buckhead avaient elles aussi leur uniforme ; celui de la Croix-Rouge, que toutes les amies de ma mère portèrent jusqu'à la fin de la guerre. Ma mère passait trois après-midi par semaine à Fort MacPherson où elle servait du café et des beignets aux jeunes gens souffrant du mal du pays qui y étaient incorporés par milliers. Je suis persuadé qu'elle fut l'objet de plus d'une passion ardente en ce temps de guerre. Je la revois monter ces jours-là à l'arrière de la Chrysler que Shem amenait devant la maison ; mince, sévère et pâle, les cheveux bruns remontés sous le seyant bonnet, les grands yeux noyés d'ombre. Même la cigarette

* Auxiliaires féminines de l'armée. (N.d.t.)

tachée de rouge à lèvres qu'elle tenait à la main ne gâchait pas l'impression de pureté secourable qu'elle dégageait en ces après-midi d'hiver. Parce qu'elle servait dans une guerre qui me fascinait, je l'admirai et je l'adorai pendant cette courte période. Ce fut le sentiment le plus intense que j'éprouvai jamais pour elle.

Certaines des femmes que nous connaissions remplissaient des tâches pour lesquelles, si elles n'avaient été bénévoles, elles auraient présidé un conseil d'administration ou y auraient tout au moins siégé. Dorothy Cameron dirigea pour la Croix-Rouge un programme de formation d'aides-infirmières couvrant sept États et qui devint sous son égide un véritable corps national d'infirmières. Elle fut élue « Atlantaise de l'Année », mais n'assista pas au banquet organisé à cette occasion parce que, restée au centre de formation, elle soutenait la tête d'une jeune bénévole noire, enceinte et célibataire, qui vomissait dans une serviette.

– Comme c'est affreux ! s'écria ma mère avec franchise apprenant l'histoire. C'est bien de Dorothy.

– Oui, fit mon père. Je trouve que c'est une femme courageuse et intelligente.

– C'est bien de toi, répondit ma mère d'un ton affable.

Ma tante Willa œuvra aussi pour la Croix-Rouge, en partie, je le soupçonne, parce qu'elle savait d'instinct que l'uniforme lui irait. Elle restait en ville deux fois par semaine après son travail pour servir dans une cantine proche de la gare routière, et je sais qu'elle fit forte impression sur les jeunes soldats et marins joufflus qui s'y pressaient en mâchonnant leur chewing-gum, car nombre d'entre eux lui téléphonèrent à la maison et deux ou trois la suivirent même jusque chez nous. Je ne les blâme pas. Tante Willa en *battle-dress*, c'était quelque chose. La sévérité de l'uniforme tempérait et exaltait en même temps sa sensualité ; les chastes manchettes blanches du vêtement, la pureté de la croix qui y était dessinée mettaient en évidence l'odeur féline qui continuait à flotter autour d'elle bien qu'elle sût maintenant baisser pudiquement les yeux et parler avec de lentes intonations distinguées. Willa avait alors presque totalement acquis l'armure extérieure – s'il lui manquait encore la personnalité intime – d'une grande dame d'Atlanta, mais il restait accroché à elle quelque chose qui attirait fortement les jeunes appelés en quête de bonnes fortunes.

– Comme une chatte en chaleur, marmonna ma mère à mon père après que Shem eut éconduit d'un regard sévère le deuxième soldat d'humeur égrillarde rôdant autour de la maison. Elle peut s'acheter toutes les toilettes qu'elle voudra, elle sera toujours aussi vulgaire.

– Elle occupe deux emplois et élève trois enfants, Olivia, argua mon père. Et elle ne nous a pas demandé un sou depuis qu'elle travaille.

– Pour quoi faire ? répliqua ma mère avec un sourire amer. Elle a les vêtements que je lui donne, quelqu'un pour garder ses enfants, un foyer agréable, une nourriture excellente et une voiture à sa disposition. Que lui faut-il de plus ?

– Peut-être un peu de soutien de sa belle-sœur, répondit mon père.

– Elle reçoit tout le soutien qu'il faut de son beau-frère. Et je me demande si elle ne reçoit pas autre chose.

– Je ne te savais pas jalouse, dit mon père.

Il quitta le salon avec un sourire que, caché sous l'escalier de l'entrée avec Lucy, je trouvai étrange.

– Ce serait trop flatteur pour toi, rétorqua ma mère avant de monter dans sa chambre.

– Ils se disputent à propos de ta mère, murmurai-je à Lucy.

C'était elle qui avait eu l'idée, cet hiver-là, d'espionner les adultes de la maison. Encore aujourd'hui, j'ignore pourquoi. Lucy ne me parut jamais, ni alors ni à aucun autre moment, particulièrement intéressée par les allées et venues de ma mère ou de la sienne, encore qu'elle fût effectivement fascinée par celles de mon père.

– Ouais, approuva-t-elle. Je crois que ton papa a envie de monter sur ma maman. Il devrait le faire, ça plaît plus à ma mère qu'à la tienne. Elle, au moins, elle rit et elle crie au lieu de pleurer.

Cette suggestion fut pour moi terrifiante, même si je ne compris pas alors pourquoi. Les courants profonds agitant la maison, bien qu'estompés par la tempête plus puissante de la guerre, n'avaient pas disparu. Mais je savourais la paix relative de ces premiers jours de conflit et le relâchement d'attention qu'ils suscitaient chez mes parents, et j'espérais que rien ne ferait resurgir ces lames violentes.

– Viens en haut, proposai-je pour détourner Lucy des relations de mon père et de tante Willa. J'ai eu un nouveau livre à l'école. Je t'en lirai quelques pages.

Le stratagème marcha. Lucy me dépassa et grimpa l'escalier avec des bonds de jeune chevreuil. Elle raffolait de la guerre, faisait ses délices des petites histoires des adultes, mais s'épanouissait devant un livre comme une plante desséchée sous une pluie de printemps.

Elle lisait alors parfaitement, bien qu'elle vînt juste d'entrer au cours préparatoire d'E. Rivers, et elle aurait pu lire seule tous les bouquins que je rapportais à la maison. Mais elle adorait qu'on lui fasse la lecture ; elle aima cela toute sa vie, et toute sa vie ou presque je tissai des toiles de mots entre nous, lisant parfois jusqu'au milieu de la nuit, la gorge sèche, les yeux irrités, pour le seul plaisir de contempler le visage de Lucy quand elle buvait mes mots. Elle avait alors une façon de regarder intensément mes yeux et ma bouche, la tête légèrement inclinée sur le côté, les lèvres entrouvertes sur un sourire découvrant la nacre de ses petites dents, les yeux noyés de cette lumière bleue particulière qui les faisait paraître embués. C'était le regard extasié d'une jeune novice recevant l'anneau du Christ.

A l'école, son institutrice avait lu à la classe un extrait du *Livre de la jungle* et Lucy avait été instantanément sous le charme. Son visage devint tellement radieux quand elle me parla du petit Mowgli, sauvé de la faim et élevé par les loups, que je harcelai ma mère jusqu'à ce qu'elle nous conduise en ville à la grande bâtisse de pierre grise de la bibliothèque

Carnegie afin d'emprunter le livre. Cette nuit-là, avec l'aide de la veilleuse « Mickey Mouse » et d'une lampe électrique volée, je lui lus l'histoire en entier, et pendant le reste de l'automne, nous vécûmes dans la jungle d'émeraude enchantée de Kipling. Lucy jouait parfois le rôle de Bagheera, la panthère noire au pelage brillant, mais la plupart du temps elle était Mowgli et m'accordait toujours le rôle de Baloo, le grand ours protecteur.

– Nous sommes un même sang, toi et moi, psalmodiait-elle sans cesse sur un ton incantatoire.

Et lorsque nous étions séparés l'un de l'autre ou que nous nous retrouvions, nous nous exclamions :

– Suis ma piste ! Suis ma pi-i-iste !

Un après-midi où le chant incessant des cigales et la chaleur de l'été indien, brûlant nos têtes et nos bras, nous donnaient l'impression de flotter dans un vide doré, où le temps s'était arrêté, Lucy sortit de son chandail rouge roulé en boule un couteau de cuisine.

– Soyons vraiment unis par le sang, dit-elle. On se fait une entaille au poignet, on mélange nos sangs.

La seule vue du couteau me rendait malade.

– Nous *sommes* unis par le sang, répondis-je. Nous sommes cousins. On ne peut pas être plus proches à moins d'être frère et sœur.

– Tu sais bien ce que je veux dire.

J'avais effectivement compris.

– Lucy, si tu t'imagines que je vais me couper avec ce truc, tu es folle. Nous serons punis si nous faisons ça, plaidai-je désespérément.

– Comment le sauront-ils si nous ne leur disons rien ?

– Ils le sauront.

– Allez, Gibby. Fais-le si tu m'aimes.

Elle prit le petit couteau à manche d'os dont la pierre à aiguiser de Shem entretenait le tranchant, traça une ligne sur son mince poignet veiné de bleu. Un filet rouge apparut, grossit, trembla et se transforma en cascade de gouttes tombant sur le sol sec qui les but avidement. Elle contempla rêveusement son sang comme pour en graver dans sa mémoire le parcours sur son bras, puis leva vers moi ses yeux emplis de lumière et me sourit.

– A toi, dit-elle en me tendant le couteau.

– Je ne peux pas, répondis-je, honteux. Il y a des tas de choses que je ferais pour toi, Lucy, mais ça, je ne peux pas. J'aurais un étourdissement, je vomirais sur toi, tu le sais. Tu te souviens de la fois où j'ai saigné du nez, l'année dernière ? Je suis resté au lit toute la journée.

– Il le faut, répliqua-t-elle.

Immobile et implacable, elle ressemblait à une prêtresse païenne agenouillée dans les bois embrasés de soleil, le couteau étincelant dans sa main.

– Je ne peux pas, gémis-je. Autant me demander de me trancher la gorge.

– Je le ferai pour toi, décida-t-elle d'un ton passionné. Ce sera si rapide que tu n'auras pas le temps d'avoir peur. Tu ne sentiras presque rien, tellement il coupe bien. Et je mettrai mon pull par-dessus pour que tu ne voies pas le sang. Et si tu vomis, je nettoierai tout.

– Je ne peux pas, répétai-je.

– Il le faut, Gibby, ordonna-t-elle d'une voix sifflante qui me fit tourner les yeux vers elle.

Elle avait le visage livide, les yeux flamboyants et emplis de larmes. Elle ne ressemblait pas à ma cousine Lucy mais à un être surgi d'une forêt plus ancienne et plus sauvage que celle où nous nous trouvions, un être qui aurait dû porter sur sa jolie tête une couronne de serpents vivants et grouillants.

– Fais-le maintenant, murmura-t-elle. Fais-le. Cela voudra dire que nous appartenons l'un à l'autre, que toute notre vie nous aurons quelqu'un pour nous aider et être auprès de nous quand nous nous sentirons seuls. Si tu ne le fais pas, je n'aurai personne pour me protéger, et un jour il m'arrivera quelque chose et je mourrai. Si tu ne le fais pas, Gibby, je plonge ce couteau dans mon cœur, tout de suite, et je mourrai devant toi dans une mare de sang et ce sera ta faute.

Je le fis. D'un geste vif, j'enfonçai la lame dans mon

poignet, là où le petit delta bleu de veines palpite comme le cœur d'un lapin pris au collet, et la douleur fut vive, aussi écœurante que les plaquemines trop mûres écrasées par terre autour de nous.

Le sang ne coula pas, il jaillit, éclaboussa ma chair et abreuva le sol sec. Lucy saisit mon poignet vivement, le pressa contre le sien tandis que la nausée et l'étourdissement envahissaient mes veines, remontaient en bourdonnant le long de mes bras, se hissaient à mes tempes. Les buissons tournoyèrent et, pendant près d'une heure, je demeurai étendu, agrippant la terre chaude, craignant de rendre mon déjeuner.

Je ne vomis pas. Lorsque le sang s'arrêta de couler, que Lucy eut nettoyé ses traces avec son pull trempé dans l'eau couverte d'une écume verte du bassin à nénuphars, ma tête avait cessé de tourner, mon estomac de s'agiter. J'éprouvais une grande fierté, le sentiment réconfortant de posséder quelqu'un et de lui appartenir. Comme Lucy l'avait prédit, personne ne remarqua les coupures qui, une fois lavées et séchées, étaient presque invisibles, quoique assez profondes pour que nous en gardions tous deux la cicatrice. Je crois que si nous n'en avions pas conservé la trace, Lucy aurait renouvelé l'opération jusqu'à obtention du résultat désiré. Ces fines lignes blanches sur nos poignets devinrent le signe de notre appartenance l'un à l'autre et de notre identité.

Le livre que j'avais rapporté à la maison le jour où nous avions épié nos parents, c'était *La Mort d'Arthur*, de Sir Thomas Malory, et, comme *Le Livre de la jungle*, il pesa d'un tel poids sur notre enfance qu'à certains égards il nous modela. Alors que Lucy avait été charmée par l'histoire du petit Mowgli, elle plongea dans le livre de Malory avec la détermination farouche d'une créature aquatique retrouvant, juste avant de suffoquer dans l'air acéré comme une lame, les profondeurs chaudes de la mer lui ayant donné la vie. Je ne le lui lisais jamais assez souvent, jamais assez longtemps pour la satisfaire. Souvent je dodelinais de la tête, mes yeux brûlants se fermaient et la voix de Lucy me réveillait en sursaut.

– Ne t'endors pas, Gibby. Tu n'as pas fini cette histoire. Elaine n'est pas encore montée dans la barque.

– Lucy, il est une heure. Je t'ai déjà lu ce livre cent fois.

– Finis juste celle-là, Gibby. Il faut que je sache ce qui arrive. Il le faut.

– Mais tu le sais.

– Non, Gibby, s'il te plaît...

Et il y avait une telle détresse dans sa voix que j'allais jusqu'au bout de l'histoire avant de refermer le livre. Lucy me remerciait toujours si sincèrement que ma fatigue, mon irritation s'évanouissaient, et que je ne regrettais nullement le lendemain ma tête lourde et mes yeux rouges.

Car, au cours de cette période « Thomas Malory », Lucy m'avait donné mon âme et je le savais. Je ne pouvais plus redevenir un simple petit garçon faisant la lecture à sa cousine plus petite et obéissant à ses ordres. Malory et ses tendres victimes, belles et stupides, étaient le cadeau que je lui faisais. Ce qu'elle m'offrait, c'était la sainteté.

Elle me l'annonça pendant une des premières nuits où je lui lisais le livre de Malory, cette fois l'histoire de Lancelot et Guenièvre. Quand j'eus terminé, je tournai les yeux vers elle et la vis assise bien droite, le visage illuminé.

– On sauvait toujours les dames à cette époque, dit-elle avec un soupir de joie. C'est comme ça que les chevaliers devaient se conduire. Tu seras mon chevalier, Gibby. Le plus beau et le plus courageux de tous les chevaliers. Et tu me sauveras toujours. Je l'ai compris quand nous avons ouvert nos poignets.

Je sus alors mieux que je ne le sus jamais par la suite qui j'étais. Sheppard Gibbs Bondurant III, chevalier.

– Ben, je ferais bien de commencer tout de suite, dis-je avec détachement pour cacher mon exaltation. Sinon je serai le chevalier le plus froussard et le plus maigrichon du monde.

– Tu ne seras pas toujours maigrichon, assura Lucy. Et tu

seras très beau. Comme Lancelot. Ou plutôt comme Galahad, je crois.

Cette nuit-là, après qu'elle se fut endormie et que j'eus éteint Mickey Mouse, je pleurai de soulagement d'avoir reçu une identité. Ce fut comme si, en acceptant le rôle de protecteur de Lucy, j'avais fait disparaître toute ma vie de petit garçon impuissant et insignifiant, me laissant un pouvoir infini. Tout ce qu'il y avait eu en moi de faible et de détestable, tout ce qui m'avait blessé ou fait honte se transforma en pouvoir. Mes colères obscures, profondément enfouies, se trouvèrent justifiées parce qu'elles étaient devenues, en un instant, le courroux légitime d'un saint. Lc rôle de protecteur de Lucy justifiait tout ce que j'étais, tout ce que je serais. Seigneur ! quel terrible cadeau ! Il fit de moi non seulement l'esclave de Lucy pendant la majeure partie de ma vie, mais aussi une sortc de saint vivant un exil qu'il s'imposait.

Je me souviens qu'un jour, alors que j'avais depuis longtemps accédé à l'âge adulte, après que Ben Cameron fut tombé malade et comme Dorothy envisageait de vendre la maison de Muscogee Avenue, nous parlâmes de ce redoutable cadeau du pouvoir que Lucy m'avait fait. C'était longtemps après que j'eus cessé de sortir, sauf pour me rendre dans quelques rares endroits, et ce principalement le soir. La maison de Dorothy était un de ces lieux que j'avais continué à fréquenter. Il n'était rien, dans la pénombre accueillante, dont je ne pus m'entretenir avec elle.

– Dès l'instant où je découvris le sentiment de toute-puissance que me procurait le rôle de protecteur et chevalier servant de Lucy, je voulus être un saint, dis-je. Pendant un temps, je m'employai de toutes mes forces à être le protecteur des faibles, le secours des désespérés. Saint Shep le Grand. Ce sentiment commença à s'éroder le jour de la baignade dans la rivière – je suis sûr que Sarah vous en a parlé –, mais il ne se délita réellement que le jour de l'incendie, lorsque je devins aux yeux des habitants de cette ville non un saint mais un... bon, vous savez ce qu'ils pensent de moi, maintenant. Et pourtant le désir, le besoin existent encore...

Je sentis ses grands yeux d'ambre sur moi dans l'ombre épaisse de la véranda.

– Et tu as disparu, dit Dorothy de sa voix profonde et chaude de jeune fille.

– Et j'ai disparu, convins-je.

– Pas très digne d'un saint, tu ne crois pas ?

– Au contraire, Miss Dorothy. Nous les saints, nous avons longtemps été des ermites au cours de l'histoire. Notre vie n'est pas aussi facile que les gens le pensent, vous savez.

– Je n'ai jamais pensé que tu avais une vie facile, Shep, dit Dorothy Cameron. D'un autre côté, je n'ai jamais pensé non plus que tu avais une vie très dure.

Dorothy m'avait toujours pris pour ce que j'étais sans jamais cesser de m'aimer et de m'estimer. Lucy aussi, bien sûr, mais j'étais pour elle une autre personne et j'avais toujours regretté qu'elle ne pût reconnaître en moi au moins un trait de cet homme tout à fait banal que Dorothy Cameron connaissait si bien. Cela nous eût épargné de longues souffrances.

L'été 1942 fut torride, si humide que les portes ne fermèrent pas avant l'automne et que les chaussures se couvrirent d'une couche de moisissure gris-vert dans les placards. Les murs de la maison de Peachtree Road étaient presque aussi épais que ceux d'un cloître et, avec les doubles rideaux tirés dans les pièces du bas, les ventilateurs électriques ronronnant çà et là, ils nous assuraient d'ordinaire une confortable fraîcheur. Je ne me rappelle pas avoir réellement souffert de la chaleur dans la maison avant cet été-là.

Après le mois de juin, la température ne descendit plus en dessous de trente-cinq et les orages quasi quotidiens ne brisaient pas la chaleur mais y ajoutaient une moiteur suffocante. Le soir, mes parents et tante Willa demeuraient dans la véranda, retardant le moment de monter au premier étage, où il n'y avait pas un souffle d'air. Nous n'avions même pas la ressource de nous rendre à la piscine de Garden Hills ou à celle du Driving Club car la radio et les journaux multipliaient les mises en garde contre les risques de poliomyélite. Confinés à la maison, Lucy et moi eûmes cet été-là l'autorisation de dormir dans la gloriette, sur des matelas, et nous y vécûmes littéralement jusqu'en septembre avec nos livres et un petit poste de radio que mon père nous avait acheté.

Je n'ose imaginer ce que durent être les nuits de Shem et Martha Cater dans leur petit appartement au-dessus du garage. Ils n'avaient jamais l'air las ou excédés, comme nous, et je ne les vis jamais transpirer.

– Les nègres ne suent pas, m'expliqua Lucy. C'est parce qu'ils sont noirs. Ils viennent d'Afrique, où il fait un million de fois plus chaud qu'ici, et la chaleur les fait devenir noirs. C'est pour ça qu'ils ne suent pas.

– Comment tu le sais ? demandai-je.

Je l'ai lu quelque part.

Je savais que c'était faux, puisque je lisais tout ce qu'elle lisait, mais je ne la contredis pas. Il suffisait qu'une des idées fantasques de Lucy tombe de sa bouche pour qu'elle devienne une vérité première et elle était réellement bouleversée quand on la traitait de menteuse. Je n'avais donc aucunement l'intention de discuter avec elle de la sueur de Martha et de Shem, ni d'interroger les intéressés.

Martha eut beaucoup à faire cet été-là avec le petit Jamie et Little Lady. Pendant l'année qu'ils avaient passée chez nous, nous les avions peu vus et entendus car leur mère les avait intelligemment gardés hors de notre vue dans les pièces qui leur étaient allouées, et lorsqu'elle avait commencé à travailler, Martha avait pris le relais avec l'aide de sa fille Toto, une adolescente stupide et docile.

C'étaient de beaux enfants sages qui semblaient comprendre la précarité de leur situation. Lorsqu'ils se joignaient au reste de la famille pour de grandes occasions comme les dîners de fête, le catéchisme du dimanche matin et les promenades en voiture, Willa veillait toujours à ce qu'ils soient récurés, frais et roses, vêtus de leurs plus beaux habits. C'étaient manifestement des petits Bondurant avec leurs cheveux d'un blond doré, leurs immenses yeux bleus, leurs mains et leurs pieds menus, des enfants si mignons qu'il était quasiment impossible de ne pas leur sourire, de ne pas toucher leur peau lisse et duveteuse. Tante Willa avait appris à Little Lady à faire la révérence et à réciter de sa voix fluette : « Merci, madame, enchantée de faire votre connaissance. » Si mon père fronçait les sourcils, si ma mère détournait les yeux face à cette parodie de distinction, ils ne pouvaient finalement que murmurer un compliment approbateur devant tant de joliesse.

Little Lady se trémoussait alors comme un terrier qu'on caresse, grimpait sur les genoux de l'un ou de l'autre, baissait son petit menton parfait et levait les yeux sous ses longs cils couleur de sirop d'érable. Ce fut pendant longtemps tout ce qu'on attendit d'elle. Tous ceux qui la voyaient gardaient le souvenir d'une ravissante poupée blonde et c'était d'elle qu'ils parlaient quand ils demandaient à tante Willa : « Comment va votre jolie petite fille ? » Je n'ai jamais compris qu'on pût délaisser le feu bondissant qu'était Lucy pour tant de banalité blanc et rose, mais je crois que les adultes d'alors ne virent jamais ce que je fus le premier à découvrir, et que tous les enfants de Buckhead, en particulier les garçons, ne tardèrent pas à remarquer : Lucy Bondurant était d'une grande beauté, distinguée et troublante.

Quant au petit Jamie, comment trouver gênant un magnifique bébé qui ne pleurait jamais ? Sa beauté, sa joie de vivre faisaient tomber les cœurs comme une boule de bowling bien lancée. Même ma mère en vint à lui tendre les bras pour qu'il s'y blottisse après le bain, humide et parfumé, gazouillant de plaisir. Même mon père ôtait ses lunettes, posait son cigare et tendait les bras au petit Jamie Bondurant comme il ne l'avait jamais fait pour moi. Dans la sagesse de ma sainteté toute neuve, je comprenais qu'un adulte ne pouvait être déçu par un être aussi simple et inachevé qu'un bébé et que mon père avait sûrement conscience, comme moi, que ce petit mâle était, à part moi, le seul qui pût perpétuer le nom des Bondurant. Je savais aussi, sans en éprouver trop de rancœur, qu'il sentait que son propre rejeton ne serait pas à la hauteur de cette tâche ou refuserait de l'assumer. Je convenais même, au plus profond de moi, qu'il avait probablement raison.

Cet été-là, cependant, les deux petits souffraient terriblement de la chaleur au premier étage et s'énervaient dans la confortable prison de leur monde miniature. Chaque après-midi vers deux heures, la chaleur insupportable finissait par faire descendre Toto, qui poussait devant elle comme de petites oies rétives les marmots vagissants dont elle avait la garde. Sa mère, exaspérée, lui interdisait de les amener à la cuisine, dans ses jambes, ou de les laisser se faufiler dans la bibliothèque, où travaillait mon père, ou dans la véranda de devant, où ma mère était allongée mollement. Il ne restait quc la véranda de derrière – que pour une raison quelconque ils détestaient –, le jardin ou la gloriette. Comme le jardin était à cette heure-là un Sahara brûlant, Toto les conduisait dans la pénombre fraîche de la gloriette en nous disant de nous plaindre à sa mère si cela ne nous plaisait pas.

Nous connaissions d'instinct les conséquences d'une telle réaction. Martha, peu maternelle de nature bien qu'elle s'occupât plutôt bien des enfants, n'était pas indulgente. Harcelée par des gamins remuants, elle dirait simplement à ma mère qu'elle ne pouvait pas travailler avec cette marmaille dans les jambes, ce qui entraînerait aussitôt le bannissement et l'incarcération de tous les enfants. N'ayant d'autre solution que de laisser Little Lady et Jamie envahir notre domaine, Lucy et moi passâmes l'été à imaginer des tortures inédites. Pas un jour ne s'écoulait sans que nous n'infligions aux deux petits des souffrances physiques et morales suffisantes pour qu'ils filent en hurlant vers la maison. Nous lancions alors à Toto un regard appuyé et elle s'arrachait au sofa sur lequel elle passait l'après-midi à dormir pour les suivre d'un pas traînant. Elle ne protestait pas. Elle savait que si elle ne parvenait pas à calmer les deux mioches, s'ils couraient pleurer dans le giron de Martha, son séjour au 2500 Peachtree Road serait terminé et qu'elle irait grossir la prodigieuse maisonnée d'une tante paresseuse à la main leste, à Perry Homes.

Un interminable après-midi du mois d'août, même la fraîche retraite dallée de la gloriette était devenue un enfer et je m'étais installé avec Lucy dans le bosquet de chèvrefeuille, où l'air paresseusement agité sécherait au moins la sueur de nos corps. Pour une fois nous étions seuls. Toto faisait sa sieste habituelle sur le vieux sofa ; Jamie et Little Lady dormaient d'un sommeil troublé sur les matelas où Lucy et moi couchions pendant la nuit. Ils avaient été ce jour-là particulièrement insupportables. La ravissante poupée s'était transformée en petite fille renfrognée et banale ; Jamie, le teint pâle, gémissait et frottait du poing ses yeux cernés depuis que Toto l'avait amené à la gloriette. Il n'avait presque pas dormi la veille, nous apprit-elle, mais nous n'y prîmes pas garde. Personne ne dormait bien depuis le début de la vague de chaleur.

Il y avait sous le bosquet de chèvrefeuille une succession de petites clairières semblables à des pièces ; de parfaites chambres à nos dimensions. Pour une raison mystérieuse, nous lui avions donné le nom de Dumboozletown, Floride, nous lui avions inventé des habitants, une histoire, et nous l'avions impitoyablement interdit aux deux petits. Cet été-là, Dumboozletown, Floride, fut aussi réel que Buckhead pour les quatre enfants Bondurant, et, s'il fascinait les deux grands, il exerçait un attrait irrésistible sur les deux plus jeunes. Mais nous l'avions entouré de pierres blanches et lisses pêchées dans le bassin aux nénuphars et nous avions déclaré à Jamie et Little Lady que c'était un cercle magique, que leurs bras et leurs jambes deviendraient noirs et tomberaient s'ils le franchissaient. Ils nous avaient crus. Pendant des heures, ils pleurnichaient devant la barrière de pierres sans oser mettre le pied à Dumboozletown, Floride.

Mais ce jour-là, agacés plus que de coutume par la chaleur, les deux petits se réveillèrent, nous entendirent, sortirent de la gloriette et franchirent sans hésiter le cercle magique pour pénétrer dans notre domaine. Ils nous dévisagèrent puis regardèrent autour d'eux, comme s'ils attendaient que la première tache noire révélatrice commence à remonter le long d'un de leurs membres. Little Lady ricana, Jamie fronça ses sourcils filasses et avança la lèvre inférieure en une moue ridicule. Il clignait des yeux, son nez coulait abondamment et sa couche mal fixée dégageait une odeur forte. Tous deux étaient à cet instant dépourvus de charme et d'humanité. Si leur attitude de défi suscita en moi une colère irrationnelle, Lucy était en fureur.

– Fichez le camp, stupides mômes ! hurla-t-elle.

– Partirai pas, chantonna Little Lady.

– Nan, bougonna Jamie.

– Filez tout de suite ou je vous enfonce la tête dans le corps, menaça-t-elle.

– Je le dirai à maman et elle te mettra dans un « norphelinat », répliqua Little Lady. De toute façon, elle m'aime plus que toi, alors. Elle te trouve méchante et vilaine. C'est à cause de toi que papa est parti.

– Méchante, geignit Jamie. Veux mon papa.

Sans l'ombre d'une hésitation, Lucy s'abattit en criant sur les deux enfants qu'elle repoussa hors du cercle de pierres, sous le soleil. Ils tombèrent à la renverse, heurtèrent un canapé de jardin en bois blanc, demeurèrent un moment silencieux, puis prirent une longue et profonde inspiration qui annonçait des cris à fendre le ciel et notre emprisonnement assuré dans les petites mansardes de la maison. Lucy et moi échangeâmes un regard effaré.

Les hurlements commencèrent, exaspérants et répétés comme une sirène coincée, et Toto sortit de la gloriette en titubant. Little Lady, qui s'était péniblement relevée, sautait sur place en frappant le sol de ses petits pieds nus mais Jamie demeurait à l'endroit où il était tombé, les yeux clos, poussant de brèves plaintes étranges et monocordes. Il avait une marque rouge à la tempe, une tache de sang au coin de la bouche, là où il s'était mordu la lèvre. Apparemment, il n'avait rien d'autre mais refusait de se lever et d'ouvrir les yeux.

Toto le souleva et l'emmena vers la maison, suivie de Little Lady qui continuait à rugir et à trépigner.

– Z'êtes dans de beaux draps, nous lança-t-elle par-dessus son épaule, non sans satisfaction. Pourrez pas vous asseoir pendant un mois.

Lucy et moi retournâmes de l'autre côté des pierres blanches, éparpillées à présent, et nous assîmes dans la dernière des « pièces » de Dumboozletown, Floride. Toto avait raison : Jamie était le trésor indiscuté de la maison ; la punition ne tarderait pas.

– Je dirai que c'est moi qui les ai poussés, proposai-je à Lucy, ma sainteté récemment acquise murmurant dans mes veines. Ne t'inquiète pas, il ne t'arrivera rien.

Mis à part son parfum de vertu un peu lourd, l'offre se fondait sur des considérations objectives : personne ne m'avait jamais réellement puni et certainement pas frappé. Je n'avais jamais eu la malignité ou le courage de commettre une faute assez grave pour le mériter. Mais Lucy souffrait terriblement quand Willa la corrigeait. Elle se refusait obstinément à pleurer ou à crier sous des coups qui la mettaient pourtant dans un état d'abattement pouvant durer des jours.

– Ils sauront que c'est moi, fit-elle d'une voix morne. Little Lady le dira, Toto aussi. Ma mère me battra et m'enfermera dans ma chambre.

– Ils ne peuvent pas faire ça. Ce ne serait pas juste.

Elle tourna vers moi ses yeux bleus.

– Ils ne sont pas justes, qu'est-ce que tu crois.

Nous nous tûmes. Et nous attendîmes qu'ils viennent nous punir.

Mais ils ne vinrent pas. Le feu blanc puis le rougeoiement du soleil disparurent et il ne resta bientôt plus que les cendres brûlantes du crépuscule et personne ne réclama justice pour Jamie et Little Lady. Il faisait presque noir quand nous entendîmes la sirène, et lorsque l'ambulance s'arrêta devant la maison, que des bruits de pas précipités résonnèrent sous le portique, la dernière lueur s'était éteinte et les lucioles commençaient à clignoter dans les bois et le jardin obscurs. Les étoiles semblaient écumer de chaleur. Avant que la portière de l'ambulance ne se referme en claquant, que la sirène reprenne son long et horrible miaulement, nous entendîmes striduler la première sauterelle. Et lorsque le mugissement s'éloigna en direction de Crawford Long Hospital, le concert nocturne battait son plein. Nous nous levâmes, nous nous mîmes à courir.

Lorsque nous arrivâmes à la maison, haletants et apeurés, il n'y avait personne. Personne dans la véranda ou la bibliothèque, personne dans les chambres du haut. L'idée folle me traversa qu'ils étaient tous morts, que l'ambulance était venue les chercher. Nous fîmes au petit trot le tour de la grande maison chaude, vide et sombre, visitant une pièce après l'autre, et lorsque nous parvînmes à la cuisine la peur s'était muée en une terreur si vive que je pleurais sans pouvoir m'arrêter. Lucy gardait le silence. La cuisine était déserte, elle aussi, et d'une propreté étincelante. Aucun plat ne mijotait sur le grand fourneau ; la table en fer forgé de la véranda n'avait pas été mise pour le dîner.

La panique avait trempé nos cheveux jusqu'aux racines quand nous montâmes l'escalier extérieur conduisant à l'appartement de Shem et Martha, au-dessus du garage. Nous apprîmes seulement alors que le petit Jamie avait été emmené mourant à l'hôpital, que mes parents et tante Willa l'avaient accompagné. Little Lady dormait sur l'étroit lit métallique de Martha, au bord duquel Toto était assise, l'air misérable.

– On dirait qu'ils vous ont oubliés, murmura Martha d'un ton las. Retournez à la maison, je vous préparerai quelque chose à manger.

Nous remarquâmes sur son visage noir des traces de larmes semblables à la traînée argentée que laisse un escargot. Elle et Toto étaient seules avec Little Lady ; Shem avait probablement conduit mes parents à l'hôpital avec la Chrysler, derrière l'ambulance.

Martha fit des œufs brouillés, nous installa à la petite table en fer forgé, mais nous n'avions pas faim et nous ne fîmes que grignoter. Curieusement, nous ne lui posions pas de questions sur l'état du bambin ; nous ne le pouvions pas. Je supposai qu'il s'était gravement blessé quand Lucy l'avait projeté hors de Dumboozletown, Floride, qu'il mourrait certainement et que rien dans notre monde ne serait jamais plus comme avant. J'avais la certitude absolue que la même pensée tourmentait Lucy mais elle se taisait, et elle ne parla jamais de ce moment par la suite. Assis dans le noir de cette nuit interminable en compagnie de Lucy, je songeai que ni moi ni personne n'avions le pouvoir de faire quoi que ce soit pour arranger les choses. Ce fut ma première expérience du désespoir, et elle demeure à ce jour la plus terrible.

Le bébé mourut à quatre heures et quart le lendemain, 11 août 1942, et ce n'est que le jour suivant, en fin d'après-midi, que quelqu'un pensa à nous apprendre qu'il était mort non à cause de la colère de Lucy mais de poliomyélite. Alors, et alors seulement, elle se mit à pleurer. Mon père la prit dans ses bras, la garda sur ses genoux pour tenter, maladroitement, de la consoler, et elle finit par se calmer, par sombrer enfin dans le sommeil, mais nous fûmes à jamais les seuls, elle et moi, à savoir qu'elle avait pleuré non de chagrin mais de soulagement.

5

On nous mit immédiatement en quarantaine. Avant même l'enterrement de Jamie, on nous sépara l'un de l'autre et du reste de la famille, et pendant les deux semaines que dura cet isolement, je me sentis désorienté et mis au ban de l'humanité. Même à présent que des jours et des semaines s'écoulent sans que je voie personne, je n'éprouve pas un tel sentiment d'aliénation, d'exclusion de la communion et de la rédemption. Ma solitude actuelle est mon œuvre ; l'autre me fut jetée dessus comme un suaire malpropre.

Cette quarantaine ne fut pas une décision médicale. Le docteur George Ballantine, qui vivait à West Wesley et dînait fréquemment chez mes parents, vint nous voir le second soir, l'air saugrenu dans sa chemisette et ses chaussures bicolores. Il nous examina, Lucy et moi, et déclara que, autant qu'il pût en juger, nous étions en bonne santé et n'avions pas un début de poliomyélite. Il nous donna de l'aspirine, recommanda de nous mettre au lit mais uniquement eu égard à l'air épuisé de Lucy et à ses sanglots, à ma nausée et à ma pâleur. Il fit ensuite une piqûre à tante Willa pour faire cesser les pleurs violents qui la secouaient depuis qu'elle était revenue de l'hôpital. Balançant au bord de la bouche noire du sommeil, je l'entendis dire à mon père, qui le raccompagnait, que les enfants devraient être rétablis le lendemain, qu'il convenait de nous nourrir légèrement, de nous garder au calme un jour ou deux et de l'appeler s'il y avait quoi que ce soit d'anormal.

Mais lorsque vint le matin, incroyablement identique par sa chaleur et sa moiteur aux jours précédents, Toto porta les quelques vêtements et jouets de Lucy à l'appartement de Shem et Martha, nettoya et aéra le grand débarras situé au bout du couloir du grenier.

Ma mère apparut dans le sillage de Toto, si pâle dans son élégante robe noire que son rouge à lèvres sombre ressemblait à une tache de mûre sur sa peau blanche. Elle ferma la porte derrière elle, posa le plateau du petit déjeuner qu'elle m'apportait et s'assit au bord du lit.

– Jamie est mort de paralysie infantile, dit-elle. Tu sais ce que c'est, Sheppie ?

J'acquiesçai de la tête en la regardant avec embarras. Je n'avais pas entendu de « Sheppie » depuis que Lucy était venue vivre chez nous et que le fardeau de l'attention envahissante de ma mère pour ma personne s'était quelque peu allégé.

– Alors, tu sais que c'est grave, reprit-elle. Et tu comprends pourquoi nous devons tout faire pour que tu ne l'aies pas. Comme nous ignorons comment le pauvre petit Jamie l'a attrapée, il faudra te mettre à l'abri jusqu'à ce qu'il fasse moins chaud. Lucy vivra un moment avec Shem et Martha, et nous te ferons une jolie salle de jeux pour toi tout seul ici en haut. Tu auras des livres, des jouets ; Lottie te préparera les petits plats que tu aimes et nous te les monterons. Je viendrai te faire la lecture l'après-midi, parfois je dînerai avec toi et papa t'apportera un poste de radio rien qu'à toi et des tas d'illustrés. Ce sera comme à l'hôtel. Tu te rappelles comme ça te plaisait, au *Waldorf*, quand nous sommes allés à New York ? Ce sera pareil.

Mes yeux s'emplirent de larmes de frayeur que je jugeai méprisables mais que je ne pus retenir. Elles coulèrent silencieusement jusqu'aux coins de ma bouche et leur goût de sel chaud me donna à nouveau la nausée.

– Je ne veux pas rester tout seul en haut, protestai-je. Il

fait trop chaud, ça me donne envie de vomir. Et Lucy ne peut pas rester seule là-bas pendant que Shem et Martha travaillent. Elle est trop petite, elle aurait peur. Pourquoi ne pas la laisser ici avec moi ? Pourquoi ne pas nous mettre tous les deux dans la gloriette ? C'est méchant de la laisser toute seule.

Ma mère m'enlaça, m'attira contre elle et je sentis la chaleur de sa chair sous le tissu noir, le parfum de muguet qu'elle portait à cette époque. Je trouvais si étrange d'être dans ses bras que cela me paralysait et que je n'osais respirer. Je ne pouvais me rappeler la dernière fois qu'elle m'avait serré contre elle. Je savais que mes larmes intarissables tachaient sa jolie robe et j'en étais mortifié, mais je n'arrivais pas à en endiguer le flot. Je me mordis la lèvre si fort que la douleur rougit l'obscurité derrière mes yeux clos et que mes pleurs se calmèrent un peu.

– Nous avons perdu un petit garçon, dit ma mère avec une véhémence qui ne lui ressemblait pas. Je ne perdrai pas le mien. Peut-être ne me suis-je pas assez occupée de toi en te laissant faire le diable tout l'été avec Lucy, mais c'est fini, maintenant. Tu es tout ce que je possède, Sheppie, et je ne prendrai pas de risques avec toi.

Je clignai des yeux contre sa poitrine. Qu'est-ce qu'elle mijotait ? Je n'étais pas tout ce qu'elle possédait. Elle avait une vaste maison, deux grosses voitures, une quantité de toilettes, et tout ce mobilier sombre, brillant, ces porcelaines fragiles. Elle avait une armée de connaissances qui étaient presque sa copie conforme, des clubs, des soirées, des bals et des dîners auxquels elle allait tout le temps. Elle avait mon père. Jamais je n'avais pensé faire partie du panthéon de ses précieuses possessions.

– Mais Lucy... commençai-je.

– Lucy vivra là où Toto et Martha pourront s'occuper d'elle et où elle ne se livrera pas à de nouvelles espiègleries pendant un moment. Elle a été en contact avec la maladie, tout comme toi, et nous ne la laisserons pas la répandre dans cette maison. Autant que nous sachions, elle est peut-être porteuse de...

– Non ! m'écriai-je en me dégageant. Tu ne l'aimes pas, c'est tout. C'est pour ça que tu l'enfermes là-bas et moi ici. Elle n'est pas porteuse !

– Tu n'en sais rien, déclara ma mère avec froideur, assise toute droite au bord du lit. Nous ne savons pas ce qui cause la polio. Et ne sois pas insolent, Shep. Vous retournerez à la gloriette quand il fera un peu plus frais, mais pour le moment tu restes ici, et je ne veux pas en entendre davantage. Une petite séparation d'avec Miss Lucy te fera du bien. Je sais qui a poussé le bébé et l'a fait se cogner la tête.

– C'était moi ! Lucy ne l'a même pas touché, ce stupide gosse !

– Cela suffit, dit ma mère, reprenant son ton glacial habituel. Toto et Little Lady nous ont raconté ce qui s'est passé. Cette enfant ne cause que des ennuis, et le fait que tu mentes pour la protéger me confirme dans mon opinion. Maintenant, je dois me préparer pour l'enterrement. Je veux que tu prennes un bain et que tu mettes des vêtements convenables. Je te les apporterai quand j'aurai fini de m'habiller.

– Pour quoi faire si je reste ici ? marmonnai-je, le cœur bouillonnant de révolte.

– Parce que ton petit cousin est mort d'une terrible maladie et qu'on l'enterre aujourd'hui. Tu peux montrer un peu de respect, même si tu le montres dans ta chambre. C'est ce que font les gens comme il faut. Il est temps que tu apprennes à vivre comme le petit gentleman privilégié que tu es. Tu es né dans une famille de gens bien élevés, Sheppie, même si tu passes tout ton temps avec... des enfants qui ne le sont pas.

Elle quitta la pièce avant que je comprenne qu'elle parlait de Lucy. Je me levai, gagnai d'un pas hésitant le couloir obscur où régnait un silence inhabituel. D'habitude, à cette heure de la matinée, Lucy était éveillée et nous parlions d'une pièce à l'autre en nous habillant. Mais il n'y avait que la poussière, la chaleur et le silence. Sa mansarde était déserte, le petit lit de fer avait même perdu son matelas. L'idée me traversa que Lucy était morte, morte dans la nuit de la maladie qui avait emporté son petit frère. Je me retrouvai en haut de l'escalier étroit menant au premier étage en train de crier :

– Lucy ! Lucy !

Après un long et terrible silence, Martha Cater apparut en bas des marches, me lança un regard furieux.

– Arrête de brailler, Shep ! La maison est en deuil ! Qu'est-ce que tu veux ?

– Lucy ! Où est Lucy ?

– Dans la salle de bains de sa maman. Elle se lave, comme tu devrais le faire, répondit Martha d'un ton sévère. Qu'est-ce que vous avez donc, tous les deux ? Vous hurlez comme une sirène de pompiers tandis que vos pôv' parents essaient de se préparer pour aller enterrer ce pôv' petit. Vous devriez avoir honte !

Par-dessus la voix de Martha, j'entendis alors Lucy. J'entendis ses cris, lointains et étouffés par plusieurs portes fermées. Je ne compris pas tout d'abord ce qu'elle disait mais je savais, comme toujours, ce qu'elle éprouvait : de l'indignation, et cette panique irraisonnée que le fait d'être enfermée déclenchait toujours en elle. Au milieu de ses cris, je perçus mon nom :

– Gibby ! Je veux Gibby !

Je retournai dans ma chambre, fermai la porte pour ne plus l'entendre m'appeler. Je savais que, si j'essayais de descendre, on me soulèverait et on me ramènerait en haut, comme le petit garçon impuissant que j'étais.

– D'accord, murmurai-je d'un ton farouche, avec cependant une sorte de calme détaché. Attendez que je sois grand. Personne ne pourra m'arrêter. J'emmènerai Lucy loin d'ici et vous ne nous reverrez jamais. Je me fiche du temps que ça prendra. Je le ferai.

Et je m'étendis sur mon lit aux draps froissés, croisai les

mains derrière la nuque et entamai, avec une espèce de sérénité furieuse, cette longue attente.

La séparation fut d'autant plus insupportable que nous ignorions quand elle prendrait fin. Nous savions seulement que la libération viendrait avec la fraîcheur et il nous semblait que le temps lui-même conspirait contre nous. Même les orages fracassants et sans effet qui coupaient la journée cessèrent vers la fin août, et il n'y eut plus que la blancheur du soleil, le silence, l'ennui et la fournaise.

Après cette première journée, je n'entendis plus crier Lucy et je cessai bientôt de m'enquérir de son sort car on me répondait invariablement : « Elle va bien. Elle lit, elle écoute la radio, elle joue avec Toto. » Je savais que c'était faux.

Au cours de cette première semaine de deuil, tante Willa cessa un jour de pleurer, se lava le visage, se maquilla à nouveau et retourna au travail, vivement félicitée pour son courage et son cran. Je l'avais su, m'étant étendu sur le sol du débarras, en collant l'oreille à la bouche de chaleur. Par la magie de quelque loi physique, je pouvais entendre ce qu'on disait dans la véranda de devant et je prenais position sur la trappe chaque fois que j'entendais les pneus d'une automobile en visite crisser sur le gravier de l'allée. Ce fut par ce biais que je gardai le doigt sur le pouls d'une réalité ténue. Ce fut également ainsi que j'appris que personne dans la maison ne s'occupait de Lucy.

Ce jour-là, Dorothy Cameron était venue voir ma mère et nous apporter de la gelée de poivrons pour laquelle j'entendis ma mère la remercier d'une voix languissante. C'est de Dorothy qu'émana l'éloge de tante Willa, auquel ma mère répondit :

– C'était à croire qu'elle se mourait elle aussi, avec la pauvre Martha qui lui montait des plateaux et le docteur qui venait cinq fois par jour. Et puis d'un seul coup, la voilà qui descend, vêtue comme pour une noce, avec une couche de maquillage d'un centimètre, et qui demande si Shem peut la conduire en ville parce qu'on a besoin d'elle à la cantine de la Croix-Rouge. Non, je vous jure ! Son fils unique vient de mourir et elle va s'occuper de la racaille ! Mais que diront les gens ?

– Bravo, fit Dorothy de sa voix tranchante. Je pense qu'elle a eu raison. Nous sommes en guerre, vous savez, Olivia, et pleurer ne lui rendra pas son bébé. La Croix-Rouge a besoin de toute l'aide qu'elle peut obtenir. Les gens diront que c'est une femme courageuse qui place son pays au-dessus de sa propre peine.

– On croirait entendre Sheppard, fit ma mère, agacée. C'est tout juste s'il ne s'est pas précipité pour aller lui chercher la Médaille d'honneur du Congrès. Mais un jour, elle se conduira de façon si lamentable que Shep lui-même la verra sous son vrai jour, et je ne serais pas surprise qu'il la chasse alors de la maison.

– Ce qui serait épouvantable pour les deux pauvres enfants qui restent.

Une fois de plus, Dorothy lui avait cloué le bec. Pour une raison quelconque, ma mère avait un peu peur de sa petite voisine, du moins la respectait-elle assez pour accepter avec une humilité inhabituelle des mots qu'elle aurait renvoyés au visage de tout autre. Je savais aussi qu'après le départ de Dorothy elle téléphonerait à toutes ses amies pour leur rapporter cette dernière excentricité cameronienne.

Après un court silence, Dorothy demanda :

– Comment les enfants réagissent-ils ? Je n'ai pas vu Shep depuis l'événement. Lucy est un petit être sensible. J'espère que ça ne l'a pas trop bouleversée.

– Nous les gardons au calme et loin l'un de l'autre un moment, répondit ma mère. (L'énormité de l'euphémisme m'arracha un sourire sans joie.) Lucy n'a pas une très bonne influence sur Shep, et cette petite séparation lui fait le plus grand bien. Je passe mes après-midi et mes soirées avec lui et c'est un grand plaisir pour moi de retrouver mon petit garçon. Il m'est d'autant plus cher que je viens de voir combien il est facile de les perdre. Je ne le laisserai pas passer tout son temps avec cette gosse, cette Lucy, comme il l'a fait cet été. C'est un vrai diable, cette fille, vous savez, gâtée et livrée à elle-même. Willa ne lui a pas consacré une seconde depuis la mort du bébé, elle est tout le temps avec Little Lady. Voilà une enfant qui a du chagrin. Mais Lucy... Pas une larme, pas un mot. Enfin, que voulez-vous ?

– Qui garde Lucy ? demanda Dorothy.

– Eh bien... personne, à vrai dire, je crois. Toto de temps en temps, peut-être. Apparemment, elle ne veut personne auprès d'elle. Elle ne répond pas quand on l'interroge, ne lève même pas la tête quand on lui parle. Alors nous la laissons bouder. Elle finira bien par comprendre à quel point c'est laid. Je ne m'inquiète pas du tout pour cette enfant, elle n'a besoin de personne.

Je roulai loin de la bouche de chaleur, me recroquevillai en une boule de souffrance. C'était plus terrible encore que je ne l'avais cru. La rage m'envahit, se transforma en larmes et je résolus en pleurant de descendre cette nuit consoler Lucy quand tout le monde dormirait. Si l'on me surprenait, je recommencerais, encore et encore. Je me moquais de ce qu'on pouvait me faire. J'avais retrouvé ma sainteté, forte, simple et douce.

Je n'eus cependant pas à m'imposer cette épreuve car, juste après que ma mère m'eut apporté le plateau du dîner, mon père surgit dans la petite pièce, le visage sombre comme une nuée orageuse.

– Lucy est ici ?

– Bien sûr que non, répondit ma mère. Que se passe-t-il ?

– Elle n'est pas dans sa chambre. Elle n'y était pas quand Willa est rentrée et nous n'arrivons pas à la retrouver. Little Lady a disparu elle aussi.

– Toto... commença ma mère en se levant à demi.

– Toto dormait, dit mon père avec une expression de profond dégoût. Il nous a fallu cinq minutes, à Martha et à moi, pour la réveiller. Elle n'aurait pas entendu la fanfare de la Troisième Armée si elle avait traversé la pièce.

– Où est Willa ? demanda ma mère.

– En bas, avec une crise de nerfs. Martha a appelé George

Ballantine et j'ai prévenu la police. Cette fois, je ne vais pas perdre mon temps pour cette sale gamine.

Je pris le sillage de mes parents quand ils sortirent de la chambre mais je ne crois pas qu'ils se rendirent compte que j'avais, sans prononcer un mot, mis définitivement fin à cette abominable quarantaine. Ou plutôt que Lucy y avait mis fin en kidnappant sa petite sœur. Une fugue de Lucy Bondurant, c'était une chose, mais la disparition de Little Lady... Nous entendîmes la sirène de la première voiture de police avant même d'être arrivés dans le vestibule.

On avait trouvé Lucy à la gare routière, attendant le car pour La Nouvelle-Orléans avec une Little Lady pleurant dans sa poussette. Elle avait acheté les billets avec l'argent qu'elle avait volé dans le sac de sa mère.

Mais où serait-elle allée ? lui demanda-t-on. Et pourquoi avait-elle emmené sa petite sœur ?

– Je voulais la sauver de la polio pour que maman ne pleure plus, répondit-elle avec flamme en écarquillant ses grands yeux d'un bleu impossible. J'aurais retrouvé papa et il l'aurait sauvée de la polio.

Après avoir été fessée et envoyée au lit sans dîner – et, ce qui était bien pis et tout à fait nouveau, grondée froidement par mon père –, elle sanglota silencieusement dans son petit lit sous le toit. Je me glissai près d'elle, la pris dans mes bras et murmurai :

– C'était très courageux, ce que tu as fait. On n'aurait pas dû te frapper pour ça.

La sentant trembler, je resserrai mon étreinte et entendis alors son rire de gorge.

– Je ne voulais pas la sauver de la polio, idiot, me lança-t-elle. Je l'aurais mise dans l'autocar et je l'aurais envoyée au diable, pour qu'il n'y ait plus que moi. Comme au début, avec papa. C'est elle et Jamie qui ont fait partir papa, je le sais. S'il n'y avait plus que moi, il serait revenu. Il avait dit qu'il ne me quitterait jamais et il ne serait pas parti sans ces bébés braillards.

Dans l'étroit petit lit blanc, sous la lune blanche du mois

d'août, je me sentis glacé. Lucy s'endormit presque avant d'avoir achevé sa dernière phrase mais je mis longtemps à trouver le sommeil.

Le lendemain matin, nous avions fini de prendre le petit déjeuner quand elle pénétra dans la salle à manger. Elle alla droit à mon père, grimpa sur ses genoux, posa les mains sur ses épaules et le regarda bien en face.

– Je regrette d'avoir été vilaine, oncle Sheppard, déclara-t-elle. Je promets de ne plus recommencer. S'il te plaît, ne sois pas fâché et continue à t'occuper de moi.

Mon père considéra un moment cette enfant délicate et rose dans sa mince chemise de nuit blanche. Puis il la serra contre lui, maladroitement et fort.

– Je m'occuperai de toi jusqu'à ce que les poules aient des dents, trésor, répondit-il, et je crus discerner la trace infime et incroyable d'un reflet humide dans ses yeux bleu clair.

– Merci, murmura Lucy.

Elle descendit des genoux de mon père, sortit de la pièce à pas menus et remonta l'escalier.

Je la suivis un moment plus tard.

– Mince, quel numéro tu as fait à papa, la complimentai-je, plein d'admiration. Il te mangeait dans la main. Moi, je n'aurais jamais pu faire ça.

– Ce n'était pas un numéro, répondit Lucy. J'étais tout à fait sincère.

– Mais tu n'avais pas besoin de faire ça. Il s'occupera de toi. Il est obligé. Tu es sa nièce.

– Ben, je voulais en être sûre.

– Moi, je m'occuperai de toi, Lucy. Je le jure. Ne t'inquiète pas pour ça.

– Tu n'es pas encore assez grand, fit observer Lucy, et il y avait dans sa voix un ton terre à terre totalement étranger aux enfants. Il fallait que je m'assure que ton père le ferait avant que tu puisses le remplacer.

Cette nuit-là, un orage terrible, l'ancêtre de tous les orages d'été, éclata au-dessus de la maison de Peachtree Road, et, avant même que les éclairs et le tonnerre ne poursuivent leur course vers l'est, une grande vague d'air frais venu de l'ouest embrasé nous annonça que la chaleur, la monstrueuse canicule, était partie, et avec elle l'insidieuse polio meurtrière, et que, pour cette année au moins, nous étions libérés de cette ombre de mort.

6

D'aucuns prétendent que le grand changement commença alors, dans les années qui suivirent la Seconde Guerre mondiale, que l'économie de guerre qui arracha Atlanta à la Crise ne faiblit jamais vraiment et que la grande trajectoire qui s'étendrait sur cinquante années et rapprocherait les mondes prit son essor avec les avions et les navires de cette guerre.

Mon ami Barry Gresham, qui fonda plus tard le premier institut de recherche pure de la ville, soutient que l'avenir d'Atlanta était quasiment assuré quand les jeunes gens qu'étaient nos pères revinrent de guerre ou abandonnèrent leurs occupations du temps de guerre et regardèrent autour d'eux la nouvelle configuration du terrain. Ces années furent, selon lui, une espèce de longue inspiration, la préparation des muscles au grand bond de la croissance et du progrès sans fin. Ce ne fut pas manifeste, précise-t-il. Les jeunes hommes qui guideraient le progrès n'étaient pas eux-mêmes pleinement conscients de leur pouvoir et de leurs rôles futurs. Ils étaient simplement rentrés chez eux pour faire des affaires, élever une famille, creuser leur niche, bâtir leur vie.

Un jour, vers la fin des années 50, ils découvriraient toutefois que la stagnation s'était installée, que le dernier gratte-ciel de la ville avait été édifié dix ans plus tôt, que le moteur d'Atlanta s'étouffait et tournait au ralenti. Leurs propres fortunes avaient connu un accroissement spectaculaire, pas celle de la ville. Ils regarderaient autour d'eux, échangeraient des regards dans les clubs, les bibliothèques et les patios des beaux quartiers, puis se réuniraient pour réfléchir, échafauder des plans, et des rouages grippés depuis dix ans se remettraient à tourner.

Mais nous, les enfants, ne percevions naturellement pas ce changement. Ces hommes extraordinaires n'étaient pour nous que nos pères. Nous étions d'une puérilité presque risible et le Hollywood de l'époque aurait adoré les petits cochons princiers que nous étions. Comment s'appelait ce film à l'eau de rose qui eut tant de succès ces années-là ? *Les Anges aux figures sales* ? C'était nous. Argent en plus.

Car nous étions les petits héritiers de l'élite mondaine et financière d'Atlanta, et d'une certaine manière nous le savions. Nous nous sentions en sécurité sous la carapace impénétrable dont l'argent nous enveloppait. Nous savions, pour la plupart, que nous hériterions davantage qu'une fortune personnelle mais le fait de le savoir ne nous affectait pas. Avec le recul, je m'aperçois que nos parents déployèrent de prodigieux efforts pour que nous restions ce qu'ils appelaient « naturels », non contaminés par cet héritage d'argent et de style. Je n'appris qu'à la mort de mon père l'étendue de notre fortune familiale. Sarah et Ben Camcron, tous deux bénéficiaires d'énormes trusts établis par leurs grands-parents, étaient obligés de gagner leur argent de poche. La plupart d'entre nous, Lucy et moi inclus, recevaient moins d'argent que beaucoup d'enfants de Garden Hills, et nous travaillions presque tous, d'une manière ou d'une autre, pour le gagner. Quasiment tous les garçons effectuaient de petits boulots pendant leurs études secondaires ; quasiment toutes les filles gardaient des enfants ou aidaient au ménage. Aucun de nous ne savait grand-chose des affaires ou du métier de son père. Sarah et Ben, Tom Goodwin, Carter Rawson, Snake Cheatham, Pres Hubbard, Charlie Gentry, moi, Freddie Slaton, Lelia Blackburn, Julia Randolph... ces rejetons des grandes demeures ignoraient, alors que le processus avait commencé, que leurs pères seraient maire, président de banque, P.-D.G. de compagnies s'étendant sur plusieurs États, éditeurs, propriétaires de journaux et de stations de radio, bâtisseurs de cités et d'empires.

Et nous l'ignorâmes très longtemps. Nous nous contentions de nous écorcher les genoux sur les terrains de baseball et de football, de nager et de plonger dans des piscines privées, de courir dans des « caisses à savon », de construire des modèles réduits de bateau et d'avion, de jouer au cerf-volant, d'être des artistes du jeu de billes et de la toupie, des tireurs d'élite à la carabine à air comprimé, de fréquenter des cours de danse, d'assister aux matinées théâtrales du samedi, de lire des illustrés, de rôder dans les bois et de patauger dans les rivières, de nous chamailler et de nous battre, d'être les flirts et les soupirants en herbe d'une époque qui, dans son innocence, son inconscience, ne sera probablement jamais égalée.

Parce qu'ils étaient les plus conservateurs des hommes, parce qu'ils idéalisaient leurs épouses et leurs jeunes enfants, nos pères – la plupart d'entre eux, en tout cas – s'efforcèrent de nous offrir l'enfance de leurs rêves conventionnels : virile, simple et insouciante pour leurs fils ; douce, simple et féminine pour leurs filles, sans le tourment ni la menace d'une ambition prématurée. Sans connaissance du monde. Ils n'exigeaient presque rien de nous hormis ce que certains ne pouvaient donner – conformité, adaptabilité.

Non, nous ne vîmes pas le monde changer autour de nous. Pas alors. Pour moi, le grand bouleversement fut intérieur, et ne se produisit pas avant une nuit d'octobre, alors que j'avais douze ans et Lucy dix. Avant, je n'étais qu'un gamin parmi d'autres, semblable aux autres, du moins en apparence.

Pour Lucy et moi, ce fut une période merveilleuse. Une période de liberté. Quasiment obsédée par l'éducation de sa cadette et la sienne propre, tante Willa n'avait guère de temps ni d'attention à consacrer à Lucy, et pour la première fois de ma vie, peut-être, mes parents ne trouvaient pas de défauts flagrants à me reprocher. J'étais un Buckhead Boy aussi normal et sociable qu'il m'était possible de l'être et je faillis même briller dans un ou deux domaines approuvés par les Bondurant. Je faisais montre au tennis de qualités prometteuses et je courais comme le vent. Ces deux talents faisaient naître chez mon père les seuls sourires de fierté auxquels j'eus jamais droit, et je les cultivai assidûment.

Rétrospectivement, je constate que Lucy et moi déployâmes, pour être acceptés par la tribu, autant d'efforts que nombre d'adultes pour leur carrière, et pour une raison bien plus valable : être acceptés nous donnait le temps de mener notre vraie vie. Chaque course à pied gagnée, chaque match de tennis victorieux, chaque journée passée sans attirer sur nos têtes la désapprobation nous valait autant de temps pour lire, bavarder, rêver dans la gloriette. Mon père et ma mère, ravis de mes modestes prouesses sportives, choisissaient de ne pas montrer leur mécontentement quand je passais toute une journée d'été ensoleillée, enfermé avec des livres et Lucy. Manifestement enchantée de ne pas avoir dans les jambes une diablesse à l'esprit inventif, tante Willa ne se souciait pas du temps que sa fille passait hors de la maison.

La position de chef que Lucy occupait dans notre bande était si insolite qu'on avait peine à y croire : qu'une fille de deux ans plus jeune que les garçons de son entourage pût débarquer à l'improviste, totalement inconnue, sans pedigree, dans la petite société masculine de l'Atlanta du début des années 40 et en prendre la tête confondait l'imagination. C'est pourtant ce qui se produisit. Dès le départ, elle dédaigna les fillettes des grandes maisons et sut, avec une intuition extraordinaire, faire la conquête des garçons.

Je me rappelle avoir entendu Dorothy Cameron demander à Lucy pendant son premier été au 2500 Peachtree Road :

– Aimerais-tu venir jouer avec Sarah un après-midi de cette semaine ?

– Non, madame, répondit aussitôt Lucy.

Se souvenant des recommandations de sa mère, elle ajouta :

– Merci. Mais j'aimerais bien venir jouer avec Ben.

– Tu crois que tu sauras ? fit Dorothy, amusée. Il est grand, tu sais.

– Oui, madame. Mais je sais pas s'il est assez grand pour jouer avec moi.

Pour faire la conquête des garçons de notre bande il fallait être la meilleure, et Lucy avait plus de hardiesse, d'agilité physique et d'imagination que n'importe lequel d'entre nous, garçon ou fille. Son grand rire, ses yeux incomparables nous fascinaient et elle parvenait toujours à rassembler un groupe autour d'elle en nous lançant : « Hé, écoutez, j'ai quelque chose à vous dire ! » Mais c'étaient les garçons qui accouraient le plus vite et restaient le plus longtemps. Aux fêtes d'anniversaire, pendant les séances de jeu après l'école, les filles se retiraient peu à peu à la lisière du groupe et, silencieuses, regardaient avec de grands yeux songeurs Lucy Bondurant charmer leurs frères et leurs camarades. Je remarquai cette attitude chez toutes les femmes qui entourèrent Lucy pendant toute sa vie : l'œil méfiant, elles pinçaient légèrement les narines, comme si elles flairaient un danger.

Ce fut Lucy qui m'assura une position, sinon de chef, du moins de membre à part entière de la petite meute. J'appris à courir simplement pour rester à sa hauteur. Quand je découvris que j'avais un don tout à fait immérité pour couvrir de longues distances avec la rapidité d'une gazelle, je dépassai Lucy et tous les autres, me fis gloire de ces victoires, et la joie, la fierté qu'elle en éprouva furent aussi grandes que les miennes. Lorsqu'un beau jour de printemps je triomphai de Tom Goodwin en simple au tournoi junior du Driving Club – pour la seule et unique fois car Tom était un joueur de tennis né –, les applaudissements de Lucy furent aussi bruyants que ceux de mon père. Au fil des ans, Lucy révéla chez elle des aspects complexes et troublants, mais de toute sa vie incandescente elle ne fut ni jalouse ni mesquine. Ce qu'elle possédait, elle le donnait des deux mains, et elle avait, au cours de cette brève et merveilleuse période, tout ce qu'il fallait pour mener les Buckhead Boys.

Ce qu'elle avait surtout, c'était du courage, tant de courage qu'il frôlait et atteignait souvent la pure témérité. Le jour où elle devint notre chef indiscuté fut aussi celui où elle m'assura une position inébranlable dans nos rangs, et aucun de nous ne l'oublia jamais. Ce fut de cette journée à la gare de Brookwood que nous parlâmes d'abord, pauvres vieux Buckhead Boys, le jour de ses funérailles.

La gare de Brookwood, beau petit bâtiment de briques rouges liées à la flamande, avec des fenêtres palladiennes, se dresse toujours dans une longue courbe de Peachtree Road, à mi-chemin entre Buckhead et le centre-ville, dans un quartier nommé Brookwood Hills. Du temps de mcs grands-parents, et même de mes parents, c'était là que partait tout Buckhead pour les grands voyages à l'étranger, et pendant la guerre qui venait de s'achever l'endroit avait grouillé de jeunes gens en kaki. C'était dans mon enfance une gare encore extrêmement animée, dont les trains arrivaient et partaient presque à l'heure car Atlanta était avant tout une ville ferroviaire dont les tentaculcs de fer s'étendaient dans le monde entier. A bicyclette, ce n'était pas loin de Buckhead : nous pouvions grimper péniblement les petites côtes et dévaler les longues pour y parvenir en un quart d'heure, et bien qu'aucun de nous n'eût la permission de rouler sur la route, nous le faisions régulièrement et dans une relative sécurité, car l'innommable circulation qui embouteille aujourd'hui ses voies étroites était alors supportable, et beaucoup plus lente.

La gare exerçait sur Lucy un attrait irrésistible. Chaque fois qu'elle le pouvait, elle passait des heures sur le long tablier de béton, derrière le bâtiment où les trains étaient à quai, comme de grands bisons noirs, et revenait à la maison couverte d'escarbilles, les grandes lignes brillant dans ses yeux. Lorsque nous fûmes tous en âge de rouler à vélo, Lucy nous y conduisit chaque fois que nous pouvions faire l'aller-retour sans que nos parents remarquent notre absence.

Nous allâmes là-bas pour la première fois un samedi du début de printemps, après que nous eûmes tous, par quelque accord tacite, demandé et obtenu une bicyclette à Noël. Pour son malheur, Lucy avait reçu une bicyclette de fille, sans la barre reliant fièrement la selle au guidon, et dès le début elle prit d'énormes risques, comme pour exorciser par son audace l'horrible absence de cette barre symbole de virilité.

Nous nous rassemblâmes dans la cour pavée de la maison de Ben et Sarah Cameron, et Lucy rayonnait déjà à la pensée de son plan.

– Chiche qu'on va tous à la gare de Brookwood, proposa-t-elle en souriant.

Après un silence, Pres Hubbard se déroba :

– Je n'ai pas le droit d'aller plus loin que Peachtree Battle.

Le regard froid de Lucy se posa sur son armature orthopédique, le congédiant. Il rougit. Elle ne parla pas de son infirmité mais chacun la sentait palpiter dans l'air comme un cœur.

Charlie Gentry, toujours protecteur envers Pres, intervint à son tour :

– C'est idiot. Personne n'a le droit d'aller aussi loin. On sera tous punis. En tout cas, moi j'y vais pas.

Lucy ne lui accorda même pas un regard.

– Tu as la frousse aussi, Ben ? demanda-t-elle.

– Moi non plus je n'ai pas le droit d'aller aussi loin, répondit-il. Mais si tu crois que j'ai peur...

Elle l'écarta d'un geste.

– *Moi*, je n'ai pas peur, affirma-t-elle.

Elle releva la béquille de son vélo, pédale en direction de l'avenue, sans se retourner.

Lucy avait presque gravi la colline et atteint Peachtree Road quand je m'écriai :

– J'y vais aussi !

En un clin d'œil, nous nous mîmes tous à pédaler dans son sillage.

C'était la première fois que nous nous aventurions hors de notre voisinage immédiat, la première fois que nous roulions réellement sur la route, et nous étions pleins d'appréhension, même si nous ne l'aurions jamais avoué. Si l'un d'entre nous avait suggéré « Retournons », nous l'eussions tous suivi avec alacrité, mais comme c'était la petite Lucy qui nous pressait de poursuivre, battre en retraite était impensable. Lorsque nous parvînmes à la gare, que nous laissâmes nos vélos pour aller derrière le bâtiment où le train de midi pour Charlotte se remettait en haletant de sa course matinale, nous étions tous nerveux comme des chevaux harcelés par une nuée de taons. Il n'aurait pas fallu grand-chose pour nous faire détaler comme des lapins.

– Vous voyez, il n'est pas tard, fit observer Lucy. Le train est encore là.

– Il va partir d'un instant à l'autre, dit Tom Goodwin. Il est presque midi. On devrait vraiment rentrer.

– Allons, il partira pas avant des heures, répliqua Lucy.

Nous savions tous que le train allait partir. Passagers et bagages étaient à bord et le contrôleur faisait quelques derniers pas le long du quai avant de monter en voiture. La respiration du grand géant noir était lente mais nous savions que, d'une seconde à l'autre, elle se ferait plus profonde et prendrait le rythme du départ. Nous échangeâmes un regard puis nous nous tournâmes vers Lucy, grande et mince comme un jeune bouleau dans son short et son T-shirt d'été devenus trop petits. Toute la matinée, elle avait été agitée, presque fébrile. Nous savions que, d'une façon ou d'une autre, nous n'échapperions pas à une peur mortelle.

– Je parie que personne est cap' de passer à plat ventre en dessous de ce train, nous défia-t-elle.

Nous la dévisageâmes, bouche bée. Courageux mais pas suicidaires.

– Qui a peur ? demanda-t-elle.

Aucun de nous ne répondit.

– Je parie que vous avez tous peur. Froussards, froussards, froussards, chantonna-t-elle. Ils ont deux ans de plus que moi et ils ont la trouille !

– Ferme-la, Lucy Bondurant, rétorqua Snake Cheatham.

C'était le plus costaud de nous tous, et il n'avait pas peur. Dans la longue pente de Northside Drive où l'on disputait les courses de « caisses à savon », Snake était admirable. Il avait toutes les audaces, prenait tous les risques, dans son engin aux allures d'araignée.

– Snake est un poltron, dit Lucy d'un ton calme.

Nous attendîmes qu'il la frappe mais il n'en fit rien. Il savait qu'il n'était pas un poltron.

– Ferme-la, Lucy, répéta-t-il d'un air renfrogné, mais il ne bougea pas.

– Ben ? fit Lucy.

Il rougit, baissa les yeux.

– Non, répondit-il, laconique.

– Tom ?

Tom Goodwin se gratta la gorge, cracha dans la poussière de cendre recouvrant le quai et détourna les yeux.

– T'es complètement folle, Lucy Bondurant, grommela-t-il.

Il ne restait plus, à part moi, que Pres Hubbard, dont la jambe raidie par la poliomyélite n'aurait pu se plier pour qu'il rampe sous un train – il parvenait cependant à nous suivre à vélo –, et Charlie Gentry, qui souffrait de diabète et ne nous accompagnait pas souvent dans nos excursions cyclistes. Les yeux de Lucy évitèrent Pres, sur qui elle avait déjà laissé sa marque, se posèrent sur Charlie.

– Toi aussi, tu as peur ?

– Ouais, répondit Charlie qui, à ma connaissance, n'avait jamais proféré un mensonge de sa vie. Bien sûr que j'ai peur. Et si tu essaies de nous le faire faire, je le dirai à tous les parents, et à ton oncle Shep. Il te mettra une bonne fessée.

Charlie n'était pas un mouchard mais il n'hésiterait pas à faire ce qu'il estimait nécessaire pour empêcher une injustice, et il n'aimait pas Lucy. Il ne l'avait jamais aimée. Je savais qu'il avertirait effectivement mon père si Lucy continuait à nous défier de ramper sous le train, et que la punition serait immédiate et terrible.

– Hé, Lucy, intervins-je, tu es en retard pour ta leçon de musique. Rentrons, nous reviendrons une autre fois.

– Bon, d'accord, bande de trouillards, dit-elle comme si je n'avais pas parlé. J'irai la première.

Elle glissa jusqu'au tablier et se coula sous la locomotive avant que nous ayons pu cligner de nos yeux ébahis. Une éternité parut s'écouler. Puis, de l'autre côté du train, la voix de Lucy estompée par l'énorme masse noire nous lança :

– Fastoche ! Ce n'est rien du tout, bande de peureux !

Au même moment, nous entendîmes la locomotive pousser un long soupir préliminaire, et nous vîmes la grande carcasse noire trembler.

– Bum, bum, bum, me revoilà ! cria Lucy.

Elle repassa sous le train, réapparut à nos pieds, couverte de cendres et de poussière, nimbée de triomphe. Le train avança, presque imperceptiblement ; une seconde puis une troisième expiration fusèrent de sa panse.

– Je le dirai à ton oncle Sheppard dès qu'on sera rentrés, annonça Charlie.

– Ouais, firent en écho Ben et Snake, honteux, furieux et effrayés.

Comme Charlie se dirigeait vers son vélo, je me jetai désespérément sous la locomotive. Le jour sembla devenir d'une clarté impossible puis s'obscurcit. J'étais enfermé dans une bulle de silence et d'irréalité. Les grandes roues noires roulaient vers moi tandis que je me tortillais dans les cendres et la poussière. Je sentis une forte odeur d'huile et de fumée, de métal chaud. L'obscurité empestait et était totale. Absolument terrifié, je lançai mon corps de côté, comme un serpent à sonnettes, et émergeai de l'autre côté, dans la lumière. Les roues immenses passèrent à côté de moi, le souffle du géant emplit le monde.

Je demeurai étendu au soleil de cette journée de printemps, les yeux clos, la respiration saccadée, et ce ne fut qu'au passage du dernier wagon que je me relevai en chancelant, brossai mes vêtements et donnai à mon corps une posture désinvolte, si bien que lorsque leurs visages effarés réapparurent je leur souris tel un jeune dieu en leur adressant un petit salut. Tous mes membres tremblaient, je n'aurais pu parler si j'avais voulu mais ce n'était pas nécessaire. La sensation grisante d'avoir accédé au rang de chef parcourait mes veines ; l'admiration, l'envie et la peur se mêlaient sur leurs visages. Je savais à leurs regards qu'ils ne diraient rien, ni sur moi ni sur Lucy. Nous nous étions hissés sur un sommet où ils ne pouvaient nous suivre. L'un après l'autre, dans un silence total, ils reprirent leurs bicyclettes et partirent. Lucy et moi les suivîmes à bonne distance.

Nous ne parlâmes pas avant d'être presque arrivés à la maison.

– Ne fais plus jamais une chose pareille, Lucy, dis-je, d'une voix encore tremblante.

– Non, Gibby, répondit-elle d'un ton soumis. Ce ne sera plus jamais nécessaire.

A partir de ce jour, son monde se mêla, chaîne et trame, au nôtre. Elle avait plus que gagné sa place à notre tête et nul ne songea à la lui contester pendant quatre ou cinq ans au moins. Et pendant toutes ces années, il n'y eut personne pour la surpasser. De fait, lorsqu'elle fut finalement exclue de la bande, sort réservé à tous les chefs, ce ne fut pas parce qu'elle démérita mais simplement et inévitablement parce qu'elle était devenue femme.

Je suppose qu'il était fatal qu'elle excède ses propres limites, qu'elle pousse son pouvoir trop loin et provoque une catastrophe. Pour la petite Lucy Bondurant venue de La Nouvelle-Orléans, pauvre, sans père, tolérée dans la maison de son oncle, l'emprise exercée sur les petits princes de Buckhead devait susciter une joie irrésistible. Toute sa vie, Lucy fut un être excessif, impulsif ; ce premier grand pas au-delà des bornes était compréhensible, et probablement pardonnable. Mais ceux qui guidaient son étoile étaient les moins préparés à comprendre et à pardonner. Pour chacun de nous, les conséquences furent graves ; pour Lucy, elles furent désastreuses.

L'événement se produisit par un maussade après-midi de septembre, alors que nous avions onze ans et Lucy neuf. Nos expéditions à vélo nous menaient alors incroyablement loin, déployés derrière Lucy comme une escadrille, filant à toute vitesse et laissant derrière nous un sillage brillant de queue de comète. L'excitation de l'été courait encore dans nos veines, aucunement entamée par les deux semaines passées à l'école primaire E. Rivers. Lucy avait beaucoup grandi pendant l'été. Mince et svelte comme un jeune saule, ou un poulain, elle avait presque atteint sa taille adulte. Le bleu de ses yeux virait au violet et ses cheveux, enfin libérés de leurs couettes et coiffés au salon de chez Rich – à prix réduit pour tante Willa, membre du personnel –, tombaient sur ses épaules comme une gerbe de pure soie. Elle ne ressemblait plus au chef lilliputien d'une race de géants simplets mais à un jeune roi de haute taille. Elle n'avait ni seins ni hanches, mais sa taille prenait la minceur de guêpe qui ferait sa fierté pendant des années. A cheval sur sa bicyclette, un bras levé pour nous inciter à la suivre, les cheveux au vent, elle aurait pu être Hippolyte menant les Amazones au combat, et je lui en fis un jour la remarque.

– Oui, mais les Amazones étaient toutes des filles, dit-elle. Des garçons, c'est mieux.

Personne d'autre dans notre bande n'aurait distingué Hippolyte de *Wonder Woman* mais tous répondaient d'instinct à l'aura de chef qu'elle portait maintenant avec une grande aisance. Il n'était pas d'endroit au monde où nous ne l'aurions suivie.

Ce jour-là, le halo de sauvagerie et de perversité qui brillait autour de Lucy Bondurant me rappela la fois où nous avions roulé sous le train, à la gare de Brookwood, et je sentis la crainte s'insinuer dans mon cœur. Je crois que nous éprouvions tous la même appréhension. Personne n'osait regarder franchement Lucy et quelqu'un – Tom Goodwin, je crois – déclara :

– Je peux pas rester longtemps. J'ai promis à ma mère de nettoyer les gouttières.

– Moi non plus, dit Ben Cameron. Maman veut que je sois rentré à cinq heures. Papa ramène des gens à dîner.

– Moi, ma mère ne me fait pas courir à la niche comme un petit chien, répliqua Lucy, acerbe. Nous avons trois heures devant nous avant que vous retourniez dans les jupes de vos mamans, poules mouillées. Ça nous laisse tout le temps.

– Tout le temps de faire quoi ? demandai-je malgré moi. Je n'avais certes pas envie d'entendre ce qu'elle allait dire. Un petit sourire incurvant ses lèvres roses, Lucy répondit :

– Le temps d'aller au Château Rose.

Nous demeurâmes un moment silencieux puis Pres s'écria :

– Le Château Rose ! Merde, alors, Lucy !

C'était une grande bâtisse crénelée de stuc rose qui se dressait tout au bout de West Paces Ferry Road, là où les grandes maisons étaient de plus en plus éloignées les unes des autres et protégées par l'épaisse forêt. Elle comptait une trentaine de pièces, d'innombrables terrasses et loggias construites en 1923 dans un vague style Renaissance par un prisonnier italien hirsute amené à cette fin par Mr. et Mrs. Chalmers French. Venu de Macon, Mr. French s'était installé à Atlanta avec une immense fortune d'origine mystérieuse, avait édifié cette résidence de conte de fées puis était mort, laissant sa femme Hester, beaucoup plus âgée que lui et d'une timidité pathologique, errer dans cette demeure extravagante, seule et sans amis.

Parce qu'ils n'habitaient la ville que depuis deux ans quand la maison avait été terminée et que Mr. French avait quitté cette vallée de larmes, parce qu'ils n'avaient jamais reçu et que personne, quasiment, n'avait vu pousser la grande maison, Hester French n'avait jamais eu de visites et l'on avait supposé qu'elle retournerait dans sa famille, à

Macon. Mais elle n'en fit rien, et ne se montra pas pour autant. Bien après la fin de la période de deuil, elle restait recluse dans ce qu'on appelait le Château Rose et personne ne la voyait jamais, excepté les commerçants qu'elle admettait dans la maison, un jardinier et ses aides, et une kyrielle de domestiques jugés généralement si médiocres qu'ils ne parvenaient pas à obtenir du travail dans les autres grandes maisons de Buckhead.

Nos parents mouraient d'envie de voir Mrs. French et plus encore sa grande tanière rococo, autour de laquelle un curieux mélange de faits et de légendes avait grandi, tel un kudzu vert luxuriant. Mais comme elle entretenait sur les lieux un garde armé et rébarbatif dans un pavillon de style militaire commandant la longue allée, comme la lourde chaîne tendue d'un montant à l'autre du portail demeurait en place tout le temps, excepté lorsque la camionnette d'un commerçant réclamait le passage, pas une âme ne s'était aventurée dans le vaste labyrinthe de jardins à demi achevés et de dépendances qui entouraient le bâtiment principal.

Toutefois, les livreurs et les domestiques parlaient, et ce qu'ils disaient titillait Buckhead. Personne ne les croyait vraiment, mais... Il y avait une douve pleine d'eau noire dans laquelle des créatures frétillaient et rugissaient. Des chiens, si énormes qu'à côté d'eux même les plus gros molosses auraient semblé petits, rôdaient en liberté dans la propriété, si affamés qu'ils se jetaient aussitôt sur tout visiteur qui n'était pas accompagné par le garde. Une étrange lumière irisée passait d'une fenêtre à l'autre dans les tourelles dont l'accès était toujours condamné. Les buissons de buis bordant les terrasses en espalier situées derrière la maison étaient taillés de manière à dessiner des symboles religieux, et une longue allée accueillait une succession de sculptures grotesques et effrayantes représentant le Christ sur toute une variété de croix. Hester French elle-même était alternativement une démente arpentant les pièces des tourelles, un couperet à l'éclat meurtrier à la main, ou une étrange beauté à demi sauvage nageant nue dans sa piscine couverte et s'offrant avidement à quiconque, commerçant ou domestique, Blanc ou Noir, homme ou femme, pénétrait dans le château. Des chats, des chiens, de petits animaux sauvages disparaissaient du domaine – dont les quinze arpents étaient entourés d'un haut mur de briques hérissé de barbelés et de tessons de bouteille – et on ne les revoyait plus jamais, du moins en entier.

Au fil des ans, commerçants et domestiques cessèrent peu à peu d'être mandés au Château Rose, le strict nécessaire étant acheté à Buckhead par une sorte de gnome qu'on supposait venu d'Inde et qui tendait aux divers boutiquiers qu'il allait voir une liste écrite, sans jamais prononcer un mot. Faute d'informations, l'intérêt pour la maison retomba puis mourut. En cet après-midi de septembre, tout ce qu'on savait, c'était que le château était inoccupé depuis quelques années – depuis qu'on ne voyait plus le petit Indien à Buckhead – et qu'il n'avait jamais été mis en vente. Nul ne savait si Hester French était morte ou avait déménagé. La police de Buckhead inspectait de temps à autre la propriété sans toutefois franchir les portes condamnées et ne signalait jamais rien d'anormal. Nos parents ne nous interdisaient même plus d'y aller car la maison, ses occupants et sa légende leur étaient sortis de l'esprit depuis longtemps. Moi-même je n'y avais pas songé depuis des années et il en était de même pour tous les autres membres de la bande, Lucy exceptée.

– Qu'est-ce qu'il y a, Pres ? fit Lucy. C'est trop loin pour toi ?

Cette allusion, même indirecte, à l'armature orthopédique de Pres donne la mesure de la perversité qui bouillonnait en Lucy. J'ignore encore aujourd'hui ce qui la tenaillait, mais je sais que c'était assez fort pour l'inciter à enfreindre avec désinvolture son code d'honneur à l'égard de Pres et pour nous entraîner à sa suite dans une expédition qu'aucun de nous ne désirait entreprendre.

– Non, riposta Pres en s'empourprant. Je peux aller deux

fois plus loin si je veux. Je peux te semer quand je veux, Lucy Bondurant. C'est juste que je dois être rentré à cinq heures.

– Tu le seras si nous partons tout de suite, argua Lucy, souriant par-dessus son épaule. Je sais que tu dois vraiment être de retour à cinq heures, Pres. Toi aussi, Ben. Et tous les autres aussi, je crois bien. Parce que de grands garçons de onze ans n'auraient quand même pas peur de fantômes et de maisons hantées alors qu'une petite fille de neuf ans n'a pas du tout la frousse...

Je compris alors qu'elle tenait absolument à se rendre au Château Rose. Lucy n'aurait jamais tourné les garçons de Buckhead en ridicule, à moins de s'estimer réduite à user de ce procédé. Depuis l'épisode de la gare de Brookwood, elle n'avait jamais été contrainte de le faire.

– J'ai peur ni des fantômes ni de toi ni de personne, rétorqua Pres.

Il monta sur son vélo, partit en pédalant furieusement. Un par un, nous le suivîmes en silence, et ce ne fut pas avant le coin de Peachtree Road et de West Paces Ferry que Lucy nous rattrapa et nous dépassa pour prendre la tête de la colonne.

Nous roulions si vite que le vent emportait nos paroles et nous cessâmes bientôt de parler. Parvenus à l'endroit où le long ruban d'asphalte envahi d'herbe menant au château s'étirait dans la lumière faiblissante de l'après-midi, nous descendîmes de vélo et, toujours silencieux, nous approchâmes de la bouche de ce tunnel de verdure barré d'une chaîne.

– Alors ? finit par lâcher Lucy. Qu'est-ce qu'on attend ? Noël ?

Je crois vraiment que, à l'origine, elle désirait simplement voir de ses yeux ce royaume enchanté et interdit, perdu dans les bois, mais lorsque nous eûmes facilement détaché la chaîne rouillée de ses anneaux et que nous nous avançâmes, en file indienne, dans le tunnel de verdure, il émanait de Lucy une force perverse quasi palpable qui, tel un arc électrique, jaillissait de son esprit jusqu'au nôtre. Nous couchâmes nos bicyclettes sur la grande loggia de marbre fendillé, levâmes les yeux vers le Château Rose. Son caractère excessif, son improbabilité même nous laissaient cois. Nous étions certes accoutumés aux vastes propriétés mais nous n'avions jamais rien vu de tel.

– Merde, s'exclama Snake. C'est la plus grande maison que je connaisse.

– Nan, mais c'est sûrement la plus moche, corrigea Lucy.

Subjugués, nous gravîmes les marches de marbre, contournâmes le bâtiment jusqu'à l'énorme construction de verre édifiée sur son flanc droit et abritant la piscine. Nous nous baissâmes pour ramasser des pierres, des morceaux de béton, des barres de fer rouillé – tout ce qui traînait à notre portée.

Lorsque nous arrivâmes au bord de l'eau croupie, d'un vert opaque, Lucy saisit un caillou en disant d'un air farouche :

– Il y a peut-être des serpents.

– Ou des crocodiles, ajouta Tom, en prenant un fragment de balustrade.

– Ou des éléphants, fit Snake, en soulevant une grosse pierre.

Pendant une minute, nous demeurâmes immobiles, la tête bourdonnante de tension, tenant dans nos mains divers débris.

Je ne sais ce qui se serait passé si Lucy n'avait pas parlé car même alors nous hésitions encore, tremblant comme de jeunes animaux devant une scène de tuerie. Mais elle nous regarda, l'un après l'autre, et s'écria :

– Cassez les vitres !

Et comme nous hésitions toujours, elle ramena en arrière son bras blanc, jeta son caillou dans le mur transparent se dressant devant nous. Avant que n'eût cessé le premier tintement argentin de verre brisé, nos briques et nos pierres volaient dans l'air.

– Tuez la sorcière ! hurla Lucy d'une voix aiguë. Abattez le château !

Cela nous prit deux heures. De l'enclos vitré de la piscine, nous passâmes au rez-de-chaussée de la maison, traversant toutes les pièces sombres, vides, poussiéreuses en cassant du verre. Nous montâmes l'escalier double jonché de débris, fracassâmes les fenêtres à vitraux du palier, fîmes tomber le grand lustre à breloques avec un balai que nous prîmes dans la cuisine. Nous couvrîmes le premier étage de débris de cristal, nous brisâmes les petites fenêtres du deuxième. Pas une vitre, pas un miroir, pas un bibelot abandonné ne demeura intact. Nous ne riions pas et je doute que nous échangeâmes plus de quelques mots. Comme les Ménades qui déchirèrent Dionysos de leurs mains nues, nous ne redevînmes nous-mêmes qu'après avoir ravagé le deuxième étage et nous être approchés de l'escalier conduisant aux tourelles, les yeux fous, la poitrine haletante, et je ne sais si nous nous serions arrêtés alors, tant la chanson du verre brisé charmait nos oreilles, si la plainte de la voiture de police de Buckhead remontant l'allée n'avait fini par la couvrir. J'ignore encore aujourd'hui si les policiers effectuaient leur ronde ou si quelqu'un nous avait vus et les avait prévenus.

Nous étions silencieux, cloués sur place par l'énormité de ce que nous venions de faire.

– Ça va être notre fête, murmura Ben Cameron, livide. Et nous le méritons. C'était... affreux.

Ce fut Charlie qui parla. Je savais qu'il le ferait, cette fois. Avant même que la sirène s'arrête et que la voiture s'immobilise devant la loggia, je vis une expression horrifiée remplacer la lueur démente de ses grands yeux marron d'épagneul derrière ses grosses lunettes, et le voile de haine de soi qui en ternit l'éclat. Je vis aussi le regard qu'il jeta à Lucy et compris qu'il ne l'épargnerait pas davantage qu'il ne s'épargnerait lui-même. Elle aussi en prit conscience et sut à cet instant que son règne sur les Buckhead Boys finissait là, dans ce grand vide étrange, parmi les débris de cristal. Je vis ses yeux bleu fumée perdre leur folie, s'écarquiller de panique. Elle se tourna vers moi.

– Gibby, commença-t-elle d'un ton geignard, Gibby, s'il te plaît...

– Pas un mot, Shep, intervint Charlie d'une voix que je ne lui connaissais pas. (Des larmes flottaient, agrandies, derrière les verres épais de ses lunettes. Il était très pâle et, d'où je me tenais, je le voyais trembler.) Tais-toi, Lucy. Je ne laisserai pas Shep s'accuser pour toi.

Il tint parole. Quand Billy Trammel monta l'escalier en faisant crisser les fragments de verre et nous découvrit en haut, Charlie déclara que c'était Lucy qui avait été à l'origine de ce vandalisme. Il le répéta à son père furieux qui vint le chercher au poste de police, puis au mien, lorsqu'il vint nous récupérer, Lucy et moi. Je savais que Charlie n'avait pas parlé pour détourner le châtiment de sa propre tête. Il était si collet monté, si irréprochable que, dans notre petite bande, nous l'avions surnommé « le Juge », et il savait de toute façon qu'aucun de nous ne pouvait espérer échapper à la punition. Nous étions tous allés irrémédiablement trop loin. Charlie avait été saisi comme nous par l'envie de détruire ; comme nous, il avait parcouru la maison en cassant tout ce qui pouvait l'être. Même si, par miracle, il ne s'était pas fait prendre, il aurait avoué sa propre faute. Et pendant le sermon tonitruant que nous administra Shorty Farr, le chef de la police, pendant les reproches infiniment plus calmes et plus cuisants que nous adressa son père d'un air pontifiant, pendant ses sanglots – car nous nous effondrâmes tous sous l'assaut parental et l'énormité de notre faute –, je vis dans ses yeux noisette un profond soulagement : c'était terminé, plus jamais il ne devrait suivre Lucy dans ses escapades insensées. Je discernai le même soulagement, quoique moins clair, dans le regard de plusieurs d'entre nous.

– C'est Lucy qui a eu l'idée, répéta-t-il plusieurs fois. Mais aucun de nous n'a essayé de l'arrêter. Et c'est moi qui ai jeté la première pierre.

C'était bien sûr un mensonge mais de ces mots naquit ma longue amitié pour Charlie.

Une fois de plus, Lucy et moi nous retrouvâmes en quarantaine, mais les fils de bien d'autres maisons de Buckhead furent également placés en résidence surveillée, et si la punition fut plus longue, plus sévère, elle m'affligea beaucoup moins que l'isolement qui avait suivi la mort du petit Jamie. Ce fut le début de ma brève période de garçon pur dans un monde de garçons, et je doute que je l'eusse connue sans cette punition et la séparation d'avec Lucy qu'elle entraîna. Je crois que, sans cette journée au Château Rose, j'aurais simplement continué à suivre la folle danse de Lucy pendant mon adolescence et mes années de lycée, et je serais tombé d'encore plus haut lorsqu'elle aurait fini par ouvrir les mains pour me libérer. En définitive, j'abordai mes dernières journées d'enfance en compagnie de garçons et fis de l'un d'eux – Charlie Gentry – mon meilleur ami. Cette punition et les quelques années qui suivirent m'apportèrent tout ce que je sais des liens clairs et légers de l'amitié masculine.

Mais ce fut pour Lucy une période de solitude et d'angoisse. Pis : la fin, à tout jamais, de son pouvoir pur et simple. Elle retrouva par la suite un grand pouvoir, mais jamais aussi pur ni aussi total.

7

Cette fois, notre séparation fut complète. Martha et Shem Cater portèrent mon lit, mes vêtements, mes livres dans la gloriette, où des ouvriers installèrent un poêle à mazout. Ma mère, silencieuse, les yeux rouges, apporta des doubles rideaux, une courtepointe, des oreillers, des fanions de l'Université de Géorgie pour les murs de stuc, et de ce jour à aujourd'hui, j'ai vécu dans la gloriette, derrière la maison de Peachtree Road. Bien que je ressentisse vivement la honte et l'isolement de mon exil, quelque chose sous ces sentiments bondissait comme une flamme à la perspective qui s'offrait à moi – posséder mon propre royaume dans le sanctuaire du jardin – et, plus profondément encore, j'éprouvais la satisfaction mesquine, et vaguement honteuse, que ce domaine n'appartenait qu'à moi et que Lucy en était exclue. Jamais auparavant je n'avais détenu de pouvoir qui ne découlât essentiellement du sien.

Son isolement fut quasi total. Une tante Willa furieuse et vociférante lui interdit tout rapport avec moi ou tout autre garçon de l'ancienne bande, hormis dans des situations inévitables et publiques comme la fréquentation de l'église et, plus tard, de l'école. Après deux ou trois jours de repas dans nos chambres, on nous permit de manger avec la famille et de monter dans la Chrysler le dimanche pour aller déjeuner au club, mais même alors Lucy dut s'asseoir à l'arrière avec sa mère et l'hypocrite Little Lady, tandis que j'étais pris en sandwich à l'avant entre mes parents. Nous n'avions pas le droit de nous adresser la parole et, pendant un moment, ne tentâmes pas de le faire. Durant sa « captivité », Lucy ne parla quasiment à personne et gardait les yeux baissés ou fixait un point à distance.

Pas une fois je ne l'entendis pleurer, implorer la clémence de sa mère ou s'efforcer de se justifier. Je crois que si elle avait nié sa culpabilité je l'aurais soutenue. Je me serais peut-être même accusé à sa place, mais nous savions tous deux que personne ne nous aurait crus.

Je pense qu'il aurait mieux valu pour elle qu'elle se laisse aller à réclamer sa grâce. Tante Willa eût peut-être alors mis fin au rapport de forces qui marqua ses relations avec sa fille aînée pendant toute sa vie. Elle se fût peut-être calmée en découvrant la terrible vulnérabilité de Lucy mais celle-ci ne la lui montra pas et je ne pense pas que Willa la vît jamais. Ce qu'elle voyait lorsqu'elle regardait sa fille, c'était une menace pour sa position dans la maison et dans la ville, une menace pouvant à tout moment la renvoyer dans sa ferme du sud de la Géorgie. Avant l'incident du Château Rose, Lucy avait été pour elle une entrave, une pierre d'achoppement, mais non sans valeur, toutefois, car il arrivait à mon père de considérer parfois Lucy avec ce qui ressemblait à de la pitié et de l'affection. A présent, ces deux sentiments avaient disparu de ses yeux froids pour faire place à un dégoût lointain, inexorable, et Lucy devint à jamais l'ennemie pour sa mère. Je ne connais pas d'autre femme aussi dépourvue de fibre maternelle.

Bien des années plus tard, une psychiatre, femme chaleureuse et tendre qui soigna Lucy, l'aima et finit par désespérer d'elle, m'apprit qu'il y a dans chaque groupe familial un bouc émissaire naturel, un être tacitement désigné pour recevoir blâmes et châtiments. Nul doute que Lucy devint après l'épisode du Château Rose le bouc émissaire de la maison de mon père, et je suis convaincu que, même si elle n'avait pas commis – et continué à commettre – des choses qui indignaient mes parents et sa mère, elle eût néanmoins porté la couronne sacrificielle.

Même après la fin de son isolement, lorsque nous fûmes libres de reprendre une vie normale et de nous adresser la parole, Lucy n'eut qu'un minimum de contacts avec sa mère, sa sœur, ses parents et moi. Avec les enfants de Buckhead, elle n'en eut aucun. Je suis sûr que tante Willa l'aurait mise au couvent s'il y en avait eu un à Atlanta ou qu'elle l'aurait envoyée en pension si elle en avait eu les moyens. Elle fut sans aucun doute ulcérée d'accepter l'offre sèche de mon père d'envoyer Lucy dans un petit externat prétentieux et manifestement médiocre, censé accueillir les adolescentes en fin d'études mais connu pour briser dans une poigne de fer les filles à problèmes. Et le petit sourire entendu de ma mère, le battement de cils masquant un instant le triomphe méprisant de son regard terrifièrent probablement tante Willa de façon permanente.

Je crois que c'est à cause de ce triomphe, de cette humiliation, que Willa Bondurant déclara la guerre à sa fille, et non pour le saccage de la maison vide. Mais elle accepta l'offre avec autant de grâce modeste qu'elle put. Mieux valait chasser l'objet des regards offensés que courir le risque qu'il provoque des dégâts irréparables.

Après l'école, Lucy était libre pendant une heure environ de vaquer aux choses qui l'intéressaient, mais comme son intérêt s'était toujours porté sur moi, sur la gloriette et la bande des garçons, et comme il lui était absolument interdit de fréquenter les enfants du quartier, exception faite pour quelques filles de son âge jugées acceptables, elle n'eut quasiment pas d'amis. Lucy ne voulut pas des petites camarades choisies pour elle ; elles-mêmes refusèrent bientôt à leur tour de jouer avec Lucy et elle passa la plupart du temps dans les pièces vides du haut où nous avions dormi, chuchoté, lu et rêvé.

Je sais que ce fut dans ces mansardes silencieuses qu'elle commença à écrire mais je ne sus jamais quoi. Elle ne montra ces premières lignes à personne. J'apercevais parfois sa tête brune à l'une des fenêtres du deuxième étage quand je quittais la gloriette pour me diriger vers la maison de Charlie, dans West Andrews, ou vers celle de Ben Cameron, dans Muscogee Avenue.

Au début de ces jours de séparation, elle me regardait de loin, m'adressait parfois un petit salut plein de raideur, et même depuis l'allée je sentais le bleu de ses yeux brûler dans son visage blanc. Mais elle ne me faisait jamais signe de monter la rejoindre, n'ouvrait jamais la fenêtre pour m'appeler et ne tentait pas de sortir furtivement de sa chambre pour se glisser dans la gloriette, comme elle l'avait fait pendant notre quarantaine, après la mort de Jamie. Je la trouvais merveilleusement belle et romantique, telle une princesse retenue captive dans une tour enchantée, et mon cœur bondissait littéralement d'angoisse pour elle, comme un poisson gaffé. Mais après nous avoir ramenés du poste de police, mon père avait menacé : « Si je te vois t'approcher de Lucy, je les renvoie le jour même, elle, sa mère et sa sœur », et je savais qu'il ne parlait pas à la légère.

Je ne l'avais jamais vu aussi en colère contre moi que ce jour-là. Il ne cria pas, ne put même pas parler et son visage, d'ordinaire empourpré et tendu par la contrariété que je lui causais, était livide et impassible. Je crois que c'est ce jour-là que, sans trop de regrets, il se lava les mains de ce qui pourrait désormais m'arriver car il cessa alors de critiquer constamment mes activités, mes goûts et mes imperfections. Il arrêta de dresser les plans de mes études au Georgia Tech* ou, à défaut, à Georgia**, et renonça presque complètement à me faire entrer dans les affaires immobilières familiales. De son côté, ma mère intensifia sa campagne pour faire de moi un principicule satisfaisant. J'aurais peut-être trouvé un refuge en rejoignant Lucy dans sa tour, en lui faisant parvenir des messages et des livres, ou tout au moins en rétablissant cette communion muette que nous avions tou-

* Institut d'études supérieures. (N.d.t.)
** Pour l'université de Géorgie. (N.d.t.)

jours réussi à atteindre rien qu'en nous regardant, autour de la table de la salle à manger ou dans l'église. Mais elle ne me regardait pas, ne me parlait pas, et je savais que la menace de mon père quant à son renvoi n'était pas vaine. Le saint chevalier vivait encore en moi mais son écu était perdu, sa lance brisée. Au bout d'un moment, je renonçai et glissai avec reconnaissance dans l'adolescence.

Mon premier ami fut Ben Cameron, et bien que notre amitié ne s'approfondît jamais assez pour devenir la relation forte et roborative que j'entretins avec Charlie Gentry, elle me donna néanmoins le plaisir simple des rapports superficiels. Je ne connus jamais vraiment Ben. Personne d'autre non plus, d'ailleurs, et certes pas Julia Randolph, avec qui il commença à sortir peu après ses seize ans et qu'il épousa juste après Georgia Tech. J'aime à penser que les deux enfants qu'il eut de cette union, les fils qu'il adorait et avec qui il redevenait lui-même un jeune garçon, le connurent autant qu'il pouvait l'être, mais c'était le père qu'ils connaissaient et qu'ils aimaient, non l'homme.

Peu importe car, avec Ben, le charme et l'esprit étincelant, sardonique, compensaient le manque de profondeur. Ses enthousiasmes étaient nombreux et changeants. Aux billes cliquetantes de février succédaient les ravissants cerfs-volants de mars dansant dans le vent au-dessus du terrain de golf de Bobby Jones avant que vous ayez pu cligner des yeux, et vous parveniez juste à égaler sa science du plongeon dans la piscine du Driving Club qu'il était déjà hors de l'eau et filait sur ses patins à roulettes, jeu que nous pratiquions en automne. Généreux de ses talents, professeur aimable, il avait un corps si svelte et gracieux, des mouvements si aisés qu'aucun de nous ne pouvait le suivre et qu'il changeait de passion avant que nous ne soyons devenus passables dans la dernière qu'il nous avait apprise.

C'était un danseur-né. Sarah et Dorothy Cameron disaient souvent toutes deux qu'il était dommage que les danseurs de ballet soient considérés comme des femmelettes, parce que Ben serait devenu une étoile et aurait gagné des millions de dollars. Il accueillait cette remarque par un haussement d'épaules, rougissait jusqu'à la racine de ses cheveux cuivrés et riait. Sur une piste de danse, Ben était une lumière, une flamme. Les filles se bousculaient pour l'accompagner dans son *jitterbug* et Margaret Bryan, qui nous apprenait les danses de bal dans sa petite salle sentant le renfermé au-dessus de la compagnie Spencers, lui demanda à l'âge de quatorze ans de devenir élève-enseignant. Mais Ben détestait ce genre de danse et ne fréquentait le cours que parce que la petite Sarah, timide, lui demandait de l'y accompagner, et dès que Margaret lui fit cette proposition, il cessa d'y aller et refusa d'y retourner. Dorothy essaya de le faire changer d'avis et les grands yeux marron de Sarah s'emplirent de larmes à la perspective d'affronter seule les succédanés de quadrille, mais sur cette question comme sur quelques autres le père de Ben l'emporta sur sa mère.

– Pour l'amour du ciel, laisse-le, Dottie, dit-il un jour que j'étais chez eux afin de me faire expliquer un problème de maths par Ben et que sa mère insistait pour qu'il conduise Sarah au cours de danse. La danse doit être un plaisir. S'il n'aime pas ça, c'est stupide de le forcer.

– Mais tous les garçons doivent savoir danser, argua Dorothy Cameron. C'est un talent absolument indispensable en société.

– Il danse mieux que n'importe lequel des petits gigolos de la bande de Margaret, répondit Ben.

Il posa sur son fils un regard plein d'un amour si inébranlable que des larmes me piquèrent les yeux.

– Il ne veut pas danser, reprit-il. Le foot, le base-ball, le tennis, la natation, la musique, ça ne suffit pas ? Sans parler de l'école. Que lui faut-il de plus ?

Ben rougit, quitta le petit bureau où se trouvaient ses parents, et le regard de Dorothy se braqua sur moi.

– Shep accompagnera Sarah, n'est-ce pas, Shep ? dit-elle en me souriant.

Je dansais tant bien que mal mais j'étais timide, n'aimais pas les contacts trop rapprochés avec les filles et inventais toute sortes d'excuses pour ne pas suivre les cours. Mais pour Dorothy Cameron, je serais allé au Fox Theater et j'aurais dansé seul sur la grande scène devant une salle comble. Par ailleurs, j'aimais bien la petite Sarah aux allures d'elfe.

– Bien sûr, répondis-je. Sarah sera ma cavalière, ce soir.

Je lui souris, elle rougit et me gratifia en retour de son doux sourire de chaton.

– Merci, Shep, fit-elle avant de monter l'escalier à la suite de son frère.

– Elle va marcher sur un nuage pendant des semaines, dit Dorothy. Elle est amoureuse de toi depuis toujours, tu sais.

En dépit de sa générosité, le jeune Ben était d'humeur changeante et il vous laissait parfois en plan, quittant la pièce aussi silencieusement qu'un chat. D'autres fois, il se réfugiait simplement à l'intérieur de sa tête ; on pouvait continuer à lui parler, obtenir même une vague réponse, mais le véritable Ben Cameron était ailleurs.

Il n'avait plus l'air alors d'un jeune garçon et l'on pouvait voir l'homme qu'il serait plus tard. Je n'avais pas l'impression que cet homme était heureux, même si je n'aurais su dire pourquoi. « Que lui faut-il de plus ? » avait demandé son père, sans soupçonner la terrible justesse de sa question.

En plus de son aide en mathématiques, Ben me fit cadeau de l'une des grandes passions de mon existence – avec désinvolture et générosité, comme il partageait avec moi son habileté aux billes et sa science du cerf-volant. Il me laissa tirer quelques fausses notes de la clarinette dont il jouait bien et sans effort, comme tout ce qu'il faisait, et, si je n'acquis jamais sa virtuosité, je fus pris d'une passion bien plus grande que la sienne pour cet instrument dès que je le saisis, que j'éprouvai dans mes mains le doux poids du cylindre d'ébène, que je sentis le goût de plaquemine de l'anche mordillée. Je fus accroché avant même que les premiers sons discordants en sortent et je harcelai ma mère avec une telle insistance que, moins d'une semaine plus tard, j'eus ma propre clarinette flambant neuve et des leçons trois fois par semaine avec le petit homme résigné qui enseignait la musique à Ben. Bien que dépourvu de réel talent, j'appris vite et fis tant d'exercices que mes efforts et la force de ma passion produisirent avant la fin de l'été une musique dont mon cœur put se satisfaire.

Les mathématiques et la musique. Deux choses absolument authentiques que je dois à Ben Cameron. A présent, chaque fois que je pense à lui, la gratitude l'emporte toujours sur la souffrance et l'indignation. Ben aux yeux gris lumineux et au cœur ardent. Je ne pardonnerai pas à Atlanta ce qu'elle a fait à Ben...

L'autre ami de mon adolescence, et à vrai dire de ma vie, fut Charlie Gentry. Je ne me rappelle pas ne pas l'avoir connu. La maladie fut le premier lien qui nous unit puisque nos mères nous emmenaient chez le même pédiatre soigner son diabète et mon asthme. Et comme nos familles se croisaient au club, à la cathédrale épiscopalienne Saint Philip et partageaient cent autres liens imperceptibles de cette sorte, il était naturel que nous devenions camarades de jeu.

D'abord nos infirmités nous reléguaient au rang de spectateurs de la petite société farouchement masculine dans laquelle nous évoluions. En second lieu, notre état d'enfant « différent » tissait entre nous des liens invisibles.

Je crois que notre amitié serait née beaucoup plus tôt si Lucy n'était pas venue vivre chez moi. Car, comme je l'ai dit dès le début, Charlie ne l'aima pas, et cette antipathie était manifestement réciproque.

Il fut le premier d'entre nous à l'insulter, ce qui lui ressemblait si peu que tous ceux qui assistèrent à l'incident le gardèrent longtemps en mémoire. C'était peu de temps après que Lucy eut été présentée aux enfants de Buckhead à la fête d'anniversaire de Sarah Cameron, lors d'une chasse aux œufs de Pâques organisée sur la grande colline face à la cathédrale et dominant le virage que prend Peachtree Road juste avant de pénétrer dans Buckhead même. Rassemblés en un groupe médusé et ébloui, nous regardions Lucy suspendue par les genoux aux branches basses d'un vieux chêne, les jupons d'organdi tuyautés rabattus sur la tête, balançant dans la main l'œuf doré et enrubanné qu'elle avait trouvé presque immédiatement.

Les enfants qui se tenaient sous elle étaient muets de respect et de crainte superstitieuse, car n'avait-elle pas su où exactement était caché l'œuf ? Et ne ressemblait-elle pas, la tête en bas, à quelque esprit venu parmi nous d'un lieu magique appelé La Nouvelle-Orléans, à une créature de lumière, de brume et de vif-argent ? Je me souviens que personne ne prononça un mot pendant un long moment avant que la voix bougonne et terre à terre de Charlie s'élevât :

– C'est pas si dur. N'importe qui peut s'accrocher à une branche d'arbre. Même une pouliche des bois.

L'effet sur Lucy fut stupéfiant. En un clin d'œil, elle dégringola de l'arbre et se rua sur Charlie en agitant ses petits poings, les yeux plissés de rage, le visage marbré, des sanglots dans la gorge. Elle le fit tomber dans l'herbe nouvelle, le fit saigner du nez et ne s'arrêta de frapper que parce que je la saisis par-derrière et lui immobilisai les bras. J'étais à la fois impressionné et embarrassé. Impressionné parce que je n'avais jamais vu une fille rosser un garçon – encore moins un garçon plus âgé qu'elle ; embarrassé parce qu'il était tout à fait contraire à notre code d'honneur de frapper Charlie, qui portait des lunettes et avait une maladie si grave qu'on devait lui faire des piqûres chaque jour. Et d'ailleurs, qu'y avait-il de si terrible à se faire traiter de « pouliche des bois » ? Le nom évoquait pour moi un animal fabuleux, comme une licorne ou un griffon. Et avec sa crinière noire soyeuse, ses membres longs et minces, Lucy ressemblait effectivement à une pouliche.

Elle ne révéla jamais à quiconque ce qui l'avait incitée à se jeter sur Charlie et n'eut plus jamais de véritable relation avec lui. Il ne parut pas en souffrir, sembla même soulagé. J'ai souvent pensé que les années durant lesquelles Lucy chevaucha en tête des Buckhead Boys montés sur leurs fringantes bicyclettes furent plutôt pénibles pour lui, mais à cette époque Lucy et Charlie étaient parvenus à une sorte de trêve armée, et je suppose que l'admission dans la bande était trop précieuse pour un gosse accoutumé à la solitude pour qu'il y renonce à cause d'un point d'honneur que personne d'autre ne connaissait.

Ce jour-là, je le pris à l'écart avant la fin de la fête et lui murmurai :

– C'est quoi, une « pouliche des bois » ?

– Ça veut dire qu'elle n'a pas de père, répondit-il.

– Bien sûr que si. Il n'est pas ici mais elle en a un. Il vit à La Nouvelle-Orléans ou quelque part ailleurs. Elle en est folle, elle en parle tout le temps.

– Ben, c'est pourtant ce que j'ai entendu ma mère raconter à Mrs. Goodwin, s'entêta Charlie. Et elle le dirait pas si c'était pas vrai.

Je savais qu'il avait tort mais je ne discutai pas. Je comprenais pourquoi il était aussi sûr d'avoir raison : sa mère aurait préféré aller à Five Points complètement nue plutôt que de dire un mensonge.

De tous les gens « comme il faut » que j'ai connus, Ben et Dorothy Cameron inclus, les parents de Charlie étaient sans conteste les plus proches de la sainteté, Marianne Gentry enseignait le catéchisme à l'école du dimanche, chantait dans la chorale de la cathédrale et dirigeait la friperie de la paroisse où les vêtements usagés des femmes de Buckhead étaient proposés à bas prix à une clientèle singulièrement peu reconnaissante d'indigentes de « là-bas » – Atlanta proprement dit.

Le père de Charlie, Thaddeus Gentry, était un important actionnaire de la compagnie Coca-Cola, et j'avais toujours entendu dire qu'il faisait « des affaires » sans jamais savoir de quoi il s'agissait exactement. Il avait un bureau en ville auquel le conduisait une espèce de gnome bleu-noir ratatiné qui empestait perpétuellement le tabac à priser gonflant sa lèvre inférieure comme un lipome. Je crois que Thad Gentry devait s'occuper d'une sorte de fondation philanthropique à caractère familial, car il était connu pour donner de l'argent aux pauvres et portait le qualificatif d'« homme d'affaires chrétien » avec la même fierté que son insigne du Rotary. Sa jovialité se répandait dans l'air qu'il respirait, et chaque fois que son chemin croisait le vôtre, il s'écriait : « Souriez ! Dieu vous aime ! » C'était un petit homme rond et trapu, avec de grosses lèvres de poisson, qui aimait poser des mains moites et avunculaires sur la chair des jeunes filles presque autant qu'il aimait distribuer son argent sanctifié.

Je ne sus jamais ce qu'il cherchait au juste avec ses mains envahissantes, ses yeux de crabe, mais je suis sûr que Charlie, enfant d'une vive sensibilité, le devinait. Caroline, la jeune sœur de Charlie, devait elle aussi le savoir car je voyais le rouge lui monter aux joues chaque fois que son père posait les mains sur les bras ou les épaules de l'une de ses camarades. Caroline prit toutefois sa revanche par la suite. Dès qu'elle le put, elle mena une vie dissipée en commençant avec le légendaire Boo Cutler, de Buckhead, puis remonta la Côte est jusqu'à New York où elle dénicha un second mari à l'âge de vingt-cinq ans. Je la rencontrai un jour, des années plus tard, au *Village Gate*, écoutant Charlie Parker, soûle et s'appuyant contre l'épaule d'un Noir impassible enveloppé d'une fumée qui ne devait rien au tabac. Elle ne me vit pas et je ne traversai pas la salle pour lui parler. Caroline s'était séparée de nous à cette époque. Je crois qu'elle vit maintenant à la Barbade dans une villa que lui a laissée Dieu sait quel mari. Ma tante Willa prend toujours un air désapprobateur pour parler d'elle mais je crois que, dans l'ensemble, Caroline Gentry ne s'est pas trop mal tirée d'affaire. Pas mal du tout, même, si l'on compare avec ceux d'entre nous dont elle fuit le jugement.

Mais dans mon adolescence on répéta pendant toute une période cette devinette insidieuse :

– Qu'est-ce qui est rose et blanc et se pointe au motel quand on prononce la formule magique ?

– Caroline Gentry !

Les Gentry étaient fort riches quand Charlie et moi

devînmes amis, mais lorsque Charlie fut en première année à Emory Law*, son père sombra soudain dans la folie et donna toute les actions Coca-Cola de la famille à un évangéliste noir, laissant Charlie et sa mère dans la gêne.

Charlie quitta Emory pour suivrc les cours du soir de la faculté de droit d'Atlanta et travailler dans la journée à la compagnie Coca-Cola afin de faire vivre sa mère et d'entretenir la grande maison de style italien. Lorsque Charlie obtint son diplôme et se maria, il gagnait si bien sa vie chez Coca-Cola qu'aider sa mère ne lui posait aucun problème et qu'il put faire transférer son père de l'hôpital psychiatrique d'État à la clinique Brawner. « Si l'on considère le nombre de gens de Buckhead qui y finissent leurs jours, commenta Charlie d'un ton résigné, c'est comme rentrer à la maison. »

Comment Charlie sut rester imprégné de cette intégrité joyeuse qui le distingue toujours des autres membres de notre bande demeure pour moi un mystère. Peu de gens sont véritablement bons. Il se peut que les immenses efforts qu'il dut accomplir pour vivre avec son diabète firent rapidement de lui un être invincible. Il était doux, d'une honnêteté telle qu'elle en devenait presque un défaut, et d'une loyauté farouche, même dans son enfance. Ce qui avait été chez ses parents hypocrisie et bigoterie devint chez lui une intégrité attirante et authentique qui faisait briller ses yeux astigmates comme de l'amour, comme une joie éternelle. Lorsque son esprit mordant de Celte n'éclairait pas son doux visage de crapaud, il semblait flegmatique. Il avait appris de bonne heure à couvrir sa vulnérabilité d'une sorte de passivité aimable et bonasse de nain de Blanche-Neige correspondant parfaitement à sa constitution trapue. Mais je savais, et d'autres finirent par le savoir aussi, que sous sa cape de grisaille battait un cœur généreux et passionné.

Je découvris cette passion et assistai peut-être même à sa naissance un après-midi de mars que Lucy était encore en résidence surveillée et que Charlie et moi commencions juste

* Prestigieuse école de droit. (N.d.t.)

à jouer ensemble. Il était tombé la veille une grêle tardive et Marianne Gentry avait interdit à Charlie, qui attrapait facilement rhumes et maladies infectieuses, de sortir. Nous nous étions donc retrouvés au troisième étage, sombre enfilade de pièces semblables aux mansardes de ma propre maison, fouillant avec ennui dans de vieille malles. Charlie n'était pas un rêveur pourvu d'une vive imagination, et certainement pas un explorateur de grenier. J'ignore pourquoi nous nous retrouvâmes là-haut ce jour-là, probablement parce que c'était juste un peu plus intéressant que la partie de Monopoly que sa mère nous pressait de jouer en bas avec la petite Caroline. L'une après l'autre, les malles ne révélèrent que de vieux vêtements, du linge et des albums, vestiges de nombreuses existences, je suppose, et qui aujourd'hui m'auraient profondément ému. Mais à l'époque nous n'y vîmes qu'un tas de vieilleries poussiéreuses qui provoquèrent en moi une toux si violente que je craignis qu'elle réveillât mon asthme.

– Descendons, proposai-je. Ces trucs me font suffoquer.

– Attends un peu, dit Charlie.

Quelque chose dans sa voix m'incita à le regarder. Dans la lumière sale tombant du plafond, son visage avait la blancheur lumineuse d'un cierge.

Je baissai les yeux pour voir ce qu'il tenait dans les mains. Un uniforme de laine grise, passé, taché, et tellement raidi par le temps qu'il parvint difficilement à le déplier. Même dans la pénombre de l'après-midi finissant, on devinait que les galons, les boutons et la boucle de la ceinture craquante avaient été dorés. Dessous, dans la malle, il y avait un calot et dessous encore, enveloppé dans un morceau de soie jaune frangé qui avait peut-être été une ceinture, un sabre terni et piqué de rouille.

Charlie s'agenouilla devant la malle, parfaitement immobile, le sabre reposant sur ses deux mains tendues comme une offrande.

– C'est à mon arrière-grand-père, dit-il d'une voix qu'on réserve à la prière ou aux moments qui suivent l'amour. Il est mort dans le Wilderness*. J'ai vu sa photo, il ne ressemble à personne de la famille. On m'a donné son nom, Charles Beauchamp. Je ne savais pas que ces choses étaient ici.

– Hé, fais voir, réclamai-je en tendant la main pour prendre le sabre.

– N'y touche pas, dit-il d'une voix si étrange que je l'examinai attentivement.

Son visage d'un blanc cireux semblait brûler dans la pénombre du grenier, des larmes brillaient dans ses yeux sombres auxquels les verres épais de ses lunettes donnaient un éclat étrange.

– C'est même pas à ton arrière-je-sais-pas-quoi, je parie, répliquai-je avec perversité, car son refus m'avait froissé. Si ç'avait été à lui, tu aurais su que c'était au grenier. Je parie que c'est juste un vieil uniforme que quelqu'un a laissé dans la maison avant que tes parents l'achètent et qu'ils ont jamais jeté. Je parie que ce vieux troufion est mort de dysenterie quelque part du côté de Macon.

Charlie tourna à nouveau son visage fasciné vers moi, comme il eût considéré un moustique agaçant, caressa le sabre sur toute sa longueur, se pencha pour toucher l'étoffe de l'uniforme, suivit d'un doigt léger le dessus du calot. Il promenait les mains avec amour sur ces reliques, tel un aveugle modelant la figure de sa bien-aimée.

– C'est à lui, répéta-t-il de son étrange voix lointaine. Je le sens. Je sens son sang couler avec le mien.

Dans le jour nacré faiblissant, je sentis mes cheveux se dresser sur ma nuque comme lorsque je regardais les films de Boris Karloff.

– C'est pas drôle, Charlie, murmurai-je.

Il ne répondit pas, ne dut pas m'entendre. Lentement, il sortit la veste grise de la malle, la déplia sur ses genoux puis la maintint contre ses petites épaules. Malgré la pénombre, je distinguai la grande fleur sombre qui s'épanouissait sur le côté gauche du vêtement, autour d'une déchirure en forme

* Célèbre bataille de la guerre de Sécession. (N.d.t.)

d'étoile. Ma respiration se suspendit. Charlie baissa lentement les yeux, posa un doigt sur la tache.

– C'est son sang, souffla-t-il. La balle est entrée par là. Elle n'a pas dû ressortir parce qu'il n'y a pas de trou dans le dos.

Soudain, il souleva la veste, enfouit son visage dedans, les épaules agitées de violents sanglots. Je m'assis sur le plancher poussiéreux, pris Charlie dans mes bras.

– Hé, pleure pas. C'était il y a longtemps. Sois pas triste.

– Je ne suis pas triste, déclara Charlie, levant vers moi un visage mouillé et brillant. Je suis heureux. C'est... c'est vraiment formidable.

A partir de ce jour, Charlie et moi fîmes ensemble la chasse aux reliques.

Il y a dans la région toute une bande de chasseurs de reliques, gens passionnés, ridicules et finalement fort sympathiques, qui consacrent leur vie et souvent leur fortune à parcourir les champs de bataille de la guerre de Sécession, détecteur de métal à la main. Ils viennent du Nord et du Sud, de l'Est et du Centre, aussi divers que peuvent l'être les membres d'une confrérie, unis seulement – mais indissolublement – par la passion inextinguible que j'avais lue dans les yeux de Charlie Gentry. Ils sont prêts à aller en prison – ce qui leur arrive – pour avoir creusé dans des terrains appartenant à l'État ou à des particuliers et perdent souvent femmes et enfants à cause de leur manie. Charlie entra cet après-midi-là dans cette confrérie. Et même s'il devint plus tard le président d'une des plus grandes fondations philanthropiques du pays, administrant des millions de dollars, son premier amour, ou presque, fut les reliques et la chasse aux reliques.

De nombreux champs de bataille entourent Atlanta, théâtres de combats que la plupart des habitants de la ville connaissent mieux que ce qu'ils apprennent à l'école, et qui resurgiraient pour moi, à la fin de mon enfance, sur les talons boueux de Charlie, dans le silence noyé de soleil de Kennesaw Mountain, d'Ezra Church ou du vieux parc de

Peachtree Battle Avenue. Une excitation presque aussi grande que la sienne s'emparait de moi quand nous trouvions une balle Minié ou une boucle de ceinturon.

– Ça vient de l'armée du Tennessee, disait-il en posant respectueusement dans son sac une gourde sale ou un éclat d'obus. Elle se retirait de Dalton pour attirer Sherman loin de sa base.

Mais pour moi, l'exaltation retombait quand nous quittions le champ de bataille pour rentrer dîner. Charlie, je le sais, portait constamment cette flamme en lui sous sa carapace flegmatique, et si je ne pouvais vraiment la partager avec lui, j'étais fier de ce que, parmi tous les garçons de Buckhead accédant alors à l'adolescence, il eût choisi de révéler sa passion à moi seul. A moi et à Sarah Cameron.

Beaucoup d'années s'écoulèrent avant que Charlie, rendu timide par la conscience de sa laideur et paralysé par les interdits de ses parents prudes, n'entretînt des rapports avec les coquettes diligentes de notre bande de lycéens, appelée les Roses et les Gods. A la puberté, le badinage et le flirt s'emparèrent des fillettes balourdes que nous avions toujours connues ; les conquêtes masculines devenaient leur raison d'être et nombre d'entre elles maintinrent toute leur vie cette priorité. En conséquence, quelques-uns d'entre nous – moi, Pres Hubbard, et surtout Charlie – fréquentèrent moins les célèbres Roses de Buckhead que d'autres qui atteignirent leur majorité au cours de cette période excessive et hédoniste. Mais pour tous, Sarah Cameron faisait exception.

Aussi loin que remonte ma mémoire, elle participa aussi naturellement qu'un garçon aux activités de notre groupe, exception faite pour les quatre ou cinq années pendant lesquelles nous pédalâmes tous derrière Lucy avec les autres Buckhead Boys. Plus tard, quand Charlie et moi formâmes une paire excluant les autres, seule Sarah fut admise comme troisième larron.

– Où est Sarah ? demandais-je lorsque nous partions le matin pour Peachtree Creek.

– Attends, Sarah n'est pas encore là, disait Charlie lorsque nous allions explorer les bois derrière la gloriette.

C'était, je crois, parce que rien en elle, pas un tendon, pas un muscle, pas un atome, ne nous menaçait ou ne nous intriguait. Elle débordait de simplicité et nous nous sentions suprêmement à l'aise avec elle parce qu'elle ne recelait rien de voilé ou d'obscur. Elle avait un sourire franc, ses yeux noisette chaleureux brillaient d'une approbation totale. Son corps bronzé et souple était aussi prompt que le nôtre, ou même davantage, à maîtriser les mille petits rites athlétiques de la danse de l'enfance, et son esprit bondissait avec ou devant le nôtre comme un dauphin dans une mer chaude.

Elle se montrait notre égale quel que fût le jeu ou l'activité que nous imaginions et, dans certains cas, nous surpassait tellement que nous aurions probablement éprouvé du ressentiment et de l'envie à l'égard de toute autre personne aussi douée. Mais Sarah, qui avait la sensibilité aiguisée de sa mère, ne poussait jamais son avantage et n'étalait jamais sa supériorité. Dans l'eau, c'était une sirène, admirable à regarder, et au-dessus du haut plongeoir, au sommet d'un de ses arcs, elle semblait faite de l'air même dans lequel elle était suspendue. Mais lorsque Charlie et moi nagions avec elle, au club ou dans la piscine des Cameron, Sarah ne grimpait jamais sur le haut du plongeoir. Elle ne le faisait que lorsqu'elle nageait seule ou avec d'autres enfants.

– Le haut plongeoir, c'est de l'esbroufe, disait-elle quand une troupe d'enfants bronzés nous poussait, elle, Charlie et moi, vers la tour dominant la piscine du Driving Club. Le grand plongeon, c'est pour ceux qui veulent prouver qu'ils sont terribles.

Sarah et Charlie furent pendant longtemps les deux seuls êtres au monde connaissant ma totale phobie de l'altitude, Lucy mise à part.

Sarah irradiait une sorte de lumière semblable à celle de Lucy, une chaleur à laquelle, toute sa vie, les gens vinrent se chauffer. J'en vins à penser plus tard qu'elle ressemblait alors beaucoup à Lucy par sa grâce, sa vivacité, son agilité physique et son humour étrange. Sarah, c'était peut-être Lucy moins les appétits et les ombres, une Lucy qui aurait rougeoyé au lieu de flamboyer. Au cours de cette brève période radieuse précédant le lycée, Sarah fut, comme Charlie, très présente dans ma vie. J'éprouvais une sorte de plénitude lorsqu'elle était avec nous, à vélo, sur des patins à roulettes ou dans les champs de bataille hantés de la glorieuse guerre perdue de Charlie. J'aimais beaucoup Sarah.

Charlie, lui, l'aimait.

J'ignore quand je pris conscience, avec la force d'une révélation, que la lumière brillant dans les yeux marron de Charlie pendant ces expéditions dans les champs de bataille entourant la ville n'était pas due entièrement aux *memento mori* que nous y trouvions. Une fois que je m'en aperçus, ce fut comme si je l'avais toujours su, et comme s'il l'avait toujours aimée. Je crois d'ailleurs qu'il l'aimait depuis la petite enfance, pendant toutes les années où je m'abîmais en Lucy puis celles où nous la suivions à bicyclette, laissant derrière nous Sarah et les autres petites filles. Je me rappelle un jour où nous étions allés à vélo au parc de Peachtree Battle et où nous étions assis au bord de la rivière, balançant nos pieds nus dans l'eau. Sarah parlait de son arrière-arrière-grand-mère, qui avait dix-neuf ans quand la guerre avait éclaté et qui était restée seule sur sa plantation récemment acquise, avec une centaine d'esclaves, mille têtes de bétail et un bébé devant naître trois mois plus tard, tandis que son jeune mari chevauchait à la tête des troupes qu'il avait levées.

– Sarah Tolliver Cameron, dit-elle, les yeux brillants. Je porte son nom. J'espère que je serai aussi courageuse qu'elle quand je serai grande. Son mari, Beau – mon arrière-arrière-grand-père –, aurait pu rester auprès d'elle jusqu'à la naissance du bébé. Tout le monde le lui conseillait. C'est elle qui l'a décidé à partir en disant : « Que répondrai-je à ton fils quand il me demandera pourquoi son père n'est pas parti avec le général Lee lorsque la confédération avait besoin du cœur valeureux de ses hommes plus encore que leurs épouses ? » N'est-ce pas magnifique ? Je ne pourrais jamais faire ça, j'aurais trop peur.

– Non, tu n'aurais pas peur, s'écria Charlie, les yeux noyés de larmes d'exaltation. Tu ferais la même chose. Tu es une vraie dame du Sud, Sarah. Ma mère connaît un poème qui dit : « Je ne pourrais t'aimer autant, cher cœur, si je n'aimais plus encore l'honneur. » C'est ce que voulait dire ton arrière-arrière-grand-maman. Et toi aussi, tu le dirais.

Sarah rougit sous le compliment, baissa les yeux. Mais j'eus le temps d'y voir qu'elle n'aimait pas Charlie et que cet amour qu'elle n'éprouvait pas la perçait comme une flèche. J'avais l'impression d'avoir assisté en intrus à une scène d'une intimité insupportable et me sentis gêné, voire honteux de moi-même.

– Qu'est-ce qui est arrivé à son arrière-arrière-grand-père ? demandai-je.

– Il est mort, répondit Sarah sans relever les yeux. Il n'est jamais revenu.

– A quelle bataille ? fit Charlie, le souffle court, prêt à grimper au ciel.

Après un silence, Sarah dit d'une petite voix :

– Il n'est pas mort au combat. Il est mort de dysenterie dans un camp, près de Gettysburg.

Je fus submergé par une vague de tendresse pour Sarah. Elle eût pu facilement mentir mais elle n'en fit rien. Et quelque chose en moi sut à cet instant que Sarah Cameron, en plus de la plénitude, apportait la sécurité.

Sarah ne fréquentait pas la maison de Peachtree Road. Elle se rendait aussi volontiers que moi chez Charlie, nous accompagnait n'importe où dans Buckhead, mais lorsque l'un de nous suggérait d'aller chez moi lire mes illustrés ou jouer dans la gloriette, elle disparaissait. J'avais presque treize ans quand je lui en demandai la raison. Elle en avait onze, comme Lucy.

– Parce que j'ai peur de Lucy, répondit-elle avec franchise en me regardant de ses grands yeux couleur d'ambre.

Sachant que rien au monde ne l'effrayait, du moins à

notre connaissance, je la dévisageai avec étonnement. Elle devint cramoisie.

– Je n'y peux rien si tu me prends pour une idiote. Je t'ai dit la vérité. Lucy me fait peur.

– C'est idiot, finis-je par dire. Pourquoi tu aurais peur de Lucy ? Tu ne la vois jamais. Elle ne peut pas te faire de mal.

– Ce n'est pas de ce genre de peur que je parle, reprit-elle.

Elle n'en dit pas davantage et des années s'écoulèrent avant qu'elle me révèle le sens de ses propos.

Curieusement, Dorothy Cameron tint des propos similaires peu de temps après sa fille. Assis par terre dans le jardin des Cameron, un jour de février d'une douceur trompeuse, je regardais Dorothy planter des oignons d'hémérocallis. Coiffée du grand chapeau de paille de Ben qui ombrageait totalement son visage, elle chantait d'une voix basse et profonde, comme celle que sa fille aurait un jour. Elle s'interrompit, releva le bord du chapeau et me regarda.

– Cela fait des mois que je n'ai pas vu Lucy, dit-elle. Ta tante Willa ne la punit pas encore, j'espère ? A tenir un enfant enfermé aussi longtemps, on risque de briser quelque chose en lui.

– Non, répondis-je.

Dorothy Cameron était la seule femme de ma connaissance à qui je ne disais pas « non, madame ».

– Elle n'est pas enfermée dans sa chambre, poursuivis-je. Mais elle va à l'école de Miss Beauchamp tous les jours jusqu'à quatre heures, et ensuite elle reste en haut jusqu'à l'heure du dîner. Elle ne parle à personne, pas même à moi. Ça fait des siècles que je ne l'ai pas vraiment vue en dehors des repas. Je pense que c'est affreux ce que tante Willa lui a fait.

Dorothy Cameron ne fit pas de commentaires.

– Vous n'aimez pas Lucy, n'est-ce pas ? dis-je soudain.

C'était une conversation tout à fait insolite pour une femme de quarante ans et un garçon de douze ans, mais le fait qu'elle me parût normale témoignait de la particularité et de la richesse de ma relation avec Dorothy Cameron.

– Ce n'est pas ça, dit-elle. (Assise en tailleur dans l'herbe, elle essuya son visage de sa manche.) C'est plutôt... que j'ai peut-être un peu peur de Lucy.

Mes oreilles se dressèrent. Quelle était cette frayeur que la petite Lucy Bondurant semait dans le cœur des femmes Cameron ?

– Mais pourquoi ? m'écriai-je.

– Parce qu'elle a besoin de tant de choses. La pauvre enfant semble littéralement affamée de tout. Elle est... comme un moteur emballé, une petite machine impossible à diriger. Je crois qu'elle pourrait être dangereuse.

J'éclatai de rire. Lucy dangereuse ? Et pour qui ? C'était l'être le plus vulnérable que je connaissais.

– Oh ! Shep ! fit Dorothy. (Elle me regarda avec une expression de pitié.) Écoute-toi, tu es déjà subjugué. Dangereuse pour toi, peut-être. Pour toute personne dont elle attend une aide, quelque chose dont elle a besoin...

Je fus soudain furieux. Bien que Lucy m'eût été enlevée et qu'elle ne jouât plus un rôle important dans ma vie, si ce n'est par la force même de son absence, je sentis dans ma frêle poitrine les émois familiers du saint chevalier.

– Alors, c'est pas de chance pour elle, répliquai-je, parce que personne ne l'aidera. Personne ne peut, personne ne veut. On l'a isolée du monde entier, mis à part les Noirs ; et comment feraient-ils pour l'aider ?

C'était vrai. En dehors de l'école, Lucy passait tout son temps dans sa chambre, dans l'appartement des Cater, au-dessus du garage, ou parfois dans la petite maison que Glenn Pickens partageait avec ses parents dans le jardin des Cameron. Lorsqu'elle était chez les Pickens, elle ne s'approchait jamais de la maison des Cameron ou de la piscine où nous jouions, Sarah, Ben, Charlie et moi. Et elle ne mettait quasiment jamais les pieds dans notre jardin, encore moins dans la gloriette qu'elle avait adorée.

Ce fut une curieuse période que celle entre les années de ma petite enfance où je m'enivrai de Lucy et le lycée. J'avais déjà vécu avec Lucy un amour étrange et chaste, si passionné que sa fin fut presque un soulagement. Et j'avais maintenant un ami – deux en fait : Charlie et Sarah. J'étais content de cette amitié, satisfait de vivre dans l'insouciance du moment, d'être jeune tout simplement. Mais il y avait sous cette quiétude un malaise, une attente, un vide. La déchirure de mon cœur avait la forme de Lucy. Elle me manquait. Je me demandais pourquoi elle ne voulait plus avoir aucun rapport avec moi, cependant que quelque chose en moi se réjouissait honteusement et lâchement de cette séparation.

Je savais néanmoins, intuitivement, que cela ne pouvait durer.

Lucy elle-même mit fin à cette situation un soir d'été de cette même année, quand mes parents et tante Willa donnèrent la plus grande réception que j'aie jamais vue à la maison de Peachtree Road. Ce fut à tous égards une nuit que je n'oublierai pas. Une nuit prodigieuse et terrible, mais sans laquelle j'aurais peut-être perdu Lucy à jamais.

Cette soirée, prétendait ma mère, devait permettre de rendre nombre d'invitations que mes parents avaient reçues au cours de la saison précédente. Je savais toutefois qu'elle servirait en fait à lancer Little Lady et, avec quelque réticence, sa sœur Lucy, sur le marché, à l'intention des mères des Buckhead Boys. Chaque année, les mamans des filles pubères donnaient une soirée de ce genre. La vente officielle de la chair familiale commencerait toutefois beaucoup plus tard, avec le système complexe des débuts dans le monde, et il ne s'agissait pour le moment que de tâter l'eau, dans une sorte de course réservée aux pouliches d'un an. Tout le monde serait là.

Sauf moi.

– Non, avais-je dit. Désolé, je n'irai pas. Vous pouvez m'enfermer jusqu'à l'âge de cinquante ans mais je n'irai pas.

Ils ne parvinrent pas à me faire céder. Malgré la pression de ma mère, je refusai carrément de mettre mon unique costume d'été trop court pour présenter des amuse-gueule aux mères de mes amis. Cela m'était égal qu'on mît une pomme dans la bouche de la belle et stupide Little Lady et qu'on la flanque, nue et parée sur un plateau d'argent, au centre de la table de la salle à manger, mais j'étais prêt à demeurer reclus jusqu'à ma majorité pour ne pas voir exhiber Lucy devant les matrones de Buckhead. Je savais qu'elle ne serait là que parce qu'on la tolérait, et qu'elle le saurait elle aussi. Le véritable article de choix, c'était Little Lady, et on montrerait Lucy uniquement parce que les gens jaseraient si on ne le faisait pas.

– Non, avais-je dit. Désolé.

Finalement, ma mère renonça : mieux valait un fils absent qu'un enfant hébété à force de bouder.

J'étais donc seul quand Lucy vint me voir dans la gloriette, étendu sur le lit de repos et lisant, à la lumière de l'unique lampe murale, *L'Attrape-Cœur*, publié ce printemps-là. Elle se tenait dans l'encadrement de la porte et se détachait dans la lumière de la maison illuminée, sans dire un mot. Lorsque je sentis sa présence et levai la tête pour la regarder, je ne la reconnus pas immédiatement. Avec sa robe neuve de princesse et ses premiers hauts talons, un gardénia piqué dans sa chevelure d'ombre, c'était la plus belle créature que j'eusse jamais vue. C'était une femme.

Je remarquai qu'elle tenait à la main une bouteille de bourbon presque pleine et qu'elle était plus qu'un peu ivre, la bouche molle, l'air hilare. En un instant, elle redevint la petite Lucy Bondurant, la tête ceinte d'une nuée d'ennuis.

– Hé, Gibby, gloussa-t-elle. Je t'ai apporté une surprise.

Je ne sais ce qui nous prit ce soir-là. Je n'avais jamais bu d'alcool et Lucy non plus à ma connaissance. Mon père serait furieux s'il nous surprenait à boire son bourbon, ma mère manquerait mourir et je ne pouvais même pas imaginer comment réagirait tante Willa. Je savais seulement que le châtiment serait beaucoup plus grave que tous ceux que nous avions subis jusqu'ici. Mais en contemplant Lucy, je sentis un panache de joie pure s'élever en moi et me moquai totalement des conséquences. Quant à Lucy, elle était trop soûle pour s'en soucier.

– Attends que j'aille chercher un verre, dis-je.

Et moins d'une heure plus tard, nous avions vidé la bouteille.

Il n'était pas tard – dix heures et demie, peut-être –, la soirée battait son plein. Nous l'entendions se dérouler à un rythme régulier qui ne commencerait pas à faiblir avant deux heures au moins. La nuit était épaisse, sombre et chaude, sans lune, presque sans étoiles. Les cigales chantaient dans les bois ; des insectes se lançaient, suicidaires, contre la lumière jaune de l'entrée de la gloriette. Autour de nous, le chèvrefeuille dégageait une odeur puissante. L'été baignait la nuit mais l'hiver était tapi au loin derrière la maison et les bois – l'hiver, le lycée et de profonds changements. Une douce tristesse sous-tendait tout ce que nous disions, tout ce que nous faisions, mais au-dessus planait le rire incessant, insouciant, irrépressible de la première ivresse. J'avais l'impression que je rirais éternellement du simple plaisir de l'avoir à nouveau près de moi, allongée sur le lit de repos, ses belles chaussures jetées n'importe où, la jupe relevée découvrant un jupon et l'éclat d'une cuisse blanche et lisse. Elle riait elle aussi, d'un rire profond, obscène, qui demeurerait à jamais dans mes oreilles.

Soudain elle se mit à pleurer. A pleurer avec une telle violence que je craignis qu'on ne l'entende dans la maison, par-dessus la musique : sur sa bouche je posai mes doigts rendus maladroits par le bourbon mais elle les repoussa. Ses sanglots s'intensifièrent. Je savais que, si elle ne cessait pas de pleurer, elle ne pourrait plus se ressaisir, qu'une des terribles crises de désespoir de son enfance l'emporterait et que nul ne pourrait lui venir en aide avant longtemps.

Je l'attirai contre moi, pressai son visage contre ma poitrine et la tins jusqu'à ce que les sanglots et les tremblements commencent à se calmer. Encore secouée de pleurs, elle murmura :

– Gibby, c'était si terrible ! Tu m'as tellement manqué ! Je n'en pouvais plus. J'ai cru qu'ils me laisseraient mourir comme ça, qu'ils s'en fichaient !

– Mais tu ne voulais même pas me parler, me défendis-je.

J'ai pensé que tu étais peut-être en colère contre moi, que tu ne voulais pas de moi. Pourquoi tu n'as rien dit ? Je serais venu...

– J'attendais que tu viennes me sauver ! Tu l'avais promis ! *Gibby, pourquoi n'es-tu pas venu ?*

– Je... commençai-je, sans aller plus loin.

Elle avait raison. J'avais promis de la secourir et je ne l'avais pas fait. Pourquoi ?

– OH, GIBBY, J'AVAIS TELLEMENT PEUR !

C'était un hurlement instinctif de pure solitude qui ne devait rien à l'enfance. La mienne s'enfuit, comme si elle n'avait jamais existé. Je pris à nouveau Lucy dans mes bras, bâillonnai ses cris avec ma propre bouche aveugle, et avant que je ne m'écarte des lèvres, des mains et du corps offerts de ma cousine Lucy, je me retrouvai sur elle. Elle s'agitait follement sous moi en gémissant des mots qui encore aujourd'hui me font rougir, et j'étais si près de la pénétrer que seule la catastrophe me sauva. Au lieu de faire l'amour à Lucy dans la gloriette alors que j'avais treize ans et elle onze, je me penchai au-dessus d'elle et vomis sur le sol, malade de bourbon et de terreur, et le caractère épouvantable de ma réaction suffit à me dégriser.

Elle eut le même effet sur Lucy, je crois. Je me redressai, les vêtements en désordre, essuyai ma bouche pour en chasser le goût répugnant, contemplai Lucy avec des yeux effarés. Elle me réndit mon regard par-dessus ses jupons froissés, sa bouche meurtrie et la blancheur chatoyante de ses jeunes seins nus. En un instant, elle fut dessoulée et les sanglots désespérés disparurent.

Elle remit de l'ordre dans sa tenue en partant, se dirigea vers la maison à petits pas rapides dans la nuit d'été, balançant par la bride ses nouvelles chaussures qu'elle tenait à la main. Elle ne me souhaita pas bonne nuit, ne m'adressa pas de salut, ne se retourna même pas et je passai ma première nuit blanche sur le lit de repos moite et en désordre, me tortillant de honte et de souffrance, ainsi que sous l'effet d'une tumescence adolescente inassouvie.

Le lendemain matin au petit déjeuner, Lucy l'enfant vive, étincelante, était de retour et babillait joyeusement avec moi, mangeant ses céréales, parlant de la soirée avec excitation comme l'eût fait n'importe quelle enfant de onze ans. Mes parents lui sourirent pour la première fois depuis des mois, et si tante Willa ne sourit pas, elle cessa au moins de froncer les sourcils. Je fus apparemment le seul à remarquer le petit tremblement des mains de Lucy et, dans ses yeux, les stigmates d'une gueule de bois qui devait être aussi virulente que la mienne. Jamais elle ne me reparla de cette nuit-là.

Nous étions donc repartis pour la même danse, elle et moi. Shep et Lucy, Lucy et Shep. Mais une musique différente nous portait à présent. Cet automne-là, j'entrai en sixième au lycée de North Fulton, et le monde s'élargit, comme j'avais pensé qu'il le ferait, jusqu'à englober des quantités de choses étranges et merveilleuses, mais l'odeur du danger et de l'interdit demeura dans mon esprit si étroitement associée à cette nuit dans la gloriette qu'il s'écoula des années, littéralement, avant que j'embrasse à nouveau une fille.

8

Lorsque je traversai Peachtree Road, un matin de septembre, et pénétrai pour la première fois dans le bâtiment de briques rouges du lycée de North Fulton, j'entrai littéralement dans un autre monde.

J'avais déjà franchi la frontière de Peachtree Road maintes et maintes fois, mais c'était toujours en voyageur parti pour une quête spécifique : acheter, voir quelque chose. Je rentrais de notre côté de la route avec les trésors que j'étais allé chercher sans être sensiblement affecté par le contact des indigènes d'un continent plaisant mais de moindre importance. L'unique fois où j'étais entré dans une maison située à l'est de Peachtree Road, c'était avec ma mère, quand j'étais tout petit et qu'elle s'était fait faire une permanente par une jeune femme douée et déférente qui travaillait dans la cuisine de son pavillon de Pharr Road.

Ma visite dans cette maison de bois propre et nette me fit le même effet que lorsque j'allais chercher le linge avec Shem Cater à la blanchisserie de Capitol Homes, dans la Chrysler, ou prendre Lottie, notre cuisinière, à Mechaniosville. Je n'avais pas l'impression que des gens habitaient réellement dans ces lieux, qui n'étaient que des adresses où les occupants des grandes maisons de Buckhead se ravitaillaient.

Mais j'allais au lycée de North Fulton pour vivre, en un sens. Et derrière ses hautes portes cochères se trouvait un monde plus vaste et plus riche que tous ceux que j'avais connus. Plus excentrique, plus dense, plus bravache, beaucoup plus pauvre, cent fois plus exotique, mille fois plus séduisant. Je le contemplai d'abord avec incrédulité puis m'y plongeai comme dans une mer chaude et nourricière.

Comme Lucy ne serait admise à North Fulton que deux ans plus tard, elle dut avoir l'impression, de sa prison ombreuse dirigée par Miss Beauchamp, que je l'abandonnais une fois de plus. Elle ne m'en parla cependant jamais. C'est dans ce terrible petit ghetto qu'elle apprit à observer les longs silences voilés qui émaillèrent toute sa vie.

– Comment était-ce, Luce ? lui demandai-je le jour où son emprisonnement chez Miss Beauchamp prit fin.

– Plus jamais je ne me laisserai mettre en prison, répondit-elle. Et je tuerai ceux qui essaieront.

Elle n'en dit pas davantage. Je fus ennuyé qu'elle celât une partie d'elle-même au saint chevalier qui avait juré de la protéger, mais l'arrière-goût de la nuit dans la gloriette me brûlait encore la bouche, et pendant longtemps il me fut très difficile d'être naturel avec Lucy. Finalement, l'embarras se dissipa et nous recommençâmes à lire et à bavarder dans la gloriette, la véranda de devant ou la bibliothèque, après l'école et dans la soirée. Je partageai avec elle les trésors du lycée et nous tissâmes à nouveau la toile de connaissances et de rêves qui nous avait toujours rapprochés. Elle continua à venir chercher un réconfort auprès de moi, à me révéler son cœur sauvage, ses peurs, ses joies, ses rages, mais il existait à présent une gêne sous-jacente que je ne savais pas – ou ne voulais pas – briser. Elle dut sentir ma réserve mais ne fit rien pour en triompher.

Jusqu'à mon retour du lycée, en fin d'après-midi, la surveillance de Lucy incombait essentiellement à Martha Cater, et ma cousine nous sidéra tous, Martha comprise, en aimant le vieux dragon d'un amour si profond, si inconditionnel, que Martha finit par capituler et par l'aimer en retour. Lucy fut toujours le seul enfant blanc que Martha pût souffrir. Chaque fois qu'une nouvelle minauderie de Little Lady suscitait des applaudissements à la table du petit déjeuner ou du dîner, Martha lançait : « C't'une bonne chose qu'elle apprenne à charmer son monde, parce que c'est tout ce qu'elle saura faire quand elle sera grande. Y a rien que du vent derrière ces grands yeux bleus. »

Elle le marmonnait à mi-voix, en apportant ou en remportant les plats, mais assez fort toutefois pour qu'il n'échappe pas aux oreilles auxquelles il était destiné, et chaque fois Lucy lui adressait un sourire de reconnaissance éperdue qui illuminait la pièce comme si le soleil l'inondait. Little Lady boudait, tante Willa rougissait de fureur contenue, ma mère soupirait et roulait des yeux en direction de mon père mais personne ne réprimandait Martha. Cela eût été inconvenant, cela nous eût rabaissés à son niveau, et je soupçonne en outre que nous reconnaissions tous le bien-fondé de la remarque. Little Lady était en effet d'une bêtise insondable, mais peu importait puisqu'il était évident qu'elle ne tarderait pas à ressembler à Jane Powell.

Quant à Lucy, ses rapports avec Martha Cater furent la source d'un sentiment d'affinité constant avec la plupart des Noirs avec qui elle entra en contact au cours de sa vie : Toto, le jeune Glenn Pickens de chez les Cameron, Shem et Lottie, Princess et Amos, le maigre et jaunâtre Johnnie Mae de chez les Gentry, Lubie, chez les Slaton... A douze ans, Lucy passait plus de temps avec les domestiques des maisons voisines et leurs enfants qu'avec quiconque d'autre, moi excepté, et déversait instantanément et sans discrimination, sur tout nouveau Noir entrant dans son orbite, l'adoration que son petit cœur contenait. Lorsqu'elle devint adolescente, sa prédilection pour les Noirs devint cause d'un grand embarras pour sa mère et la mienne ainsi que, dans une moindre mesure, pour mon père. Ils multiplièrent interdits, cajoleries, punitions, mais Lucy ne renonça pas à ses compagnons bien-aimés.

– Oui, m'man, disait-elle à tante Willa quand on lui reprochait à nouveau d'avoir passé l'après-midi avec Glenn Pickens, ou la soirée avec Shem et Martha, dans l'appartement au-dessus du garage. Oui, m'man, je comprends.

Et elle souriait, les yeux bleus pleins de contrition. Mais elle y retournait le lendemain. Il n'y avait pas moyen de l'en empêcher.

Je pense que c'était parce qu'elle voyait clairement ce que la plupart d'entre nous ne voyaient pas ou ne voulaient pas voir : que les Noirs de notre monde étaient des opprimés, des victimes. Moi seul savais que c'était le rôle que Lucy s'était attribué. Sous la gaieté, le charme, l'intelligence, la générosité, ce que tante Willa appelait sa joie de vivre, Lucy se sentait profondément seule, vulnérable et sans amour, je le savais. Je savais aussi qu'elle avait de bonnes raisons pour cela.

En tout cas, pendant ces derniers jours de solitude entre l'enfance et la puberté, Lucy eut au moins ses Noirs, et je crois que c'est ce qui la sauva. Moi, j'avais le lycée.

North Fulton m'apprit tout ce que je devais savoir de l'hétérogénéité du monde avant Princeton. Il me donna le goût de l'excentricité, me fit comprendre à la fois l'intérêt de l'originalité et l'utilisation qu'on pouvait faire de la conformité.

Il me montra le bien en la personne de Miss Reba Marks, une vieille fille plate aux ondulations blondes qui enseignait la chimie avec passion et mourut renversée devant l'école primaire de Garden Hills en sauvant un enfant qui s'était précipité devant un autocar scolaire jaune du comté de Fulton.

Il me montra le mal en la personne d'un entraîneur adjoint de football, lourdaud à la lèvre pendante, qui mit enceinte Scarlett Sanders, fille de la campagne laide et demeurée, puis se moqua ouvertement de son ventre rond et dur comme un ballon de basket tandis qu'elle le suivait avec adoration dans les couloirs et les vestiaires.

Il me montra le danger en la personne du légendaire Boo Cutler, dont la Mercury filait la nuit sur les routes du comté de Cherokee, chargée d'alcool de contrebande. Il me montra le désespoir en la personne de ces élèves anonymes condamnés depuis la naissance, semblait-il, à travailler à la bibliothèque, aux cuisines ou à l'infirmerie.

Il me donna des héros, au romanesque différent de celui que Lucy et moi avions connu en lisant et en rêvant. Les vedettes radieuses et insouciantes des stades, les rédacteurs en chef du *Hi-Ways* et du *Scribbler*, les *cheerleaders** et les beautés. Il me donna même, ce qui était tout à fait inattendu, une once grisante de popularité. Lucy avait eu raison : je m'étais allongé, endurci, et je ressemblais quelque peu au chevalier étincelant au visage d'aigle qu'elle avait imaginé en moi autrefois. C'étaient à présent les traits de mon oncle Jim que je voyais dans mon miroir, quoique beaucoup plus jeunes et moins nets. Une timidité muette hantait cependant le chevalier, et je n'eus jamais la naïveté d'ignorer que l'argent de ma famille me conférait un prestige que je n'aurais pas eu autrement. Mais j'étais un danseur passable, je brillais même modestement dans le *mile* et la course de relais, et cette maigre popularité – ou plutôt cette reconnaissance, pour être exact – n'était pas tout à fait imméritée. Je ne la portai néanmoins jamais avec aisance.

A la plupart d'entre nous, enfants des grandes maisons, le lycée n'apporta guère d'amis nouveaux. Je crois qu'il était déjà trop tard quand nous y entrâmes : Buckhead nous imprégnait trop profondément. Comme l'Église catholique, il gardait à jamais ceux qu'il avait tenus dans son giron pendant les sept premières années de leur vie. Les garçons des autres quartiers d'Atlanta qui fréquentaient North Fulton – ceux de Sandy Springs, Brookhaven, Morningside, Peachtree Hills, Peachtree Heights, Brookwood Hills et Ansley Park – se méfiaient de l'odeur d'argent qui flottait autour de nous en dépit de nos efforts pour la masquer, ou même l'éliminer. De tous les garçons que je rencontrai à cette époque – littéralement des centaines –, un seul, A.J. Kemp, me devint proche. A.J., de la lointaine Chesshire

* Ceux qui dirigent, encouragent de la voix et du geste les supporters d'une équipe. (N.d.t.)

Bridge Road. Mince, agile, intelligent, farouchement ambitieux et presque féminin d'allure – ou du moins pas grossièrement et uniquement masculin : toujours le meilleur danseur, le seul *cheerleader* mâle, le gandin, l'acteur, le premier fumeur de cigarettes, le garçon qui possédait le plus de sweaters et de 45 tours. A.J., un des hommes les plus drôles que j'aie connus et, en fin de compte, un des plus loyaux. Il s'attacha à nous, les nantis, instantanément et inexpugnablement, se fit accepter par la seule force de sa personnalité, et, avant la fin de la sixième, il était devenu l'un de nous à part entière. Il pensait, je suppose, retirer de grands avantages de cette association mais ce fut nous, en définitive, qui en bénéficiâmes.

Des années plus tard, lorsque je fus littéralement écrasé par la catastrophe qui me tint à l'écart de la compagnie des Roses et des Gods, A.J. vint à la gloriette un midi m'apporter des sandwiches et un pack de bières. Peu d'autres l'avaient fait et je fus surpris en même temps que mal à l'aise de le voir se tenir sur le pas de la porte, clignant des yeux dans le soleil hivernal et scrutant ma tanière obscure.

Un long moment, je fus incapable de parler. L'idée insensée me traversa qu'il lancerait la nourriture vers moi avant de déguerpir, comme le gardien de quelque animal sauvage en captivité. Mais il eut un de ses sourires de vieux sage et dit :

– Au risque de trouver des os rongés sur le sol et des étrons dans un coin, j'entre, que cela te plaise ou non.

Ce qu'il fit, laissant la porte entrouverte pour que la lumière cristalline et impitoyable de midi pénètre à l'intérieur.

– Qui plus est, ajouta-t-il, je reviendrai demain, et le jour suivant, tout le temps qu'il faudra pour que tu cesses de vivre dans cette grotte avec les loups et que tu te comportes à nouveau comme un être humain.

Des larmes d'humilité et de gratitude me firent détourner la tête en marmonnant :

– Content de te voir, A.J.

Il me suivit à l'intérieur de la gloriette, me prit dans ses bras et me serra. Cela lui ressemblait si peu que mon calme défaillant revint en claudiquant et que je pus le dévisager avec curiosité.

– Tu n'as pas peur que je te foute le feu aux fesses ? dis-je.

– Non, répondit-il, en débarrassant ma table basse de ce qui l'encombrait pour y poser bières et sandwiches. Mais j'ai souvent eu envie de mettre le feu aux tiennes. Je veux juste te dire une chose, Shep. Ensuite, je ne parlerai plus de toute cette salade. Nous savons tous que tu ne peux pas avoir été mêlé à ça. Nous le *savons*. Les autres auraient dû venir, mais ils ne le feront probablement pas avant un moment. Tu sais mieux que moi pourquoi. Si je suis venu, c'est parce que je n'ai jamais été l'un de vous, quoi que vous en pensiez. Ces conneries de règles de Buckhead ne me concernent pas. Alors considère que je suis venu au nom de tous et laisse-moi te dire que nous pensons que toutes ces histoires c'est de la merde, et que... que nous t'aimons.

Il marmonna la fin de la phrase, puis son mince visage de singe vira au pourpre, il baissa la tête et mordit dans un sandwich. Je me réfugiai dans la salle de bains et fondis en larmes.

Pendant un mois, A.J. revint déjeuner avec moi au moins trois fois par semaine, quittant pour cela la banque du centre où il travaillait, prenant l'autobus 23 jusqu'au coin de Peachtree Road et de Lindbergh, traversant le jardin pour se rendre directement à la gloriette, évitant la maison et une rencontre avec ma mère. Nous ne reparlâmes jamais de l'incendie et nous contentâmes d'évoquer un passé plus lointain : le lycée de North Fulton et ce qu'il nous avait apporté. Je ne parviendrai sans doute jamais à dire à A.J. ce qu'il m'a donné pendant ce sombre mois, mais je crois qu'il le sait.

Ce que le lycée nous apporta, ce cadeau que seul l'Atlanta de l'époque pouvait nous donner, ce fut les Roses et les Gods. Personne ne sait exactement ce que ces mots signifiaient. « Roses », cela s'explique dans une certaine mesure :

tulle rose, angora rose, ensemble en cachemire rose et rouge à lèvres rose. « Roses », pour les filles de cette élite dorée de toute une génération. Quant à l'étymologie de « Gods », elle est quasi impossible à donner. D'aimables jeunes gens frivoles et stupides, sans profondeur, attachés à la recherche du plaisir.

Les Gods de Buckhead ne faisaient pas d'efforts. D'une façon générale, ils ne jouaient ni au football ni à aucun autre sport d'équipe, mais certains d'entre eux se distinguaient toutefois dans des disciplines individuelles plus spectaculaires comme le tennis, la natation et le plongeon. Quelques-uns montaient même à cheval avec beaucoup d'allure. Tous savaient danser et passaient leur temps à ça.

Les sportifs du lycée ignoraient les Gods et, s'ils en parlaient, c'était avec mépris. Ceux-ci ne firent jamais partie de la confrérie des adeptes des sports violents, des buveurs de gnôle, des bagarreurs du samedi soir, des cracheurs de jus de chique. S'il arrivait aux Gods de fréquenter les endroits où se réunissaient les durs, au *Peachtree Hills Pub* ou au *Blue Lantern,* ou même, pis encore, au *Cameo Lounge*, près de la gare routière, ils n'y étaient jamais bien accueillis et ne s'y sentaient jamais à l'aise.

Comme un seul homme ou presque, les Gods vénéraient les *draggers,* ces jeunes dieux de la vitesse et de la fumée montés sur leurs chars baroques au moteur gonflé. Je me souviens des innombrables après-midi que nous passions autour de la piste en terre battue de Marietta, près de la fabrique de bombes – devenue ensuite l'usine Lockheed –, à contempler Boo Cutler, Floyd Sitton et leurs semblables, ongles graisseux, muscles durs, yeux plissés, fonçant dans leurs Mercury et leurs Pontiac hurlantes. Nous n'aurions risqué ni notre peau ni nos cachemires dans ces voitures et nous n'aurions pas su les conduire si nous en avions eu l'audace mais nous les adorions. L'automobile était notre Baal, notre Veau d'Or. Nous n'en avions pas tous une, loin de là. La « Goderie » étant accordée aussi bien aux pauvres qu'aux riches, nombre d'entre nous n'en avaient pas les moyens. Toutefois, la plupart des Gods de Buckhead en possédaient une. Pour mon seizième anniversaire, on me donna une Plymouth Fury rouge et blanc à l'air menaçant, et ce cadeau me surprit plus que quiconque. Je suppose qu'il s'agissait d'une dernière tentative de mon père pour faire de moi un fils de riche dans les normes, un être de charisme et d'impétuosité, et il y parvint, du moins un moment, car la voiture me valut un cortège de Gods et de Roses que je traînais après moi. Mais finalement je fus incapable de maintenir cette image, et, pendant les deux dernières années de lycée, ce fut surtout Lucy qui conduisit la Fury. Elle lui allait beaucoup mieux.

Les Gods existaient parce qu'il y avait les Roses. Nous leur servions de cavaliers, nous les admirions, nous les exhibions et finalement – c'était, je crois, l'objectif – nous les épousions. Être une Rose à Atlanta en ces jours de rêve entre la Crise et Camelot*, c'était connaître une sorte de perfection flamboyante et brève qui ne reviendrait jamais. Comment l'aurait-elle pu ? Cela n'avait rien à voir avec la réalité. La « Roserie » était une fête de quatre ans, d'un million de kilomètres de long et d'un centimètre d'épaisseur. Ce qui lui manquait en profondeur, elle le compensait par son excès même. Adulation totale, tel était l'ordre du jour, et la fille qui savait la susciter dirigeait une sorte de Grande Valse si complexe, si dévoratrice, si extravagante que tout le reste – université, débuts dans le monde, Junior League, parfois même mariage – pâlissait en comparaison.

Toutes les lycéennes d'Atlanta ne savaient pas susciter cette adulation, tant s'en faut. Celles qui n'y parvenaient pas étaient des nullités, des créatures inexistantes et misérables ; celles qui y arrivaient étaient des Roses. C'était aussi simple, aussi brutal que cela. Nombre de femmes de Buckhead de ma connaissance vous confieront, après un quatrième ou un cinquième gin-tonic au club, qu'être une Rose à Atlanta fut le meilleur moment de leur vie.

* Ici, l'ère kennedyenne. (N.d.t.)

Pour conquérir et garder le titre de Rose, il fallait jouir d'une grande popularité. Cela impliquait une sorte de coquetterie enjouée, qui interdisait en même temps qu'elle provoquait. Une comédienne au visage plein de fraîcheur surmonté d'une queue de cheval nommée Millie Perkins, image de la naïveté et de la virginité d'un professionnalisme étonnant, servit de modèle à ma génération de Roses, qui apprirent toutes à faire saillir leurs petits seins tout en gardant les genoux serrés. La beauté n'était pas obligatoire, l'effronterie l'était. « Mignonne », c'était le compliment le plus recherché pour une Rose, juste avant « piquante ». Une confiance en soi monumentale, ou son apparence, soutenait le tout. Wender & Roberts ou Jacobs devaient détenir le record de ventes de Mum et Odorono à cette époque, car une Rose de Buckhead ne transpirait jamais, et si elle rougissait cent fois par jour en baissant ses cils de poupée, ce n'était jamais par embarras.

« Une jeune fille charmante, si posée » était le plus grand compliment que nos mères pouvaient faire à nos petites amies, et ce fut souvent le prélude à de somptueux mariages.

Lorsqu'elles entraient au lycée, les petites filles banales que nous connaissions et taquinions depuis toujours se transformaient soudainement en Roses du jour au lendemain. Je n'ai connu personnellement aucune jeune fille de Buckhead qui ne parvint pas à la « Roserie ». Il y en eut sans doute, mais on les envoya dans des écoles où toute une vie ne se jouait pas sur des chevaux aussi capricieux.

Lucy, elle, en connaissait. Je lui posai un jour la question, alors qu'elle fréquentait North Fulton depuis un an et s'était épanouie en la plus rose des Roses.

– Oh ! elles sont parties faire leurs études quelque part dans le Nord, répondit-elle avec désinvolture. Elles avaient de l'acné. Elles ont disparu d'un seul coup, pfft, on ne les a plus revues après la cinquième.

– Les gens ne pensent pas qu'on les a mises en cloque ? dis-je.

C'était ce qu'on murmurait dans ma bande au sujet des filles soudain inscrites dans une école d'un autre État.

– Seigneur, non ! s'esclaffa Lucy. Personne n'aurait eu le courage de les baiser.

Les Roses et les Gods se développèrent grâce à un système d'associations de lycéens et de lycéennes, dont la complexité baroque égalait celle de la cour de Louis XV. D'autres villes possédèrent peut-être de telles organisations mais la nôtre fut le théâtre d'une telle outrance en ce domaine que lorsque, à la fin de nos études, nous heurtâmes de front la réalité, plusieurs d'entre nous, devenus à jamais incapables de l'affronter, errèrent à travers leur vie dans une sorte de brouillard nostalgique, hébétés et irritables. Il y avait au total une vingtaine d'organisations estudiantines, une douzaine pour les garçons et sept ou huit pour les filles. Parmi elles, deux passaient pour les meilleures : Phi Pi, à laquelle appartinrent Lucy, Sarah, Little Lady et toutes les filles que je connaissais ; Rho Mu, dont j'étais membre parce que c'était là qu'atterrissaient inévitablement les Buckhead Boys. Ces associations avaient des branches locales dans la plupart des autres grands établissements d'Atlanta : Northside, Boy's High et Girl's High, école des Maristes, Druid Hills, école presbytérienne de North Avenue, et Washington Seminary*.

Washington Seminary, bien sûr. Ce majestueux bâtiment blanc à colonnes était si imbriqué dans la vie de Buckhead que depuis 1878 quasiment toutes les jeunes filles de bonne famille d'Atlanta avaient franchi ses portes massives. Dans mon entourage, seule Sarah Cameron, dont les parents étaient contre l'enseignement privé, et Lucy, dont la mère n'avait pas les moyens, et qui de toute façon aurait mieux aimé mourir que retourner dans une école de filles, ne le fréquentèrent pas. Toutes deux allèrent à North Fulton et n'en pâtirent aucunement car les lycées d'Atlanta de l'épo-

* Aux États-Unis, « seminary » signifie simplement cycle d'études. (N.d.t.)

que dispensaient à leurs élèves blancs un enseignement de qualité. A vrai dire, plus d'esprits juvéniles s'éveillèrent dans ces établissements publics que dans la plupart des écoles privées voisines qui avaient alors la préférence des familles atlantaises.

Ce n'était pas réellement pour s'instruire que les filles des grandes maisons allaient au Seminary mais pour y apprendre les bonnes manières et se placer sur le marché. Traditionnellement, les élèves passaient la sixième et dernière heure de cours à se coiffer, se maquiller et se faire les ongles pour se préparer au défilé rituel qui les menait de la porte au trottoir de Peachtree Road, où les Gods des écoles voisines se pressaient pour regarder les Roses sortir d'un air nonchalant en balançant doucement les hanches.

Je nous vois encore, riant dans ma Fury tournant au ralenti ou dans la Chevrolet trafiquée d'A.J., regardant les vestales descendant l'allée. Les Roses que nous connaissions depuis la naissance nous semblaient alors aussi exotiques que des princesses mayas. C'était comme si nous ne les avions jamais vues.

– Visez ce châssis ! s'exclamait A.J., en pleine extase. Visez cette paire de nichons !

Et nous poussions des cris et des grognements, nous nous prenions la tête à deux mains, nous nous renversions sur les sièges, en pâmoison, comme si nous n'avions jamais vu de notre vie la paire de seins tendant le pull en cachemire dont il parlait.

– Regardez ces boîtes à lait ! beuglait Snake.

Et nous frappions les portières des voitures en aboyant. Je ne sais pourquoi les responsables du Seminary ne nous chassaient pas avec des tuyaux d'arrosage.

Le Seminary sut toujours de quel côté son pain était beurré. Il avait fallu près de deux décennies aux directions coalisées des écoles de la ville pour interdire les associations, et au plus fort de la campagne, en 1952, le Seminary eut un haussement d'épaules aristocratique et annonça qu'il ne tiendrait pas compte de l'interdiction. Et comme la ville faisait ce que faisait le Seminary, les Roses et les Gods continuèrent à danser.

La danse était en effet essentielle pour les jeunes gens bien nés, vêtus de cachemire et chaussés de cuir fin, de cette petite ville en pleine ascension. De décembre à juin, chaque vendredi soir, l'une ou l'autre des associations donnait son grand bal de la saison, auquel toutes les autres étaient invitées, et en automne, avant que la saison officielle ne commence avec les pluies d'hiver, nous dansions çà et là dans des soirées privées.

Nous dansions au Brookhaven Country Club, au Druid Hills Golf Club, au Ansley Golf Club et parfois au Driving Club si nos parents acceptaient de nous parrainer. Nous dansions dans les gymnases des lycées, dans nos grandes maisons, sur nos terrasses, autour de nos piscines. Nous dansions le slow, le nez enfoui dans une chevelure parfumée, les mains sur de jeunes tailles férocement baleinées, sur des épaules nues d'une blancheur étourdissante, une joue pressée contre la nôtre, perdus dans *Moonglow, Sentimental Journey* ou *These Foolish Things,* malades d'amour et reconnaissants aux jupons à armatures oscillants qui amortissaient nos violentes érections.

– Nous nous souviendrons toute notre vie de cette soirée, me dit un jour Sarah Cameron à l'un des premiers bals où je fus son cavalier.

Elle portait un nuage de tulle jaune sur un cerceau qui se relevait par-derrière quand je la pressais contre moi en me balançant au rythme lent et sinueux de *Stardust.* Une entêtante odeur de chèvrefeuille provenant de la lisière du terrain de golf obscur pénétrait à flots par les fenêtres ouvertes du Brookhaven.

– Je me souviendrai que je me suis fait coller en géométrie à cause de ce bal idiot, me plaignis-je.

A cette époque, je me montrais nettement discourtois envers Sarah.

– Tu es un imbécile, Shep, répliqua la petite Sarah Cameron, et je me rappelle qu'elle ne souriait pas.

A eux seuls, les bals auraient rendu ces années mémorables : trente soirées étalées sur autant de semaines, et impossible d'en manquer une si vous étiez un vrai God ou une vraie Rose de Buckhead. En outre, le bal était toujours précédé d'un dîner dans l'un des rares « bons » restaurants de la ville – comme *Hart's, Peachtree Road,* ou le *Paradise Room* de l'hôtel *Henry-Grady* – ou dans la salle à manger de parents indulgents, et suivi d'un petit déjeuner qui pouvait durer jusqu'à quatre heures du matin. Parfois, nous enfilions ensuite un jean, nous nous entassions dans les voitures disponibles et nous partions escalader la grosse masse noire de la Stone Mountain, à l'est de la ville, et nous effondrer pantelants, barbouillés de rouge à lèvres, sur le sommet de granit quand le soleil se levait. Ou bien nous déposions notre cavalière chez elle, après quelques escarmouches obligatoires sur une banquette avant ou arrière – car aucune Rose n'acceptait de se laisser peloter à moins d'être quasiment fiancée, et si certains d'entre nous eurent des petites amies attitrées dans les premières années de lycée, la plupart des autres pariaient sur toutes les pouliches – et nous allions stupidement faire la course en voiture jusqu'à l'aube sur l'autoroute. Je ne me rappelle pas pourquoi nos parents nous laissaient sortir si tard tous les week-ends ni comment nous ne succombions pas de fatigue. Je me souviens en revanche qu'à la fin de chaque trimestre de printemps je me sentais aussi épuisé que si j'avais un début de leucémie. Épuisé et fauché.

Car chaque partie d'une soirée – dîner, bal, petit déjeuner – signifiait pour une Rose un rendez-vous avec un garçon différent, et chaque rendez-vous impliquait l'offre d'une orchidée, d'une blancheur immaculée, nichée dans le tulle et entourée d'un ruban de satin. Nous en achetions des forêts entières. Je les revois piquées au corsage, à la taille, au poignet des filles de Buckhead – trois généralement, ou six si la Rose faisait partie du bureau de l'association donnant le bal.

Je me rappelle une robe que Lucy porta dans sa seizième

année, d'un bleu profond et constellé comme le ciel d'une nuit de Noël, en velours de soie, et dentelée dans le bas pour révéler les nuages neigeux des jupons. Lucy l'avait choisie pour servir de toile de fond à ses orchidées blanches. Red Chastain l'emmenait au bal de la Phi Pi, dont elle était présidente cette année-là. Elle avait d'autres cavaliers pour le dîner et le petit déjeuner – je ne me rappelle plus qui – et au total huit orchidées piquées, attachées ou collées sur sa personne. Trois sur le bustier de la robe, une à chaque poignet, une à la taille, une au bas de la robe et une dans ses cheveux qui flottaient sur ses épaules, nuageux comme de l'encre de pieuvre dans une mer claire.

– Tu ressembles à une boutique de fleuriste, dis-je, tandis qu'elle s'examinait dans le miroir doré de l'entrée.

– Je suis éblouissante, répondit-elle avec un sourire rêveur. Personne n'a jamais porté autant d'orchidées. Sept, c'était le record. Je les conserverai dans mon album pour me rappeler le jour où j'ai porté plus d'orchidées que n'importe quelle fille de cette ville.

– Ça sentira la chapelle funéraire, répliquai-je méchamment.

J'étais irrité parce que je ne pouvais offrir qu'une seule orchidée à Sarah Cameron, qui m'avait demandé d'être son cavalier, et que mon père refusait de financer l'achat d'une seconde fleur. Irrité pour cette raison et pour une autre, que je ne tenais pas alors à considérer.

– Si tu en as autant, c'est uniquement parce que le père de Red a un argent fou.

– Exactement, reconnut Lucy, dont le sourire s'accentua. Le père de Red m'aime beaucoup. Il a demandé à Red de m'amener chez lui avant le bal pour qu'il puisse me voir avec ma robe.

Elle se tourna vers moi, radieuse.

– Gibby, tu sais à qui je voudrais me montrer ce soir ?

– Oui, fis-je avec un sourire, toute méchanceté disparue. Je sais qui. Et il n'en reviendrait pas. Tu l'épaterais, tu sais.

– Vraiment ? souffla-t-elle. (Elle me regarda avec des yeux

qui ne voyaient plus Shep Bondurant mais l'objet de son premier amour.) Vraiment ?

– Oui, tu peux en être sûre.

Orchidées, orchestres, robes de satin, de velours et de tulle, smokings loués, dîners, bals et petits déjeuners. Pas étonnant qu'il nous fallût travailler tout l'été et durant de nombreux week-ends, même si nous étions fils de millionnaires ou de quasi-millionnaires. Ce qui est étonnant, c'est que les Gods qui n'étaient pas riches aient eu les moyens de payer tout cela, même en travaillant. Je sais qu'A.J. trima plus dur pendant ses années de lycée pour financer sa saison de God qu'il ne le fit plus tard pour payer ses études à l'Université de Géorgie. Je n'arrive pas à imaginer ce que les parents de ces Gods sans ressources éprouvaient quand un nouvel automne de danse et de dépenses s'annonçait. Du désespoir, probablement. Mais aussi une certaine fierté plus ou moins consciente, je suis prêt à le parier. Être les géniteurs d'un God d'Atlanta, avoir engendré l'un des membres de l'élite d'une génération... cela devait compenser bien des privations. Je l'espère. Melba Kemp, mère d'A.J. et veuve, qui paya les études secondaires de son fils avec son salaire de vendeuse, me confia avant de mourir, quand Lana et A.J. l'emmenèrent me voir, que ces années furent, en dépit des privations, les plus belles de sa vie.

– Pourquoi ? m'étonnai-je.

Je pensais aux journées passées dans la boutique, les jambes douloureuses, aux soirées seule dans la petite maison, tout au bout de Cheshire Bridge, tandis qu'A.J. dansait dans les clubs et les grandes maisons où elle ne pénétrerait jamais.

– Parce que c'était quelque chose, cette bande avec qui vous sortiez tous, répondit-elle. La danse, les jolies filles... Je n'ai jamais vu A.J. s'amuser autant par la suite.

A.J. leva les yeux au ciel dans le dos de sa mère mais, malgré sa réaction, je savais qu'elle avait raison. Il était né pour être un God et personne ne fut jamais un meilleur God que lui.

L'appartenance aux Roses et aux Gods ne se limitait pas aux magnifiques fêtes des associations mais marquait de son empreinte toute la vie des initiés. Après les cours, après le défilé rituel sur le trottoir du Washington Seminary, nous montions en voiture et nous nous déployions pour prendre la ville.

Au cœur de nos années de « Goderie », il y avait ma Fury, la Mercury décapotable 1939 de Snake Cheatham, la Chevrolet gonflée que Ben Cameron avait achetée le jour de ses seize ans avec les économies de toute une vie et la Chevrolet 1935 d'A.J. Kemp, sans toit ni ailes, que Buskshot Jones, du Northside Auto Service, avait fini par lui donner rien que pour qu'il cesse de traîner dans le garage. Nous naviguions à travers toute la ville à bord de cette épave. Nous nous arrêtions à la dernière station-service avant de franchir les limites d'Atlanta : A.J. sautait par-dessus la portière et se glissait sous la voiture pour brancher le pot d'échappement. Sur le chemin du retour, il recommençait l'opération pour débrancher l'accessoire superflu. Dans Buckhead, il laissait simplement son engin faire un vacarme assourdissant, et aucun agent de police ne s'en souciait. Pour les mordus de l'automobile, A.J. était une sorte de héros local simplement parce qu'il parvenait à faire rouler la Chevrolet.

Certaines filles aussi avaient leur auto. Pour son seizième anniversaire, Freddie Slaton reçut une petite Triumph rouge, sans doute parce que son père pensait, à raison, que cette peste de Freddie aurait besoin de tous les atouts possibles. La plupart des Roses du Washington Seminary avaient leur voiture. D'une manière ou d'une autre, chaque jour après le lycée, nous filions dans les rues comme un vol d'oiseaux migrateurs, selon un itinéraire aussi immuable, pour écumer drugstores et salles de bowling.

Inévitablement, les effets conjugués des hormones, de la bière, du gin ou du bourbon achetés illégalement, et de la chair fraîche aussi interdite qu'exposée provoquaient des bagarres. La plupart éclataient dans les bals, quoique généralement dehors, entre deux danses. J'étais en dernière année quand Red Chastain fit passer par la fenêtre du Druid Hills Golf Club un God de Boy's High qui avait plusieurs fois tenté de le couper et de s'emparer d'une Lucy resplendissante pendant une danse « incoupable* ». A cette époque, il n'était pas rare qu'une Rose très en vogue ait ses danses « incoupables » réservées des années à l'avance, et tout le monde savait alors que la troisième « incoupable » de Lucy dans chaque bal officiel appartenait à Red. Le God de Boy's High ne pouvait plaider l'ignorance. Ce fut un combat bref, brutal, et si personne n'aimait particulièrement Red, nous estimâmes tous que le God estropié avait eu ce qu'il méritait. Personne n'enfreignait impunément les règles.

Nos pères prenaient ces rixes avec humour et résignation ; nos mères pleuraient et nous grondaient. Parfois, nous avions droit à un sermon, à une punition, mais nos pères savaient qu'il était important pour nous d'apprendre à nous battre comme des gentlemen. Je suis sûr que le mien souffrit de ce que je ne me risquai jamais à éprouver la force de mes andouillers en me battant.

– Comment tu t'es pris ce cocard, vieux ? me demanda un jour Ben Cameron après le déjeuner dominical au Driving Club. (Il montrait l'œil poché que m'avait valu un coup de coude de Snake pendant une séance particulièrement exubérante de reluquage de nénés devant le Seminary.) Et l'autre, quelle tête il a ?

– Shep ne se bat pas, intervint mon père d'un ton sec. C'est un amoureux. Tu ne le savais pas ?

Comme j'avais seize ans et que je n'étais jamais sorti avec une fille excepté Sarah, je devins écarlate.

Ainsi, portés par nos immortelles bagnoles, nous devînmes les princes d'une ville que nous sillonnions en tous sens, que nous savourions à toute heure et en toute saison, nous prélassant sous son soleil, exultant dans sa nuit chaude. Pas étonnant qu'aucun de nous ne voulût partir faire des études

* Aux États-Unis, on peut « couper » un couple au milieu d'une danse en plaçant la main sur l'épaule du cavalier. (N.d.t.)

ailleurs, mis à part peut-être ceux sur qui, comme moi, la « Goderie » semblait posée de travers. C'était une vie ridiculement hédoniste, complètement égocentrique. En ces temps de confusion, nous étions notre propre grande obsession.

La seconde était le sexe.

Quand je pense à la charge sexuelle de cette période, ce qui me revient en mémoire, c'est un puits de peur glacé dans l'estomac, un bas-ventre constamment douloureux, sous un mince vernis de fanfaronnade. De la puberté à la fin des études secondaires, et souvent au-delà, jusqu'à l'université, nous étions tellement obsédés par le sexe que je me demande comment nous cachions nos érections permanentes, comment nous les traînions pendant des journées et des nuits interminables. Nous nous éveillions dans des draps mouillés ; nous parlions de sexe en allant au lycée ; nous contemplions les Roses, discutions de leurs charmes pendant les six heures de cours ; nous nous collions à elles dans les voitures ou sur les banquettes des drugstores afin d'effleurer, avec une désinvolture étudiée, un sein ou une cuisse ; nous tripotions désespérément quiconque nous laissait faire après les sorties, devant les maisons obscures ou dans des coins propices aux amoureux comme le cimetière d'Oakland, les jardins publics et les *drive-in** (au dernier rang, loin de la lumière) ; nous pelotions jusqu'aux limites de la santé mentale et de la « Roserie » si nous étions fiancés ou sur le point de l'être puis nous rentrions nous masturber avec un sentiment de culpabilité avant de nous endormir, soulagés. Comme une armée d'Onan, nous déversions notre semence sur le sol, mais presque jamais là où elle était destinée.

Par groupes de deux ou plus, nous débitions des mensonges élaborés sur ce que nous avions fait à telle ou telle, comment elle avait gémi, imploré d'autres caresses, où elle avait appris à faire de telles choses, et nous nous efforcions de prendre un air détaché tout en cachant sous notre pull ou

* Cinéma en plein air où l'on regarde le film de sa voiture. (N.d.t.)

sous un magazine les tentes pointant sous notre blue-jean. Nous partions en expédition aussi loin que l'infâme Plaza Pharmacy pour acheter des préservatifs qui se desséchaient dans nos portefeuilles, et le God qui ne montrait pas la trace circulaire d'une capote en relief dans la poche de son Buxton n'était pas un vrai God. Moi-même j'en avais une que m'avait donnée Snake Cheatham, notre fournisseur officiel, mais inutile de dire que l'occasion de l'utiliser ne se présenta jamais et je doute, dans le cas contraire, que je fusse parvenu à l'enfiler. D'ailleurs, malgré tout ce que nous racontions, peu d'entre nous avaient une expérience en ce domaine. Nous prétendions tous baiser mais je crois que je pourrais compter sur les doigts d'une main les Gods du lycée qui le faisaient vraiment. Si vous ne baisiez pas, vous en parliez ; si vous baisiez, vous n'en parliez pas. C'était aussi simple que cela. Les plus discrets d'entre nous étaient ceux que nous admirions dans le secret de nos cœurs. Mais nous étions tout simplement incapables de garder le silence sur cette Grande Quête de la Crampette qui nous agitait comme une génération de lemmings.

– Alors, tu l'as sautée ? demandions-nous avec des ricanements grivois à celui d'entre nous qui, la veille, avait annoncé que c'était dans la poche pour le soir même.

– Et pas qu'un peu, répondait-il d'un ton détaché.

– Comment c'était ? insistions-nous, respiration contenue, cœur battant.

– Un tremblement de terre.

– *Nom de Dieu !*

La clef, bien sûr, c'était les Roses. Un des principes de la « Roserie » voulait qu'une Rose sût promettre monts et merveilles avec les yeux, la voix, le sourire, sans quasiment rien accorder et sans que les Gods cessent de tourner autour d'elle. La plupart des Roses que j'ai connues en étaient capables. Je ne sais comment elles se débrouillaient : ce devait être plus ardu que la physique quantique vu la durée et la fréquence des séances de tripotage dans les voitures des Gods.

Même celles qui avaient des petits amis attitrés étaient présumées chastes jusqu'à preuve du contraire, et comme la seule preuve irréfutable consistait en une grossesse manifeste, la présomption de chasteté était maintenue même lorsqu'on avait vu la voiture du couple se balancer au dernier rang d'un *drive-in* comme un doris par fort coup de vent. Vierges ou non, les Roses d'Atlanta traversaient leurs années de lycée en portant leur chasteté telle une armure, et la fille qui baisait et y prenait plaisir ou, fait plus grave, en parlait était exclue de la bande plus vite qu'un jeune caribou atteint d'éparvin pendant la migration du troupeau. Je n'ai jamais connu une seule Rose de Buckhead qui eût des rapports sexuels et le reconnût, excepté Lucy, mais curieusement les règles ne s'appliquaient plus quand il s'agissait d'elle.

Ce fut une incroyable période de double jeu et d'insinuations sottes alimentées par une concupiscence non assouvie, et rendues plus piquantes, plus terribles par le tabou absolu de la grossesse. Être « en cloque », avoir le « ballon » ou un « polichinelle dans le tiroir », telles étaient les expressions clefs des plaisanteries de vestiaires mais aussi les mots qu'un God redoutait le plus d'entendre de la bouche de sa petite amie en larmes. Pour une Rose, la grossesse était purement et simplement un suicide mondain. Je suis sûr que plus d'une fille de Buckhead se rendit avant l'aube dans cette sinistre clinique de Copper Hill, Tennessee, dont tout God avisé gardait secrètement l'adresse dans son portefeuille, avec ses préservatifs, et je suis également persuadé que nombre de visites discrètes chez de respectables médecins du Northside, qui se trouvaient être des amis de la famille, eurent le même résultat. Snake Cheatham, qui fit ses études médicales à Emory et devint interne à Grady puis à Piedmont, me révéla bien plus tard que pendant nos universités plusieurs étudiantes dont les noms apparaissaient souvent dans le *Hi-Ways* vinrent lui demander comment interrompre une grossesse.

Je ne fus au courant d'aucune grossesse clandestine, bien qu'il y eût toujours des rumeurs. J'ignore comment les Gods de mes années de lycée se débrouillaient quand ils se faisaient prendre – si cela leur arrivait. Aucune Rose ne disparut soudain d'un établissement comme le faisaient chaque année une ou deux autres filles. Les vacances d'été à l'étranger ou dans la maison de campagne lointaine d'un parent visaient peut-être un double objectif. De toute manière, je n'aurais pas reconnu une grossesse à l'époque même si la poche des eaux s'était rompue devant moi. Quels que fussent les mensonges et demi-vérités que nous échangions, et les organes et pratiques dont nous parlions – seins, fesses, règles, masturbation, techniques sexuelles, sombres circonvolutions de l'appareil génital féminin –, nous n'aurions jamais discuté de grossesse et d'avortement, sujets trop terrifiants et trop proches.

Mais la quête de la chatte se poursuivit sans relâche pendant toutes les études secondaires et jusqu'à l'université. Certains Gods eurent leur première expérience sexuelle avec Frances Spurling, joyeuse nymphomane de quinze ans vivant avec ses parents derrière une épicerie minable de Roswell Road, et qui appelait le garçon de son choix pour lui dire : « Tes bananes sont prêtes. Tu peux passer les prendre à trois heures. » Et le garçon, tremblant et plastronnant, se rendait à l'épicerie, rangeait son vélo dans la cour et se glissait dans l'arrière-boutique obscure et sale où Frances, la culotte sur ses chevilles grasses, l'attendait sur une pile de sacs. Elle l'empoignait, le faisait pénétrer en elle sans plus de façon que si elle manipulait la caisse enregistreuse du magasin, donnait de violents coups de reins jusqu'à ce que le garçon nerveux répande sa semence, avec plus de hâte et d'hébétude que de passion. Puis elle s'essuyait à un sac et, sans attendre qu'il ait complètement remonté sa fermeture à glissière, le poussait dehors en annonçant : « Les bananes sont à un dollar la livre cette semaine. »

Mon inévitable rencontre avec Frances eut lieu à Halloween*, l'année de mes quatorze ans, plus d'un an après que

* Fête précédant la Toussaint. (N.d.t.)

tous mes camarades eurent prétendu avoir franchi avec elle les portes du Paradis.

L'année précédente, Snake Cheatham avait fondé un petit club très fermé, une sorte de société secrète appelée Essai Marqué, et pour laquelle le seul examen d'entrée consistait à coucher avec une femme. Comme il était impensable d'en apporter la preuve avec une Rose saine d'esprit, le rite d'initiation choisi fut une visite chez Frances Spurling, qui confirmait que l'acte avait bien été consommé en traçant un X au stylo à bille rouge sur le poignet de l'initié. C'était d'une simplicité diabolique : incorruptible en ce domaine, Frances n'aurait jamais décerné l'X tant convoité sans qu'il y eût consommation. Comme elle recevait à chaque initiation la somme de deux dollars en argent liquide, la tentation d'accepter de temps à autre un pot-de-vin discret dut être forte mais Frances tint bon. Une fois engagé sur le chemin de l'arrière-boutique, on savait qu'on n'avait plus d'autre resssource que de passer à l'acte.

Charlie Gentry et moi fûmes les derniers des Buckhead Boys à entrer à l'Essai Marqué et à nous lancer, à force de subir railleries et humiliations, dans cette expédition parce qu'il n'y avait pas d'autre issue honorable.

– C'est ce soir ou jamais, Bondurant et Gentry ! nous jeta Snake d'un ton moqueur dans l'après-midi. Et si c'est jamais, tout le bahut le saura. Frances vous attend à neuf heures.

Ce soir-là, Charlie et moi nous mîmes en route sous les huées des Buckhead Boys. Un désespoir sans fond nous empêchait de parler.

– Je mourrai sûrement d'une crise d'asthme, marmonna enfin Charlie en pédalant d'un air accablé. Je crèverai sur la Frances, si c'est bien là qu'on doit se mettre. Enfin, je l'espère.

– Écoute, fis-je, suffoquant de honte, j'ai un stylo à bille rouge et vingt-cinq dollars. Toutes mes économies des deux dernières années. Je les lui proposerai et, si elle refuse, nous

nous ferons un X au poignet et ce sera sa parole contre la nôtre.

– Non, répondit Charlie, qui eût plutôt affronté Torquemada que menti. Nous ne pouvons pas faire ça, Shep.

– Moi, je peux, m'enflammai-je. Toi et tes principes, vous pouvez baiser Frances jusqu'à minuit si tu ne veux pas mentir. Dieu merci, je suis pas aussi pur que toi.

– Je ne suis pas pur, gémit Charlie. Moi aussi j'ai de l'argent dans la poche, dix-sept dollars. Mais si elle ne les prend pas, on est cuits, parce que Snake dit qu'elle a une façon à elle de faire les X et que personne ne la connaît. Ça ne servirait à rien de mentir.

Nous pédalâmes en silence, écrasés par la fatalité.

Mais le grand dieu Pan nous fut favorable ce soir-là. Lorsque nous arrivâmes devant la remise, que nous frappâmes timidement à la porte et que, entendant un « Entrez » étouffé, nous pénétrâmes à l'intérieur, ce fut pour découvrir Frances Spurling vautrée sur ses sacs et singulièrement peu attirante avec son pyjama de flanelle, sa grosse robe de chambre en laine et ses pantoufles fourrées. Même Charlie et moi savions que ce n'était pas une tenue pour déflorer de jeunes garçons et nos cœurs bondirent dans nos poitrines.

– C'est fichu pour ce soir, grommela-t-elle. Je suis tombée du toit* juste avant que vous arriviez.

– Mince, fis-je avec une grimace. Tu ne devrais pas être ici, Frances. Tu... tu as mal ?

– Ben, c'est pas marrant, je peux vous le dire. En tout cas, pas de bananes ce soir.

– Bien sûr que non, approuva Charlie avec chaleur. Tu veux qu'on appelle tes parents ? Ils devraient sûrement t'emmener chez le docteur...

– Pas besoin de docteur, répondit-elle. Tout ce qu'il me faut, c'est un bon lit et une bouillotte. Je vous attends dans le froid depuis huit heures. Ça vaut bien deux dollars.

* Expression signifiant avoir ses règles. (N.d.t.)

– Naturellement, acquiesçai-je en sortant mon portefeuille, étourdi de soulagement.

– Non, intervint Charlie. Désolé de ce qui t'arrive mais ce n'est pas notre faute. Nous ne savions pas... et nous avons fait toute la route à vélo. Je vois pas comment tu pourrais nous réclamer deux dollars pour ça.

– Charlie... commençai-je d'un ton implorant.

– On te les donnera si tu nous fais quand même les X, dit-il.

Elle le regarda d'un air hésitant puis maugréa :

– Oh ! pis merde, amenez vos poignets.

Elle traça vivement deux croix, tendit sa main grasse pour réclamer l'argent. Je sortis le mien, Charlie m'imita puis arrêta son geste.

– C'est le bon X ? demanda-t-il.

– C'est le bon, petit salaud, répliqua Frances. Maintenant, foutez le camp. Mon père vous tirerait une balle dans la tête s'il vous pinçait ici.

Nous partîmes, pédalant joyeusement en direction du carrefour où Snake et les autres nous attendaient. Le cœur en fête, nous criions et nous chantions *We're off to see the Wizard** et *I've been working on the railroad***.

– J'ai trimé sur la Frances ! beuglions-nous.

Mais comme nous approchions du croisement, Charlie devint silencieux, et lorsque nous montrâmes à Snake nos poignets marqués d'une croix, Charlie lâcha tout à coup :

– Attendez, ce n'est pas vrai. On ne l'a pas fait, on ne pouvait pas. Ou plutôt, c'est Frances qui ne pouvait pas. Elle est tombée du toit ce soir, elle s'est fait mal. Elle ne pouvait vraiment pas. On a essayé, Snake.

Snake nous regarda fixement puis éclata de rire. Il se tint les côtes, tourna en rond sur le trottoir gelé, se plia en deux, hurla et pleura de rire, assena de grandes gifles au mur du

* Chanson du film *Le Magicien d'Oz*. (N.d.t.)

** « J'ai trimé sur la voie ferrée. » (N.d.t.)

drugstore Wender & Roberts, se couvrit le visage. Les autres aussi étaient hilares : Ben, Tom Goodwin, Pres et A.J.

– Pauvres cons ! rugit Snake. « Elle est tombée du toit, elle s'est fait mal ! » Mais vous connaissez rien. Ça veut dire qu'elle a ses ours, ses ragnagnas, qu'elle a repeint sa grille ! Oh ! nom de Dieu.

En définitive, il n'informa pas tout le lycée de notre tentative manquée, mais pendant les quatre années qui suivirent cette nuit affreuse il nous appela les Couvreurs devant tous ceux que nous connaissions. J'ignore encore à ce jour si quiconque, en dehors de notre bande, savait ce que cela signifiait. Tout le monde était au courant, probablement.

C'était cher payé pour ne pas avoir acheté les bananes de Frances.

D'autres filles comme elle tenaient boutique dans les environs de Buckhead et c'était, je crois, une bonne chose, sinon tous les Gods sans exception se seraient mariés puceaux. Certains garçons – mâles solitaires comme Boo Cutler et Floyd Sitton – baisaient presque constamment, avec n'importe quelle fille qui leur plaisait, disait-on, et leurs aventures amoureuses entretenaient leur légende au même titre que les courses de voitures et la contrebande d'alcool. Nous admirions énormément leurs exploits érotiques mais, comme pour les courses de voitures, peu d'entre nous cherchaient à les égaler. Aucune Rose n'aurait accepté de sortir deux fois avec un God qui l'eût serrée de trop près, et la « Goderie » passait alors avant tout, même avant le radada.

Nous pelotions, nous tripotions, nous mentions et nous nous branlions mais nous ne baisâmes point, pour la plupart d'entre nous, avant que l'autel soit quasiment en vue. Je suis persuadé que c'est la raison pour laquelle tant d'entre nous se marièrent le jour même où ils obtinrent leur diplôme universitaire ou même avant. Je suis certain aussi que la forte mortalité des unions dans la bande était due à cette longue abstinence forcée. Au sortir de la fac, nous ne pouvions simplement plus attendre et la compatibilité d'humeur, la communauté d'intérêts avec nos compagnes avaient en fait leur source en dessous de la ceinture.

J'en discutai avec Lucy à la fin des années 1960, après que nous nous fûmes tous deux brûlés à la passion et à ses suites, et que nous sûmes un peu mieux de quoi nous parlions.

– Tu sais, me dit-elle en me regardant dans la pénombre de la gloriette, un soir de printemps, nos parents ont mené une drôle de vie. Je ne me souviens pas qu'ils aient été mêlés à un de ces retentissants adultères comme on en voit chez les riches d'ailleurs : Palm Beach, Long Island ou Los Angeles. Il y a eu quelques divorces, des tas de dépressions nerveuses et de suicides, mais tu pourrais me citer quelqu'un qui s'est enfui avec la femme ou le mari de quelqu'un d'autre, qui s'est fait pincer au lit, qui a brisé un ménage ? Tu pourrais me citer un crime passionnel ? Moi pas. Regarde maman. S'il y eut jamais femme faite pour se mettre sur le dos et se faire sauter par tout le Northside, c'était bien elle. Mais du jour où elle a mis le pied dans cette maison, elle n'est pas sortie avec un homme. Je ne me souviens même pas de l'avoir vue flirter ou porter une tenue un peu sexy. Et pourtant, maman n'est pas une sainte, crois-moi. C'est cette ville. Qu'est-ce qu'elle a, cette ville ?

Je réfléchis à la question. Lucy avait raison : la génération de mes parents ne connaissait pas les liaisons scandaleuses.

– Je pense que c'est parce que la plupart d'entre eux n'étaient pas riches depuis très longtemps, répondis-je. Et que leur position sociale, s'ils en avaient une, n'était pas solidement ancrée. Les nouveaux riches ne prennent pas le risque de compromettre par un scandale leur statut social. Pas ce genre de scandale en tout cas. Je crois aussi qu'ils étaient peut-être trop occupés à gagner de l'argent.

Lucy étendit ses longues jambes devant elle, alluma une cigarette.

– Hartsfield avait tort, dit-elle. Nous n'étions pas « trop occupés pour haïr » mais trop occupés pour baiser. Quel gâchis ! L'argent, ça n'est jamais que de l'argent, tandis qu'une bonne partie de jambes en l'air...

Je dis « nous » pour parler des Roses et des Gods mais c'est en grande partie un « nous » de convention. J'assistais aux bals incessants sans y prendre réellement part. Je ne participais presque jamais aux dîners avant, ni aux petits déjeuners ensuite. Lorsqu'il me fallait absolument une cavalière, j'emmenais Sarah Cameron, avec qui je me sentais à l'aise depuis la petite enfance. Parfois, je me joignais aux vols d'oiseaux migrateurs envahissant la ville après les cours mais uniquement à cause du pouvoir de séduction de la Fury, et je finissais le plus souvent par raccompagner chez lui Pres Hubbard et son armature orthopédique, puis je partais à la chasse aux reliques avec Charlie ou rentrais potasser chez moi avant de replonger dans les profondeurs de la bonne vieille communion d'esprit avec Lucy.

J'aimais le tournoiement joyeux et sans but de ce vol d'oiseaux brillants dont j'admirais la parure, et je connaissais la technique grâce à la fortune familiale et aux efforts herculéens de Margaret Bryan. Simplement, tout cela me semblait étrange, emprunté, lointain et sans conséquence, comme si j'étais engagé dans une espèce de comédie élaborée que j'étais seul à reconnaître comme telle. Lorsque je regardais une salle de bal pleine de jolies filles se balançant au doux vent de la musique, j'avais toujours l'impression qu'elles n'étaient pas réelles, pas vraiment présentes, que moi seul respirais, bougeais, parlais.

A d'autres occasions, dans la cacophonie joyeuse et aseptisée du drugstore Wender & Roberts, il me semblait que tout ce qui m'entourait était réel, surréel, hyperréel et que j'étais le seul à ne pas exister. C'était uniquement avec Lucy que le sentiment de réalité coulait dans les deux sens. J'avais alors une perception oblique du réel mais aussi la certitude, sans savoir pourquoi, qu'il m'attendait ailleurs que dans l'Atlanta des Roses et des Gods.

– Où iras-tu ? me demanda un jour Sarah Cameron quand je parlai de quitter Atlanta dès que je le pourrais.

– A New York, répondis-je, sans savoir pourquoi, sachant seulement que c'était vrai.

– Depuis combien de temps veux-tu partir ? Je ne t'ai jamais entendu en parler.

– Depuis toujours, déclarai-je, aussi surpris qu'elle de découvrir cette vérité.

A la différence de presque tous les Gods de mon entourage, mis à part Charlie Gentry, j'aimais étudier, en particulier l'histoire et la littérature anglaise, et j'obtenais des notes impressionnantes. Ce n'était d'ailleurs pas mon but. Je pouvais passer des heures à bûcher dans les jardins fleuris du lycée ou dans les bibliothèques. Puis je relevais la tête, m'étirais et prenais alors seulement conscience du moment de bonheur total que je venais de connaître. C'était le début de ma longue passion pour la recherche pure, le seul amour – à une exception près – qui ne m'ait jamais abandonné ou trahi.

Les notes qui en résultaient faisaient sourire ma mère de plaisir et même mon père hochait parfois la tête d'un air approbateur devant l'alignement de A. Lucy, elle, applaudissait de tout cœur, et elle était encore le soleil qui me réchauffait, même si je savais, depuis la nuit dans la gloriette, que c'était un soleil qui pouvait aussi me brûler mortellement.

Il ne me vint jamais à l'esprit de lui demander de m'accompagner à un bal ou une soirée. Je ne pensais pas à elle de cette façon – du moins pas consciemment – et elle, de son côté, ne me considérait pas sous l'angle amoureux. Elle restait cependant, à mes yeux et pour mes sens, puissamment attirante mais ne semblait pas encore en avoir conscience et je m'étais, sur le lit de repos de la gloriette, tellement éloigné d'elle en tant que femme que je pouvais désormais l'observer d'un regard neutre de sociologue.

Dans tous les autres domaines, nos rapports n'avaient pas changé. Même si j'étais passé dans un monde beaucoup plus proche de l'âge adulte que le sien, nous continuions à être des havres l'un pour l'autre. Nous sentions tous deux, je pense, qu'une union amoureuse aurait tout gâché et nous avions encore besoin l'un de l'autre comme refuge. J'emmenais donc Sarah dans les rares bals auxquels j'assistais puis je rentrais tout raconter à Lucy pour son plus grand ravissement, comme un oiseau nourrit son petit affamé.

Je ne remarquais pas, je ne remarquais jamais l'expression adoratrice du petit visage de Sarah lorsqu'il se levait vers moi. Encore aujourd'hui, j'ai peine à le croire. De temps à autre, Charlie me glissait : « Sarah en pince pour toi », et je n'y attachais pas foi. Je pensais probablement qu'il transférait sur moi son vieil amour muet et douloureux pour Sarah et je me hâtais, à chaque fois, de le lui renvoyer.

Je ne parvenais pas à imaginer qu'une fille pût me regarder avec adoration. Depuis longtemps, à quelque niveau tendre et soigneusement enfoui, j'avais accepté le jugement de ma mère selon lequel j'étais trop sensible et pas assez mûr pour ce qu'elle appelait « ces rapports imbéciles entre garçons et filles », et celui de mon père selon lequel je n'étais tout simplement pas fait pour cela. L'un et l'autre étaient faux mais je ne le savais pas. Je n'étais pas une femmelette, il n'y avait rien d'efféminé en moi. Mais depuis cette nuit dans la gloriette avec Lucy, j'avais profondément enfoui mon désir.

Lucy quitta l'établissement de Miss Beauchamp au printemps de sa douzième année et entra en sixième à North Fulton en automne. Pris par mes longues heures studieuses à la bibliothèque et l'agitation automnale des Gods, partageant encore avec elle, le soir après les cours, un sentiment d'identité profonde, je ne notai en elle aucun changement appréciable. Elle m'apparaissait toujours comme un jeune saule argenté, une splendide pouliche suspendue à l'apogée de l'enfance. J'avais depuis longtemps cessé de me demander pourquoi personne d'autre que moi n'était sensible au magnétisme qui émanait d'elle. Apparemment, Lucy se coula dans le courant de North Fulton sans faire de vagues et je ne la vis guère pendant les premiers jours de lycée.

Trois semaines après la rentrée, je rejoignis au stade les trois autres membres de l'équipe de huit cents mètres relais pour la deuxième séance d'entraînement de la saison. Ben Cameron et A.J. Kemp en faisaient tous deux partie – curieusement, d'ailleurs, puisque peu de Gods faisaient du sport au lycée. Le quatrième membre était Fraser Tilly, garçon malingre et taciturne, capable de courir à petits bonds comme un loup gris et de sprinter comme un lièvre – dont il avait d'ailleurs l'allure.

C'était la dernière heure de cours de la journée et plusieurs groupes de garçons et de filles, dispersés sur l'herbe jaunie du stade, se préparaient avec la plus grande répugnance pour l'heure d'éducation physique. Il faisait si chaud que les silhouettes, à l'autre bout du stade, semblaient trembler comme un mirage dans le désert et que la sueur trempait les hideuses tenues de sport bleu et blanc que North Fulton exigeait. Même A.J., même le gracieux Ben Cameron ressemblaient dans cet accoutrement à des cigognes emmaillotées. Quant aux filles, elles étaient tout bonnement affreuses. Les Roses de North Fulton détestaient encore plus se montrer dans leur tenue de gym que d'être surprises des bigoudis sur la tête et du Noxzema sur leur acné.

L'entraîneur de course à pied était un nouveau, un Teuton massif avec une brosse rase et incolore, des yeux froids de Balte. Il avait abreuvé A.J., qui avait manqué la première séance, de reproches si cinglants que celui-ci, d'ordinaire si disert et habile, en avait eu les larmes aux yeux. Je descendis en courant les marches de pierre, mes chaussures à pointes à la main, redoutant les réprimandes de l'entraîneur.

Mais ils ne se souciaient pas de moi. Formant un petit groupe compact, ils me tournaient le dos et regardaient quelque chose que je ne pouvais pas voir. Ils riaient, et bien que n'entendant pas ce qu'ils disaient je connaissais la nature de ce rire. Je l'avais entendu des milliers de fois dans les vestiaires et les box obscurs, quand on commençait à parler de baise. J'avais même essayé, maladroitement, de participer à ce genre de conversation. C'était le rire des Gods de Buckhead parlant d'une fille ne valant guère mieux qu'une putain. J'entendis l'entraîneur prononcer une phrase se terminant par : « ... petite chatoune, là, à portée de main. Je parie qu'on pourrait tous y goûter sans même avoir à demander ».

Je m'approchai, regardai au-delà du groupe pour voir de qui ils parlaient, et c'était Lucy. Elle ne faisait rien de particulier, se tenait debout, immobile au soleil, à la lisière d'un groupe de filles vêtues du short bleu et de la blouse blanche détestés. Mais soudain je découvris ce que Charlie, Ben, A.J., Fraser Tilly et l'entraîneur voyaient : la chair blanche de Lucy Bondurant qui semblait totalement nue au soleil impitoyable de septembre, les petits seins pointus sous la blancheur amidonnée, les longues jambes unies par le tendre renflement du sexe. Les vêtements de Lucy n'étaient pas collants, elle n'avait pas une posture provocante. Elle se tenait simplement bien droite, sans bouger, regardant le groupe qui la lorgnait, et je pouvais à la fois sentir et voir le bleu en fusion de ses yeux dans un silence vide, écrasé de soleil, qui sonnait comme une cloche sous le rire fétide de l'équipe de relais.

Ils se retournèrent, me virent, et le rire cessa. Ben rougit, A.J. détourna les yeux. *Ben, A.J...*

Fraser Tilly et l'entraîneur prussien entreprirent de faire tomber la boue séchée des pointes de leurs chaussures. L'après-midi tournoyait autour de moi, l'air grouillait comme un essaim d'abeilles. Lucy se tenait devant mes amis et coéquipiers, devant l'énorme traître étranger, dénudée et vulnérable. Et tout le monde savait maintenant ce que, dans les ténèbres de mon cœur, j'avais toujours su : Lucy Bondurant allait nue dans le monde. *On pouvait la prendre*. A nouveau, et de manière irrévocable, cette fois, j'avais failli à ma promesse de lui servir de refuge et de bouclier. En cet instant précis, le pouvoir de ma sainteté s'évanouit pour la dernière fois et il n'en resta que le désir.

9

Lorsque j'eus seize ans et que je reçus en cadeau la Fury rouge et blanc, le dernier obstacle à une pleine participation à la « Goderie » tomba et je n'eus plus aucune raison valable d'éviter bals, dîners et petits déjeuners. Porté par la splendeur de mon bolide, pressé par ma mère, je pris l'habitude de participer à la plupart des soirées.

– Tu ne peux tout bonnement pas envisager d'en manquer une autre, Sheppie, disait-elle, venant m'affronter dans ma tanière de la gloriette après qu'un interrogatoire résolu eut révélé pendant le dîner que je n'avais pas assisté aux deux ou trois bals précédents et n'avais pas l'intention de participer au prochain. C'est de ces petites soirées qu'on tire les listes d'invitations aux bals de débutantes, tu le sais aussi bien que moi. Tu veux passer cinq ou six saisons sans être invité nulle part ? C'est maintenant que se bâtit ton avenir. Alors, viens téléphoner à l'une de tes jolies petites amies. Sarah Cameron serait ravie de t'accompagner. Tu veux que j'appelle Dorothy ?

Le visage enflammé à la seule idée que ma mère pourrait, chose horrible, téléphoner à la mère d'une fille, fût-elle Sarah, je regagnai la grande maison, me glissai d'un air renfrogné dans la niche du téléphone, sous l'escalier de l'entrée, et composai le numéro des Cameron.

– Sarah, attaquai-je sans m'annoncer, il faut que j'aille à cette stupide soirée Alpha Nu, vendredi soir, et ma mère ne me laissera pas en paix avant que je dégote une cavalière. Je suppose que tu n'as pas envie d'y aller ?

– Merci, Shep, répondit Sarah. J'aimerais y aller. Ce sera amusant.

Sa façon d'accepter, simple et ravie, était tellement plus gracieuse que mon invitation bredouillée à contrecœur que j'en rougis encore quand j'y repense après tout ce temps. Je ne me rendais alors pas compte de ma grossièreté à son égard, et nombre d'années s'écoulèrent avant que je cesse tout à fait de considérer comme allant de soi ces trésors d'approbation et de tendresse.

Ces vendredis soir où je partais avec la Fury, orchidée blanche à la main, donnaient presque plus de satisfaction à mes parents que tout ce que j'avais jamais fait, ce qui me rendait obscurément agressif et maussade. J'allais au bal d'humeur morose mais vêtu correctement. Mon père m'avait conduit chez John Jarrell pour m'équiper d'un magnifique smoking, le seul que j'aie jamais possédé. Je le portais sur une chemise à plis d'une blancheur aveuglante, avec un col mou et des manchettes. Une large ceinture et un nœud papillon de satin noir complétaient ma tenue, à laquelle les boutons de manchettes en or et onyx ainsi que les boutons de chemise en nacre de mon grand-père Redwine ajoutaient une note élégante.

Ma mère me les avait offerts pour le premier bal de la saison et avait insisté pour les fixer elle-même sur ma chemise. Tandis qu'elle se penchait vers moi, je sentais la fragrance douce-amère de « Calèche », d'Hermès, qui était son parfum cet automne-là, et l'odeur de fleur, propre et légère, du shampooing qu'utilisait son coiffeur. N'ayant pas l'habitude d'être aussi près de ma mère, j'éprouvai une puissante envie de la repousser et de m'enfuir. Elle se tourna à demi, je fermai les yeux pour ne pas voir le sillon nacré de ses seins dans son décolleté en forme de trou de serrure. Elle se redressa, posa les mains sur mes épaules, bras tendus, et m'examina de ses yeux sombres voilés de larmes.

– Mon bel homme, fit-elle. Mon petit blondinet devenu

grand qui part courir le monde en laissant sa maman seule. Cela me fend le cœur que tu me quittes, Sheppie.

Comme je n'allais pas plus loin que le coin de la rue pour chercher Sarah et parcourir ensuite cinq kilomètres au maximum, je trouvai ces larmes sans objet et me sentis gêné de ce brin de mélodrame monté à mon intention.

– Je ne vais nulle part, maman, soupirai-je.

– Si, Sheppie, dit-elle avec son sourire d'odalisque. Tu iras très loin dans la vie, je l'ai toujours su. Ton père ne s'en rend pas compte, moi si. Tu es un garçon très particulier, et tu seras un homme très particulier aussi. Doux, sensible, plein de talents. Et tellement beau ! Regarde-toi. Tu es aussi beau que Leslie Howard ce soir avec ton smoking neuf. Oh ! je suis jalouse, Sheppie. Toutes les filles seront folles de toi. Je parie que la moitié d'entre elles sont déjà amoureuses de toi. Tu feras un merveilleux mari et tu oublieras ta pauvre vieille mère. Mais un jour, tu verras qu'aucune femme ne t'a aimé comme elle.

Elle se pencha pour m'embrasser, les yeux mi-clos, avec un sourire que je ne lui avais jamais vu, lent et secret, se déployant comme un tentacule. Pris de panique, je me dégageai, me tournai vers mon reflet dans le miroir. Un homme blond aux yeux ahuris me regardait, grand, violemment effrayé. Il me parut si totalement étranger que, pendant un instant, je me sentis totalement déplacé dans ma propre peau. Puis ma mère partit de son rire indulgent et le monde reprit sa place en tournoyant.

– Ne crains rien, je ne te ferai pas mourir de gêne en t'embrassant, dit-elle. Va chercher la petite Sarah, maintenant. Nous sommes si contents que ce soit elle ta cavalière et non Lucy. Il était temps que tu aies d'autres petites amies que Lucy. Vous êtes trop âgés pour avoir ce genre de relations entre cousins. Les gens commencent déjà à jaser.

Je m'enfuis, rouge jusqu'à la racine des cheveux, et ne recommençai à respirer normalement qu'une fois à l'abri dans la Fury qui m'attendait dans l'allée et que Shem Carter avait astiquée jusqu'à lui donner l'éclat d'une laque. Au cours de ces dernières années de lycée, mes rencontres avec ma mère me laissaient tremblant de nervosité, quasi chancelant sous une oppression dont j'ignorais le nom. Ce fut un pur soulagement d'entrer dans le petit salon où Sarah, Dorothy et Ben m'attendaient. Ben junior était déjà parti chercher la mignonne Julia Randolph au nez camus dans Arden Street.

Même pendant sa première année à North Fulton, Sarah jouit d'une grande popularité. Elle était vouée à diriger – comme sa mère avant elle, avec la même détermination joyeuse et sans aucune vanité – les associations et les activités « sérieuses » de l'établissement. Loin d'être une bûcheuse ou un bonnet de nuit, elle remplissait aussi les fonctions de *cheerleader* et chacun connaissait ses talents de nageuse et de peintre. Pas une fois, à ma connaissance, elle ne fit tapisserie à un bal du vendredi soir en quatre ans. Avec son petit corps souple et parfait, ses yeux couleur d'ambre, son sourire à fossettes et ses cheveux d'un brun luisant – coupés court pour qu'elle n'eût pas à porter de bonnet quand elle plongeait et nageait –, elle était aussi attirante et agréable à regarder qu'un écureuil. Vous ne pouviez la voir sans que, répondant au sien, un sourire naquît sur vos lèvres. Dès l'enfance, elle eut l'énergie et la détermination de Dorothy sans son austérité, le charisme désinvolte de Ben sans son égocentrisme.

Lorsque Sarah obtint son diplôme de fin d'études secondaires, c'est sous sa photo que *Hi-Ways* publia la plus longue liste de titres et d'associations.

– Regardez cette liste sous le nom de la petite Sarah ! s'extasia ma mère à la table du petit déjeuner, le lendemain du jour où Lucy avait rapporté l'annuaire de sa classe à la maison.

Ma mère, qui ne cessa jamais de mener campagne pour l'alliance des maisons Bondurant et Cameron, n'appela jamais Sarah autrement que « la petite Sarah ». Je regardai le *Hi-Ways* sentant l'encre fraîche, vis le visage familier de Sarah me sourire au-dessus d'une mer de petits caractères d'imprimerie. Sur la page précédente, celui de Lucy, réduit comme toujours, sur les photos, à une simple joliesse piquante, me lançait un regard oblique par-dessus une ou deux malheureuses lignes.

– Ouais, c'est pas formidable ? bâilla Lucy en frottant de ses poings ses yeux gonflés.

La veille, elle était sortie avec Red Chastain et j'avais entendu la M.G. remonter l'allée en grondant un peu avant cinq heures du matin. Désormais, plus personne ne prenait la peine de lui reprocher ses retours à l'aube. Elle avait l'air d'un pétale de fleur exotique resté toute la nuit sous une pluie battante.

– Je suppose qu'on lui a demandé le tarif habituel pour les petites annonces, ajouta-t-elle de sa voix lente.

Je lui jetai un regard noir, tante Willa fronça les sourcils, ma mère eut un de ses sourires mystérieux.

Quatre années de Lucy, et tout ce que ce résumé permettait de savoir sur cette flamme pure, c'était qu'elle avait appartenu à deux organisations dont l'élite des Roses de Buckhead faisait automatiquement partie, qu'elle avait limité ses efforts au journal du lycée et qu'elle avait comme second prénom le nom d'un père tôt perdu et adoré. C'était Sarah Cameron qui illuminait les pages de l'annuaire.

Mais à l'âge de quatorze ans, quand je commençai à lui servir de cavalier au bal et à quelques autres soirées de rigueur, Sarah demeurait pour moi la chère petite Sarah avec qui on était bien, qui nageait comme un vairon et plongeait comme une loutre, et envers qui je ne me sentais aucune obligation. Elle ne pesait donc pas sur mon cœur mais avait la légèreté du duvet de chardon. A l'époque, c'était encore Lucy qui pesait, brûlait et brillait.

Il n'y avait aucune fille, aucune femme d'Atlanta, entre douze et trente ans, qui eût un charme aussi percutant que celui de Lucy dans son adolescence. C'était une flamme. Tous ceux qui la connurent à cette époque se souvinrent d'elle toute leur vie. A treize ans, elle avait déjà un corps de femme, d'extraordinaires yeux bleus aux cils noirs, une taille que deux mains d'homme enserraient aisément. Les ailes noires de sa chevelure n'avaient pas la coupe en queue de canard de l'époque, mais encadraient doucement ses joues, selon la mode de la décennie précédente. Jusqu'à ce qu'on lui coupe les cheveux à l'hôpital, des années plus tard, Lucy se coiffa toujours de cette façon.

Ce charme percutant n'était pas celui d'une beauté classique mais tenait à ce qu'elle appelait son moteur et que je qualifiais d'aura : une vivacité, une électricité courant à plein régime et, sauf lorsqu'elle dormait, sans interruption. Même ses mauvaises habitudes avaient un attrait, un cachet que beaucoup d'autres femmes essayèrent vainement de copier. Elle avait appris quelque part – auprès de ses chers Noirs, je suppose – à jurer comme un matelot, mais elle le faisait d'une voix si pure, avec une telle innocence dans ses yeux bleus que l'effet était envoûtant. Toute une génération de Roses apprirent à dire « merde » et « bordel » avec Lucy Bondurant mais ces mots ne seyaient qu'à elle.

Elle commença aussi à fumer deux ou trois ans avant les autres filles de la bande – car à notre époque presque tout le monde fumait, des Pall Mall, des Viceroy et des Parliament, en paquets bleu et blanc – et elle adora l'alcool dès la première rasade du Jack Daniels volé à mon père. Sa présence physique électrisante lui assurait une escorte masculine permanente, Gods et autres garçons, mais ne contribua pas à lui attirer la sympathie de toute une génération d'Atlantaises. Je crois qu'elle ne s'en aperçut même pas, et je sais qu'elle ne s'en soucia jamais. Dès l'instant où elle fit son entrée au lycée de North Fulton, et où, relevant la tête, elle découvrit, de l'autre côté du stade, les regards enflammés de désir de l'équipe de relais du huit cents mètres, Lucy s'intéressa uniquement aux hommes.

Malgré le présage de cette journée au stade, cette passion dévorante, ce refuge de toute une vie, démarra lentement. Pendant la première année de lycée, tante Willa ne permit pas à Lucy de sortir avec un garçon alors que d'autres filles de sa classe, en particulier les Roses, allaient régulièrement au bal, en groupe ou même en couple, participaient aux dîners et même aux petits déjeuners, avaient l'autorisation d'aller au cinéma avec un garçon à la première séance et de boire un soda après les cours. Je ne sais pas pourquoi tante Willa se montra aussi sévère cette année-là. Jusque-là, il n'y avait eu aucune histoire avec des garçons, et je suis sûr que ma tante ignorait tout de la nuit de la gloriette. Peut-être voyait-elle elle aussi dans sa fille cette créature infiniment vulnérable et d'une sexualité puissante que l'équipe de relais avait découverte un après-midi torride de septembre. Peut-être soupçonnait-elle que, à la différence de la docile Little Lady, Lucy ne traverserait pas tranquillement l'adolescence pour faire un mariage précoce et solide. Peut-être se rappelait-elle son propre laisser-aller en la matière, et ses conséquences – quoique j'en doute. Je ne crois pas qu'elle refusa à Lucy l'autorisation de sortir, parce qu'elle se souciait d'elle. Je pense, comme je le pensais alors, et comme Lucy en avait la certitude absolue, que cette interdiction de sortir, alors que toutes les autres filles le faisaient, était pour Willa Bondurant sa façon de la punir, de lui dire : « Tu n'es qu'une sale gosse à qui on ne peut pas faire confiance, il faut te dresser. » Et comme toute incarcération, cet interdit provoqua la rage et le désespoir de Lucy. Je suis certain que si tante Willa s'était montrée raisonnable en ce domaine dès la première année de lycée, la vie de Lucy aurait peut-être pris une autre direction.

Elle ne protesta pas, ne tempêta pas comme elle l'eût fait auparavant – elle connaissait les conséquences de cette attitude – mais entreprit, avec efficacité et méthode, d'attirer tous les mâles passant à sa portée, et elle y parvint sans lever le petit doigt. Sans le vouloir, elle était alors aussi séduisante qu'une nymphe prépubère ; lorsqu'elle le voulait et qu'elle utilisait toutes ses armes, c'était tout autre chose. A la fin de l'année scolaire, il n'y avait pas un seul lycéen de North Fulton et peu de Gods dans tout Atlanta qui ignoraient que Lucy Bondurant avait le feu aux fesses et qu'elle était « fin prête » – bien qu'on ne pensât généralement pas qu'elle acceptait déjà de coucher. De l'avis unanime, c'était juste une question de temps ; la ruée pour être le premier démarra alors et ne cessa, autant que je sache, que lorsque Red Chastain arriva et suspendit la compétition.

La manœuvre de Lucy était assez élégante – même moi je dus le reconnaître –, voire particulièrement subtile. Prétextant un travail à faire en permanence, Lucy partait avant moi le matin et, sitôt au lycée, allait aux vestiaires des filles se maquiller. Tante Willa ayant également interdit le maquillage, Lucy avait simplement volé ce qu'il lui fallait chez Wender & Roberts. Elle n'avait besoin ni de mascara ni de rimmel mais je la vis rarement sans une fiévreuse estafilade de « Cerises dans la neige » sur ses lèvres douces. Elle se mettait un parfum exotique appelé « Tabou » qu'elle adorait et qu'elle porta pendant toutes ses années de lycée et même après, jusqu'au jour où ses camarades bas-bleus de l'Agnes Scott College lui dirent qu'elle sentait la *cocotte**.

– Ça signifie putain, bien sûr, m'expliqua-t-elle cette année-là, mais à Dieu ne plaise qu'un mot pareil franchisse les lèvres d'une scottie**. Tu devrais voir leur tête quand je dis « merde » ou « foutu bordel ». Elles parlent de « l'acte sale » pour dire baiser, et je les entends déjà expliquer à leurs enfants : « Papa et moi avons commis "l'acte sale" pour t'avoir. »

Lucy n'avait pas été obligée de chaparder son parfum. Je lui en avais fait cadeau pour le Noël de sa première année de lycée et le lui avais offert dans la gloriette pour que mes parents et tante Willa ne soient pas au courant. Elle ne s'en mettait qu'après son départ pour le lycée et résolvait le problème du fantôme d'odeur s'accrochant à elle en racontant que la prof de la dernière heure de cours s'en inondait juste avant la sonnerie et l'aspergeait régulièrement ainsi que les autres élèves assis au premier rang.

– Je changerais bien de place, mais Miss Cleckler met les

* En français dans le texte. (N.d.t.)
** Étudiante du Agnes Scott College. (N.d.t.)

meilleurs devant. C'est un honneur. Je ne voudrais pas la vexer, expliquait-elle avec chaleur.

Mentir aisément fut un des talents de société qu'elle acquit au cours de cette première année éminemment formatrice à North Fulton, et dans l'ensemble il lui fut plus utile que les hommes.

Lucy portait les mêmes jupes, cardigans et pulls que les autres Roses bourgeonnantes, mais elle fourrait le bas de son sweater sous sa ceinture en tirant dessus pour le tendre et défaisait un ou même deux boutons de plus que les autres filles à son cardigan. Rien ne se voyait ; les autorités du lycée n'avaient aucune raison d'enjoindre à la petite Lucy Bondurant aux allures de sainte nitouche de boutonner le haut de son cardigan mais elles sentaient les ennuis flotter autour d'elle et la lorgnaient avec presque autant d'attention que les garçons. Lucy gratifiait chacun de son sourire angélique et de son regard de Madone aux yeux bleus sans jamais faire de faux pas. C'était une performance remarquable, et si on l'avait laissée faire, elle aurait poursuivi ce jeu délicat aussi longtemps qu'elle l'aurait souhaité, j'en suis convaincu. Une fois de plus, ce fut tante Willa qui la fit passer du discret au déclaré.

Comme il lui était interdit de sortir avec un garçon et qu'elle devait être rentrée une demi-heure après la fin des cours, elle se mit à « sécher » et à quitter le bâtiment du lycée avec un garçon ou un autre. Je sais qu'il ne se passa jamais rien durant ces escapades de cinquante-cinq minutes parce que j'en aurais aussitôt entendu parler. Elle ne le fit pas souvent mais ne chercha pas à dissimuler ses absences et le garçon qui l'accompagnait s'en vantait inévitablement comme un petit coq, si bien que Roses et Gods savaient, à une minute près, combien de temps elle avait passé avec Floyd Sitton dans Mosely Park, à fumer des cigarettes, ou dans la voiture de Snake Cheatham à boire de la bière chaude qu'il avait apportée dans un sac en papier. Fatalement, elle devait finir par rencontrer Boo Cutler.

En plus de sa monstrueuse Merc gonflée, Boo avait une

grosse Harley-Davidson qu'il prétendait avoir gagnée à la passe anglaise, et comme il était interdit de faire entrer une moto dans le lycée, il la cachait à la station Shell au coin de Peachtree Road, et gagnait ensuite nonchalamment le lycée. God ou non, il n'était pas un seul garçon de North Fulton qui n'eût vendu un fragment de son âme au diable pour monter avec Boo sur l'énorme Harley, mais seul Floyd Sitton eut droit à cet honneur. Boo partait sur sa machine à l'heure du déjeuner et quand bon lui semblait, prenant en croupe toutes les jeunes Atlantaises, l'une après l'autre, mi-terrifiées mi-pâmées de fierté. Les filles de son choix étaient toujours des beautés n'appartenant à aucune association – aux Roses moins que toute autre. Elles estimaient peut-être qu'elles n'avaient rien à perdre et beaucoup à gagner en matière de prestige à une balade avec Boo. Invariablement, elles se faisaient pincer et punir, ne remontaient jamais plus sur la Harley, mais savoir qu'elles l'avaient fait une fois mettait du feu à leurs joues sous le fond de teint. Boo lui-même ne faisait jamais les punitions qu'on lui assignait et continuait à entrer et à sortir du lycée à sa guise.

Il rompit son moratoire sur les Roses le jour où Lucy entra à North Fulton, et bien qu'il fût plusieurs classes au-dessus d'elle, il lui fit la cour dès le début à sa manière décontractée et nonchalante. A la cafétéria, il se mettait près d'elle dans la queue, silencieux, le visage fermé, et la meute de garçons qui avaient eu l'intention de s'asseoir à la table de Lucy fondait comme neige d'avril. Elle mangeait seule avec lui, parlant de Dieu sait quoi... car personne n'avait jamais entendu Boo grommeler plus d'un mot ou deux d'affilée.

Il descendait le long couloir central séparant les classes, un bras autour des épaules de Lucy, sa tête proche de la sienne, marchant lentement sans rien dire, une cigarette derrière l'oreille, le paquet glissé sous une manche de son T-shirt blanc, et Lucy avançait du même pas, levant vers lui ses yeux de mer des Caraïbes et riant.

Pendant une semaine, elle porta le blouson de Boo puis,

aussi soudainement qu'elle l'avait accepté, le lui rendit. Aucune fille n'avait rendu son blouson à Boo sans qu'il le lui ait réclamé et la légende de Lucy prit son essor. Le lendemain matin, toute la bande m'attendait pour me soutirer des explications mais je n'en avais aucune. Lucy ne me parlait pas de Boo Cutler et ne me disait pas grand-chose sur ses journées au lycée. A la maison, elle était avec moi comme elle avait toujours été : impétueuse, drôle, directe, naïve, pleine d'imagination et m'approuvant de tout cœur. La flamboyante petite tentatrice redevenait l'enfant des fées enchantée dès que les murs de Peachtree Road se refermaient sur elle. J'ignorais la tentatrice et accueillais chaleureusement l'enfant des fées. Je haïssais son nouveau personnage public et la direction dans laquelle il l'entraînait mais elle n'en soufflait mot et moi non plus. C'était depuis toujours un accord tacite entre nous.

Un après-midi d'avril, un jour d'averses soudaines qui faisaient gonfler la terre, Lucy quitta le cours d'histoire pour se rendre avec Boo et la Harley à Brookhaven, où ils burent de la bière et fumèrent une cigarette ou deux sur la pelouse de l'Université Oglethorpe. Lucy avait toujours séché si habilement que personne au lycée ne l'avait jamais vue partir, et quand on remarquait son absence en classe, elle apposait une imitation plus que passable de la signature de tante Willa au bas d'un bref mot d'excuse dactylographié. Ce fut par pur hasard que ce jour-là Mr. Bovis Hardin, directeur adjoint du lycée et calviniste ardent, quitta un séminaire organisé à Oglethorpe et les vit ensemble sur l'herbe. Tout le monde connaissait Boo Cutler, autorités comprises, et Lucy Bondurant était déjà devenue une sorte de vedette elle aussi. Bovis Hardin ne prit même pas le temps d'enduire ses cheveux de Brylcreem avant de se rendre dans le bureau du principal et tous deux s'empressèrent de téléphoner à tante Willa à son petit bureau d'acheteuse adjointe derrière le rayon lingerie de chez Rich. Lorsque Lucy réintégra le lycée pour assister à la dernière heure de cours, l'Armageddon se préparait.

– Ce vieux vicieux a raconté que nous nous embrassions sur l'herbe, Boo et moi, et que j'avais la jupe remontée autour du cou, me dit Lucy plus tard.

– C'était vrai ? demandai-je.

– Non. Je l'avais remontée un peu pour ne pas la salir avec la graisse de la chaîne. Et il ne m'embrassait pas, il me murmurait une histoire cochonne à l'oreille. Hardin a vu ce qu'il voulait voir. Il aimerait bien relever ma jupe lui-même, j'ai remarqué la façon dont il me lorgne dans les couloirs.

Je la crus, parce que je savais toujours quand elle mentait. Peu importe, de toute façon. Lucy écopa d'une kyrielle de blâmes et Boo Cutler fut exclu jusqu'à la fin de l'année, ce qui lui convenait sans doute parfaitement. La piste de terre battue de Lakewood devenait bonne pour la course et, de toute manière, il était allé aussi loin avec Lucy qu'elle le lui permettrait jamais. Il reporta donc promptement son attention sur Caroline Gentry et expliqua à sa bande de copains du *Peachtree Gills Pub* que Lucy était une allumeuse. Ce qualificatif la discrédita aux yeux des vauriens de North Fulton mais plongea les Gods dans de nouveaux transports d'espérance. Il faudrait bien qu'il y ait un premier, raisonnaient-ils.

Lucy revint à la maison dans le taxi avec lequel tante Willa était allée la chercher, mais l'inévitable algarade éclata dans le vestibule une fois la porte franchie, et je tombai en pleine bataille lorsque je rentrai du lycée. Cinq élèves différents s'étant précipités pour me mettre au courant, je m'étais pressé de regagner la maison, certain que Willa Bondurant ne prendrait pas avec sérénité cette nouvelle tache sur son blason.

En effet. Je l'entendais crier de la rue, à travers la lourde porte fermée. Lorsque je pénétrai dans l'entrée, elle avait quasiment épuisé ses forces et haletait si fort que ses seins s'agitaient comme des bouées par forte houle sous sa seyante robe chemisier de chez Rich. Lucy se tenait devant elle, très droite, le dos contre le pilastre de l'escalier, le visage blanc comme un gardénia mais calme et sans expression.

– ... une vulgaire traînée ! braillait tante Willa d'une voix qui avait perdu tout accent « Vieil Atlanta ». Tu te retrouveras enceinte comme une chienne de rue à seize ans et qu'est-ce que tu crois qu'il t'arrivera ? Tu resteras pas dans cette maison si tu te fais engrosser. Je veux pas d'une grue !

– Comme toi, maman ? dit Lucy en souriant.

Tante Willa la gifla avec une telle violence que sa tête bascula en arrière, révélant un croissant de cou blanc tendre et émouvant. La mère de Lucy pivota sur ses hauts talons, monta à sa chambre en faisant résonner l'escalier. Nous entendîmes une porte claquer puis ce fut le silence. Mon père devait être sorti, la Chrysler n'était pas au garage. J'ignore encore si ma mère se trouvait dans sa chambre et entendit la scène. Elle y était généralement à cette heure de la journée, lisant ou se reposant. Mais elle ne fit jamais allusion à l'incident et, inutile de le dire, moi non plus. Elle ne s'enquit même pas cette fois de la raison pour laquelle Lucy demeura à nouveau consignée dans sa mansarde pendant près de deux semaines, mangeant ce qu'on lui apportait sur un plateau avant d'être autorisée à prendre ses repas avec nous. Pendant toutes les années de lycée, ma mère garda au sujet de Lucy un silence énigmatique, même si ses sourcils délicatement arqués demeuraient la plupart du temps près de la naissance de ses brillants cheveux. En fait, elle parvint à se dissocier si complètement de Willa et de sa fille dévoyée qu'elle murmurait des plaisanteries outrageantes à leur sujet devant ses amies avec un calme absolu, comme si elles n'avaient rien à voir avec elle. Ces saillies lui valurent de passer pour spirituelle et d'être qualifiée de « sainte pour avoir toléré ces deux-là sous ton toit pendant tant d'années », comme Madge Slaton le lui déclara dans le salon pendant une partie de bridge vers la fin de l'année. Mère avait le génie de retourner à son avantage les situations les plus pénibles. C'était affaire de détachement. Un détachement superbe, impénétrable, dans lequel elle finit par passer maître.

Cet après-midi-là, je demeurai seul dans le hall d'entrée

avec Lucy et nous restâmes un moment silencieux, regardant l'ombre d'un nuage glisser sur les dalles blanches et noires du sol.

– Mais c'*était* une grue, et même pire, me dit finalement Lucy d'un ton trop gai, la trace de la main de sa mère encore rouge sur sa joue. Tout le monde le sait. Pourquoi papa l'aurait-il épousée si elle n'avait pas été enceinte de moi ? Une fille de « petit Blanc » comme elle ? Lui au moins, c'était un gentleman.

Et elle monta vers une nouvelle quarantaine.

Lorsqu'elle redescendit enfin, tante Willa avait trouvé refuge dans quelque forteresse intérieure de grande dame d'Atlanta et s'était retirée, émotionnellement et physiquement, le plus loin possible de sa fille indocile. Un mur de quasi-aversion séparait Lucy et sa mère depuis que le petit Jamie était mort et que tante Willa avait ouvertement reporté ses espérances et son affection sur Little Lady. Après l'incident, ce mur s'épaissit et s'éleva jusqu'à ce qu'elle n'adressât quasiment plus la parole à sa fille quand elles se rencontraient à table.

Se lavant tacitement les mains de la conduite de sa fille, Willa leva l'interdit sur les sorties et Lucy se mit à fréquenter ouvertement les garçons qu'elle avait rencontrés et aguichés en secret toute l'année. D'une certaine manière, cela sembla la calmer quelque peu. Pendant un moment, nous n'entendîmes plus parler d'activités ouvertement sexuelles à son sujet, bien qu'il y eût toujours des insinuations. Elle demanda aux garçons avec qui elle sortait de venir la prendre à la maison, et si mes parents ou sa mère prenaient rarement la peine de les recevoir, je me faisais un point d'honneur de me trouver au voisinage de la porte d'entrée. Je connaissais déjà tous les garçons avec qui elle sortait, bien entendu, mais je jugeais indigne qu'aucun membre de la famille ne participe au petit rituel de son départ.

Je n'ignorais pas que ma présence faisait jaser les Gods et provoquait des spéculations sur la nature de mon attachement pour ma cousine. Je détestais ces rumeurs mais je détestais plus encore le manque d'intérêt que l'absence de tout autre membre de la famille impliquait. C'était à mes yeux une attitude vulgaire et désinvolte, une honte pour la maison. Je savais que cette négligence et ses implications pouvaient faire passer Lucy pour une fille « facile » plus rapidement que tout ce qu'elle aurait pu faire.

Tante Willa guettait elle aussi, quoique sans le montrer. Elle traînait à proximité du téléphone quand un garçon appelait sa fille et se trouvait toujours devant la véranda dont Lucy avait fait sa tanière d'adolescente quand il y avait des garçons à la maison. Il y en eut presque tout le temps cette année-là. Willa interdit ouvertement la gloriette à Lucy avec n'importe qui d'autre que moi, et dans un premier temps, il y eut des invectives murmurées derrière la porte fermée de la chambre de Lucy quand elle rentrait tard, ce qui lui arriva de plus en plus souvent. Puis tante Willa renonça à veiller et les sermons inutiles prirent fin. Personne n'attendit plus Lucy. Je savais que ce manque de surveillance était de notoriété publique au lycée et que les séances de tripotage dans l'ombre de notre porte cochère s'allongeaient en conséquence.

Quand je fus pleinement adulte et loin de la maison, je me rendis compte que la séduction puissante de Lucy rappelait à Willa l'adolescente qu'elle avait été et menaçait la fragile respectabilité qu'elle avait réussi à conquérir. La présence de Willa Bondurant dans les salons, les clubs, les défilés de mode et les bals de charité d'Atlanta avait été trop chèrement acquise pour qu'elle laisse des rumeurs concernant sa fille la compromettre. Mais nul, pas même moi, n'était capable de freiner Lucy, et Willa battit tout simplement en retraite, espérant, comme l'autruche, que ce désengagement lui épargnerait tout blâme.

De son côté, Lucy, qui avait commencé à user de sa séduction naturelle pour être constamment entourée et, de plus en plus souvent, dans les bras de divers jeunes gens bien nés, pâles copies de son père, entreprit d'utiliser sa sexualité pour défier sa mère. Elle sortit de plus en plus : au cinéma avec un garçon en fin d'après-midi, avec un autre ensuite pour boire un milk-shake, avec un troisième dans la soirée. Elle serrait sa ceinture, marchait les seins en avant et roulait des hanches. Elle assistait à tous les dîners, bals et petits déjeuners donnés par chaque association, rentrait fourbue, le visage barbouillé, les yeux lourds. Son sourire devint plus éclatant, plus aguichant, son rire plus profond, ses yeux d'un bleu plus intense et toute sa personne plus flamboyante. Les ragots sur son compte reprirent de plus belle en deuxième année et ne cessèrent plus jamais. Je les entendis tous et en souffris. La seule chose qu'on ne disait pas d'elle, c'était qu'elle avait commis l'« acte sale » avec un God et je savais donc qu'elle était encore vierge, bien que cette virginité tînt au plus mince des filaments imaginables.

Je ne crois pas que tante Willa cût jamais vent de ces rumeurs. Sa préoccupation pour Little Lady avait tourné à l'obsession et même ma mère devait reconnaître que ce petit angelot doré était devenu une jeune fille aussi malléable, approbatrice, charmante et idiote qu'on pouvait le souhaiter. Elle n'avait gardé aucun souvenir de son père mais se rappelait les récits mélodramatiques que sa mère faisait, peu après leur arrivée chez nous, du jour où James Bondurant était rentré soûl et avait battu ses filles, du jour où il avait menacé de les tuer toutes avec un marteau. En conséquence, elle avait une telle terreur des hommes qu'on lui avait appris à charmer qu'elle ne laissait personne la toucher au-delà des contacts obligatoires dans la danse, et c'est en vierge d'une pureté de vestale qu'elle fit un mariage brillant et précoce avec Carter Rawson, jeune homme au sang bleu et au cou de taureau.

Qu'elle se mît, fort discrètement, à boire du matin au soir peu après ces merveilleuses épousailles n'était pas forcément lié au traumatisme de la nuit de noces. C'était peut-être l'héritage génétique de Jim Bondurant. Toutefois, comme Lucy le déclara après que Little Lady fut tombée sur son joli minois pendant un dîner au Driving Club : « Bien sûr que ça a été un putain de choc pour elle. Jusqu'à sa nuit de noces, Lady a cru que ça se faisait avec des pistils et des étamines. »

Ce n'était qu'auprès de moi que Lucy restait le feu follet de son enfance – moi et les Noirs de son entourage. Avec eux, en particulier le brillant et ombrageux Glenn Pickens de la maison des Cameron, et la lourde Toto, chez nous, qui étaient de son âge, elle était peut-être encore plus elle-même, parce qu'elle aimait donner, plaire, enseigner, partager ses connaissances, et il y avait peu de choses que nous ne partagions déjà. Toto était un cas désespéré et ne réagissait aux efforts de Lucy qu'en lui témoignant une adoration de chien. Mais l'esprit de Glenn Pickens bondissait et miroitait comme une truite arc-en-ciel dans une gerbe d'eau frappée par le soleil, et il passait des heures à écouter les histoires fantasques et les curieux jugements pénétrants que débitait Lucy.

Les rares fois de ma vie où je vis Glenn sourire, ce fut à quelque idée de Lucy, et je crois que les seules vrilles d'humour et de fantaisie que recèle aujourd'hui son âme sombre et complexe y furent plantées à l'époque par Lucy. Avec lui, la séductrice décampait, l'enfant des fées, radieuse, sortait de sa cachette, et les deux jeunes esprits brillants, si éloignés par la naissance et la société, se rencontraient dans une gerbe d'étincelles. Même Ben et Dorothy Cameron s'arrêtaient parfois pour les écouter s'affronter, se railler, et tout en tempérant leurs propos pour des oreilles adultes, Glenn et Lucy poursuivaient leur joute au soleil de cette approbation.

– Elle a sur lui un effet salutaire, déclara Ben un jour que nous retournions chez eux, Dorothy, lui et moi, tandis que Lucy ramassait ses livres et que Glenn se préparait pour son cours avec le professeur anglais que les Cameron lui avaient trouvé. Je ne sais pas exactement pourquoi, mais elle fait plus pour lui que toutes les leçons que nous lui donnons.

– C'est parce qu'elle lui montre un monde de Blancs sans interdits ni contreparties exigées, dit Dorothy. Elle lui donne tout ce qu'elle a, alors que la plupart des Blancs, quels que soient les efforts qu'ils déploient, en sont incapables avec les Noirs. Comment attendre d'eux qu'ils intègrent notre monde si nous ne leur montrons pas ce qu'il est vraiment, ou ce que nous sommes ? C'est ce que Lucy fait pour Glenn. Elle lui montre que c'est possible.

– Seigneur ! s'exclama Ben en ébouriffant la chevelure brune de son épouse. Ne répète jamais ça à quelqu'un d'autre que Shep ou nous. Mais tu as raison, naturellement. C'est tout à fait ça. Montrer que c'est possible. Ça pourrait ouvrir plus de portes que n'importe quelle loi qu'on réussirait à faire passer.

– Qui cherche à appâter le Klan, maintenant ? plaisanta Dorothy.

– Espérons qu'elle ne se lassera pas de Glenn et continuera à venir, reprit Ben. Je me demande souvent pourquoi elle le fait. Jolie comme elle l'est, je m'étonne que tous les petits vauriens de Buckhead ne campent pas à sa porte, Shep.

– Ils le font, dis-je.

Et bien que ma réponse n'allât pas plus loin, Dorothy Cameron me jeta un regard de pure compassion. Elle savait, bien entendu, ce que Ben et tous les autres pères ignoraient : que Lucy était la fable de la ville et pourquoi. Et elle savait autre chose : que cela me causait une sorte de souffrance obscure. Je lui étais reconnaissant d'être au courant mais j'en étais gêné et je ne retournai plus chez les Cameron après le lycée quand je savais que Lucy y était avec Glenn Pickens.

Ce fut d'ailleurs sans importance car tante Willa eut vent d'une manière ou d'une autre des après-midi que sa fille passait avec Glenn dans la petite maison des Pickens, derrière celle des Cameron, et lui interdit d'y remettre les pieds et même d'adresser la parole à Glenn. Elle lui signifia si clairement qu'en cas de désobéissance elle serait envoyée dans une lointaine pension – « Avec les moyens que j'ai, elle ne sera pas à ton goût, ma petite » – que Lucy capitula sans dire un mot. Elle se retira plus encore en elle-même, s'accrocha plus farouchement à Martha, à Toto et à moi, et intensifia sa guerre contre Willa en se mettant à fumer ouvertement et à boire en cachette. Personne, excepté moi, n'était au courant de ses soûleries car nul ne l'entendait glousser et trébucher devant la porte quand elle rentrait la nuit, mais je me disais que, là encore, ce n'était qu'une question de temps.

Je ne revis jamais Glenn Pickens sourire, bien que cela dût lui arriver, naturellement.

En ces derniers jours tranquilles avant 1954, nous avions une vue simpliste des Noirs de notre monde. Apparemment, ils jouaient pour nous un double rôle : meubles et bouffons. Les Roses et les Gods de Buckhead avaient grandi dans une mer de visages noirs mais ces figures se trouvaient invariablement au-dessus de mains travaillant pour nous : nurses, cuisinières, femmes de chambre, chauffeurs, jardiniers, femmes de ménage, voire nourrices sèches. Ils montraient peut-être pour nous une patience, un amour infinis et nous nous délections de leur chaleur, mais c'était la chaleur, le confort de vieux meubles anonymes, appartenant inéluctablement à notre maison. La plupart d'entre nous avaient conscience, à un niveau profond et jamais exploré, que nous avions pouvoir sur eux, même dans notre petite enfance : trop de cris, de larmes ou de plaintes et la nurse était renvoyée avant que notre petite bouche rose se soit refermée. Je ne crois pas qu'aucun de nous ait jamais considéré l'horreur fondamentale de ce pouvoir car les enfants ne mettent pas en question l'anatomie de leur monde. Il est comme il est. Pour la plupart d'entre nous, l'introspection et la prise de conscience vinrent beaucoup plus tard, quand, même dans les places fortes de Buckhead, on ne put plus ignorer les tempêtes de feu ravageant le Sud.

Lorsqu'ils n'assuraient pas notre confort, les Noirs nous distrayaient. Les Roses et les Gods avaient une écurie de Noirs prêts à les amuser et à les charmer par leurs singeries, des singeries typiques, à nos jeunes yeux aveuglés, de la seule sorte de négritude que nous connaissions. C'étaient les pièces rares de notre mobilier, des « caractères ». Nous les aimions, nous riions d'eux et nous ne les connaissions pas.

Il y avait Willie l'Aveugle, qui jouait à la guitare du *rhythm and blues* d'un débraillé contagieux au *Peacok Alley,* et Z'Yeux de Serpent, le serveur, qui avait baptisé plusieurs de ses innombrables enfants du nom de ses Gods favoris, et Sister, travesti minaudier qui portait des hauts talons, un turban à la Carmen Miranda et qui servit avec langueur au *drive-in* de Rusty jusqu'à ce qu'un comité de mères indignées réclame son bannissement. Il y avait les incroyables serveuses du restaurant universitaire sur qui régnait en monarque Flossie May, scandaleuse androgyne dont les litanies et les pieds agiles prodiguaient une distraction presque aussi captivante que les célèbres bals nègres du samedi soir au Municipal Auditorium. Nous y assistions régulièrement en le cachant à nos parents et prenions position au balcon, où nous dansions, buvions de la bière, criions et riions, jetions des saletés et des bouteilles sur les danseurs, balancions notre corps au rythme assourdissant de la musique noire, puissamment sensuelle, différente de tout ce que nous avions entendu auparavant. Si nous ne nous faisions pas tout bonnement trucider pour notre insolence, cela tient autant à la nature bienveillante des danseurs qu'au climat feutré de l'époque. Dix ans plus tard, nous nous serions fait assassiner.

L'une des réelles dichotomies de la personnalité de Lucy résidait dans le fait qu'elle aimait ouvertement et sincèrement un grand nombre de Noirs et participait cependant avec un plaisir manifeste aux pitreries rabaissant la race noire elle-même auxquelles nous nous livrions sur cet affreux balcon, riait avec nous en montrant du doigt les Noirs dansant en bas. Je savais pourtant qu'elle était la seule qui serait volontiers rentrée après le bal avec l'un de ces Noirs et aurait passé le reste de la nuit à bavarder avec lui en trouvant cela parfaitement naturel.

La plupart d'entre nous étaient racistes de manière déclarée et désinvolte. Nous racontions notre part de blagues nègres, mais je crois qu'il s'agissait essentiellement d'un phénomène culturel et que nous n'y mettions aucune passion personnelle, comme lorsque nous nous moquions cruellement des Yankees sans en connaître un seul. Mais quelques garçons de North Fulton que je connaissais affichaient un fanatisme venimeux et accordaient leurs actes à leurs opinions – ou du moins passaient pour le faire. J'ai en tête Boo Cutler et Floyd Sitton qui avaient, disait-on, pourchassé et abattu des Noirs sur des routes de campagne de Géorgie. Moi-même j'avais vu Boo étendre d'un coup de poing un serveur noir du *Blue Lantern* à la langue trop bien pendue et l'estourbir quasiment à coups de pied.

Lorsque Martin Luther King fut assassiné à Memphis, le bruit courut dans Buckhead pendant plusieurs semaines que Boo Cutler était mêlé de près à l'affaire, voire qu'il en était l'instigateur. Il y avait peut-être du vrai là-dedans. La rumeur circule encore aujourd'hui, bien que Boo soit mort depuis longtemps d'une tumeur au cerveau. Je me souviens que je songeai à cette histoire lorsque j'appris qu'il était mort, après une longue agonie solitaire à l'horrible hôpital de Briarcliff Road. Je pensai combien il est étrange que tant de ces inquiétants êtres solitaires qui changent l'histoire par la violence aient eu dans leur cerveau cette hideuse fleur qui s'épanouissait en silence.

Mais sous le masque souriant des nurses et des danseurs de claquettes, les Noirs d'Atlanta comme ceux de toute l'Amérique se rapprochaient lentement et inexorablement du point d'ébullition. On n'en voyait guère d'indices à l'époque. Au tout début des années 50, les Noirs d'Atlanta vivaient, comme ils le faisaient depuis des décennies, le long d'un axe est-ouest dans la partie sud de la ville, dans des cités délabrées et infestées de rats, des quartiers étouffants tellement frappés par la misère, le chômage, la maladie et la criminalité qu'aucun habitant du Northside, à moins de les avoir traversés, n'aurait cru à leur existence. Nombre des garçons de ma bande n'y avaient jamais mis les pieds.

Sur les lisières de la « ceinture noire », des maisons réellement imposantes formaient quelques quartiers noirs résidentiels, et dans Auburn Avenue, au sud du quartier d'affaires du centre, se dressaient quelques immeubles de bureaux, usines et entrepôts appartenant à des Noirs. Mais le reste d'Auburn, grand-rue de la communauté noire, était abandonné à une multitude de petits commerces dans un état de délabrement consternant. Dans le centre même, en fait dans toute la ville, et dans toutes les villes du Sud semblables, des pancartes « Réservé aux Blancs », « Réservé aux personnes de couleur » proliféraient comme des cancers de la peau sur tous les bâtiments, des églises aux gares, des restaurants aux toilettes publiques. A l'aubc de la seconde moitié du siècle, les Noirs d'Atlanta étaient aussi peu libres que les serfs d'une cité médiévale.

Quelques dirigeants noirs émergèrent à l'époque pour défendre leur communauté et réclamer aux autorités blanches les solutions si désespérément nécessaires, mais ils le firent en privé et en secret, le chapeau à la main – du moins métaphoriquement. Pas étonnant qu'une grande lame de fond grossît dans les profondeurs de ces eaux noires. L'étonnant, c'est qu'elle n'éclatât pas plus tôt, avec plus de force, et que nous, enfants blancs bénéficiant de toute cette générosité noire, nous ne l'ayons pas vue s'enfler.

Nos pères, eux, s'en aperçurent.

– Quand penses-tu que ton père devina le rôle que Glenn jouerait dans cette ville ? demandai-je un jour à Sarah Cameron, à l'apogée de l'incroyable trajectoire de Glenn Pickens.

– Probablement le jour où Glenn est né, répondit-elle.

Elle n'était pas loin de la vérité.

L'âge d'or de la pleine puissance, lorsque nos pères changeraient littéralement le visage et l'âme de la ville, l'entraînant dans le grand courant de l'Amérique, était encore éloigné de quelques années quand Sarah, Lucy et moi étions adolescents. Mais les générateurs commençaient à bourdonner, les rouages à recevoir leur huile.

C'étaient alors des hommes encore jeunes, d'une quarantaine d'années, et pendant la majeure partie de leur vie adulte, ils avaient consacré leur temps à s'occuper de la fortune familiale et à étendre leur domaine personnel. Mais ils avaient pleinement conscience, avant même que la ville et le pays ne voient en eux autre chose qu'un groupe d'hommes riches extraordinairement proches vivant dans une banlieue nord d'Atlanta, qu'ils joueraient un rôle de catalyseur et surtout d'alchimiste. Il leur faudrait changer le vil métal en or – et ils y parviendraient. Je crois que la seule chose qu'ils ignoraient encore à l'époque, c'était l'étendue vertigineuse de leur sphère d'influence.

Ils se connaissaient quasiment depuis la naissance, évoluaient avec aisance dans les résidences ou les clubs des uns et des autres. Ce fut cette proximité, ce sentiment de parenté qui leur donna leur pouvoir exceptionnel. Ils étaient prêts mais pas encore totalement mobilisés. En ces derniers jours paisibles avant l'expansion et l'agitation, ils se préoccupaient surtout de regarder autour d'eux ce qu'il y avait à voir.

Ils voyaient une ville qui stagnait depuis la période de forte croissance qui avait immédiatement suivi la Seconde Guerre mondiale, une ville réclamant à cor et à cri des immeubles de bureaux, des lignes aériennes pour reprendre le flambeau vacillant que la voie ferrée avait laissé tomber. Atlanta avait toujours été une ville de services, de transit, mais ils voyaient à présent partir les entreprises et les capitaux. L'un après l'autre, les hommes d'affaires venaient dans le Sud, humaient l'air autour d'eux, ne trouvaient pas grand-chose à leur convenance en matière d'infrastructures ou de qualité de la vie, et prenaient la direction du New Jersey ou du Texas. Ils voyaient enfin une population noire informe, vaste et grandissante, ne possédant pas encore de réel impact politique mais ayant un énorme potentiel pour cela.

Nos pères n'étaient ni stupides ni myopes. Ils savaient, même lorsqu'ils la défendaient personnellement, que la ségrégation ne pouvait continuer, et que, lorsqu'elle s'effondrerait, ils en tireraient profit ou seraient écrasés – mais que chute il y aurait. Excellents hommes d'affaires à défaut d'être de grands humanistes, ils dirigèrent leurs antennes vers la communauté noire frémissante. Il valait mieux que les Noirs d'Atlanta achètent les produits de leurs usines et s'abstiennent d'y mettre le feu. Il valait mieux attirer dans le Sud des entreprises du Nord-Est en leur promettant des écoles ouvertes et paisibles, que mettre ses forces naissantes, dans un sursaut romantique, derrière une dernière porte d'école condamnée à s'écrouler avant l'apparition du premier agent fédéral.

C'étaient des hommes bien informés, même à cette époque. Ils connaissaient la position des plus hautes instances juridiques du pays et savaient que s'opposer de front à une décision fédérale sur l'intégration scolaire ferait retomber Atlanta dans le bourbier somnolent d'où elle s'était péniblement extirpée après la guerre. Hartsfield avait eu une idée juste mais l'avait mal exprimée : ce n'était pas qu'Atlanta fût une ville trop occupée pour haïr mais plutôt que la haine officielle organisée était mauvaise pour les affaires. Ces vingt ou trente hommes qui n'étaient encore pour nous que nos pères reposèrent leur menu et, de leur table au Capital City Club, remontèrent les lignes que chacun d'eux avait lancées dans les rues et les cités misérables du sud de la ville.

Fort nombreuses, ces lignes s'enfonçaient profondément et reliaient généralement un maître à sa domesticité noire. Chaque famille de Buckhead possédait sa propre coterie de familiers noirs parmi les hommes et les femmes qui descendaient chaque jour des autobus d'Oglethorpe pour la servir, et connaissait aussi les parents de ces personnes. En outre, il y avait l'ensemble des Noirs servant dans les clubs ou les restaurants qu'ils fréquentaient, qui travaillaient dans leurs entreprises ou celles de leurs amis. Étant eux-mêmes des dirigeants, ils connaissaient personnellement les quelques leaders noirs qui étaient alors connus ainsi que ceux, plus rares encore, qui ne l'étaient pas. Ils avaient des rapports amicaux avec l'administration des six instituts noirs de la brillante université d'Atlanta, financés par Rockefeller, dans la partie sud-ouest de la ville. C'était peut-être le lien le plus fortuit et le plus important de tous car ce furent les jeunes Noirs instruits qui dirigèrent le Mouvement pour les Droits Civiques, et lorsqu'il émergea, nos pères eurent leurs contacts – mais jamais leurs agents – dans la place.

Et ils s'efforcèrent de préserver ces contacts. Même au plus âpre de cette lutte tourmentée, lorsqu'on entendait surtout le *White Citizen Council* et les ségrégationnistes les plus ardents, que les nouvelles en provenance de Birmingham, Little Rock et Selma parvenaient toutes fumantes par les agences de presse, que chaque jour d'été d'une chaleur aveuglante commençait avec la menace d'une nouvelle émeute dans une communauté noire ou une autre, les hommes du Club et les dirigeants noirs d'Atlanta discutaient. Ils négociaient chaque jour et pendant des heures, dans les maisons des Noirs comme dans celles des Blancs, et même si c'était en secret, ils se rencontraient. Quand on en vint aux actes, quand on maintint ouvertes les écoles publiques en violation de la législation de l'État et en accord avec la législation fédérale, quand Ben Cameron, devenu maire, parla pendant des heures à Mechanicsville sur le toit d'une voiture, dans la chaleur d'un commencement d'émeute ; quand, l'une après l'autre, on décrocha les pancartes « Réservé aux Blancs » et que ce saint des saints qu'était le Commerce Club accueillit des Noirs à ses tables, ce fut généralement parce qu'un Blanc influent prononça les mots qu'il fallait pour les oreilles qui devaient les entendre, et nombre de ces oreilles étaient noires.

En dépit de ce que la Chambre de Commerce raconte à qui veut l'entendre, ce ne fut pas une façon exemplaire de traiter le problème racial – et souvent, elle ne fut même pas honorable. Les motifs sous-jacents ne furent jamais purs. La plupart des changements furent accordés de mauvaise grâce et au moins dix ans trop tard. Mais ils le furent, sans les matraques et les chiens, les lances d'incendie et le sang dans les rues. Parce que les hommes qui fonderaient bientôt le

Club avaient tendu l'oreille au début des années 50 et entendu le roulement des tambours au moment où il naissait.

– Tu te rappelles quand ils se retrouvaient tous à une soirée quelconque, à l'époque où nous étions à North Fulton ? me demanda un jour Lucy pendant une de nos conversations téléphoniques nocturnes. Bon sang, qu'ils étaient magnifiques ! Non pas tant physiquement beaux, mais puissants, Seigneur, le pouvoir est tellement *sexy* !

Elle avait raison. Assis autour d'une table pour un déjeuner ou une réunion de conseil d'administration, ils formaient un groupe impressionnant. Jeunes, séduisants, bronzés par le golf et le tennis, à l'aise l'un avec l'autre, déterminés. Ce n'étaient encore que des cadets mais ils savaient qu'ils détiendraient le pouvoir dont elle parlait, et ils savaient d'où ils le tiendraient : leurs pères et mentors leur confieraient les commandes au moment choisi lors d'une passation de pouvoir quasi officielle. Même avant d'accéder à la puissance réelle qui serait la leur, ils avaient un aspect redoutable. En déjeunant au Capital City Club, vieille bâtisse de briques crème flanquée d'immeubles de bureaux, on voyait le pouvoir à l'état pur et au repos, prenant ses deux bourbons rituels avant de manger une grillade à l'anglaise.

Vers la fin du mois de mars de ma dernière année de lycée, mon père me demanda de le rejoindre en ville pour déjeuner au Capital City Club. Je fus aussi stupéfait que s'il m'avait invité dans un bar louche. J'éprouvais une forte appréhension. J'avais souvent été au club, où mon père nous emmenait tous déjeuner ou dîner après un match de football au Georgia Tech, ou pour le buffet du Nouvel An dans la salle Mirador. Mais je n'y avais jamais été seul avec lui. En fait, je n'avais pas été seul avec lui où que ce fût depuis des années.

Ce vendredi midi, je garai la Fury dans le parking proche du club, dans Harris Street, lançai les clefs au vieux James qui remplissait cette fonction aussi loin que ma mémoire remontât. D'un pas léger malgré mes craintes, je grimpai les marches de pierre, pénétrai dans le hall de marbre.

– Bonjour, Mr. Sheppard, me dit le gros Charles, le portier, en me souriant comme si j'étais son neveu préféré.

Avec la mémoire qu'il avait et ce qu'il avait vu des faiblesses des Blancs, Charles aurait pu être un homme très puissant et très dangereux si l'idée lui en était venue. Peut-être l'effleura-t-elle. Peut-être gardait-il déjà à l'époque, dans quelque sombre placard de sa maison du sud-ouest d'Atlanta, un dossier portant l'inscription « Indiscrétions sur les Blancs ». L'idée me plaisait alors et elle me séduit encore plus aujourd'hui.

J'empruntai le bref couloir pourvu d'une épaisse moquette sous une fresque de nègres en extase assis sur des balles de coton, le long d'improbables docks idylliques, passai devant le buste de quelque austère général confédéré et les portraits alignés d'anciens présidents, montai l'escalier d'acajou conduisant à la salle Mirador, au premier étage. Mon cœur battait si violemment sous mon nouveau blazer bleu de laine légère que je craignis de m'évanouir aux pieds d'Edgar, qui m'ouvrit la porte du saint des saints avec le même « Bonjour, Mr. Sheppard », le sourire en moins. La dignité était de rigueur dans la salle Mirador.

Je ne pouvais imaginer pourquoi mon père voulait déjeuner avec moi mais je pressentais que cela n'aurait rien de détendu ni de plaisant. En traversant le parquet brillant qui devenait le soir une petite piste de danse, je songeai qu'il m'annoncerait peut-être que nous avions perdu tout notre argent, que je devrais renoncer à Princeton, où j'avais été admis, pour chercher du travail. Ou encore qu'il avait un cancer, qu'il mourrait bientôt, ce qui entraînerait pour moi les mêmes conséquences. Ou que Lucy était envoyée dans quelque endroit lointain et que je ne la reverrais jamais. En souriant à mon père, assis à sa table habituelle au coin de la deuxième rangée, le visage rouge sous le chaume clairsemé de ses cheveux blonds, je remarquai que le sourire qu'il m'adressa en retour avait la hideur d'un rictus d'agonie et je préparai mes arguments.

À ma stupeur, Ben Cameron déplia sa maigre et longue carcasse de la chaise située en face de mon père et se leva pour me saluer. Mon cœur affolé se calma : quelle que fût la raison de ce déjeuner, j'avais un allié. Parvenu à la table, je tendis la main comme le jeune homme plein d'assurance que je n'étais pas et n'avais jamais été.

– Bonjour, Mr. Cameron, dis-je. Bonjour, papa.

– Salut, Shep, dit Ben avec un sourire chaleureux n'exprimant rien d'autre que le plaisir de me voir.

– Fils, marmonna mon père, sans perdre son sourire de loup.

Il m'indiqua la chaise voisine de celle de Ben et je m'y installai.

– Désolé d'être en retard, fis-je en plissant le front d'un air réfléchi, comme un homme qui a délaissé des affaires importantes pour maintenir un rendez-vous. La circulation était épouvantable sur toute la longueur de Peachtree Street.

– Autant t'y habituer, répondit Ben Cameron avec un triste sourire. Ça ne s'améliorera pas de sitôt. Je nourris toutefois l'espoir, prématuré peut-être, que nous aurons un jour un système ferroviaire rapide qui amènera les gens dans le centre en quelques minutes à travers les embouteillages. Mais je crains fort qu'il te faudra les subir comme nous jusqu'à ce que la ville puisse débloquer les fonds nécessaires.

Je posai sur Ben puis sur mon père un regard confondu. Je n'avais pas fait mystère de mon admission à Princeton ni de mon espoir d'aller ensuite travailler un an ou deux à New York avant de décider ce que je ferais du diplôme d'histoire ou de sciences politiques que je prévoyais d'obtenir. Mon père connaissait à coup sûr mes intentions, bien qu'il eût cessé depuis longtemps de les commenter quand je les exposais. J'en avais conclu que la question ne l'intéressait plus et, si je m'en étais réjoui, j'avais gardé dans la bouche un goût de déréliction étonnamment fort.

Ben Cameron était au courant lui aussi, je lui avais parlé

de Princeton plus d'une fois. Pourquoi, dans ces conditions, me parlait-il comme si je devais bientôt descendre Peachtree Road pour me rendre dans les bureaux du centre où mon père avait récemment installé son cabinet immobilier ? Est-ce que cela avait un rapport avec Princeton ? Mon admission était-elle une erreur qu'ils tentaient de m'annoncer avec ménagement ?

Ben leva une main nonchalante, me sourit d'un air engageant, et ce fut soudain comme si je ne le connaissais pas, comme si je ne l'avais jamais vu. Mon père continuait à sourire lui aussi.

– Je sais, je sais, reprit Ben d'une voix lente et grave, qui ne ressemblait pas du tout à la sienne. Princeton, etc. Mais j'ai discuté avec ton père, Tom Rawson et Frank Hubbard à l'Athletic Club la semaine dernière, et il nous a semblé, d'un seul coup, que ton départ serait une terrible perte, tant pour tes parents que pour notre ville. Ton papa m'a dit que ta décision était prise, qu'il ne servirait à rien d'essayer de t'en faire changer, mais tu me connais. Je fais toujours au moins une tentative. Alors, je me suis invité à déjeuner avec ton père et toi pour essayer de te convaincre.

Le garçon s'approcha, posa devant moi une boisson couleur d'ambre où flottaient des glaçons et je regardai le verre aussi stupidement que j'avais regardé Ben Cameron. Puis je tournai les yeux vers mon père, qui eut un geste en direction du verre.

– Bourbon Maison, dit-il. Excellent. J'ai pensé que tu étais assez âgé maintenant pour en boire un avec Ben et ton vieux père. Tu es quasiment un homme, maintenant. Tu as poussé sans que je m'en rende compte.

– C'est ça les enfants, dit Ben avec la voix d'un comédien jouant une mauvaise pièce. Ben Junior est plus grand que moi et Sarah, ma petite chérie, est devenue une femme. Une jolie femme, hein, Shep ?

– Tout à fait, répondis-je bêtement.

Que se passait-il ? Ben donnait l'impression de ne pas avoir une once d'intelligence, et pourtant les discussions d'un niveau très élevé que j'avais parfois avec lui et sa femme figuraient parmi les moments les plus précieux de ma vie.

J'avalai une rasade de bourbon pour meubler le silence qui était pire encore que le ton faussement enjoué de Ben et le sourire tordu de mon père. Je m'étranglai, recrachai l'alcool sur mon blazer et sur la table, sentis le feu monter de ma gorge à la racine de mes cheveux.

– Ça se déguste, m'expliqua Ben Cameron. Vas-y doucement. Tu ne veux quand même pas sortir d'ici à quatre pattes... encore que j'aie vu ton papa le faire dans sa jeunesse.

Il donna une bourrade à mon père, qui partit d'un grand braiment joyeux. Je me rendis compte qu'ils me parlaient, ou essayaient de le faire, sur le ton simple et ritualisé qu'ils utilisaient entre eux. Au lieu de me faire plaisir, leur attitude me donna envie de me lever d'un bond et de m'enfuir en courant.

– Bon, fit Ben Cameron.

Il posa ses mains à plat sur la table, me regarda. L'aimable farceur avait disparu et c'était un inconnu imposant, plein de raideur, qui m'observait avec les yeux gris clair de Ben. Je ne connaissais pas non plus ce Ben Cameron mais devinai que j'avais devant moi l'homme qui comptait dans les clubs et les salles de réunion, qui faisait bouger les choses et les hommes.

– Que dirais-tu de reconsidérer ta décision, Shep ? suggéra-t-il. L'université a un excellent département histoire si c'est ce que tu veux, et la Georgia Tech est de premier ordre en management industriel et même en sciences politiques. Ne t'en fais pas pour ton admission, nous pouvons nous en occuper. Nous pouvons aussi te faire entrer à Chi Phi, si tu le souhaites, ou même à Ka. Ou dans l'équipe d'athlétisme. Ça ne devrait pas poser de problème. Kress, l'entraîneur, est un de mes amis.

Je demeurai coi et je suppose qu'il prit mon silence pour un refus, mais à la vérité je n'aurais pu dire un mot si je l'avais voulu. Que se passait-il ? Pourquoi avions-nous cette discussion ?

– Si c'est au cabinet immobilier que tu penses, je crois que ton papa ne serait pas trop déçu si tu t'essayais à autre chose pour un moment, poursuivit Ben. (Il jeta un coup d'œil à mon père qui hocha la tête d'un air solennel sans nous regarder ni l'un ni l'autre.) C'est une carrière gratifiante pour un homme, Shep, l'immobilier. Une façon honorable de gagner sa vie et, lorsqu'on le fait bien, de s'acquitter de sa dette envers la communauté. Les biens immobiliers de ton père sont considérables, tu le sais. Bien gérés, ils rapporteraient beaucoup à ta famille et à ta ville. Mais si cela ne t'intéresse pas, je crois que ton père ne verrait pas d'inconvénient à ce que tu choisisses un autre domaine, à condition que tu restes ici.

Ben regarda à nouveau mon père, qui hocha la tête une seconde fois en fixant la petite lampe posée sur la table comme s'il ne l'avait jamais vue. Je continuai à garder le silence.

– Alors j'ai pris la liberté d'appeler quelques-uns de nos vieux amis, à ton père et à moi, enchaîna Ben. Le papa de Snake, celui de Carter, celui de Pres. Un ou deux autres. Des types bien, que tu connais depuis toujours. Et ils m'ont tous répondu qu'ils seraient fiers d'avoir un garçon comme toi dans leur affaire. Qu'est-ce que tu en penses, Shep ? Le bâtiment ? La banque ? La télévision ? La Bourse ? Je te laisserai même vendre mon huile de serpent si ça te tente. Ce qu'il y a...

Il pointa sa fourchette vers moi, me regarda dans les yeux avec une expression à lui, à la fois désinvolte et lourde de sens.

– C'est que nous avons besoin de toi ici, poursuivit-il. A Atlanta. Pas seulement nous, mais la génération suivante, la tienne, et même celle d'après. Tu as des capacités dont tu ne te doutes peut-être pas, et tu posséderas un jour d'importants biens familiaux. Les unes et les autres doivent rester dans notre ville. Tu me suis, Shep ?

– Oui, Mr. Cameron. Je crois que oui.

– Alors ? Tu réfléchiras ?

Je me tournai à nouveau vers mon père, qui me regardait cette fois, et je vis sur son visage une sorte de grisaille circonspecte recouvrant quelque chose que je ne parvenais pas à percer à jour. Et soudain – je ne saurai jamais pourquoi – je compris. C'était une indifférence totale à cette conversation, à moi-même, et, dessous encore, une aversion pure et simple, une aversion dont l'objet n'était pas moi – car on ne hait pas ce qu'on a chassé de son esprit – mais Ben Cameron. Mon père n'avait aucune envie d'être dans cette salle avec nous, aucune envie que je reste à Atlanta et dirige un jour ses biens immobiliers, et il masquait mal son ressentiment envers l'homme qui faisait tant d'efforts pour me convaincre. A travers le choc que j'éprouvai, je me demandai distraitement à quel moment précis mon père avait cessé de voir en moi le fils à qui il avait longtemps eu l'intention de léguer son royaume.

Puis je me demandai quel pouvoir Ben Cameron avait sur lui pour le contraindre à s'asseoir à cette table, avec son sourire de tête de mort, et à écouter l'une de ses plus anciennes connaissances tenter de me retenir là où lui-même ne voulait plus de moi : dans la maison de Peachtree Road.

J'ignore où je puisai le courage et la clarté d'esprit qu'il me fallut car je n'avais jamais possédé ni l'un ni l'autre dans mes rapports avec mon père.

– Merci, dis-je d'un ton vif, mais je ne crois pas qu'il soit utile de réfléchir. Je tiens à aller à Princeton puis à New York, comme je l'ai prévu, et c'est ce que je ferai, si mon père est toujours d'accord.

Mon père eut un geste pour exprimer son assentiment et mettre fin à la conversation puis fit signe au garçon.

– J'ai quelqu'un qui m'attend dans mon bureau pour la propriété de Summerhill, Ben, s'excusa-t-il. Prenez le café, le dessert et fais mettre l'addition sur mon compte. Merci d'être venu. Je ne pensais pas que ça servirait à quelque chose mais je voulais que tu te rendes compte par toi-même.

Il m'adressa un signe de tête sans me regarder, traversa le lac miroitant du parquet et quitta la salle Mirador.

– Tu veux autre chose ? me proposa Ben.

Je secouai négativement la tête et la détresse s'abattit sur moi comme un épais manteau sombre. J'avais fait prévaloir mes arguments, j'avais conquis une fois pour toutes la liberté à laquelle j'aspirais depuis longtemps, mais la souffrance que j'éprouvais dans mon cœur me disait que c'était à un prix que je ne pouvais encore estimer. C'est une chose de soupçonner votre père de ne pas juger votre existence importante ; c'en est une autre d'en avoir la preuve.

– Sortons, alors, décida Ben.

Nous gardâmes le silence en descendant l'escalier et en gagnant le parking. Puis, comme nous attendions que James amène nos voitures, Ben me dit :

– Tu es plus intelligent que je ne le croyais, Shep. Princeton est l'université qu'il te faut. Ensuite... nous verrons. Je n'aurais pas dû essayer de te forcer la main. J'espère que tu me pardonneras si je t'ai causé de la peine. Amis ?

Je serrai la main qu'il me tendait et il eut ce sourire magique qui avait si souvent éclairé les ténèbres de ma petite enfance. Sentant un mince filet d'espoir s'insinuer dans mon cœur glacé, je lui rendis son sourire.

Il monta dans sa grosse Lincoln neuve, claqua la portière, passa sa tête rousse par la fenêtre et cligna des yeux dans le soleil. La lumière pure du début de printemps embrasait sa crinière.

– Tu sais, j'ai toujours pensé que tu es quelqu'un de très particulier, Shep, dit-il. J'aurais été fier de t'avoir pour fils, indépendamment de toute l'estime que j'ai pour le mien. J'ai eu tort d'exercer des pressions sur toi. Mais un jour, après les cours, quand tu auras le temps, passe discuter avec moi des affaires de ta famille. Je te promets que je n'essaierai pas de te convaincre de t'en occuper si tu penses toujours que ce n'est pas pour toi. Il y a des choses que tu dois savoir et je ne pense pas que ton père t'en parlera jamais. Entendu ?

– Entendu, dis-je, avec des larmes d'amour et de gratitude

qui me piquaient les yeux. Vous ne pouvez pas m'en parler maintenant ?

– Non. Mais bientôt. N'oublie pas de me le rappeler. C'est important.

– Je vous le rappellerai, promis-je.

Je retournai à North Fulton avec la Fury, convaincu, si je ne l'étais déjà auparavant, que ce que le monde me réservait m'attendait loin d'Atlanta.

10

Cet après-midi-là, j'avais un vague rendez-vous avec Charlie Gentry sur le vaste champ de bataille de Kennesaw Mountain pour essayer le détecteur de métal de la Seconde Guerre mondiale qu'il avait eu pour son anniversaire, mais je n'y allai pas et ne m'en souvins même pas avant l'heure du dîner. Au lieu de rejoindre Charlie, je me rendis directement de North Fulton à Muscogee Avenue, chez les Cameron. Le désintérêt de mon père m'avait plongé dans une telle confusion et de tels doutes sur moi-même qu'il fallait que j'en parle à quelqu'un pour ne pas m'écrouler sous la souffrance, et je pris la direction de Merrivale, leur maison, comme un pigeon regagnant son logis.

En garant la Fury dans la cour pavée, il me vint à l'esprit que c'était la première fois de ma vie que d'instinct je ne courais pas montrer mes plaies à Lucy. Cette découverte me secoua au point de me faire trébucher et je me sentis cachottier et sournois, comme si je la trahissais vraiment. Et puis l'idée m'apparut clairement : ne parle pas de Princeton à Lucy avant d'avoir aligné tes alliés. Je savais alors, obscurément, ce que ma conscience n'avait pas encore admis : Lucy était le principal obstacle auquel mon départ d'Atlanta se heurterait jamais.

Elle n'avait guère commenté mon intention de partir parce que j'en avais moi-même peu parlé. Je n'abordais pas le sujet avec mes parents en dehors d'échanges embarrassés sur les droits d'inscription, etc., parce que je craignais que le caractère possessif de ma mère et le mépris irrité de mon père ne brisent ma détermination. En l'occurrence, ni lui ni elle n'avaient beaucoup réagi quand j'avais envoyé ma demande ou même quand elle avait été acceptée. C'était à la fin du printemps de mon avant-dernière année de lycée, et je présume qu'ils pensaient tous deux que s'ils me fichaient la paix je comprendrais peut-être en cours d'année ce que ma décision avait d'insensé. Pourquoi Lucy ne réagit-elle pas avec plus de véhémence dans un sens ou un autre, je n'en avais pas la moindre idée, si ce n'est qu'elle était alors submergée par sa propre aliénation et qu'elle ne saisit peut-être pas la signification de la lettre d'acceptation.

J'avais rangé cette lettre dans le bureau de la gloriette le lendemain du jour où je l'avais reçue et ne l'avais montrée à personne d'autre, mais, pendant toute l'année suivante, j'avais senti sa présence dans le tiroir, comme un talisman. De tous, c'étaient Dorothy et Sarah qui avaient paru les plus heureuses pour moi et je savais que, si je devais recevoir aide et réconfort, ce serait d'elles. Lucy, je le sentais, supporterait mal la confirmation de mon départ, et, meurtri comme je l'étais par le déjeuner au Capital City Club, j'étais incapable de l'affronter.

Je trouvai Sarah dans le petit atelier vitré que Ben avait fait construire pour elle dans le jardin quand l'étendue de son talent était devenue manifeste. Elle y passait la plupart des après-midi quand elle n'était pas à l'entraînement de natation ou à l'une de ses activités périscolaires. Elle adorait ce havre aux murs blancs inondé de lumière parmi les arbres du jardin, et j'aimais l'y voir. Observer Sarah dans son atelier, ses cheveux soyeux décoiffés, ses yeux d'ambre brillants d'attention, allant de son chevalet à sa palette, c'était voir une créature sauvage évoluer dans son habitat, tout à fait à l'aise.

J'avais la même impression de justesse quand je la contemplais dans l'eau. Elle était totalement naturelle dans ces deux milieux et je me sentais apaisé, captivé en la voyant dans l'un ou l'autre, satisfait de savoir tel Pippa* qu'en ce moment précis tout allait bien dans le monde.

Même à présent qu'elle avait seize ans, Sarah ne suivait pas la bruyante caravane des Roses et des Gods dans leurs expéditions après les cours. Non qu'on ne l'y conviât point. Lorsqu'elle fut en seconde année, il n'était pas un God d'Atlanta qui n'eût été ravi de l'avoir à ses côtés chez Wender & Roberts ou au cinéma de Buckhead, et Charlie aurait donné sa vie pour ce privilège. Simplement, le monde que Ben et Dorothy Cameron lui offraient dans Muscogee Avenue demeurait si vaste et si riche que Sarah, sinon le jeune Ben, n'avait encore aucun désir de le quitter.

Sarah m'en parla des années plus tard, un soir de réveillon du jour de l'An qui dut être le plus douloureux de sa vie, et je fus surpris de l'acuité et de la profondeur de sa perception.

– Tu aurais pu être vraiment bonne. Géniale, peut-être, lui dis-je ce soir-là. Tu aurais pu devenir une artiste connue à New York et en Europe si tu avais continué à peindre. Tu es tout comme Ben une victime du monde merveilleux des Cameron.

– Non, répondit Sarah. Je suis une victime de ma propre nature. Je suis comme la dernière duchesse de Browning. « J'aimais ce que je regardais et mes regards se posaient partout. » J'aimais mon art mais je n'avais pas de véritable objectif, Shep. Si ma famille m'a causé quelque mal, c'est peut-être ça. Toutes ces qualités, ce bonheur, cet équilibre et cette énergie... Cela rase les sommets et comble les vallées.

Ce jour de mars, Sarah travaillait à une nature morte composée du vieux chat couturé de la famille, Moggy, et d'un bouquet de fleurs – une brassée de jonquilles si serrées dans un pichet bleu qu'elles donnaient l'impression d'un soleil solide et chatoyant de jaune pur. Je me dis qu'elle venait de les cueillir dans le jardin car des gouttes s'accrochaient encore à leur calice froncé et à leurs feuilles, et elles dégageaient une forte odeur de pluie. Moggy, déjà peint,

* Allusion à un poème de R. Browning. (N.d.t.)

s'allongeait sur la toile, noir et luisant comme une panthère sur un châle de laine écarlate que Sarah avait disposé sous lui. Les jonquilles naissaient au monde sous les touches de lumière captives de son pinceau. Le tableau criait et frémissait de vie, d'explosions de couleurs primaires : rouge, bleu, jaune, noir. C'était aussi violent et primitif qu'un Gauguin mais avec une délicatesse dansante propre à Sarah. Sa peinture était adulte, joyeusement sensuelle. On avait peine à croire que c'était celle d'une jeune fille de seize ans. Mais Sarah au travail, toute mince et enfantine qu'elle parût dans la vieille chemise de son père tachée de peinture, n'avait rien d'une jeune fille. Avant qu'elle s'aperçoive de ma présence, je l'observai un moment par la porte ouverte de l'atelier.

Elle me vit, sourit, agita son pinceau et je franchis la porte, me laissai tomber sur le sofa défoncé, installé contre le mur de la cheminée. Les premiers rayons du soleil printanier l'avaient légèrement hâlée et les petites rides blanches partant en étoile de ses yeux se détachaient déjà faiblement. Sous l'ample chemise, elle portait un jean et un T-shirt rayé qui lui donnaient plus que jamais l'air d'un petit garçon. Mais le renflement de ses seins sous la chemise était tout à fait féminin. Sarah et sa mère avaient un corps parfait mais sans jamais être, pour une raison quelconque, ouvertement sexuelles. Aujourd'hui encore, Sarah possède une taille que je peux emprisonner dans mes mains, un menton dont la ligne demeure parfaitement nette, un dos droit comme une rose trémière. Dans la lumière sous-marine de l'atelier, elle était aussi pure, légère et agréable à regarder qu'un poisson dans l'eau claire. Une partie de ma détresse s'évanouit.

Elle se tourna vers moi.

– C'est à propos de Princeton ? demanda-t-elle.

Je la fixai, bouche bée. Cela faisait des mois que nous n'avions pas abordé ce sujet.

– Papa a appelé maman après son déjeuner avec toi et ton père, poursuivit-elle. Il a dit que ça avait été très pénible pour toi et il se sent coupable d'avoir pris part à cette scène.

– Je sais, fis-je, reconnaissant de ne pas devoir tout lui

expliquer. Il me l'a dit quand nous avons quitté le club. Je ne le blâme pas. Lui et papa se connaissent depuis toujours. Et il aime cette ville. Je peux comprendre pourquoi il estime que je devrais y rester. En revanche, je ne pense pas qu'il comprenne pourquoi je *dois* partir... Ou, du moins, il ne comprenait pas jusqu'à aujourd'hui. Il a dit certaines choses qui m'incitent à croire que ce n'est plus le cas.

– Il le comprend, maintenant, confirma Sarah. Et il a raison. Pourquoi es-tu si bouleversé ? Serais-tu en train de changer d'avis ?

– Je ne suis pas bouleversé.

– Allons, Shep, fit Sarah d'un ton calme.

– C'est juste parce que... Mon Dieu, Sarah, si tu avais vu le visage de mon père. Ou ses yeux. Il ne me haïssait même pas, il ne me voyait plus. On sentait qu'il se lavait les mains de ma personne, là, à cette table. Je pensais que nous avions réglé la question de Princeton, qu'il avait accepté mon départ, même si cela lui déplaisait. Je ne savais pas qu'il pensait encore que je pourrais...

– Quelque chose dans ta voix donne vraiment l'impression que tu es en train de changer d'avis.

– Pas vraiment. Mais d'un seul coup, je me demande... quelle différence cela fera, au bout du compte. Je peux aussi bien faire Georgia, ou la Tech, ou Emory au lieu de Princeton avant de partir pour New York.

– Tu ne partirais jamais, dit Sarah. Jamais.

– Mais si, répliquai-je, irrité.

– A supposer que tu réussisses à partir, l'expérience de Princeton te manquerait. Tu dois rencontrer des gens qui ne sont pas comme nous avant de vivre réellement parmi eux. Tu ne connais personne qui ne soit pas comme nous. Tu ne connais aucun artiste, aucun... juif, aucun laitier.

– Je te connais, toi. Et je peux rencontrer des juifs et des laitiers ici.

– Ce n'est pas pareil, objecta Sarah.

– En tout cas, il n'y a pas de laitier à Princeton, c'est certain, répondis-je d'un ton badin.

Je n'aimais pas le tour que prenait la conversation. Sarah était censée me réconforter, non me défier.

– Oh, ne sois pas obtus, fit-elle avec agacement. Si tu recules maintenant, tu le regretteras toute ta vie. Où est passé ton cran ?

Pour la première fois de ma vie, je me mis en colère contre Sarah. J'avais fini par haïr ce mot, ce terme typiquement atlantais nivelant et homogénéisant les âmes, et je refusais de l'entendre dans la douce bouche de Sarah.

– Bon sang ! m'exclamai-je, s'il y a un mot dont j'ai horreur, c'est bien celui-là. Il est bon pour les Babbitt, les brutes, les idiots. Il est synonyme de manque *total* d'imagination. C'est un mot arrogant, un mot de tyran. Regarde mon père, ou ta grand-mère Millie. Elle a bassiné les gens avec ses histoires de cran jusqu'à sa mort. Je crois qu'elle détestait *réellement* toute femme n'ayant pas combattu les Indiens après avoir mis au monde un bébé dans un champ de maïs pendant une tempête. N'utilise pas ce mot stupide devant moi parce qu'il ne veut rien dire !

– Je sais, fit Sarah en souriant. Erreur de vocabulaire. Désolée, tu as raison. Et pour grand-mère aussi. Jamais on n'aurait pu lui dire que ce qui compte vraiment, c'est le courage, pas le cran. Les deux choses n'ont rien à voir.

– Je ne connais personne non plus qui ait du courage, grommelai-je d'un ton boudeur.

– Moi si. Tu en as.

– Qu'est-ce que tu racontes ? fis-je, sincèrement étonné. Je n'ai jamais eu de courage, tu le sais.

– Tu résistes, Shep, dit Sarah en regardant ses petites mains brunes maculées de peinture. Tu portes tes parents sur ton dos comme Atlas soutenait le monde, et Lucy aussi – oui, elle aussi –, et tu continues à faire ce que tu dois faire. Tu as refusé d'entrer dans l'entreprise de ton père, tu as refusé d'aller à Georgia, à la Tech ou à Emory – Seigneur, moi je serais terrifiée. Qu'est-ce que c'est si ce n'est pas du courage ?

Je la regardai, lui souris.

– Je n'allais pas vraiment renoncer, expliquai-je. J'avais juste besoin de parler à quelqu'un avant de rentrer. Je suis sûr que ma mère est au courant de ce qui s'est passé au déjeuner et que la question va resurgir au dîner. Merci pour les munitions.

– A ton service, dit Sarah d'un ton égal en retournant à son chevalet.

Je me trompais quant au dîner. Hormis pour annoncer calmement : « Shep a décidé d'entrer quand même à Princeton, en fin de compte », mon père ne parla pas de notre déjeuner au Capital City Club, ni pendant le repas ni jamais. Son désintérêt était total. Ma mère ne sembla pas trop mécontente non plus et j'en compris plus tard la raison : un grand nombre des meilleures familles du Sud avaient envoyé des fils à Princeton par le passé. Avec son campus d'une beauté classique, sa réputation d'accorder assez souvent la moyenne aux étudiants bien nés, c'était le seul établissement de l'*Ivy League** jugé digne d'un garçon d'Atlanta ayant l'intention de revenir au pays pour reprendre l'affaire familiale.

« Apparemment, ils n'en reviennent pas changés », dit ma mère à Dorothy Cameron peu de temps après, et Sarah me rapporta le commentaire avec jubilation. Je ris moi aussi. J'avais l'intention résolue non seulement de ne pas revenir, mais de changer le plus possible. New York brillait encore pour moi comme un Graal, au-delà des tours de Princeton. Mais au-dessus de cette image chatoyante et sans tache flottait le visage malheureux et importun de Lucy.

Car je ne m'étais pas trompé dans l'intuition que j'avais eue de sa réaction juste après le déjeuner avec mon père et Ben.

– *Tu ne peux pas !* s'écria-t-elle en se levant si brusquement qu'elle faillit renverser sa chaise. Gibby, tu ne peux pas ! Tu as promis ! Je ne te laisserai pas faire ! Oncle

* Nom collectif des prestigieuses universités de la Nouvelle-Angleterre. (N.d.t.)

Sheppard, ne le laissez pas faire ! Obligez-le à rester ici, à aller à Emory et...

– LUCY !

La voix de tante Willa interrompit la diatribe angoissée de ma cousine. Elle se tut ; ses yeux bleus perdirent leur lueur folle et s'éteignirent ; des larmes s'y accumulèrent, débordèrent, roulèrent en silence sur son visage blanc comme de vieux ossements.

« Oh ! Gibby, comment as-tu pu ? » dirent ses lèvres, mais aucun son ne sortit de sa bouche. Elle se retourna, culbuta cette fois sa chaise et quitta la salle à manger en courant. Personne ne prononça un mot avant que le bruit de ses pas ait cessé de résonner dans l'escalier.

– Je m'en occupe, dit tante Willa d'une voix aiguë, furieuse.

Elle jeta sa serviette sur la table, se reprit et la plia soigneusement avant de la remettre près de son assiette. Comme elle allait se lever, ma mère lui posa la main sur le bras.

– Il vaut mieux la laisser se calmer, Willa, murmura-t-elle avec un petit sourire ne montrant qu'une douceur de madone. Vous savez comme elle est perturbée ces temps-ci. Sheppie montera lui parler et arranger les choses plus tard.

A cet instant, j'éprouvai pour ma mère une haine identique à celle qui enflamma les yeux de Willa avant qu'elle ne leur redonne une lueur courtoise. Pas plus que dans les autres maisons de Buckhead, les séances nocturnes de flirt poussé de Lucy n'étaient passées inaperçues, simplement on n'en parlait pas. Je savais que c'était à cela que ma mère venait de faire allusion.

Lorsque je frappai à la porte de sa chambre, vers dix heures, Lucy pleurait encore et ne voulut pas m'ouvrir.

– Va-t'en, sanglota-t-elle. Je ne veux pas te voir. Je te hais ! Tu as promis et tu as brisé ta promesse !

– Allons, Lucy, laisse-moi entrer, plaidai-je avec douceur. Qu'est-ce que j'ai promis ? Pas de rester ici. Tu étais au courant pour Princeton, je t'en avais parlé. Tu avais vu la lettre l'année dernière...

– Je ne croyais pas que tu partirais vraiment, coupa-t-elle d'une voix désespérée. Je pensais que c'était juste une idée comme ça.

– Mais tu m'as dit...

– JE ME FICHE DE CE QUE J'AI DIT ! TU AS PROMIS DE T'OCCUPER TOUJOURS DE MOI ET TU NE TIENS PAS TA PROMESSE ! cria-t-elle d'une voix aiguë.

Un coup sourd ébranla la porte sur laquelle elle venait sans doute de jeter un objet lourd. Je me sentis soudain infiniment las et triste, incapable de supporter Lucy plus longtemps ce soir-là.

– Bonne nuit, fis-je d'un ton morne. Nous en reparlerons demain matin.

Elle ne répondit pas et j'entendis les sanglots reprendre de plus belle.

Mais le lendemain matin Lucy était calme, quoique pâle et les yeux rouges, et elle ne fit aucune allusion à mon départ pour Princeton. Elle partit de bonne heure pour le lycée et je ne parviens pas à me rappeler si nous en reparlâmes par la suite, car l'après-midi même elle revint à la maison confortablement installée dans la M.G. jaune de Red Chastain, et drapée dans son aura dorée.

Elle avait fait sa connaissance en même temps que nous tous, à l'un des bals de l'hiver précédent. Depuis, il tournait autour d'elle comme un chien perdu mais elle n'avait jamais montré le moindre intérêt pour lui et il n'était jamais venu à la maison de Peachtree Road. Je me demandais souvent pourquoi. Normalement, « Red » Chastain aurait dû être une proie digne des flèches de Lucy. Il n'était pas une Rose dans tout Atlanta qui n'eût volontiers renoncé à ses danses incoupables pour devenir la petite amie attitrée de Red. Mais si un grand nombre d'entre elles réussirent à retenir suffisamment son attention pour un ou deux rendez-vous, nulle autre que Lucy ne l'intéressa très longtemps. Rien d'étonnant. Je crois sincèrement que, même à l'époque du lycée, Red Chastain aurait pu avoir n'importe quelle femelle entre douze et trente ans sur laquelle il aurait jeté son dévolu.

Fils d'un fabricant d'engrais extrêmement riche du sud-est de la Géorgie, il était passé d'une école militaire à l'autre depuis l'âge de sept ans, restant rarement plus d'une année dans chaque établissement avant d'en être exclu pour quelque violation flagrante, nonchalante et moqueuse du règlement. Il s'agissait généralement d'une bagarre, d'une soûlerie, ou des deux. De haute taille, il avait à peu près mon âge mais, du fait de sa prédilection pour les ennuis, il était une classe au-dessous de moi à North Fulton, où il était arrivé en milieu d'année après sa dernière exclusion. Il vivait temporairement et sous condition avec son oncle et sa tante, dans Northside Drive, et North Fulton était pour lui une dernière chance avant que son père ne renonce à lui faire suivre des études et ne lui coupe les vivres.

Red n'avait pas changé ses habitudes d'un iota mais North Fulton, établissement public, montrait plus d'indulgence que les forteresses militaires qui l'avaient tenu en captivité jusque-là. En outre, l'oncle et la tante, classiques parents pauvres, avaient une peur mortelle du père de Red et ne lui rapportaient pas les incartades de son fils. Elles ne faisaient qu'ajouter du lustre à sa légende, sauf aux yeux de Lucy.

– Il se prend pour un bourreau des cœurs, disait-elle d'un ton dédaigneux. Je vais le détromper.

Red avait des cheveux d'un blond argent, des yeux bleus aux paupières lourdes, le sourire insinuant et le caractère emporté de son père. Il passait pour avoir à son actif trois ou quatre grossesses suivies d'avortement dans plusieurs petites villes du Sud. Excellent danseur, bon athlète, il était possédé par cette sorte de rage fulgurante que beaucoup d'hommes du Sud cachent derrière de lents sourires affables.

On l'appelait Red* à cause de la teinte que la fureur donnait à son visage quand on le provoquait, ce qui arrivait souvent. Il n'était pas obtus, loin de là, mais vif et rusé comme un cobra. De fait, malgré ses antécédents scolaires catastrophiques – et parce que son père, ancien élève de Princeton, était une source potentielle de dons –, il envisageait avec confiance d'entrer dans cette université lorsqu'il obtiendrait le diplôme du lycée où il finirait par se faire une place. C'est la première chose que Lucy m'apprit sur lui, en lui adressant un charmant sourire tandis qu'elle disait :

– Red, je te présente mon cousin Gibby Bondurant, qui s'occupe de moi comme un grand frère chaque fois qu'il le peut. Sois gentil avec lui parce qu'il ira à Princeton, comme toi. Vous pourrez peut-être partager une chambre.

Et son sourire glissa de Red à moi, en une coulée abondante et lisse comme du sirop.

Red Chastain ressemblait tellement aux photos jaunies du jeune Jim Bondurant que Lucy gardait dans son album que je sursautai en le voyant, comme s'il avait réellement été ce fantôme doré.

Après ce premier jour, il n'y eut guère de moments que Lucy ne passât pas en sa compagnie ce printemps-là. Il venait la prendre le matin, la conduisait en voiture au lycée, déjeunait avec elle, déambulait dans les couloirs de North Fulton en serrant la taille de Lucy de son long bras, comme Boo Cutler avant lui, portait ses livres jusqu'à la M.G. décapotée, les jetait à l'arrière et emmenait Lucy, la raccompagnait chez nous juste à temps pour dîner et se changer avant de remonter dans la voiture. Le ronflement de son moteur était la première chose que j'entendais le matin avant de partir pour le lycée, la dernière que je percevais le soir avant de m'endormir. Lucy continua à se faire embrasser et caresser tard dans la nuit pendant ce dernier printemps embaumant le chèvrefeuille, mais la bouche, les mains et la voiture appartenaient désormais à Red, et à Red seulement.

* Rouge. (N.d.t.)

L'unique raison pour laquelle je savais qu'elle n'allait pas plus loin avec lui qu'avec les autres, c'était que personne n'en parlait, et qu'il y aurait eu immédiatement des ragots si l'acte avait été consommé. Car, ce printemps-là, on ne parla que de Lucy et Red Chastain.

Mes parents ne soufflaient mot des rapports de Lucy avec Red mais lui souriaient aimablement quand il remontait l'allée de la maison dans sa M.G., et il se montrait toujours d'une extrême politesse avec eux. Avec tante Willa c'était le charme même, et elle était plus amicale avec lui qu'avec n'importe quel autre petit ami de sa fille ; coquette, presque. Red avait cet effet sur la plupart des femmes. Et bien entendu, il était extraordinairement riche. Ce printemps-là, tante Willa fut un tantinet plus affectueuse avec Lucy, ou tout au moins sensiblement moins glaciale.

Bien que presque totalement absorbée par Red, Lucy se conduisait étrangement avec moi, se montrant alternativement dure et méprisante, désenchantée et presque provocante, constamment ballottée par le flot de ses émotions. J'attribuai son attitude au fait qu'elle refusait toujours que je parte et que je la laisse seule dans cette maison peu aimante, mais Sarah avait sa propre idée sur l'humeur versatile de ma cousine.

– Elle est tellement jalouse que tu me sortes qu'elle serait capable de nous tuer tous les deux, me dit-elle un jour, avant de rougir violemment.

Je rejetai cette explication en la raillant si ouvertement que Sarah n'en reparla plus. Les jours s'écoulèrent vers le mois de juin et la fin de l'année scolaire, et Lucy se consumait comme une chandelle blanche au bras de Red Chastain et dans sa M.G. jaune.

La dernière semaine de mai, quelques jours avant que j'obtienne mon diplôme, nous nous rendîmes, caravane de voitures ronflantes dans l'air étouffant et immobile de l'après-midi, au bord de la Chattahoochee, là où elle coule sous un vieux pont d'acier abandonné.

Nous étions tous là, le petit groupe des Buckhead Boys

d'avant les Gods, nombre d'entre nous déjà en compagnie de la fille avec qui nous entrerions dans la vie adulte. Ben Cameron avec la douce et brune Julia Randolph ; Tom Goodwin avec la petite et venimeuse Freddie Slaton ; Snake Cheatham avec Lelia Blackburn ; Pres Hubbard avec Sarton Foy, aristocratique et laide, récemment arrivée de Savannah avec un arbre généalogique bleu roi qui écrasait les nôtres. A.J. Kemp avait emmené Little Lady, autorisée à nous suivre malgré ses quatorze ans parce que A.J. était pauvre, poli et jugé inoffensif par tante Willa. J'étais avec Sarah. Même elle semblait affectée par la nervosité sous-tendant la surface lisse de cette journée et elle avait abandonné son atelier. Charlie Gentry, qui était seul, était venu avec Sarah et moi dans la Fury, lançant des plaisanteries de la banquette arrière et observant Sarah pour voir comment elle réagissait. Je le voyais dans le rétroviseur.

Lucy était avec Red Chastain.

Nous n'avions pas décidé d'aller au bord de la rivière. Nous avions juste quitté Wender & Roberts, las de la fraîcheur viciée de la climatisation, et nous avions dérivé jusqu'à l'eau, comme attirés par le chant d'une sorcière. Nous nous y rendions trois ou quatre fois par an, au printemps et en été, sans intention précise.

Nous n'aurions su dire pourquoi. Une dizaine de piscines convenaient mieux que la Chattahoochee pour nager, et il ne manquait pas d'endroits plus adéquats pour flirter. Nous étions de même plus à notre aise pour boire sur les parkings des quelques *drive-in* entourant la ville, dans l'obscurité. A cette époque, il n'y avait aucune partie de la rivière où l'on pouvait mettre un bateau à l'eau, et le rafting ne fit fureur que vingt ans plus tard. Aucun d'entre nous n'aurait été surpris en train de pêcher : la pêche était pour nous, d'un point de vue social, l'équivalent du bowling. Ce n'était même pas une rivière très agréable à regarder. Elle coulait, opaque et plate, jaunie par la boue des contreforts où elle prenait sa source, et n'était agrémentée, dans cette partie, par nuls bancs de sable, rapides ou chutes.

D'une profondeur trompeuse, elle coulait rapidement sous une apparence de serpent paresseux, et même les jours de forte chaleur elle demeurait froide au mois de mai. On aurait dit un simple ruisseau lent et brunâtre se frayant un chemin entre des berges plates envahies d'herbe. Elle était bordée de quelques bosquets de vieux saules magnifiques et de gracieux bambous. Par endroits, le sol s'élevait en longues palissades de granit, et les prairies, les bois qui la dominaient n'étaient pas encore envahis par les chalets, les châteaux et les villas qui se disputeraient ses rives dix ans plus tard.

– S'il ne se met pas à pleuvoir, je vais bondir hors de ma peau, je le jure, déclara Lelia Blackburn en écartant sa chevelure de son cou moite.

– Et hors de tes vêtements ? suggéra Snake.

Elle lui donna une petite tape.

Nous étions tous sur le point de bondir hors de notre peau comme des raisins mûrs, ce jour-là. Il y avait de l'orage dans l'air lourd et humide. La chaleur, forte pour le mois de mai, durait depuis trop longtemps. La saison estudiantine battait son plein avant de s'achever et nous étions tous épuisés. Plusieurs filles, fâchées avec leur petit ami et entre elles – situation normale qui s'aggravait à cette période de l'année –, échangeaient des piques avec précision.

– Sarton, je vois à travers ta jupe quand tu te mcts à contre-jour, gazouilla Freddie Slaton. Tom me tuerait si je montrais ma culotte à tout le monde comme ça.

– Tu ne risques pourtant rien, répliqua l'aristocratique Sarton. La vue de ta culotte plongerait probablement tout le monde dans le coma.

Une tension sexuelle non assouvie bourdonnait dans l'air comme de l'électricité le long d'un fil. La plupart d'entre nous s'étaient embrassés et caressés à en devenir fous pendant les longues nuits chaudes, après les bals. Les examens approchaient. Au-dessus de tous, en particulier de ceux d'entre nous qui étaient en dernière année, planaient les miasmes lourds qui flottent au-dessus de chaque grand fossé de la vie et du temps. La date du diplôme approchait et, quoi que nous puissions en attendre, nous avions tous la certitude que la vie ne serait plus jamais aussi douce, lisse et dorée.

Ben Cameron ne fut pas loin d'exprimer ce que nous ressentions tous.

– Nous ne reviendrons jamais près de ce pont, dit-il, les yeux gris lointains et comme noyés.

– Oh ! si, intervint Julia. Bien sûr que si.

– Ce ne sera pas nous qui viendrons, reprit Ben.

Personne ne lui demanda ce qu'il voulait dire.

Il n'y avait aucune circulation sur le vieux pont – le nouveau, bâti un peu en aval, l'avait totalement drainée – et l'eau coulait, silencieuse et lisse au soleil, vers Apalachicola et la mer, nous fascinant. Même les cigales ne troublaient pas le silence de leur chant mais nous entendions, tout en bas, le petit bruit frais d'un serpent, d'une tortue ou d'une autre créature aquatique entrant dans l'eau. Il était trois heures de l'après-midi quand nous allâmes sur le pont et, les bras appuyés sur le vieux parapet corrodé, contemplâmes le miroir terni de la rivière. Sa surface n'était pas brune ce jour-là mais gris étain, et tout le ciel de mai, les grands galions bordés d'argent des nuées orageuses, y était pris. Il n'y avait pas un souffle d'air ; le vent était tombé à midi.

Sarah soutient dur comme fer que c'est Lucy qui commença. Elle a probablement raison. J'étais trop loin pour l'entendre mais c'était bien dans sa manière et, ce jour-là, elle était prête pour ce genre de choses comme une bombe amorcée. Je devinai en la voyant descendre de la M.G. avec Red qu'ils avaient bu, et pas seulement de la bière. Les joues de Lucy étaient enflammées par les deux cercles d'un rouge fiévreux que l'alcool y peignait toujours. Ses yeux renvoyaient comme un coup de poignard la lumière du soleil.

– Le dernier dans la flotte est un... Bovis Hardin ! s'écria-t-elle d'après Sarah.

Et elle avait ôté sa jupe, sa blouse sans manches et ses chaussures noires avant même d'achever sa phrase.

J'avais cessé de contempler l'eau quand j'entendis Snake brailler : « Idiote ! Tu veux te tuer ? », mais avant même de me retourner, je savais qu'il s'agissait de Lucy. Elle était là, en équilibre sur le parapet, les doigts de pied crispés, vêtue uniquement de sa culotte et de son soutien-gorge. Avec un long cri de joie, étrange et inarticulé, elle plongea dans l'eau reflétant le ciel, sept bons mètres plus bas. Red Chastain, en slip lui aussi, la suivit dans un bond paresseux de panthère. Pendant un long moment angoissant, il n'y eut sur l'eau grise que les stigmates concentriques de leurs plongeons, puis, de leur tête lisse et mouillée, ils brisèrent la surface comme des phoques, et leurs bras minces, musclés, les portèrent à une petite plage de sable bordée de saules, quelques mètres plus bas.

Nous demeurâmes un long moment encore enveloppés par le silence, le soleil et l'air bourdonnant. Puis Snake plaça ses mains en porte-voix autour de sa bouche, poussa le grand cri de Tarzan des après-midi au cinéma de notre enfance et sauta du pont.

– Kowa Bunga ! beugla Ben avant de l'imiter.

– Oh ! mon Dieu, je me ferai *tuer* si mes parents apprennent ça, glapit Julia.

Mais elle s'extirpa de son pantalon corsaire, défit sa blouse, ferma les yeux et sauta, pieds en avant, à la suite de Ben.

Julia aurait suivi Ben en enfer ; dans un certain sens, c'est d'ailleurs ce qu'elle fit plus tard.

La longue tension de la journée fut alors rompue. L'un après l'autre, les Roses et les Gods de Buckhead se dépouillèrent de leurs habits en criant et plongèrent dans la rivière. Avant même que je puisse reprendre ma respiration, nous n'étions plus que quatre sur le pont. Pres, qui ne pouvait pas nager avec sa lourde armature orthopédique, souriait et glapissait près de nous. Charlie, diabétique, risquait la mort s'il nageait dans une eau froide. Et Sarah Cameron, de loin la meilleure plongeuse de nous tous, se tenait nonchalamment appuyée au parapet et souriait avec froideur à ceux d'en bas qui nous criaient de sauter.

– C'est de l'épate, me glissa-t-elle à voix basse. Pas du courage. Sois vraiment courageux, ne saute pas.

De toute la bande, seule Sarah – et quelqu'un d'autre – savait que ma peur des hauteurs confinait à la terreur.

Lucy l'avait toujours su.

Les autres s'ébrouaient dans l'eau, gambadaient sur la petite plage, mouillés, hilares, un peu étonnés de leur propre audace. Même les filles riaient. Même Freddie Slaton, qui faisait penser à un serpent d'eau ; même Little Lady, qui ressemblait à un poussin de Pâques trempé ; même Sarton Foy, qui avait l'air de ce qu'elle était : une aristocrate presque nue, dégouttant d'eau.

– Sautez ! Sautez, tous ! piaillait-elle. Vous êtes de la merde si vous ne sautez pas !

Sarton est, hormis Lucy, la seule femme de ma connaissance dans la bouche de qui les propos orduriers sonnaient comme un *Ave Maria*.

Tout le monde riait, sauf Lucy. Lucy ne riait pas, ne souriait même pas. Elle se tenait un peu à l'écart, mince et mouillée comme un roseau, la tête en arrière, le corps brillant sous le nylon collant à sa peau. Me regardant droit dans les yeux, elle porta une main à la bouche et cria :

– Allez, Gibby, sinon t'auras l'air d'une tapette ! Allez ! Suis ma pi-i-iste !

En entendant ce cri impératif surgi de notre enfance, j'arrachai mon pantalon et ma chemise, grimpai sur le parapet d'acier brûlant, me tins à une entretoise et, les yeux clos, m'apprêtai à sauter. Je rouvris les yeux, regardai l'eau si désespérément distante et vis à la place le ciel infini, tourbillonnant. Je tombai en arrière sur le pont, à quatre pattes, et vomis.

En bas, le rire de Lucy s'éleva par-dessus un chœur de cris joyeux et durs. Il me sembla durer éternellement. Lorsque, rhabillé, je retournai à l'endroit où j'avais garé la Fury, Sarah dans mon sillage, Lucy avait escaladé la berge et se tenait près de l'entrée du pont, mouillée et radieuse, luisante comme une jeune loutre. Red Chastain souriait avec insolence à côté d'elle.

– Qu'est-ce qui se passe, Gibby ? demanda-t-elle d'un ton badin. Quelque chose que tu n'as pas digéré ?

Red éclata de rire.

Sarah Cameron leva son bras mince et hâlé, gifla Lucy avec une telle force que son cou bascula en arrière et que ses cheveux trempés lui fouettèrent le visage. Il se trouve toujours quelqu'un pour gifler Lucy, pensai-je stupidement.

– Je ne te le pardonnerai jamais, Lucy Bondurant, dit Sarah d'une voix que je ne lui connaissais pas et que je n'entendis plus jamais. Shep te pardonnera, parce que c'est un idiot. Mais moi non.

Nous passâmes devant eux, montâmes dans la Fury étouffante avant que l'un d'eux ouvrît la bouche, et je n'aurais su dire ce qu'ils nous crièrent alors. Je mis le contact, lançai la voiture dans Paces Ferry Road, déserte et noyée de soleil. Ni Sarah ni moi ne tournâmes la tête.

Nous rentrâmes sans prononcer un mot mais, lorsque je la déposai devant la longue allée des Cameron, je me penchai vers elle et embrassai brièvement ses lèvres douces qui, curieusement, avaient un goût de larmes.

– Merci, Sarah, fis-je.

– De rien, Shep, répondit-elle.

De ce jour jusqu'au matin d'été où je partis pour Princeton, je sortis rarement sans avoir Sarah pour cavalière.

Ce soir-là, Lucy versa des larmes de remords abondantes et sincères, montrant un repentir si profond et un tel désespoir que je lui pardonnai, comme je l'avais toujours fait et comme je le ferais toujours. Comme Sarah l'avait prédit. Mais la courte distance qui nous séparait maintenant était infranchissable. J'avais découvert, à ma grande douleur et à ma profonde surprise, que ce qu'elle m'avait légué n'était pas, comme je l'avais cru, la puissance du sauveur et la quasi-sainteté, mais la blessure béante de la vulnérabilité. Le bouclier invisible et invincible que nous avions forgé ensemble, le jour de notre première rencontre ou presque, avait été brisé et le sang avait coulé. Aucun de nous, je le sais, n'oublia jamais ce jour, même si personne n'en reparla jamais, du moins en ma présence.

Presque immédiatement après l'épisode de la rivière, le bruit se mit à courir que Lucy commettait l'« acte sale » avec Red Chastain presque chaque soir et qu'ils avaient le vague projet de se fiancer lorsqu'il obtiendrait enfin son diplôme – s'il l'obtenait un jour. Comme elle ne portait pas d'insigne* – Red ayant refusé de devenir membre d'une association quelconque –, je n'avais aucun moyen de savoir si cette dernière rumeur était fondée.

Je savais que la première l'était. Lucy avait dans la démarche une maturité, une nonchalance nouvelles qui, même à mes yeux naïfs, proclamaient l'accomplissement.

Je ne lui parlai jamais de ces ragots et elle non plus. D'ailleurs nous nous parlions peu à cette époque. Je restais hors de la maison aussi souvent, aussi longtemps que possible, me réfugiant chaque soir chez les Cameron, jusqu'à ce qu'ils me fassent gentiment rentrer, et Lucy demeurait dans sa chambre quand elle n'était pas avec Red. La dernière semaine, elle ne prit même pas ses repas avec nous et j'ignore où elle mangea, si elle mangea. Une nuit, elle découcha et eut une violente dispute avec tante Willa lorsqu'elle rentra au matin, rajustant ses vêtements. Je ne crois cependant pas qu'elle fut punie, ou qu'elle accepta son châtiment si elle le fut, car on ne la vit pas dans la maison de Peachtree Road cette semaine-là, et j'en éprouvai surtout une gratitude obscure et coupable de ne pas avoir à adoucir une nouvelle quarantaine. Je ne voulais alors que deux choses : être à proximité du havre de détente et de légèreté qu'était Sarah, et quitter Atlanta pour Princeton.

Il me vint à l'esprit beaucoup plus tard seulement que Sarah comme Princeton pouvaient vouloir quelque chose de moi en échange.

* Une jeune fille porte l'insigne de l'association de son petit ami quand leurs relations prennent un caractère régulier. (N.d.t.)

Je partis un trimestre plus tôt que prévu, un jour de fin juin où la pluie, la fraîcheur étaient revenues, où l'air sentait le chèvrefeuille, l'herbe fraîchement coupée et la terre molle et reconnaissante. Je pris le train à la gare de Brookwood car les étudiants n'avaient pas le droit de pénétrer en voiture sur le campus de Princeton avant la troisième année. Ma mère en larmes, les Cameron souriants vinrent me dire au revoir dans l'air frais du petit matin. Mon père, qui se trouvait à Sea Island pour une réunion de promoteurs immobiliers, m'avait fait ses adieux auparavant avec froideur. Lucy était quelque part avec Red Chastain. Nous ne nous étions pas dit au revoir.

Sarah vint régulièrement à Princeton assister aux matchs de football et, plus tard, aux soirées dansantes. Ma mère et mon père ne s'y rendirent que rarement, pour des visites parentales officielles et guindées. En dehors de quelques brefs séjours obligatoires à Noël, Pâques et autres vacances inévitables, je ne revins pas à la maison avant longtemps, et certes pas de mon propre gré.

A ce moment-là, Lucy était partie.

DEUXIÈME PARTIE

11

Un matin brumeux de fin octobre, au début de ma troisième année à Princeton, j'étais assis avec Sarah Cameron sur la banquette placée dans l'embrasure de la fenêtre d'une des vastes et somptueuses suites des étages supérieurs de Blair Arch. Je l'embrassai, posai une main tremblante sur la lourdeur tendre de son sein.

Elle leva son visage du creux de mon épaule, sourit.

– Ne fais pas cela, Shep, je t'en prie, murmura-t-elle. Je ne sais pas comment réagir. Et nous avions promis d'attendre.

– Je sais, dis-je, ma voix se brisant dans ma gorge. Mais réfléchis, lorsque tu seras une vieille dame, tu pourras raconter que tu as perdu ta virginité dans la chambre de Dub Vanderkellen, à l'âge de dix-huit ans. C'est une occasion trop belle pour que tu la laisses passer.

– C'est pourtant ce que je vais faire, répliqua Sarah, se redressant sur les coussins de tapisserie, les épaules en arrière, comme lorsqu'elle était blessée ou offensée.

Je compris que ma tentative d'être raffiné et insouciant, comme je le pensais indiqué pour l'occupant – même temporaire – de la garçonnière de l'un des plus riches héritiers du pays, le don Juan le plus accompli de Princeton, avait paru au contraire grossière et insultante. Je rougis violemment. Même à demi étendue sur la légendaire banquette de la célèbre suite de Dub Vanderkellen, où d'innombrables jeunes filles de la haute société avaient, prétendait-on, rendu les armes, Sarah restait Sarah. Ce que j'avais dit était indigne d'elle et de moi.

– Je suis navré, m'excusai-je.

Je regardai le désordre acajou de ses boucles, les minces épaules bien faites, les omoplates saillant sous le cachemire bordeaux. En plus de ma honte et de mon embarras, j'éprouvais un vif désir de la défendre qui n'avait rien à voir avec le sentiment protecteur violent et étrange que j'avais si souvent ressenti pour Lucy.

Elle tourna vers moi son visage encore bruni par le soleil de l'été et illuminé par son sourire épanoui.

– C'est vrai que l'occasion est trop belle, reconnut-elle. Et je l'aurais peut-être dit moi-même si tu ne l'avais fait. Mais pour que l'histoire soit vraiment bonne, il aurait fallu que ce soit avec Dub Vanderkellen lui-même que je perde ma virginité, et j'aimerais encore mieux faire ça avec un crapaud. Quand je cesserai d'être pucelle, ce sera avec Shep Bondurant, et j'en serai cinquante fois plus fière, mais je ne sais ni où ni quand ça arrivera.

– Dub ne serait pas précisément ravi de t'entendre le traiter de crapaud, dis-je.

Je prononçai le lumineux prénom avec une familiarité que n'autorisaient pas deux brefs mois d'appartenance commune au Colonial Club. Sans me l'avouer vraiment, j'étais fort impressionné de faire partie du même club que l'un des puissants Vanderkellen de Pittsburgh, Palm Beach, Antigua et Londres. J'avais toujours connu la richesse à Atlanta, mais sans imaginer des fortunes comparables à celles que j'avais sous les yeux à Princeton en la personne de trois ou quatre étudiants assez quelconques, dont Dub Vanderkellen était incontestablement le prince. L'acier Vanderkellen équipait apparemment tout le monde libre. Néanmoins, c'était le romanesque de ce grand nom, non son argent et sa puissance, qui m'intriguait tant.

En voyant Dub quitter le Colonial dans la petite voiture

de sport d'une fille de Bryn Mawr*, vêtue d'une cape en poil de chameau, j'avais eu l'audace de lui demander si je pouvais emmener Sarah dans sa chambre pour lui montrer la célèbre vue. Dub occupait l'une des quelques suites véritablement grandioses, vastes et offrant une vue spectaculaire du campus tout en haut de Blair Arch, bâtiment de brique et de pierre claire, à créneaux et à meneaux, qui établit une fois pour toutes la mode de l'architecture gothique pour les universités américaines. Ma propre suite d'étudiant de première puis de deuxième année dans le bâtiment Holder, avant que je ne m'installe au Colonial, fleurait bon l'antiquité et la poussière aristocratique mais ne soutenait nullement la comparaison avec les immenses appartements de Blair.

– Bien sûr, avait jeté Dub par-dessus son épaule, lorgnant l'éclair de cuisse nacrée que la fille de Bryn Mawr montra en se coulant dans la Jaguar. Vas-y. Mais n'embête pas Sarah. Elle est trop bien pour ce à quoi tu penses. Laisse ça aux pros.

Tandis que la voiture démarrait en grondant, le groupe qui nous entourait avait éclaté de rire, Sarah et moi aussi, mais j'avais été le seul à rougir. Dub savait naturellement que ce n'était pas le panorama mais la merveilleuse chambre elle-même et l'empreinte de son occupant tant vanté que je voulais montrer à Sarah. C'était la première visite de Sarah au Colonial, pour le match contre Yale, mais elle avait immédiatement fait la conquête de ses membres, comme elle avait séduit mon autre bande, plus restreinte, lorsque j'habitais l'escalier 4 du bâtiment Holder. Je savais qu'il se trouvait déjà plusieurs membres du Colonial qui m'auraient sérieusement rossé s'ils m'avaient cru capable de la déshonorer. Sarah inspirait ce sentiment protecteur partout où elle allait. J'avais vu sur le visage de Mac Thornton, mon mélancolique compagnon de chambre à Holder, et de Chalmers Stringfellow, ce week-end, l'expression que j'avais

* Université de jeunes filles. (N.d.t.)

si souvent remarquée sur la face anguleuse de Charlie Gentry. Une réelle sollicitude. Et de la tendresse.

Sarah me frappa légèrement le menton du dessus soyeux de sa tête et dit :

– Dub Vanderkellen ressemble à un crapaud, c'*est* un crapaud. Aucune personne sensée ne s'approcherait de lui, dans sa chambre ou n'importe où, s'il s'appelait Smith ou Jones... Ou Bondurant, ajouta-t-elle d'un ton grave.

Je fis mine de lui donner un coup de poing au menton, me retournai et, contemplant la fin de matinée humide, poussai un soupir de pur bonheur. Tout était si parfait dans mon monde que je pouvais presque entendre la musique intérieure de la planète. Ce joyau, ce petit être parfait qu'était Sarah et qui m'appartenait, était assis près de moi dans la suite d'un des grands noms de la haute société et de l'industrie américaines qui, fait incroyable, faisait partie du même club que moi. Et à nos pieds, sous les dernières gouttes d'une légère pluie d'automne, s'étendait ce lieu qui avait ravi mon cœur, mon âme et mon imagination : Princeton.

J'en avais ressenti le charme dès que j'étais descendu du petit train reliant la gare de Penn à Princeton Junction, deux automnes plus tôt, et que j'avais posé les yeux sur tout ce gris-vert aussi intemporel et fertile en mythes que l'Angleterre du roi Arthur. C'était un sentiment tout à fait différent de ma violente attirance pour le 2500 Peachtree Road et le giron protecteur de la gloriette. Ces bras-là enfermaient, ceux de Princeton élargissaient l'horizon.

– Je crois que c'est sous la pluie que cet endroit me plaît le plus, dis-je à Sarah, avant de respirer profondément.

La veille, après la victoire sur Yale, nous avions allumé un feu de joie sur la pelouse et une odeur de feu de bois humide montait encore dans l'air, âpre, vaguement dangereuse et cependant agréable.

– Je discerne une centaine de couleurs dans le gris, déclara Sarah. (Elle se pencha elle aussi et je pressai mon menton contre le sommet de son crâne.) Du rose, du bleu, du vert, du violet, du noir et même du jaune. Un jaune de chrome. Pas toi ? Princeton ne peut pas être simplement gris.

Je venais de passer le genre de week-end que j'imaginais dans mon enfance quand je pensais à l'université. Une création de Disney, ou plutôt de James Hilton, avec l'aide de Mr. Ghips. Sarah était arrivée d'Atlanta vendredi soir à bord d'un gros D.C.-7 et j'avais emprunté la Plymouth de Mac, si semblable à ma Fury, pour aller la chercher. Étudiant de troisième année, j'avais droit à la Fury, mais naturellement Lucy se la réservait et j'étais sans voiture. Cela ne me dérangeait pas particulièrement. Je quittais rarement le campus sauf pour me rendre à New York avec Alan Greenfeld, mon troisième compagnon de chambre à Holder, et nous prenions le P.J. & B.* pour cela. En cas de besoin, un membre du Colonial me prêtait sa voiture, comme cette fois-là.

Je m'étais habillé avec soin pour aller à l'aéroport de Philadelphie. Nous devions revenir à Princeton pour un cocktail organisé au Colonial puis j'emmènerais Sarah dîner au *Lahiere's*** et nous retournerions ensuite danser au club. La grande soirée dansante aurait lieu samedi, avec un orchestre de jazz de la boîte d'Eddie Condon et un buffet pour les anciens élèves, mais celle de vendredi serait encore meilleure à plusieurs égards : lumière tamisée, longs slows pendant lesquels les membres du club et leurs petites amies, serrés l'un contre l'autre, se laisseraient aller au balancement rituel qui, tel un fil brillant, parcourait toute notre adolescence.

Je portais une veste légère en tweed, une chemise Oxford blanche toute neuve et un pantalon de flanelle grise. Je nouai et renouai ma cravate Colonial jusqu'à être totalement satisfait, tournai la tête à droite, à gauche en m'examinant dans le petit miroir trouble de mon casier au club pour vérifier que Harold, le coiffeur, ne m'avait pas trop dégarni

* Ligne ferroviaire reliant Philadelphie à New York. (N.d.t.)
** Grand restaurant de Philadelphie. (N.d.t.)

le dessus de la tête. La mode était aux brosses rases mais, avec ma longue figure de jeune faucon, cela me faisait ressembler à un oisillon déplumé, mon crâne rose apparaissant sous les cheveux blonds. J'avais donc opté pour une espèce de casque court et lisse, créé à mon intention par un Harold résigné.

Je sortis du Colonial sous une douce lumière bronze de fin d'après-midi, faisant tinter les clefs de la Plymouth de Mac et sifflotant *Darktown Strutters' Ball,* conscient de l'image que je donnais, dans la véranda du vieux bâtiment à colonnes dans cette vieille rue de clubs, de privilèges et de fortunes: L'élite de la jeune Amérique, pensai-je avec suffisance. Une élite qui jouit du printemps de la jeunesse après une semaine passée à se préparer à servir la nation.

C'était l'ossature de Princeton, cette notion de service. J'en avais entendu parler à la première messe à laquelle j'avais assisté dans la chapelle et je l'avais aussitôt adoptée, comme la plupart d'entre nous, je crois. C'est pendant cette messe que j'avais entendu pour la première fois la prière pour Princeton : « ... Et à tous ceux qui travaillent ici, à tous ses diplômés dans le monde entier, accorde l'esprit de courage et d'abnégation, l'amour du service. » Servir. J'adorais cette idée. Je songeais, en ce jour d'octobre, que j'y consacrerais ma vie avec joie. Mais d'abord, j'irais chercher Sarah.

La rue grouillait de jeunes gens qui, comme moi, délaissaient un temps l'étude et l'abnégation pour prendre le rythme du week-end de Yale. Nous nous tenions sur les marches de chaque club, jeunes gens bien nés et bien lotis, bien habillés, bien préparés à notre monde, présent et futur. A nos côtés, quelques filles arrivées en avance apportaient une touche de couleur avec leurs tailleurs et leurs ensembles parmi la grisaille du tweed et de la flanelle, riant du rire fruité de la jeunesse.

Tous les clubs étaient présents en force ce soir-là. Ils présentaient de subtiles différences en matière d'ethos et de rang social, ces bastions du privilège désinvolte, mais pas un des jeunes hommes en ce soir d'automne ne se sentait totalement ignoré par Dieu. Savoir si les autres, ceux qui formaient la partie immergée de l'iceberg de Princeton, les tâcherons, les médiocres, sentaient aussi sur eux cette attention ne donnait pas lieu à des spéculations passionnées car nous, qui habitions Prospect Street, n'en connaissions guère. Les clubs de Princeton ne sont pas et n'ont jamais prétendu être farouchement attachés à la démocratie et à la charité.

C'est une Sarah devenue totalement femme qui descendit d'avion à Philadelphie, merveilleusement belle dans un tailleur rouge foncé à col de mouton doré. Je l'embrassai sur la joue avant de parler, essayant de gagner du temps pour m'habituer à l'impression d'étrangeté qu'elle dégageait. Cela se produisait pendant les premiers instants de chacune de ses visites à Princeton : la Sarah que j'accueillais à l'aéroport ou à la gare ne faisait pas partie du monde que j'avais laissé à Atlanta ni de celui de Princeton ; c'était une petite créature, adorablement faite, de nulle part et de partout.

Je sentis la douceur satinée de sa joue, son odeur de propreté, entendis son « Salut, Shep » hésitant, et tout à coup elle fut Sarah, une Sarah qui s'intégrait à mon nouveau monde, et je fus envahi par un sentiment proche de l'amour parce qu'elle était capable de cette prouesse : faire instantanément partie de ces deux mondes. Parfois, quand une nouvelle merveille surgissait du sol de Princeton et me transportait, étonné et ravi, je me tournais instinctivement vers l'image de Charlie ou de Lucy pour leur en parler, et je m'apercevais, avec un serrement de cœur, qu'ils n'auraient pas compris. Qu'ils ne pouvaient pas *venir* à Princeton, dans tous les sens du terme, comme Sarah le faisait. Charlie était trop plongé dans Atlanta et dans le Sud, Lucy dans ses besoins complexes et ses idées fantasques, dans son entêtement récent à n'accepter de connaître que le Shep Bondurant de Peachtree Road.

Mais Sarah... Sarah quittait ce monde régulièrement et sans effort pour me rejoindre partout où j'allais, et la joie qu'elle me procurait chaque fois qu'elle le faisait était effectivement très proche d'une sorte d'amour.

– Salut, Sarah, dis-je.

Et j'ajoutai en riant :

– Salut, Sarah Tolliver Cameron !

Au club, ce soir-là, elle rayonna dans son tailleur rouge, et les sombres oiseaux exotiques de Radcliffe, Bryn Mawr, Sarah Lawrence, ou même Wellesley et Vassar* firent pâle figure auprès d'elle. Tous les membres du Colonial – et des autres clubs – savaient danser, mais ce soir-là, Sarah et moi leur montrâmes ce qu'était la danse chez les Roses et les Gods d'Atlanta. Quelque chose d'entièrement différent. Je n'avais jamais dansé aussi longtemps et aussi bien, sans le moindre effort, et Sarah accompagnait chacun de mes pas. Nous occupâmes la piste pendant près d'une heure, entourés de membres du Colonial admiratifs et de filles renfrognées. Margaret Bryan eût pensé qu'elle n'avait pas vécu en vain si elle nous avait vus.

Je n'avais jamais connu une telle joie. Je me rappelle qu'en faisant tournoyer Sarah pendant un interminable chorus d'*In the Mood*, je songeai que je n'avais rien à envier à A. J. Kemp. Ni à Gene Kelly, ni à Fred Astaire. Lorsque nous achevâmes notre démonstration, riant et suant, tout le club se bouscula pour danser avec Sarah. Elle était encore grisée par ce succès quand je la raccompagnai à son logement, dans une rue tranquille derrière University Place, où la vieille et noble veuve d'un professeur de langues romanes très estimé louait des chambres aux jeunes filles de bonne famille en visite. J'avais fait la connaissance de cette vieille dame en première année, sur la recommandation de Mac, puis l'avais soumise à l'approbation de Ben et Dorothy Cameron pour que Sarah puisse venir me voir quand elle le voulait. Ses parents ne mirent aucune restriction à ses visites ; ils avaient toujours eu confiance en elle, et aussi en

* Universités de jeunes filles. (N.d.t.)

moi, je pense. Ce fut Sarah elle-même qui les limita à deux ou trois par an.

– Je ne veux pas que tu te lasses de moi, me dit-elle d'un ton terre à terre à sa première visite, quand j'étais en première année et qu'elle n'avait que seize ans. C'est ce qui arrivera si tu me vois chaque fois que tu tournes la tête. En outre, je dois continuer à avoir les meilleures notes possibles parce que je veux étudier un an à la Sorbonne après le collège, et mes parents disent que je pourrai si je travaille bien à North Fulton puis à Scott. Ce serait très important pour ma peinture, Shep, cette année à Paris.

Dans la pénombre de la véranda de la veuve, je pris les petites mains de Sarah, les examinai et vis sous les ongles courts d'infimes traces de bleu de Prusse et de rouge d'alizarine dont ni la brosse ni l'essence de térébenthine ne parvenaient à venir à bout. Elle avait des mains rugueuses, chaudes et habiles. Elle n'aurait jamais les doigts minces et élégants de Lucy, les ovales parfaits qui étincelaient au bout des doigts des filles de Radcliffe ou de Bryn Mawr. J'embrassai une main puis l'autre.

– On se voit au petit déjeuner ou tu préfères dormir ? demandai-je.

– Tu plaisantes ? fit-elle, un sourire illuminant son visage dans l'obscurité. Petit déjeuner ! Et ensuite... quoi ? Il y a un endroit ici où on peut danser à neuf heures du matin ?

– Non, répondis-je. (Je l'embrassai, sentis sur ses lèvres la forme de son rire.) Garde un peu de ton énergie pour le softball*. On a un match contre Ivy à dix heures.

– Alors, attention, parce que j'ai une balle rapide que personne n'a encore réussi à attraper.

Elle se retourna, se dirigea vers la porte, revint vers moi en courant, me prit dans ses bras et me serra très fort contre elle. Lorsque je baissai le regard vers son visage, je vis des larmes briller dans ses yeux, bien qu'elle sourît.

* Sorte de base-ball opposant des équipes de dix joueurs sur un terrain réduit. (N.d.t.)

– Oh ! Shep, dit-elle, je suis si heureuse.
Avant que j'aie pu répondre, elle disparut dans la maison de la veuve.

Nous plongeâmes et tourbillonnâmes dans le samedi comme nous l'avions fait pendant la soirée dansante du vendredi. La journée fut radieuse, parfaite. Le soleil se leva plein d'une douceur qu'il conserva ensuite. Un petit vent fleurant l'océan lointain et les forêts de pins plus proches, chauffées par le soleil, souffla jusqu'au crépuscule. Nous gagnâmes la partie de softball contre Ivy, le match de football contre Yale, et l'air de la nuit, autour du feu de joie allumé plus tard sur Cannon Green, fut assez doux pour que nous fussions en *beer jacket**, en manches de chemise ou en cardigan. Nous poussâmes des cris de joie devant les flammes et les ombres bondissantes puis nous fîmes à pied le tour du campus au clair de lune, que commençaient à obscurcir les nuages chargés de pluie accourant de l'ouest. Quelqu'un, quelque groupe – pas les Nasoons, j'en suis sûr, mais un groupe presque aussi bon – chantait au pied de Blair Arch devant une foule rassemblée pour l'écouter. Nous nous arrêtâmes un moment.

« Going back, going back to Nassau Hall. Going back, going back... »

La foule reprit en chœur, Sarah et moi inclus. Elle avait appris dès ses premières visites les chansons de Princeton.

« We'll clear the track as we go back », chantions-nous, et nos voix s'élevaient vers les ombres distantes de la vieille arche de pierre. *« Going back to Nassau Hall... »*

Je sentis plutôt que je ne vis les larmes de Sarah, me retournai.

– Si tu prononces un seul mot, murmura-t-elle d'un ton violent, je monte à ma chambre et j'y reste jusqu'au moment de mon départ, demain soir.

* Veston clair et léger, tenue traditionnelle d'été des étudiants de Princeton. (N.d.t.)

Je gardai le silence. Pressant la main de Sarah, je mêlai ma voix à l'offrande suivante et pensai, quoique très confusément, que j'avais beaucoup de chance d'être en ce lieu ce soir-là, en compagnie d'une fille au grand cœur que la beauté de Princeton émouvait aux larmes.

Je regrette de ne pas l'avoir pensé plus clairement.

Nous allâmes ensuite au Colonial pour les cocktails et le buffet des anciens élèves ; nous dansâmes jusqu'à une heure avancée au son du trio d'Eddie Condon et j'embrassai à nouveau Sarah devant la maison sombre de la veuve, un baiser plus long et plus passionné que la veille, et ce ne fut pas elle mais moi qui m'écartai cette fois et lui fis monter avec douceur les marches du perron. Je crois que j'aurais pu tout connaître cette nuit-là du petit corps et du cœur ardent de Sarah, mais quelque chose en moi voulait garder cette soirée telle que la journée avait été : toute d'une pièce, équilibrée, parfaite. Je me rappelle m'être dit, en remontant McCosh Walk au pas de course pour battre de vitesse la pluie qui avait repris, que Sarah et moi avions tout notre temps.

Maintenant, dans deux heures, tout au plus, il serait temps de la raccompagner à l'aéroport de Philadelphie. Je pensais que nous pourrions retourner déjeuner au *Lahiere's* et aller ensuite regarder les bateaux s'entraînant sur le lac Carnegie pour les régates, mais je demeurais où j'étais, les coudes sur l'appui de fenêtre de Dub Vanderkellen, contemplant le campus. Par une trouée dans les nuages, un rayon de soleil pâle frappait les tours de la chapelle et de la bibliothèque. Un chien noir bondissant s'acharna sur un tas de feuilles jaunes et les éparpilla, minuscule tornade d'or dans le gris du matin, puis détala vers Dieu sait quelle destination canine. Je ne me rendis compte que je souriais que lorsque le doigt de Sarah suivit le contour de ma bouche.

– Je comprends pourquoi tu aimes tant Princeton, dit-elle. C'est comme un film, n'est-ce pas ? Pas tout à fait réel. Comme un livre.

Elle avait raison. Princeton avait pour moi une perfection

de recueil de contes que rien – ni la neige grise à demi fondue de février, ni les interminables pluies froides de mars, ni la chaleur humide et suffocante de fin mai ou début septembre, ni les iniquités réelles du système des castes, ni même les deux suicides qui se produisirent dans les dortoirs anonymes pendant les vacances de Noël – ne gâcha jamais à mes yeux. Je crois que je suis un des rares étudiants qui quittèrent Princeton aussi entichés de l'établissement que le jour de leur arrivée. C'était, dans mon existence, la première chose qui était telle qu'elle devait être, qui tenait ses promesses et n'appartenait qu'à moi. Même le 2500 Peachtree Road, même la gloriette avaient en partie appartenu à Lucy. Princeton fut le seul grand amour de ma vie que je n'eus jamais à partager.

Et j'aimais le monde qui l'entourait. New York, bien sûr ; visiter la famille d'Alan Greenfeld dans son vieil appartement sombre comme une caverne de l'Upper West Side, avec son sévère mobilier Bauhaus ; écouter les premiers propos politiques libéraux que j'eusse jamais entendus autour d'une table familiale ; sortir ensuite avec Alan pour rencontrer nos *blind dates** (étudiantes à Sarah Lawrence et juives, pâles et intéressantes) sous l'horloge du *Biltmore*, puis nous enfoncer dans le bleu-violet particulier de Manhattan qui me faisait toujours penser à un crépuscule de novembre. *The Taft Grill, Peacok Alley, Café Society,* Eddie Condon *The Village Vanguard, The Five Note, The Village Gate.* Du jazz à flots, sauvage et libre, miel et fumée. Peut-être, après avoir mis les étudiantes dans leur train, le *Roseland,* où une taxi-girl, belle à mes yeux impatients d'être blasé, me demanda un jour :

– C'est quoi ta cravate ? L'aviation civile, hein ?

– Comment tu le sais ? répondis-je, rougissant de mentir.

Ou parfois, dans quelque maison barbouillée par le temps, semblable à une citadelle, dans Bronxville ou Old Saybrook, Short Hills ou Buck's County, pour d'autres conversations

* Personne avec qui on a rendez-vous pour sortir sans la connaître. (N.d.t.)

enivrantes sur les livres, la musique, l'art, le théâtre, la politique (conservatrice, cette fois) avec les parents d'amis, des parents qui me considéraient comme un égal et avaient si peu en commun avec tous ceux que je connaissais à Atlanta – sauf peut-être Ben et Dorothy Cameron – qu'ils auraient pu venir d'une autre planète.

Et toujours New York, qui s'étendait là-bas, hors de portée, juste derrière Princeton, promesse en soi qui signifiait que l'enchantement ne s'achèverait pas avec le diplôme mais ne ferait que s'étendre et s'épanouir. Après Princeton, ceci.

Je découvris de bonne heure la bibliothèque Firestone. Mis à part Lucy et Sarah, il y eut une seule autre rencontre dans ma vie qui en modifia le sens et la forme, et ce fut avec cette éminence qui n'avait pas dix ans mais dont la masse magnifique semblait séculaire, et qui était déjà alors la plus grande bibliothèquc de recherche avec libre accès aux livres du monde entier. Après ma première visite à Firestone, quand je n'étais pas en train de manger, de dormir, d'assister à un cours, de passer un week-end à New York ou, beaucoup plus rarement, avec Sarah, j'étais immergé dans la bibliothèque.

Je me lançai dans l'étude et la recherche personnelle comme un marin longtemps demeuré à terre reprend la mer et pris aussitôt l'histoire comme matière principale à la place de science politique, avec la littérature anglaise comme matière secondaire, parce que c'était la discipline qui me permettrait de passer le plus de temps à Firestone. Je prévoyais – quand il m'arrivait de penser à l'avenir – de trouver à New York après l'examen un travail quelconque conciliable avec la recherche pure – dans un musée, une fondation historique, à moins d'une heure de voiture de Firestone – et d'enseigner peut-être ensuite dans un beau petit *collège* de Nouvelle-Angleterre possédant lui-même une bibliothèque de premier ordre. Je ne me souciais absolument pas d'être mal payé et de demeurer ignoré le reste de ma vie. Mon cœur avait trouvé sa source, mon esprit sa manne.

Je regardai Sarah. Le soleil se coulant timidement par la fenêtre de Vanderkellen frappait son visage, ses cheveux et la somptueuse couleur d'airelle de son cachemire. Elle y avait épinglé le chrysanthème orange avec la petite balle de football dorée et les rubans noir et orange que je lui avais donné hier pour le match, et qui aurait pu paraître horrible sur son pull mais ce n'était pas le cas. Sarah au soleil nouveau semblait faite de lumière, de feu et de fleurs. Elle sourit.

– J'ai l'impression que, d'une seconde à l'autre, je verrai Mickey Mouse déboucher dans Nassau Street sur une locomotive, ou une licorne venir paître sur la pelouse, dit-elle.

– Je sais. J'éprouve la même chose. C'est merveilleux, c'est idyllique, mais quel rapport avec le monde réel ?

– Quelle importance que ce ne soit qu'une illusion si c'est réel pour toi ?

– Aucune, répondis-je. Jusqu'ici l'illusion est parfaite. Peut-être parce que je ne suis pas réel, moi non plus.

– Aucun de vous ne l'est, renchérit Sarah. Aucun des garçons que j'ai rencontrés à Princeton n'est réel. Vous êtes tous pareils, curieusement, malgré vos différences. Tellement naïfs.

– Dub Vanderkellen naïf ? Grunt Grady naïf ?

– Je veux dire... c'est comme Peter Pan. Vous êtes la légion des enfants perdus, cachés ici dans ce monde merveilleux.

Je fronçai les sourcils.

– C'est *toi* qui nous trouves naïfs ?

Ignorant ma question, Sarah reprit :

– En tout cas, c'est un endroit terriblement attirant. J'aimerais pouvoir en faire partie, vraiment.

– Tu en fais partie, assurai-je.

C'était vrai... quoique, peut-être, d'une façon qui ne lui aurait pas plu. J'avais conscience, aussi obscurément que du reste, à cette époque, que Sarah elle-même était un élément du charme, de la magie de Princeton et faisait à ce titre partie de l'illusion. Je savais que nos relations étaient un amour de fac en Technicolor, sans angoisse ni souffrance ni colère, et sans guère d'assouvissement physique. Oh ! nous nous embrassions beaucoup, nous nous caressions, même, et nous trouvions cela très agréable. Mais pour une raison quelconque, je n'éprouvais pas alors le besoin de pousser les choses plus loin. Pas à cette époque hantée par le risque d'une grossesse. Pas avec Sarah. Lorsqu'elle s'écartait de moi en disant : « Il ne faut pas, Shep. Pas encore », je n'insistais pas. J'aurais pu la prendre quand même, je le savais, mais je songeais que nous avions tout notre temps.

Il m'arrivait parfois, bien que rarement, d'avoir la vision d'une petite maison, quelque part sur un campus de l'Est, où, chaussé de vieilles pantoufles et vêtu d'un cardigan renforcé aux coudes, je lisais dans une bibliothèque jonchée de livres tandis qu'une femme mince, en sweater, versait du xérès couleur d'ambre dans des verres anciens et délicats, sur un plateau d'argent, près d'un feu de bois, en fredonnant du Vivaldi. Elle ressemblait beaucoup à la femme que, selon moi, Sarah serait dans quelques années, et si je ne précisais davantage ce rêve, il me procurait le même réconfort obscur que l'ensemble de la vision. Une ou deux fois, il me vint à l'esprit que c'était ce que la vie que j'avais laissée à Buckhead m'aurait offert, en ma qualité d'héritier de la maison de Peachtree Road, mais cette pensée n'était assortie d'aucune souffrance, aucune amertume, et je ne la ruminais pas longtemps.

Pour l'instant, dans cet endroit extraordinaire, j'avais Sarah. Lorsqu'elle n'était pas avec moi, des jours, parfois même une semaine entière, s'écoulaient sans que je pense à elle et cela ne me paraissait pas étrange. Notre intimité était née de Princeton, non d'Atlanta, et lorsqu'elle était réellement au campus, elle m'occupait entièrement. Il n'y avait pour nous aucun véritable projet en vue, et aucun ne semblait nécessaire à mes yeux. Qu'il en allât différemment pour elle, je ne m'en apercevais pas. Elle n'exigea jamais rien de moi, et je le regrette.

Nous sortîmes, traversâmes Nassau Street pour aller déjeuner. Sarah préférant la *Nassau Tavern* au *Lahiere's*, nous nous installâmes dans la pénombre fraîche, souterraine, pour manger des hamburgers et boire du café. Quelqu'un mit un disque de Bing Crosby sur le juke-box : *« Cause I give to you and you give to me... true love, true love »,* et nous nous tenions la main par-dessus la table.

– Je te revois bientôt ? demandai-je.

– Comment le saurais-je ? Tu ne retournes jamais chez toi.

– Je viendrai pour le *Harvest Ball**, et un jour ou deux à Noël. Mac veut que j'aille skier à Stowe avec lui et Brad. Ils emmèneront des filles. Tu veux venir ?

– Je ne peux pas. Tu sais bien qu'il y a toutes ces soirées. J'espérais que tu serais là pour m'y accompagner.

C'était l'année de ses débuts dans le monde, et après le grand bal de juin, au Piedmont Driving Club, il y aurait l'effervescence de la saison d'été, puis le *Harvest Ball*, pour *Thanksgiving*, et d'autres soirées à Noël.

– Tu sais pourquoi je ne retourne pas à la maison, Sarah. Tu sais comment c'est avec mon père, maintenant. Mais je serai là pour le *Harvest Ball*, comme promis. Laisse Charlie t'emmener aux autres. Il te porterait sur son dos, pieds nus dans une tempête de neige, si tu le voulais.

– Ne te moque pas de Charlie, répliqua-t-elle d'un ton sec. Il est gentil, fidèle. Et il est là, lui.

– Je ne me moquais pas de lui. Et je suis là, moi aussi, quand c'est important. Je suis venu pour le bal de ta dernière année de lycée.

– Oui, mais pas pour la remise des diplômes. Et tu l'avais pourtant promis.

Nous demeurâmes un moment silencieux puis elle releva la tête.

* Bal de la moisson. (N.d.t.)

– Je suis désolée, murmura-t-elle. Je te fais des reproches et j'avais promis que cela n'arriverait jamais. Seigneur, voilà que je parle comme Freddie Slaton. Que tu ne viennes pas pour la remise des diplômes, c'était sans importance. Pour moi, en tout cas. Pour Lucy, je ne sais pas.

Nous y voilà, pensai-je.

Jaillit alors en moi la pensée profondément enfouie de l'absente, celle qui n'était pas là et dont la présence se faisait cependant puissamment sentir, celle dont parlaient nos silences : Lucy.

Lucy.

Oui, j'avais assisté au bal de la dernière année de Sarah, qui était aussi celle de Lucy, le printemps précédent, mais pas à leur remise de diplômes, comme je l'avais promis.

Et je crois que mon absence avait brièvement désolé Lucy. Brièvement seulement.

Après ce bal, je compris pourquoi Sarah ne faisait jamais allusion à Lucy dans aucune des lettres qu'elle m'envoyait à Princeton et pourquoi elle n'en avait pas parlé non plus au cours de ce week-end d'automne. Si l'incident du pont de la Chattahoochee n'avait pas clairement tracé la ligne de front entre Sarah et Lucy, les derniers moments de la soirée sur la piste de danse de Brookhaven l'avaient fait – et toute une génération de Roses et de Gods rassemblés en avaient été témoins.

Sarah avait l'habitude de se terrer avec ses émotions les plus profondes, Dorothy le lui avait appris de bonne heure. Je savais qu'elle ne parlerait ni de cette soirée ni de Lucy à moins d'y être contrainte. Quant à la raison pour laquelle je ne pouvais aborder ce sujet, c'était moins clair. Il y avait à présent entre Lucy et moi un éloignement réel, reconnu, et mon silence était en partie de la colère, du chagrin. Cela, je pouvais l'avouer. La partie qui ressemblait tellement à de la peur, je ne pouvais pas, et, comme Sarah, je l'enfouissais profondément.

– Tu ne pourrais jamais parler comme Freddie Slaton,

même si tu le voulais, dis-je. En revanche, tu pourrais rater ton avion si nous ne partons pas maintenant. Tu es prête ?

– Oui, répondit-elle. Shep ?

– Hmmm ?

– Je ne crois pas qu'il y ait jamais eu un week-end aussi parfait dans toute l'histoire du monde.

– Moi non plus, approuvai-je. On n'a jamais fait mieux. Et ce n'est que le premier d'une longue série. Une très longue série.

– Oui, murmura Sarah.

12

Lorsque j'étais arrivé à la maison de Peachtree Road, un vendredi après-midi du mois de mai précédent, pour le bal de dernière année de Sarah et Lucy, seule ma mère avait descendu l'escalier quatre à quatre pour m'accueillir. Un moment, l'étrangeté de ces retrouvailles avec le monde de mon enfance me désarçonna et, ne sachant plus très bien qui était cette femme brune et souple qui me serrait si étroitement contre elle, j'eus un mouvement de recul.

Il ne dura qu'une fraction de seconde mais suffit pour qu'elle resserrât son étreinte, enfouit son visage dans mon cou et se mit à pleurer.

– Je t'ai perdu, je le savais, hoqueta-t-elle en mouillant ma chemise Oxford toute neuve. Je savais que si tu partais, tu ne reviendrais jamais vraiment. Oh ! Sheppie, tu m'as repoussée !

– Non, mère, répondis-je en lui tapotant consciencieusement le dos. (Elle avait maigri. Je sentais ses côtes sous la soie de sa blouse, et les battements de son cœur.) C'est juste que tu parais si jeune dans cette lumière. J'ai cru que c'était Lucy qui descendait l'escalier en courant.

– Oh... Lucy, protesta-t-elle, l'air agacée, mais je pouvais voir qu'elle était ravie.

Elle s'écarta de moi, inclina la tête comme pour m'examiner.

– Lucy ne descend pas l'escalier en courant, elle le monte

furtivement – à quatre heures du matin. C'est comme si elle vivait avec ce Chastain, maintenant. Dieu sait où ils vont. Nous ne la voyons jamais.

Je sentis le plus infime des coups de poignard, vieux serrement de cœur pour Lucy. J'ignore pourquoi les propos de ma mère m'avaient surpris. Je savais Lucy plus liée que jamais à Red ; mes brèves visites à la maison et les lettres de ma mère au cours des deux dernières années me l'avaient confirmé. Lucy elle-même s'était montrée désinvolte, jacasseuse et presque complètement fermée pendant les rares moments que nous avions passés ensemble. Je pensais qu'elle était encore fâchée et vexée de mon départ pour Princeton.

Bon, m'étais-je dit, jouons le jeu. Je ne lui dois aucune excuse. Qu'elle vienne à moi ou que nous continuions éternellement comme ça, je m'en moque. Je ne m'en moquais naturellement pas mais ne pouvais l'admettre. La trahison de Lucy dans les bras d'une succession de Gods puis dans ceux de Red m'avait profondément heurté.

Je croyais cependant que Princeton et mes nouveaux rapports avec Sarah avaient guéri la blessure. Et c'était vrai, ou presque. Le coup de poignard n'était, je l'ai dit, qu'une légère piqûre, cessant aussitôt.

– Laisse-moi te regarder, sollicita ma mère.

Ce que je fis. Je ne l'avais pas vue depuis l'été précédent puisque j'avais passé les vacances avec Mac ou Alan, et que j'avais fêté Noël avec la famille de Haynes Potter, dans leur maison des Berkshires. Les yeux de ma mère s'embuèrent à nouveau mais il y avait en eux quelque chose – un point de lumière – qui ressemblait bizarrement à une lueur de triomphe.

– Il ne reste rien de mon garçon, remarqua-t-elle. C'est un homme, maintenant. Un homme et un Bondurant. Ton père sera dans une colère !

– J'aurais cru qu'il serait content que je lui ressemble, dis-je, surpris par la peine que ma mère me faisait.

Mon père n'avait plus le pouvoir de me faire souffrir

quand je me blottissais dans le refuge de Firestone ou du Colonial mais sous son toit je sentais la douleur me mordre.

– Oh ! non, fit ma mère avec un sourire soyeux. Je parle du mauvais Bondurant, tu comprends ?

Je comprenais.

– Où est papa ? demandai-je avec désinvolture. Où est Lucy ? Et tante Willa ?

– Ton père joue au golf à Highlands, répondit-elle d'un ton neutre, comme si nous ne savions pas tous deux qu'il évitait au maximum la maison de Peachtree Road quand je m'y trouvais. Il sera de retour dimanche, avant ton départ. Il tient à te voir. Lucy est sortie avec Red Chastain, naturellement, pour faire je ne sais quoi. Et Willa est à New York pour son travail. On l'a nommée acheteuse en chef pour le rayon lingerie et elle est partie inonder Rich de dessous yankees. Viens boire un thé glacé et me raconter toutes les nouvelles.

– C'est-à-dire que j'avais pensé faire un saut chez Sarah...

– Bien sûr, Sarah, dit ma mère.

Son ton n'était pas aussi glacial qu'il aurait pu l'être car l'alliance avec la maison des Cameron lui plaisait beaucoup, je le savais. En outre, elle aimait bien Sarah. Comme toutes les amies de ma mère. Avec les femmes plus âgées, Sarah avait une attitude respectueuse sans être déférente et était réellement versée dans les domaines qui les intéressaient : la porcelaine, les antiquités anglaises, la généalogie, la bonne société d'Atlanta et des environs.

Au moment où je me dirigeais vers le téléphone placé sous l'escalier, Lucy entra en trombe dans la maison, jeta ses bras autour de mon cou avec une telle force que nous trébuchâmes tous deux. Ma mère battit en retraite au premier étage. Dehors, dans l'allée circulaire, j'entendis la M.G. de Red Chastain s'éloigner en grondant.

Aussi lointaine qu'elle eût été auparavant, Lucy était contre moi maintenant, me serrant fort dans ses bras, dont j'avais gardé le souvenir tout en n'y pensant guère, riant et pleurant à la fois, le visage enfoui au creux de mon cou, là où il trouvait exactement sa place. Je sentis fondre la réserve des deux années écoulées et fus instantanément chez moi, à tous les égards. La tenant par les épaules à bout de bras, je la scrutai et sus que j'avais retrouvé Lucy – la Lucy de mon enfance, la compagne gaie et courageuse, ma Shéhérazade. Je l'embrassai sur la joue, la fis tournoyer, la reposai sur les dalles de l'entrée. J'avais oublié combien elle était grande, combien elle était mince. Ses yeux bleu d'octobre étaient presque au niveau des miens et j'aurais pu la soulever d'un bras. J'avais aussi oublié l'impact électrisant qu'elle avait. A dix-huit ans, Lucy Bondurant était tout simplement splendide.

– Tu es superbe, bredouillai-je.

– Toi aussi. Tu as changé. Ça me plaît. Tu me rappelles quelqu'un, je n'arrive pas à trouver qui... Tab Hunter, peut-être, mais avec le nez aquilin... Oh ! ça me reviendra.

Je m'étonnai qu'elle ne pût mettre un nom sur la ressemblance qu'elle voyait en moi mais elle en fut toujours incapable.

– Tu vas bloquer la circulation, ce soir, ajoutai-je. Tu sors avec Red ? Question idiote, peut-être...

– Avec qui veux-tu que ce soit ? Nous n'avons plus beaucoup de temps à passer ensemble. Son père a enfin réussi à le faire entrer à Princeton, après une année à North Georgia, et il dit que Red peut faire une croix sur l'héritage familial s'il fait le mariole. Traduction : je ne pourrai pas aller le voir là-bas avant qu'il soit au moins en troisième année, et il ne rentrera chez lui qu'à Noël et pour une semaine en été. Mr. Chastain m'aime bien mais il me connaît, et il connaît Red. Il en a déjà parlé à maman. Elle menace de me retirer de Scott si jamais je prends l'avion en cachette pour rejoindre Red. Ils ne plaisantent pas, j'en ai peur.

– Tu veux dire qu'il ne sera pas ici pour tes débuts dans le monde ?

– Je ne ferai pas mes débuts dans le monde, répondit Lucy avec un sourire épanoui.

– Merde alors ! m'exclamai-je, interdit. Mais tu *dois* le faire, Lucy !

C'était un God de Buckhead qui parlait : ma reconversion avait été quasi instantanée. Que Lucy manque ce rite de passage automnal était aussi impensable que de se présenter totalement nue devant le Vieil Atlanta. C'était le commencement de toute chose pour les filles de Buckhead et leurs compagnons, cette fastueuse soirée de novembre au Piedmont Driving Club : le *Harvest Ball*. Les demoiselles passeraient ensuite, aussi inexorablement que les personnages d'une horloge suisse, par les stations du chemin de croix mondain – bal de Noël, bal du Salut, de la Rabun Gap Guild, du Tallulah Falls Circle, du Cotillion, du Music Club –, et poursuivraient avec une interminable succession de galas de bienfaisance.

Ces soirées nous placeraient nous aussi, frères, soupirants, maris en puissance de ces fleurs épanouies, sur notre propre trajectoire : de la liste de cavaliers établie par une cinquantaine de mères, nous passerions au Nine O'Clock, au German Club, au Benedict et au Racket Club, et ainsi de suite, pour finir au Driving, au Capital City et au Brookhaven, à la tête de ces myriades d'organisations charitables et de comités dont nos épouses organiseraient les bals, et de là au service de la ville. C'était le seul vrai chemin. Aucun homme important n'en suivait d'autre.

Une pensée me matraqua : auraient-elles osé, même avec Lucy Bondurant ?

– Ne me dis pas qu'on ne t'a pas admise au club, m'étranglai-je.

Saint Shep le preux bondit hors de sa grotte humide, enfila maladroitement son armure rouillée. Des têtes soigneusement permanentées et bleuies par les rinçages allaient rouler.

– Oh ! ne sois pas idiot, dit Lucy. Bien sûr qu'elles m'ont proposé d'entrer au club. Elles n'auraient jamais osé ne pas le faire – pas tant que je vis chez oncle Sheppard, en tout cas. Simplement, je n'ai pas accepté. Putain, Gibby, tu aurais dû voir la tête de maman quand je le lui ai dit. Et celle de ton père, aussi. A croire que je leur avais annoncé mon mariage avec un nègre à Saint-Philip le dimanche de Pâques. Maman ne me parle toujours pas, et ton père non plus, je crois. Je ne l'ai pas vraiment revu depuis. Si je ne suis pas enfermée dans ma chambre, c'est uniquement parce que ta mère leur a dit de me laisser tranquille. Elle pense que j'ai pris la bonne décision étant donné les circonstances.

– Quelles circonstances ? demandai-je stupidement.

– Bon Dieu, Gibby, on te donne des pilules abrutissantes en même temps que des vitamines, là-bas ? Les circonstances Red Chastain, bien sûr. Pourquoi faire mon entrée dans le monde ? Ça fait deux ans que je l'ai quasiment faite. Tante Olivia n'est pas née d'hier.

– Tu veux dire que c'est parce que...

– Je couche avec lui, acheva-t-elle avec douceur.

Son sourire me brûla jusqu'à l'os. Le rayonnement qui émanait d'elle fut soudain trop brillant. Ses yeux ne scintillaient pas seulement de la joie de me voir et je sentis les millions de petites lames qui l'entouraient.

– Je commets l'acte. Je baise. Tu as entendu parler de la baise, je suppose ? Quoique je n'imagine pas une seconde que toi et la divine Sarah...

– Bon sang, tu n'es certainement pas la seule fille d'Atlanta qui ferait ses débuts dans le monde sans être tout à fait vierge, m'empressai-je de déclarer.

– Non, mais je suis probablement la seule qui se soit fait prendre en train de faire l'amour sur le billard du Brookhaven par les membres du Comité des pelouses.

– Nom de Dieu, ne me dis pas...

– Mais si. En pleine action. Et en levrette. C'est la seule fois où j'ai vu Red incapable de finir ce qu'il avait commencé.

Je savais qu'elle essayait de me choquer mais qu'elle disait la vérité. J'avais un radar infaillible pour détecter les mensonges de Lucy.

– Ne te tracasse pas, Gibby, poursuivit-elle. Tu n'auras pas à me sauver cette fois. Toutes ces conneries de bénévolat et d'œuvres de bienfaisance m'auraient fait horreur. Et j'ai fait économiser une tonne d'argent à tes vieux. Little Lady arrive juste derrière moi, tu sais, et il en faudra, du fric, pour ses débuts. Moi, les miens, c'est ce soir que je les fais. Attends de voir ma robe. Je vais incendier quelques globes oculaires.

Elle disait vrai. Traditionnellement, les fille de North Fulton portaient des robes à crinoline aux tons pastel pour leur bal de dernière année, mais lorsqu'elle descendit le magnifique vieil escalier, le lendemain soir, avant que Red ne vienne la chercher, Lucy était vêtue d'une soie blanche qui couvrait sa minceur lumineuse avec la douceur et la fluidité d'une colonne de crème, et ses épaules dénudées resplendissaient. Elle ne portait pas de bijoux et avait brossé sa chevelure de page jusqu'à ce qu'elle flotte tel un duvet de chardon autour de sa tête étroite, et y avait attaché trois gardénias blancs parfaits. Fendue à mi-cuisse, la robe laissait entrevoir une jambe incroyablement longue à laquelle le soleil printanier avait donné un léger hâle satiné. Elle était chaussée de sandales blanches à hauts talons et tenait à la main un réticule argent. La seule touche de couleur dans ce noir et blanc incandescent, c'était le rouge de la bouche, tache écarlate translucide, comme si elle avait mangé des mûres ou bu du sang. Elle rayonnait de sa propre lumière dans l'entrée sombre. Cessant d'ajuster ma cravate dans le miroir doré du vestibule, je me tournai vers elle et la contemplai. Je n'aurais pas pu parler.

Elle sourit, descendit en courant les dernières marches, se jeta dans mes bras et je la fis à nouveau tournoyer tandis qu'elle riait avec une sorte de joie féroce.

– Oh ! Gibby, j'ai cru que tu ne reviendrais jamais !

– Je pensais que tu ne le souhaitais pas, dis-je en la reposant.

– Je me suis conduite comme une idiote, je pensais que tu l'avais compris. Enfin, tu es là et tout va s'arranger.

Mes oreilles se dressèrent.

– Qu'est-ce qui va s'arranger ? Qu'est-ce qu'il y a ?

– Rien, maintenant que tu es là. Absolument rien. Tiens aide-moi à les mettre. Elles sont belles, non ?

Elle me tendit un collier de perles encore chaudes d'être restées au creux de sa main, se tourna pour faire face au miroir et souleva à deux mains sa lourde chevelure brune. J'attachai les perles qui étaient petites, parfaitement assorties et magnifiques.

– Un cadeau de ton papa, expliqua-t-elle. Avant qu'il apprenne que je ne ferais pas mes débuts, dois-je préciser. J'ai proposé de les rendre mais il a refusé, alors je les ai gardées. Je ne suis pas idiote.

Entendant dehors le bruit d'une grosse voiture, je haussai un sourcil.

– Red a la Rolls de son père, ce soir, dit Lucy. Je l'avais prévenu que je ne mettrais pas le pied dehors s'il venait avec cette saloperie de M.G.

Elle regarda dans le miroir nos deux têtes rapprochées, l'une blonde, l'autre d'ébène.

– On ne fait pas un beau couple ? lança-t-elle. Nous avons l'air d'une réclame pour... Oh ! je ne sais pas, quelque chose de merveilleux. C'est toi qui devrais me sortir ce soir, tu sais, Gibby.

– Je n'arrive pas à la cheville de Red le Prince Charmant, répondis-je. Tu me désespérerais en flirtant ou pis encore avec tous les hommes âgés de moins de quatre-vingt-dix ans. Lui, il sait te tenir la bride.

– Tu peux le dire, soupira Lucy. C'est pour cette raison que je m'accroche à lui, tu sais. Red est un beau salaud mais il pourrait écrire un livre sur l'art de tenir la bride aux filles.

Shem amena la Fury, astiquée et ronronnante, devant l'entrée et je tournai le coin de Muscogee Avenue pour aller chercher Sarah. Elle était encore en haut en train de s'habiller mais Amos me conduisit dans le petit bureau où Dorothy Cameron regardait la télévision en solitaire. Elle m'embrassa, m'indiqua le fauteuil habituel de Ben en précisant :

– Il faudra que tu te lèves quand il reviendra, il ne s'assied jamais ailleurs, mais en ce moment, il prépare des croque-monsieur à la cuisine. Tu veux boire un verre ?

– Je crois que non. La nuit sera longue.

– Alors, dis-moi tout sur Lucy, suggéra-t-elle.

Il y avait plus que de la curiosité sur son beau visage sévère : je savais qu'elle s'était toujours sincèrement préoccupée de Lucy.

– Eh bien, elle ne veut pas faire ses débuts, tout simplement, et j'avoue que je ne lui donne pas tort, déclarai-je, sur la défensive. Quel genre de vie est-ce pour une femme, toutes ces activités bénévoles, ces œuvres de charité ? Il y a tant de choses qu'une femme intelligente pourrait...

Me souvenant que Dorothy avait été élue « Femme de l'année » pour son travail bénévole à l'hôpital Grady, je devins cramoisi.

– Je ne pensais pas à vous... balbutiai-je.

Elle s'esclaffa.

– Je le sais. Mais dis-moi une chose. Si nous, les bénévoles, ne faisions pas ce travail, qui s'en chargerait ?

– Peut-être quelqu'un ayant moins de talents, répondis-je. Quelqu'un qui n'aurait pas tant d'autres choses à donner dans d'autres domaines. Prenez votre cas. Vous auriez pu être présidente d'un conseil d'administration, médecin... tout ce que vous auriez voulu être. N'importe quoi. Vous n'auriez pas dû gaspiller vos dons.

– Et combien il m'aurait fallu de vies pour faire tout cela ? dit-elle avec un sourire affectueux, comme lorsque j'étais un petit garçon à la langue bien pendue. Non, Shep, c'est la seule chose à faire quand on est riche et privilégié. Les gens pauvres n'ont ni les ressources ni l'énergie nécessaires pour s'occuper de cela. C'est la pauvreté qui sape la volonté et l'allant, pas la richesse.

– Mais que deviennent les femmes qui ne veulent pas s'occuper d'œuvres de charité ? arguai-je. Celles qui, comme Lucy, veulent autre chose et ont les qualités requises ?

Dorothy hocha la tête.

– Elles sont victimes de ce système, répondit-elle. L'ambition et l'originalité – ce sont les deux choses que nous, les autres femmes, ne tolérons pas. Nous les punissons. Peut-être parce qu'elles nous rappellent ce que nous n'avons pas fait. Lucy sera punie pour cette petite décision marquant son indépendance d'esprit. Si ce n'est maintenant, plus tard. C'est une victime, qu'elle le sache ou non. Tandis que pour un homme, pour son mari, l'ambition, c'est tout à fait normal.

– Si vous avez raison, pourquoi vos explications ne me satisfont-elles pas pleinement ? demandai-je.

– Je soupçonne que c'est parce que tu vois une vérité sous la vérité dont je parle. Tu en as toujours été capable, je crois. Fais attention : nous essaierons probablement de te punir pour cela, toi aussi.

– Qui punira qui et pourquoi ? demanda Ben Cameron en entrant dans la pièce. (Il portait sur un plateau deux croque-monsieur et deux grands verres de bière blonde.) Salut, étranger. Content de te voir.

– Moi, répondit Dorothy, si tu renverses ma bière.

Elle se leva pour lui prendre le plateau ; il s'approcha de moi, me serra dans ses bras aussi naturellement que si j'avais été le jeune Ben. Je sentis une vague de tendresse m'envahir, tout ce que j'avais jamais reçu d'affection paternelle venait de lui.

– Ça change vraiment de voir ta sale tête dans le secteur, dit-il, son bras sur mes épaules. On ne voit plus que Charlie Gentry. Au point que l'autre soir j'ai demandé à Dottie s'il avait emménagé avec nous.

J'éclatai de rire. Je savais, et Ben aussi, que Sarah sortait avec Charlie quand j'étais à Princeton parce que ses parents insistaient pour qu'elle fréquente d'autres garçons que moi. Ils la trouvaient trop jeune pour une relation exclusive. Charlie aussi le savait et à ma dernière visite, il m'avait dit d'un ton neutre, sans trace de rancœur : « Elle me laisserait tomber tout de suite si tu levais le petit doigt. Mais je m'en moque. Apparemment, tu n'en as pas l'intention, idiot que tu es. Et un peu de Sarah vaut mieux que rien du tout. »

Je crois que Ben et Dorothy surent longtemps avant moi vers qui allait le cœur de leur fille et qu'ils approuvaient, quoique tacitement, nos relations. Dorothy le déclara presque ce soir-là.

– Je suis ravie d'avoir passé l'âge de ces tralalas mondains et de pouvoir rester à la maison pour regarder la télévision, dit-elle en me souriant. Il fait un temps épouvantable. Ça me fait plaisir que ce soit toi qui accompagnes Sarah. Je ne me fais pas de souci pour elle quand elle est avec toi.

– Ce n'est peut-être pas très flatteur pour Shep, fit observer Ben, le regard pétillant.

Je remarquai de nouvelles rides dans la peau épaisse, sous les yeux gris, et un début de poches, comme s'il était très fatigué. Je pensai qu'il paraissait beaucoup plus vieux et, pour une raison quelconque, extrêmement redoutable. Sarah m'avait confié qu'il s'occupait activement de politique municipale – chose anormale pour un homme de sa position –, et je m'aperçus soudain qu'il ferait un dirigeant avec qui il faudrait compter, malgré sa désinvolture et sa fantaisie.

– Shep sait de quoi je parle, dit Dorothy. Il n'est pas comme les autres, même s'ils sont très gentils. D'ailleurs tu l'as dit toi-même, alors ne me lorgne pas comme ça, Ben Cameron.

– Je crois que je ferais bien de partir avant que vous ne me tourniez la tête, intervins-je en souriant à Dorothy.

Je me sentais flatté et m'efforçais de ne pas le montrer.

– Si seulement je le pouvais, soupira-t-elle. Je parie que personne n'a jamais vraiment essayé. Tu mérites qu'on te tourne un peu la tête, Shep.

Sarah pénétra alors dans la pièce, éclatante comme un zinnia en tulle corail, et je souris involontairement à sa joliesse. Nous nous embrassâmes, avec raideur et embarras, souhaitâmes bonsoir à ses parents et vers huit heures, nous déboulions de la Peachtree Road sous les dernières gouttes de pluie pour prendre la direction de Brookhaven et du bal de dernière année de North Fulton. J'étais impatient, excité même, car j'avais peu vu de Roses et de Gods en deux ans.

La soirée aurait pu avoir lieu quelque deux ou trois ans auparavant tant elle donnait peu l'impression que le temps s'était écoulé depuis. Le noyau originel de notre bande était là, en formation habituelle : Sarah et moi, Ben et Julia, Snake et Lelia, Pres et Sarton Foy, plus laide et plus aristocratique que jamais, Tom et Freddie Slaton. A.J. était accompagné d'une élève de dernière année de Washington Seminary, rose et blonde, étonnamment jolie, qui toute la soirée me fit penser à une baronne blanche capturée par des Pygmées. Enfin, Charlie était seul, comme à l'accoutumée.

Toutefois, à y regarder de plus près, on remarquait quelques transmutations, simple approfondissement, le plus souvent, de traits déjà présents : Ben Cameron montrait maintenant tant d'animation que sa grâce, sa vivacité prenaient un caractère flamboyant, théâtral ; le doux pragmatisme de Charlie s'était quasiment transformé en flegme ; le mécontentement des petits yeux perçants de Freddie était devenu de la malignité. Et, malgré la similitude apparente du décor, des costumes et des comédiens de cette pantomime stylisée, il s'en dégageait, pour moi, une profonde étrangeté. Deux années m'avaient irrévocablement changé, si elles avaient épargné les autres.

Lucy et Red Chastain étaient invisibles.

A l'entracte, les Buckhead Boys sortirent avec leurs cavalières, s'assirent sur les ailes et le pare-chocs de la dernière acquisition d'A.J., un corbillard Cadillac 1938 si massif, si brillant qu'il ressemblait à un atoll volcanique. A.J. avait apporté du jus de raisin et un sac de glaçons, Ben de la vodka, et nous bûmes des *Purple Passion* sur le parking encore mouillé, sous une mince lune argent. Le parfum pénétrant du chèvrefeuille et du mimosa des jardins alentour dériva vers nous dans l'air immobile. Je détestais le goût épais, rassasiant du breuvage – et la plupart d'entre nous aussi, je crois – mais nous buvions au gobelet de la bouteille thermos qu'A.J. faisait passer aussi solennellement que s'il se fût agi d'un calice. Je pense que nous avions tous conscience, ce soir-là, que c'était probablement notre dernière communion.

Après la prochaine remise de diplômes, les filles – ciment qui nous unissait depuis l'enfance – se disperseraient à leur tour, comme les garçons l'avaient fait deux ans plus tôt – moi à Princeton, Ben à l'école d'architecture de Georgia Tech, Snake à Emory, A.J. à la division d'Atlanta de l'Université de Géorgie, Pres Hubbard à l'université même, à Athens ; Tom Goodwin à Sewanee, l'école de son père, Charlie en propédeutique de droit à Emory. A part moi, ils étaient tous restés près d'Atlanta, ou du moins à deux heures de voiture de la ville.

Pour les filles, c'était différent. Seules deux d'entre elles – Sarah et Lucy, qui entreraient au Agnes Scott College de Decatur – resteraient à Atlanta après l'été. Julia Randolph avait décidé d'aller à Auburn avec trois de ses camarades de Washington Seminary ; Lelia Blackburn était inscrite à Sweet Briar ; Sarton Foy irait à Wellesley comme ses ancêtres, et les parents de Freddie Slaton l'enverraient à Pine Manor Junior College dans l'espoir que la séparation d'avec Tom calmerait certains de ses appétits et que la proximité de Boston donnerait du poli aux arêtes coupantes de sa personnalité. Nous nous retrouverions bien sûr pour les vacances, et pour prendre part aux incessantes figures du grand quadrille mondain atlantais, mais après ce soir, la surface parfaitement lisse se briserait, la plénitude absolue s'altérerait, nous le savions. Le *Purple Passion* fit quelques tours de plus qu'il n'en eût fait en temps ordinaire.

Un feu nourri de musique rock provenant du vieux bâtiment en pierre du club annonça le retour de l'orchestre et nous abandonnâmes le corbillard pour retourner dans la salle, marchant lentement deux par deux, la main dans la main. Au moment où Sarah et moi atteignions la porte, un gémissement de pneus déchira la nuit derrière nous et nous nous retournâmes pour voir la Rolls noire du père de Red Chastain pénétrer dans le parking en dérapant. Immobiles, nous attendîmes tous que Red et Lucy en descendent et nous rejoignent, mais ils n'en firent rien. Un air de rock couvrant l'orchestre s'échappait par les fenêtres ouvertes de la voiture, et par-dessus la musique, nous entendîmes la voix de Red puis celle de Lucy s'affrontant furieusement.

– Sale temps au paradis, commenta A.J.

– Oh ! juste une petite querelle d'amoureux, probablement, dit Snake en souriant. Nous devrions peut-être aller leur jeter de l'eau froide.

– Ils se disputent, Shep ? demanda Freddie d'un ton mielleux et avide. J'ai entendu dire qu'ils se sont chamaillés tout le printemps parce que Lucy passe son temps avec le jeune domestique noir de Mr. Cameron. Il paraît que Red a menacé Lucy de lui reprendre son insigne si elle n'arrête pas de le voir. Et elle n'a pas cessé, parce que je les ai vus l'autre jour, en passant devant la maison des Cameron.

Elle me regardait en penchant sa tête rousse, comme un petit oiseau malveillant, et à ce moment-là je la haïssais véritablement. Freddie Slaton savait becqueter dans la souffrance et les ennuis comme un vautour dans une charogne.

– Je n'en ai pas la moindre idée, Freddie, répondis-je. Je l'ai à peine vue depuis Noël.

– Qu'en penses-tu, Sarah ? insista-t-elle. Tu dois reconnaître qu'elle passe un temps fou chez toi avec ce Glenn machin-chose quand elle n'est pas avec Red. Qu'est-ce qu'il se passe ? Raconte !

Sarah prit une courte inspiration pour répondre mais Ben Cameron intervint de sa voix sèche :

– Tu vois probablement Glenn Pickens et Lucy plus souvent que nous, Freddie. Tu passes si souvent devant la maison que l'autre jour, au déjeuner, papa s'est demandé si tu n'avais pas l'intention de l'acheter.

Freddie prit un air offensé, comme chaque fois que l'une de ses indiscrétions recevait la réponse méritée, et se dressa sur ses ergots mais ce qu'elle rétorqua à Ben fut couvert par une explosion de bruit au bout du parking. Nous vîmes un verre jaillir en tournoyant par la fenêtre de la Rolls, se briser sur l'asphalte, suivi d'un objet plus gros qui pouvait être une bouteille. Lucy poussa un cri. Même à cette distance, je pouvais dire que c'était de rage, non de douleur ou de peur. J'étais gêné, en colère contre elle, contre Red et Freddie, prêt à me fâcher avec le premier qui ouvrirait la bouche mais personne ne parla. Au bout d'un moment, nous retournâmes à l'intérieur du club et nous remîmes à danser.

Pendant le reste de la soirée, je fixai la porte d'un regard embarrassé, m'attendant à les voir entrer d'un instant à l'autre, mais lorsque l'orchestre joua les derniers accords de *I Got a Woman* et enchaîna avec *Goodnight Sweetheart*, ils n'avaient toujours pas fait leur entrée, et j'en conclus que leur dispute avait été assez grave pour que Red raccompagne Lucy à la maison, ou que, repentants, ils s'accouplaient furieusement sur le velours de la banquette arrière de la Rolls. Cette pensée me troubla et me répugna comme le faisait à chaque fois l'image de Lucy copulant avec Red, et je serrai Sarah plus fort contre moi en enfouissant mon visage dans la soie élastique de ses cheveux. Elle se blottit au creux de mon épaule et nous oscillâmes en silence, rêveusement. Autour de nous, les autres couples faisaient de même et la soirée, toute bruyante et explosive qu'elle eût été, s'achevait dans le calme.

Aussi lorsque Lucy entra en trombe dans la salle et traversa la piste en faisant claquer ses sandales sur le vieux parquet ciré, tout le monde s'immobilisa et la regarda.

Elle paraissait hors d'elle, folle de rage, presque dangereuse. Son visage était aussi blanc que sa robe en désordre, dont un sein tremblant menaçait de s'échapper. Des mèches de cheveux barraient son front et tombaient sur sa bouche aux lèvres gonflées, dépouillées de leur rouge.

Elle s'arrêta, regarda autour d'elle d'un air concentré sans se rendre compte apparemment que près de trois cents personnes la fixaient en silence. Ses yeux parcoururent longuement la salle, me trouvèrent, et elle sourit. Elle s'avança vers moi, posa une main sur mon bras, ignorant Sarah aussi totalement que si elle n'avait pas été à mon côté.

De près, je discernai des empreintes violacées de doigts sur ses avant-bras, ses épaules, sa gorge, et je sentis une forte odeur de bourbon. Nul doute qu'elle et Red avaient passé la soirée à boire. Je savais qu'ils le faisaient chaque fois qu'ils sortaient ensemble mais je n'avais encore jamais vu Lucy ivre en public.

– Hé, Gibby, me lança-t-elle joyeusement sans bafouiller, je suis venue réclamer ma danse. Tu te rappelles, tu m'as promis la dernière danse.

Je ne répondis pas. Silencieuse elle aussi, Sarah regardait Lucy d'un air grave. Elle savait que je n'avais pas promis cette danse, réservée traditionnellement à la fille que vous accompagnez. Tout le monde le savait. C'était une règle tacitement admise depuis des années et qu'aucun de nous n'aurait songé à briser.

Feignant de découvrir Sarah, Lucy sourit à nouveau.

– Sarah n'y verra pas d'inconvénient, dit-elle. (Cette fois, elle bredouilla un peu, vacilla sur ses hauts talons et dut se retenir à mon bras.) Elle attendra qu'on ait fini, cette brave Sarah. Comme un bon petit chien bien sage...

– Où est Red ? demandai-je en m'efforçant de ne pas voir les visages curieux et gênés de mes amis autour de moi. Allons le chercher.

– Non ! Je veux que tu danses avec moi, exigea Lucy, haussant le ton. Prends-moi dans tes bras, Gibby...

Elle noua ses bras autour de mon cou et se laissa aller contre moi, si bien que je dus la soutenir pour l'empêcher de s'effondrer. Par-dessus sa tête, je regardai le visage de Sarah : il était écarlate mais impassible.

– Pourquoi ne l'emmènes-tu pas prendre un peu l'air ? suggéra-t-elle d'une voix égale. Ne t'en fais pas pour moi, je peux demander à Ben et à Julia de me raccompagner.

– C'est ça, chantonna Lucy, les yeux clos, se balançant à mon cou. T'es une chic fille, Sarah. Rentre à la maison avec ton grand frère et laisse-moi danser avec Shep...

Une rage froide me submergea. Saisissant Lucy par les avant-bras, je la repoussai avec une telle violence que sa tête bascula en arrière et qu'elle ouvrit les yeux pour me regarder d'un air étonné, perdu. Mon vieux sentiment de culpabilité se réveilla mais la rage fut la plus forte.

– Redresse-toi, Lucy, ordonnai-je. Je danse avec Sarah et ensuite je la reconduis chez elle. Si tu as besoin qu'on t'aide pour retourner à la voiture, je suis sûr que quelqu'un s'en chargera.

Je regardai autour de moi, découvris la figure pâle et calme de Charlie, qui acquiesça d'un signe de tête. Lorsque nos yeux se croisèrent, je crus déceler une petite lueur de triomphe derrière les verres épais de ses lunettes.

– Charlie t'aidera. Moi, je danse avec Sarah.

Lucy me fixa, livide. Un voile de larmes couvrit un instant ses yeux puis disparut.

– Fais ça, Gibby, dit-elle d'une voix parfaitement maîtrisée qui résonna comme une cloche dans la vaste salle. Danse avec la petite Sarah et raccompagne-la chez elle, et profites-en pour la baiser un bon coup, d'accord ? Oh ! mais j'oubliais, tu peux pas faire ça. Red a essayé, il m'en a parlé. Il a essayé toute une nuit pendant que tu étais à Princeton, et tu sais quoi ? Elle n'a pas de fente ! Pas de fente du tout, parce que Sarah n'est pas vraiment une femme, c'est un de ces mignons petits personnages en plâtre qui vous font de grands sourires sur les terrains de golf miniature, et tout le monde sait que les nains de jardin n'ont pas de trou...

Sarah fit volte-face, traversa la piste de danse ; je la suivis. La salle était silencieuse ; Lucy s'était tue, personne ne parlait. Ce fut un moment terrible. Je ne pouvais concevoir comment Sarah parvenait à garder la tête droite et à marcher d'un pas ferme après ces mots assassins.

Lucy avait toujours eu le talent pour trouver en toute chose le terrier où gîtait une incontournable vérité, et il y avait quelque chose de vrai dans la comparaison avec ces horribles et grotesques parodies d'elfe. L'analogie était là, dans le petit corps fait au moule de Sarah, dans sa généreuse bouche rouge toujours souriante, ses joues colorées et ses immenses yeux noisette sous des sourcils noirs et droits. Je savais que tous ceux qui se trouvaient dans la salle ce soir-là penseraient à Sarah Cameron, quelle que pût être leur affection pour elle, chaque fois qu'ils verraient un de ces hideux homoncules. A cet instant, j'aurais été capable de tuer Lucy.

Sarah ne parla pas jusqu'à ce que nous soyons arrivés à la voiture. Quand je voulus la prendre dans mes bras, elle m'adressa un regard suppliant si désespéré que je n'en fis rien. Je savais qu'elle retenait ses larmes et que la moindre gentillesse la briserait. « Désolé », murmurai-je, impuissant. Elle hocha la tête, monta dans la Fury. Lorsque nous pénétrâmes dans Buckhead, déserté et lunaire, elle tendit le bras pour mettre la radio et je sus qu'elle avait pour le moment gagné la bataille contre les larmes mais je ne la touchai toujours pas.

– N'entre pas, s'il te plaît, Shep, dit-elle quand j'arrêtai la voiture dans la cour pavée de la maison de Muscogee Avenue. Je vais monter dans ma chambre et pleurer, je le sais. Demain, ça ira mieux. Nous parlerons, nous déjeunerons ensemble. Et ne te tourmente pas. Tu n'es pas responsable de Lucy, je le sais.

– Sarah, dis-je, Sarah, je t'aime.

– Ça aussi je le sais, répondit-elle avant de descendre de voiture et de disparaître par la porte de la petite véranda.

Je rentrai chez moi résolu à attendre Lucy aussi longtemps qu'il le faudrait pour la confronter à sa conduite. J'ignorais ce que je lui dirais mais je savais que ce qu'elle avait fait dépassait les bornes et que je ne devais pas la laisser s'en tirer comme ça. Il me semblait que c'était l'acte le plus important que j'aurais jamais à accomplir, que des choses capitales dépendaient de mon attitude envers Lucy. Quelles choses ? Je n'en avais pas la moindre idée et finalement je n'obligeai pas Lucy à rendre des comptes puisqu'elle n'était toujours pas rentrée lorsque le jour fut complètement levé, le lendemain matin, et que je m'endormis dans l'aube cendreuse d'une nouvelle journée de printemps.

Lorsque je m'éveillai, à onze heures, elle était assise au

bout de mon lit, dans la gloriette. Vêtue d'un pantalon corsaire et d'une blouse jaune toute fraîche, elle fumait une Viceroy. Je clignai stupidement des yeux dans la fumée puis me rappelai les événements de la veille, me redressai et pris une profonde inspiration.

– Écoute, Lucy...

Elle sourit. Elle semblait avoir dormi dix heures d'un sommeil paisible et il ne restait, de toute la rage et de toute la laideur de la nuit précédente, que d'infimes marques bleues sur ses bras.

– Si c'est à propos d'hier soir, je suis navrée, Gibby. Je sais que j'ai été épouvantable et j'irai dire tout à l'heure à Sarah combien je suis désolée. Mais j'avais une bonne raison de me conduire comme ça, et je voulais t'en parler.

Je la considérai un moment avant de répliquer :

– Aucune raison au monde ne peut justifier ce que tu as fait hier, et quelle qu'elle soit je ne veux pas la connaître.

Ellc rejeta par le nez deux colonnes jumelles de fumée.

– Eh bien, tu vas la connaître quand même, que tu le veuilles ou non, dit-elle d'un ton calme. Il faut que tu m'aides. Je suis enceinte de trois mois. J'ai pensé qu'il valait mieux t'en parler avant que tu n'ailles prendre ton petit déjeuner afin que nous puissions voir ensemble la meilleure façon de procéder.

Je fus incapable d'articuler un mot, et devant mon silence elle poursuivit :

– Je veux me faire avorter mais je n'ai pas d'argent. Je connais un endroit où je peux aller, à Copper Hill, dans le Tennessee. Une vraie clinique, un vrai docteur, aucun danger, mais ça coûte six cents dollars et je sais que tu as l'argent du trust de ton grand-père...

– C'est Red, bien sûr, murmurai-je.

Dans ma bouche engourdie, ma langue me paraissait énorme.

– Bien sûr, acquiesça-t-elle. Pour quel genre de fille me prends-tu, Gibby ?

– Alors demande-lui le fric ! criai-je, surpris par la violence de ma colère.

Le calme de Lucy s'évanouit.

– Je ne peux pas lui dire ! Je ne pourrai jamais ! glapit-elle.

– Pourquoi ? rétorquai-je d'une voix sifflante. Qui casse les verres les paie. Qui baise paie l'avorteur, en l'occurrence. Bon Dieu, Lucy, il est bourré de fric. Pourquoi ne prend-il pas ses responsabilités ? Et puisqu'on parle de responsabilités, pourquoi ne t'épouse-t-il pas ? C'est prévu, de toute façon, non ? Quelle différence que ce soit maintenant ou plus tard ? Son père peut vous entretenir tous les deux. C'est à ça que tu devrais penser, pas à un avortement.

– Il ne peut pas m'épouser !

Elle éclata en sanglots et je retrouvai les larmes de souffrance, de peur et de désespoir de naguère. Mon cœur se serra. C'était Lucy, c'était encore Lucy...

– Pourquoi ? demandai-je, la voix radoucie malgré moi.

– Parce que son père a menacé de ne pas lui laisser un sou s'il engrosse une fille ou épouse n'importe qui avant d'être sorti de Princeton, et Red sait qu'il le ferait. Il m'a dit que si je tombais enceinte, je ne le verrais plus.

– Quel salaud ! explosai-je. Eh bien, bon débarras. Mais je ne paierai pas d'avortement. Tu pourrais *mourir*...

– C'est un bon médecin. Tout le monde fait appel à lui.

– Comment ça, tout le monde ?

– Tu t'imagines que je suis la première fille d'Atlanta à qui ça arrive ? dit-elle avec un rire amer. Tu en as vu, toi, des mariages forcés ou des filles mères dans notre bande ? Les familles paient toujours. Elles s'adressent à ce type. Il est... à la mode, comme le coiffeur chez qui vont toutes les femmes de Buckhead. Seulement, tu imagines tes parents payant mon avortement ? Ou Mr. Chastain ? Red ne le fera pas, en tout cas.

– Tu pourrais garder l'enfant.

– JE N'AURAI PAS D'ENFANT SANS ÊTRE MARIÉE ! hurla Lucy. JE SUIS INCAPABLE DE M'OCCU-

PER D'UN BÉBÉ, JE NE SAIS MÊME PAS M'OCCUPER DE MOI-MÊME !

Ses sanglots redoublèrent, la secouant avec une telle violence que je m'approchai d'elle et la pris dans mes bras, comme je l'avais fait de nombreuses années auparavant, lorsqu'elle avait fait une fugue et avait été punie. Elle se calma peu à peu et nous demeurâmes un moment silencieux.

– Tu as dit que tu veillerais toujours sur moi, Gibby, murmura-t-elle contre ma poitrine nue. Tu l'as promis, le jour où nous avons entaillé nos poignets.

C'était à nouveau cette étrange litanie, cette supplique au chevalier à laquelle elle revenait chaque fois qu'elle se retrouvait au bord de la terreur et de l'impuissance. Ces minces estafilades de l'enfance, ce jeune sang clair qui coulait si profond...

– Lucy, je n'ai pas six cents dollars, déclarai-je. Je n'aurai pas une somme pareille avant mon diplôme.

– Tu pourrais m'épouser, dit ma cousine. (Elle leva vers moi ses yeux rendus brillants par autre chose que ses larmes. C'était une expression de soulagement, simple et joyeuse, qui les éclairait.) Tu pourrais m'épouser, Gibby. Nous irions en voiture au Maryland, aujourd'hui, ce matin ; je viendrais vivre à Princeton, nous prendrions un appartement quelque part ; je trouverais du travail et tu continuerais tes études...

– Je ne peux pas faire ça, marmonnai-je. Tu ne peux pas faire ça, tu le sais bien. Lucy, ne me demande pas de m'occuper toujours de toi, ce n'est pas possible.

– Si, je te le demande ! explosa-t-elle à nouveau en se remettant à pleurer. Parce que tu me l'as promis !

– Lucy, plaidai-je désespérément, j'avais neuf ans quand j'ai dit ça ! Tu n'en avais même pas sept ! Tu reviens toujours à cette promesse mais tu dois savoir que nous n'étions que des enfants en train de jouer...

Ma voix faiblit, se tut. Je demeurai silencieux, affaissé. Sans un mot, Lucy scruta mon visage et y lut probablement ma réponse parce qu'elle se raidit, se redressa, repoussa mes bras.

– Je dois repartir pour Princeton cet après-midi, dis-je. Écoute, voici ce que tu vas faire. Tu vois un docteur pour être sûre et tu m'appelles. Je réfléchirai et nous trouverons quelque chose qui te permettra de partir et d'avoir le bébé. Tu pourrais prétendre que tu pars passer quelque temps... chez quelqu'un.

Avec un sourire éclatant et terrible, elle répondit :

– Laisse tomber, Gibby. Avec un peu de chance, j'apprendrai qu'il s'agit seulement d'un cancer et tu seras débarrassé. Tu seras celui qui pleurera le plus fort à mon enterrement et tout le monde s'extasiera sur le cousin affectionné que tu étais.

– Lucy, murmurai-je, mais elle se retourna et sortit.

Comme je m'apprêtais à la suivre, elle me jeta sans même me regarder :

– Si tu fais un pas de plus, je raconterai à tout le monde que l'enfant est de toi. Je parle sérieusement, tu peux me croire. Je ne veux plus jamais te revoir. Retourne à ton cher Princeton.

C'est ce que je fis, sans même passer voir Sarah. Je me contentai de lui téléphoner pour lui dire que je m'étais réveillé trop tard, que je devais partir pour l'aéroport et que je la retrouverais dans deux semaines pour la remise des diplômes. Je pris l'avion de midi pour Philadelphie puis le train de la P.J. & B. Toute la semaine, malade de détresse, d'inquiétude et de colère, j'attendis le coup de téléphone de Lucy.

Je reçus effectivement un appel d'Atlanta cinq jours plus tard mais ce fut de ma mère, non de ma cousine. Aussi calmement que si elle parlait de mon linge, elle m'annonça que Lucy était sortie avec la Fury un après-midi d'orage, qu'elle avait perdu le contrôle de la voiture et avait percuté une culée de pont sur la nouvelle route nationale, près de Gainesville. Elle se trouvait au Piedmont Hospital avec une commotion cérébrale, une profonde entaille à la tempe et des lésions internes, mais on prévoyait qu'elle se remettrait peu à peu, bien qu'elle eût perdu beaucoup de sang. La Fury en revanche n'était plus qu'une épave. Je crus sentir une certaine satisfaction dans la voix de ma mère mais n'aurais su dire si c'était à cause de la nièce accidentée ou de la voiture réduite à un tas de ferraille – elle n'avait jamais aimé ni l'une ni l'autre.

Ce soir-là après le dîner, je téléphonai à Lucy dans sa chambre particulière à l'hôpital.

– Et le bébé ? demandai-je sans préambule.

– Quel bébé ? répliqua-t-elle, et sa voix était pleine de gaieté. Il n'y a pas de bébé, Gibby. Plus maintenant.

Lucy obtint son diplôme de fin d'études secondaires une semaine plus tard. D'après les photographies que prit tante Willa, elle avait l'air d'un ange peint par Le Greco avec sa toge et sa toque blanches, et le petit pansement qui ressemblait à un grain de beauté sur sa tempe délicatement concave. Tante Willa, ma mère et mon père assistèrent à la cérémonie, ainsi que Red Chastain, particulièrement séduisant et dédaigneux dans son blazer bleu, son pantalon de flanelle grise et ses chaussures en daim blanches. Il y avait même le père de Red, arborant son grand sourire de bête sauvage.

Mais je n'y étais pas.

13

– J'ai toujours l'impression que je vais voir Frank Sinatra recroquevillé sous ton perron, en manque d'héroïne, dit Sarah en se pressant contre moi tandis que je cherchais ma clef.

Elle ne s'était jamais remise de *L'Homme au bras d'or*, que je l'avais emmenée voir au *Playhouse* de Princeton, un week-end, et ne manquait jamais d'évoquer le spectre torturé de l'acteur quand nous gravissions les marches de marbre conduisant à mon appartement de la 21e Rue Ouest.

Je comprenais sa réaction. Cette partie de Lower Manhattan entre la Huitième Avenue et l'Hudson River s'appelle aujourd'hui Chelsea et est devenue tout à fait chic, à ce qu'il paraît. Mais en 1958, quand je m'y suis établi, c'était un quartier sombre et, par endroits, réellement inquiétant, avec toutes sortes de drôles de trucs dans l'air et dans les veines des habitants, y compris de l'héroïne. Je découvrais régulièrement des corps couchés parmi les poubelles et autres débris indicibles dans les escaliers des sous-sols de mon pâté de maisons, entre la Huitième et la Neuvième, mais après les deux ou trois premières rencontres, je cessai d'appeler automatiquement la police. Dans tous les cas sauf deux, ces corps appartenaient à des clochards cuvant leur vin à l'abri du vent. Sur les deux exceptions, l'une était un drogué que l'héroïne avait plongé dans un état comateux ; l'autre, vieille femme livide à l'air terrifié, était morte. Au bout de près d'une année, je pus m'enorgueillir d'être capable de distinguer le mort du vif au premier coup d'œil.

Ces corps ne me dérangeaient pas. Mon appartement occupait tout le premier étage d'une vieille *brownstone** jadis imposante donnant à l'arrière sur un jardin à l'abandon – de ma cuisine, je découvrais un ginkgo rabougri – et il était assez bon marché pour que je n'aie pas à le partager. Qu'il fût sans air, sobre, délabré, je ne m'en aperçus qu'après deux jours d'occupation. Il était à présent aussi propre que possible après une semaine passée à laver, gratter, essorer, peindre, et plutôt confortable si l'on ne s'attachait pas à l'esthétique. Il était également proche du bus et du métro allant à la Bibliothèque publique de New York, où je travaillais, et aux clubs de jazz du Village. J'enjambais les épaves humaines du Lower West Side et marchais sur le coussin d'air de la joie la plus pure.

Je fis chauffer de l'eau pour le café sur le vieux réchaud à gaz encrassé de la petite cuisine, et nous prîmes nos tasses pour nous installer sur les marches de l'escalier d'incendie. On était en avril et le ginkgo s'ornait de feuilles nouvelles d'un vert transparent. Du jardin obscur montait une odeur de chèvrefeuille citadin luttant contre la puanteur générale du West Side. C'était un printemps doux, précoce, et la nuit était presque aussi tiède qu'une soirée d'avril à Atlanta. Le grondement de la circulation dans la Neuvième Avenue avait décru aux petites heures du dimanche matin, nous laissant entendre d'autres bruits : des pas dans la 21ᵉ Rue, une radio dans un appartement, un miaulement dissonant d'origine féline ou humaine mais signalant une passion à son apogée dans le jardin invisible. Sarah gloussa, ce qui m'apprit qu'elle était encore grise des gin-tonic que nous avions bus. D'ordinaire, elle n'aurait pas relevé ces bruits amoureux.

– Ça a l'air amusant, dit-elle en nichant sa tête bouclée au creux de mon épaule, sa place habituelle.

* Demeure bourgeoise de la fin du XIXᵉ siècle. (N.d.t.)

Je l'attirai plus près encore.

– Tu veux essayer ? proposai-je.

– Uh-uh, déclina-t-elle. Je suis trop bien. Une autre fois, merci.

Je souris dans la nuit par-dessus ses cheveux emmêlés. Nous savions tous deux que nous ne ferions pas l'amour, pas pour le moment, et nous nous accommodions assez bien de cette idée pour nous taquiner à ce sujet. Je crois que ces taquineries lui plaisaient et je sais que je les appréciais. Elles donnaient du piquant à ce qui aurait été autrement une relation presque trop profonde et trop douce. Pas maintenant, signifiaient-elles, mais bientôt. Demain, peut-être, sait-on jamais. En tout cas, nous n'aurions pas eu le temps ce jour-là. Les vacances de printemps de l'Agnes Scott College se terminaient dimanche et Sarah devait prendre l'avion pour Atlanta dans l'après-midi. Je consultai ma montre : il ne nous restait que quelques heures.

Le week-end avait été aussi idyllique que ceux de Princeton. Sarah s'était coulée sans faire de vagues dans le monde que je m'étais délimité à New York, et si les choses que nous fîmes, les endroits où nous allâmes et notre comportement l'un envers l'autre ne la ravirent pas totalement, je n'en sus jamais rien.

Le vendredi de son arrivée, nous avions déposé ses bagages au *Barbizon* – un hôtel pour femmes seules où Ben et Dorothy tenaient à ce qu'elle loge et où elle descendit effectivement – avant d'aller dîner chez les parents d'Alan Greenfeld, près de Colombus Circle. Alan s'y trouvait avec une étudiante de Bennington aux cheveux raides nommée Gerta Neumann, stagiaire à *The New Republic*, où il avait travaillé l'année précédente comme chef adjoint de la rubrique politique. C'était la première fois que j'emmenais Sarah chez lui et je ne savais quelle impression elle ferait. Elle était aussi étrangère à ce monde de juifs libéraux et de militants de gauche qu'eux-mêmes l'étaient pour l'univers cloîtré et banal de Buckhead. Mais elle passa brillamment l'épreuve. Sa vivacité d'esprit, sa franchise sans affectation firent leur conquête, de même que son doux accent du Sud et ses excellentes manières. Ben et Dorothy avaient laissé de nombreuses portes ouvertes à leur fille.

Le samedi – hier maintenant – nous étions quasiment allés au bout de nos forces et des ressources de la ville. Un des traits qui m'enchantaient chez Sarah, c'était son énergie. Son petit corps d'athlète, ses jambes fuselées aux muscles d'acier dévoraient New York avec aussi peu d'efforts que ma maigreur bondissante, et nous marchâmes probablement une quinzaine de kilomètres avant le crépuscule. A six heures, attendant dans le hall collégial et collet monté du *Barbizon* tandis que Sarah se changeait, j'avais l'impression de me retrouver à une soirée à Bryn Mawr ou à Sarah Lawrence. Nous allâmes ensuite dîner chez *Mama Leone* et mangeâmes des pâtes à l'ail et aux haricots blancs, le plat le meilleur marché que Mama offrait ce soir-là. Nous bûmes aussi une grande quantité de chianti bon marché, rîmes beaucoup en nous tenant la main par-dessus la table, puis j'emmenai Sarah, resplendissante dans sa robe de coton pêche, écouter Brubeck au *Village Vanguard*.

Lorsque, revenant chez moi, nous tournâmes le coin de la Septième Avenue et de la 77e Rue, nous étions fin soûls, et notre ivresse ne provenait qu'en partie des gin-tonic mentionnés plus haut. Le trou que la soirée avait creusé dans l'héritage de mon grand-père lui aurait fait écarquiller les yeux mais je crois qu'il aurait été convaincu de sa nécessité s'il s'était assis dans la pénombre bleuie par la fumée du *Vanguard* ce soir-là et s'il avait entendu Brubeck décoller. A la fin de la soirée, Sarah et moi étions debout, comme tout le public, quand le quartette déboula de *Time Out* à deux cents à l'heure pour attaquer *Take the A Train*.

C'était la troisième fois que Sarah venait me voir à New York. Depuis le week-end de son bal de dernière année, trois ans plus tôt, je n'étais revenu à la maison que pour deux ou trois brèves visites ne durant guère plus d'une journée. Je n'avais pas accompagné Sarah au *Harvest Ball* de *Thanksgiving* comme je l'avais promis. Je lui avais téléphoné pour lui dire – seul mensonge que je lui fis jamais et qu'elle ne crut pas, j'en suis sûr, bien qu'elle l'acceptât avec sa grâce coutumière – que je craignais d'avoir attrapé la mononucléose et que je souhaitais qu'elle demande à Charlie de me remplacer. Elle le fit – avec simplicité et gentillesse, je n'en doute pas –, il accepta et je pense qu'ils passèrent tous deux une merveilleuse soirée. Sarah aima toujours Charlie, son aisance, son dévouement et son extraordinaire gentillesse. Pour sa part, Charlie aimait Sarah mais d'une manière tout à fait différente, bien sûr, et je savais qu'il eût volontiers renoncé à sa bourse à Emory pour participer à l'un des grands jours de la vie de Sarah.

Je ne revins pas chez moi à Noël ni à Pâques de cette année-là, ni entre ma troisième et ma quatrième année à Princeton, et je n'expliquai pas à Sarah pourquoi, en espérant qu'elle présumerait que la tension entre mon père et moi était la raison de ces absences. Je savais toutefois qu'elle n'ignorait pas le fossé qui me séparait à présent de Lucy, bien qu'elle n'en connût probablement pas la cause ni la profondeur. Je le savais parce qu'elle ne parlait jamais de Lucy, même lorsqu'il aurait été naturel de le faire. Sarah et moi passâmes la plus grande partie de mes deux dernières années à Princeton et de ma première année à New York à parler de tout sauf de Lucy Bondurant.

Une semaine avant d'obtenir mon diplôme avec la mention *cum laude,* en juin 1958, j'avais reçu une lettre de Bud Houston, de la Trust Company of Georgia, m'informant que le trust de mon grand-père Redwine en ma faveur me serait accessible le jour de mon diplôme et m'exposant quelles en étaient les conditions. Elles étaient généreuses : une petite pension annuelle jusqu'à la fin de mes jours, dont je pourrais disposer à ma guise. A New York, j'ouvris un compte à la Manufacturer's Hanover, demandai à Bud d'y transférer la somme et de faire de même chaque année. Cela ne lui plut pas du tout. Il me parla d'investissements, d'actions, de toutes ces choses auxquelles les banquiers ont recours pour que votre argent travaille pour eux, mais il finit par capituler. Il ne parla pas de consulter mon père – je lui aurais arraché la tête s'il l'avait fait.

Pendant plus d'un an, je n'eus aucun rapport avec mon père, excepté les plaisanteries prudentes et neutres que nous échangeâmes à table les rares fois où je revins à la maison. Je savais que le jour où l'argent du trust m'était devenu accessible, il s'était enfin débarrassé de toute responsabilité à mon égard et qu'il ne me ferait plus profiter de la richesse des Bondurant, ni maintenant, ni probablement jamais.

Bien que cette attitude affligeât ma mère et l'eût fait pleurer près d'une demi-heure sur le plastron de ma chemise la dernière fois que j'étais à la maison, la défection de mon père et la perte de son argent ne me pesaient aucunement. Ce que je possédais en propre me suffisait. Mes liens avec lui, et par voie de conséquence avec ma mère, avaient été rompus quand j'avais touché l'argent de mon grand-père. La grande artère me reliant à Atlanta, celle de Lucy, était coupée. En quittant Princeton, je me rendis directement à Manhattan et m'y glissai comme un paquebot prend la mer.

Par l'intermédiaire des bureaux du père de Dub Vanderkellen, généreux donateur et président des Amis de la Bibliothèque, j'obtins presque immédiatement un poste de sous-sous-bibliothécaire au département des manuscrits rares de la Bibliothèque publique de New York. Cet emploi consistait essentiellement à pousser des chariots chargés de livres flamands du XVIIe siècle, reliés dans un cuir éraflé et perpétuellement humide, des entrailles de la bibliothèque au nouvel hôpital du parchemin. C'était un travail peu absorbant qui se terminait à deux heures de l'après-midi et me procurait juste de quoi ne pas mourir de faim. Mon salaire suffisait à payer l'appartement tandis que l'argent du trust me permettait d'acheter une petite quantité de mauvaise nourriture, une quantité plus grande d'alcool de qualité, mais surtout il m'ouvrait les portes des musées, des théâtres, des galeries d'art, des salles de concert, des restaurants et des clubs de jazz dans lesquels je plongeai comme un renard dans son terrier. Ce travail me plaisait assez. Dans l'immédiat, je n'envisageais pas de chercher quelque chose de plus exigeant et passais la plupart de mes après-midi libres à lire dans les salles du haut de la bibliothèque. J'aimais New York de toutes les fibres de mon être. Princeton avait été, je le découvris, le prélude à l'événement principal qu'était Manhattan.

Je passais des nuits dans les petites boîtes de jazz des quartiers nord ou du Village, parfois même de Harlem, écoutant avec ravissement les plaintes glacées ou les dissonances brûlantes de ce nouveau genre de jazz qui rôtissait les racines mêmes de mes cheveux sur ma tête. Je les entendais tous : Ellington, Hines, Krupa, Hampton, Kenton, Rich, Gillespie, Blakey. Et par-dessus tout les légendaires rois de l'anche qui conquirent le monde à la suite de Bird Parker ; Coleman Hawkins, Paul Desmond, Zoot Sims, John Coltrane, Stan Getz, Gerry Mulligan, Sonny Rollins, Ornette Coleman. Après le dernier morceau, je rentrais chez moi et jouais jusqu'à l'aube sur ma clarinette et sur le saxophone d'occasion que j'avais acheté chez un brocanteur la semaine de mon arrivée. Lorsque je n'écoutais pas, ne jouais pas et ne travaillais pas, je parlais interminablement. Mes compagnons étaient d'anciens condisciples de Princeton ou les amis d'amis que je m'étais faits dans la ville – pas très nombreux mais assez pour me donner l'impression réconfortante d'appartenir à un groupe. Je vivais de presque rien, devenais plus maigre et plus nerveux chaque jour, lisais, travaillais, jouais, explorais et, d'une manière générale, mettais à contribution les moindres fibres, nerfs et gouttes de sang que j'avais en moi.

Et toujours la musique, et toujours Sarah.

Je ne pouvais imaginer que je désirerais jamais autre chose.

Mais si j'en étais incapable, on le faisait apparemment pour moi. Pendant toute cette première année, ma mère entretint un tir de barrage de coups de téléphone puis, lorsque je cessai tout simplement de décrocher, se rabattit sur les lettres. Leur substance était toujours la même : « Tu gaspilles ta vie. Tout ce que nous t'avons donné et pourrions te donner comptera pour rien si tu restes là-bas à jouer au petit employé, à dépenser l'argent de ton grand-papa pour boire et écouter cette affreuse musique. Tu es un Bondurant d'Atlanta. Les gens jasent à ton sujet. Rentre. Cela m'est égal si tu ne veux pas travailler dans les affaires. Fais ce que tu veux mais rentre à la maison. Je veillerai à ce que ton père soit raisonnable en tout point. »

Cet « en tout point » était, je le savais, une allusion à la fortune familiale, et je pensais qu'elle parviendrait sans doute à faire entendre raison à mon père, comme elle disait, tout simplement parce que la moitié de cet argent était à elle. Au bout d'un moment, je ne répondis plus aux lettres non plus mais elle ne cessa pas pour autant de m'en envoyer. « Reviens, Sheppie. Reviens, mon bébé. Rentre à la maison. »

Je recevais également des lettres de Dorothy Cameron qui disaient en gros la même chose mais d'une manière plus douce et pour des motifs plus élevés : « Tu nous es cher, à Ben et à moi, Shep ; tu possèdes des dons et des capacités que tu ne soupçonnes même pas. Tu dois les utiliser. Il n'y a rien de plus satisfaisant que de rendre au monde une partie de ce qu'il vous a donné. C'est un devoir sacré. Nous y manquons à nos dépens. Et New York n'a pas besoin de tes talents, mais Atlanta... Oh ! comme nous avons besoin de nos rares Shep Bondurant. »

Dorothy, éternelle altruiste, conscience implacable d'une génération. Je savais ce qu'elle voulait dire à propos de la dette envers Atlanta ; je savais aussi qu'elle et Ben souffriraient, quoique silencieusement, si Sarah quittait la maison pour unir son sort au mien. Je répondais aux lettres de Dorothy, promptement et d'un ton allègre, mais je soupçonne qu'elle n'était satisfaite ni du fond ni de la forme désinvolte de mes réponses. A la différence de ma mère, elle s'abstenait toutefois de plaider et de me faire des reproches.

Même Charlie m'écrivit : « Trop, c'est trop. La grande ville, c'est bel et bon, mais Buckhead est un trou sans toi.

Rentre au pays, mon gars. Il y a une petite scottie à la tête bouclée à qui tu manques terriblement. Je te préviens : je l'ai emmenée danser cinq fois cette année et je recommence samedi soir. »

Après avoir reçu sa lettre, je l'appelai chez lui où il vivait encore – résigné, je le savais – avec sa mère. J'avais envie d'entendre sa voix familière.

– Tu n'as pas à me rendre des comptes ou à me demander la permission de sortir Sarah, dis-je. Elle choisit le cavalier qu'elle veut, et apparemment, c'est toi. J'en suis très heureux.

– Tu peux l'être, répondit Charlie, et j'imaginais le large sourire sur son visage carré. Personne d'autre ne veillerait mieux à tes intérêts.

Cependant, ces lettres me troublaient et je finis par demander à Sarah si elle avait la même opinion que tout le monde, semblait-il, sur la façon dont je menais ma vie.

– Eh bien, tu ne gagneras pas beaucoup d'argent, tu sais, me dit-elle, et tu as pris en grandissant l'habitude de la richesse. Mais je ne crois pas que ce soit très important pour toi, et ça ne l'est certes pas pour moi. Je suis contente de te voir heureux. On dirait que quelqu'un a allumé une lampe en toi. Je ne t'avais jamais vu comme ça à Buckhead. Je me demande si cela te suffira toujours... si un jour tu n'exigeras pas davantage de la vie. Je ne veux pas dire sur le plan matériel. Je veux dire... Oh ! sur le plan de l'expérience, je crois. Si la façon dont tu vis aujourd'hui perd jamais de son intensité, elle te semblera peut-être terriblement vide, j'en ai peur. Et tu auras peut-être manqué les meilleures occasions de faire autre chose.

– J'ai l'impression que c'est à toi qu'elle ne suffirait pas, repris-je en la regardant avec attention. Je croyais que tu aimais la façon dont je vis, la ville, les choses que nous faisons...

– C'est vrai. En ce moment, je pense qu'être avec toi à New York est à peu près la chose la plus formidable au monde que je puisse imaginer. Mais je ne sais si je le penserai toujours.

– Tu souhaiterais avoir plus d'argent, vivre dans un meilleur appartement ? demandai-je, réellement troublé.

– Non, je pensais que tu l'avais compris. Ce dont je manque, c'est d'accomplissement. Le mien, surtout. Le problème est là, Shep. C'est dans ce but qu'on m'a élevée. Je ne peux pas faire de choses grandioses mais j'ai besoin d'aller aussi loin que possible. De donner quelque chose au monde. A cet égard, je suis bien la fille de ma mère. C'est pourquoi je veux passer une année à Paris pour ma peinture, pourquoi je n'envoie pas promener la plupart de ces bonnes œuvres ridicules de la Junior League.

– Tu pourrais à coup sûr accomplir tout ce que tu désires à New York, arguai-je, conscient de mon ton plus qu'un peu renfrogné. Tu pourrais aller plus loin dans ta peinture ici qu'à Atlanta.

– Je le sais, répondit Sarah, et elle sourit. C'est la raison pour laquelle je ne te parle pas de rentrer. Ce n'est pas à moi qu'il manquera peut-être quelque chose, c'est à toi.

Elle m'avait tenu ces propos juste avant de prendre l'avion après une visite, l'été précédent, et je n'avais pu poursuivre la discussion. Sarah avait le chic pour lancer un pavé dans la mare au moment de me quitter, peut-être parce qu'elle détestait la confrontation et qu'elle savait que je pouvais avoir le dessus dans la plupart de nos discussions.

Elle en jeta un ce dimanche soir alors que nous traversions le hall malpropre de La Guardia*.

– Il faudra que nous parlions de Lucy, un de ces jours, tu sais, me dit-elle soudain.

Je la regardai d'un air étonné, elle me sourit et continua à marcher.

– Je sais que vous avez eu une sorte de brouille, poursuivit-elle. Une brouille grave parce que tu ne l'as pas revue et

* Un des aéroports de New York. (N.d.t.)

que tu n'as pas dit un mot à son sujet depuis notre bal de dernière année. Cela remonte à trois ans, Shep.

– Nous nous sommes effectivement querellés, confirmai-je. Elle ne veut pas me voir et je ne peux pas dire que ça me tourmente. Je ne vois pas pourquoi nous devrions parler d'elle. Cela n'a vraiment aucune importance.

– Tu dois quand même y penser, insista Sarah, un pli soucieux entre ses sourcils noirs. Tu dois penser à elle de temps en temps.

– Non, répondis-je, roulant lentement le mot sur ma langue et découvrant qu'il était fondamentalement sincère. Presque jamais. C'est curieux.

Sarah ne dit rien mais son sourire s'élargit.

– Qu'est-ce qui te fait sourire ? demandai-je.

– Je ne te crois pas. Il y a un coin de ton cœur qui appartient pour toujours à Lucy Bondurant.

Sarah étudiait Rupert Brooke, cette année-là.

– Eh bien, tu te trompes, répliquai-je avec quelque agacement. Cette fois, tu te trompes.

Nous n'en parlâmes plus. On annonça le vol de Sarah, je l'embrassai et elle se dirigea vers la porte. Soudain elle se retourna et je vis que ses yeux étaient embués.

– Oh ! Shep, ne reviens pas ! s'écria-t-elle. Je me moque de ce que disent les autres. C'est toi qui as raison, reste ici. Si tu rentres, ce sera vers elle que tu retourneras.

Et elle se dirigea vers la passerelle du D.C.-7 avant que je puisse lui répondre.

Dans le taxi me ramenant à la 21e Rue Ouest, je songeai qu'il était rare que Sarah se trompe à mon sujet, et étrange qu'elle s'abuse cette fois et à ce propos. Car j'en étais sûr : je pensais à Lucy fort rarement, et de manière très brève, sans rien éprouver du tout. C'était comme si toutes les années passées sous le charme dévastateur, étourdissant de ma cousine n'avaient pas existé. Notre dernière rencontre dans la gloriette m'avait-elle brûlé si gravement que je l'avais enfouie là où je ne pouvais l'atteindre ?

Sarah avait cependant raison sur un point. Cela faisait un

an que je n'avais pas eu de nouvelles de Lucy, et les informations que j'avais reçues ne provenaient pas d'elle mais, chose stupéfiante, de sa mère. Ma tante Willa. Elle m'avait téléphoné un vendredi soir glacial du mois de mars, il y avait un peu plus d'un an, pour me dire qu'elle était en voyage d'affaires à New York, qu'elle aimerait déjeuner avec moi le lendemain et bavarder. Elle était descendue au *Royalton*, dans la 44e Rue Ouest, et proposait que nous mangions au *Schrafft's*, au coin de la 43e Rue et de Broadway. Je détestais le côté chichiteux et la cuisine épouvantable de l'endroit mais j'étais pris par surprise, et je savais en outre que nous pourrions y manger sans nous ruiner et qu'elle attendait de moi que je règle l'addition. Dans le monde de tante Willa, l'homme, aussi impécunieux fût-il, payait toujours. Nous prîmes rendez-vous pour le lendemain à midi, et j'allai me coucher avec l'idée que ma tante voulait me faire faire quelque chose au sujet de Lucy et que je n'aimerais pas cela du tout.

Je la découvris immédiatement. S'étant approprié une table près de la fenêtre, elle regardait la circulation de la 43e Rue comme une reine incognito espionnant ses sujets. Les trois années écoulées avaient épanoui sa beauté. Je savais qu'elle devait approcher de la quarantaine maintenant, mais tout ce qu'on voyait du passage du temps était une sorte de chatoiement qui la recouvrait. Elle portait encore une épaisse couche de fond de teint pâle, un rouge à lèvres et du vernis à ongles écarlate, mais elle était à présent si mince que ses seins, ses hanches ne vous sautaient plus littéralement à la figure comme avant, ils vous faisaient simplement signe. Ses vêtements étaient manifestement coûteux, quoique simples au point d'être sévères. Lucy avait toujours eu tant de traits des Bondurant, à part son teint étourdissant hérité des Slagle, que je n'avais jamais discerné une seule trace de tante Willa en elle, mais devant cette maturité pleine et magnifique, je vis, dans la grâce sombre et le calme de Willa Slagle Bondurant, quelque chose de la femme que Lucy deviendrait peut-être un jour. Toutes deux attiraient le regard, Willa par sa féminité sensuelle, Lucy par une féminité tout aussi grande ainsi que par la vie exubérante qui jaillissait littéralement d'elle.

Je m'assis, méfiant, avec le sentiment de me jeter de mon plein gré dans un piège. Ce ne pouvait être quelque sollicitude pour ma personne qui motivait ce déjeuner. Tante Willa n'avait jamais eu une conversation en tête à tête avec moi depuis son installation à la maison et elle ne parlait quasiment jamais aux enfants des grandes maisons de Buckhead. Je crois que, dans son esprit, nous n'avions le pouvoir ni de l'entraver ni de l'aider dans sa quête obsessionnelle de la respectabilité, et nous n'existions donc pas à ses yeux – exception faite naturellement de ses filles, celle qui était sa joie de vivre et celle qui lui empoisonnait l'existence. Ne pouvant m'imaginer en train de bavarder avec elle comme je le faisais avec Dorothy Cameron ou même avec ma mère, j'avais eu un moment de panique en traversant la salle en direction de sa table.

J'avais tort de m'inquiéter : c'est elle qui fit toute la conversation. Du moment où elle me bécota la joue, m'enveloppant d'une forte odeur de musc, à celui où elle reposa sa tasse à café et alluma une Parliament, maculant le papier blanc d'une tache rouge mûre, elle n'interrompit pas son babil imbécile, parlant de sa carrière chez Rich (elle serait bientôt acheteuse en chef), de ce que devenaient ma « petite bande » (mariages et fiançailles tous azimuts) et ses amis (elle n'avait pas manqué un thé, un bal de charité ou un défilé de mode), de la transformation d'Atlanta (qui poussait comme un champignon, tours et centres commerciaux partout. « Tout le monde dit que Ben Cameron sera le prochain maire, mais pourquoi il a envie de le devenir, ça me dépasse. »)

Finalement, son débit se ralentit ; elle s'arrêta et m'octroya toute la puissance de son sourire écarlate.

– Je me suis vraiment laissée aller, non ? fit-elle d'un air espiègle. Et pas un mot sur toi. Comment vas-tu ? Une des raisons pour lesquelles je voulais te voir, c'est que tu manques beaucoup à Lucy et que je pourrai lui donner de tes nouvelles.

« Tu parles », pensai-je.

– Je vais très bien, répondis-je. Et Lucy ?

Elle baissa les paupières, tendit devant elle ses jolies mains blanches dans un geste d'impuissance, marqua un temps puis reprit d'une voix de mère affligée :

– Je suis profondément inquiète pour ma fille, Shep. Elle court tout droit à la catastrophe et j'aimerais avoir ton avis. Tu as toujours su te faire entendre d'elle quand personne d'autre n'y parvenait, et les filles n'écoutent plus leur maman, de nos jours.

Elle leva les yeux avec un petit sourire triste et indulgent. « Joli travail, tante Willa », appréciai-je en silence. A voix haute, et avec une répugnance qui me donnait un ton traînant, je demandai :

– Que se passe-t-il avec Lucy ?

– Elle risque de se faire exclure d'Agnes Scott. Et si cela arrive, elle peut renoncer à épouser Red Chastain parce que son père le déshéritera quand il apprendra les raisons du renvoi de Lucy. Et ça se saura, Shep. Lucy se débrouille toujours pour faire jaser les gens dont elle devrait au contraire se faire apprécier.

Malgré moi, j'eus un sourire que je cachai derrière ma tasse de café. Je savais que Lucy attirait effectivement les ragots autant que les regards, et qu'elle ne se souciait ni des uns ni des autres, sauf quand elle pouvait s'en servir dans sa longue guerre de guérilla contre sa mère. Je savais aussi que la raison, quelle qu'elle fût, du renvoi de Lucy n'avait quasiment aucune importance pour tante Willa, comparée à ses conséquences : la perte de l'inestimable vernis mondain que le nom de Chastain conférait à tous ceux qui l'approchaient.

– Qu'est-ce qu'elle a fait ? demandai-je.

– Eh bien, entre autres choses, entre *maintes* autres choses, répondit Willa, se dessinant une grande bouche vermillon avec un mince tube de rouge à lèvres doré et ôtant habilement une particule collée sur une canine, elle a écrit dans le petit journal dont elle est rédactrice en chef un éditorial sur cet épouvantable Martin Luther King, qu'elle présente comme un nouveau saint américain, et plusieurs grands journaux l'ont repris. Le *Constitution*, notamment, qui a publié un article intitulé « une princesse d'Atlanta défend les manifestations ». Tu imagines ! Tout le monde se tord de rire. Non, pas tout le monde. Babs Rawson n'a pas trouvé ça drôle du tout. Elle est passée quasiment devant nous sans nous saluer au Driving Club, la semaine dernière, et Little Lady était *en compagnie de Carter !*

Bien sûr, pensai-je, Lucy et les Noirs. C'était la seule chose qui suscitât encore la colère de Willa, la seule susceptible, à cette époque, d'enflammer suffisamment Buckhead pour menacer sérieusement la place qu'elle s'était faite dans le grand monde. Mais de toute façon...

– De toute façon, on ne peut pas la renvoyer pour ça, déclarai-je. Elle est rédac-chef de ce journal depuis qu'elle est entrée à Scott, il y a deux ans, et ça ne s'était jamais vu. Ils savent forcément ce qu'elle vaut. Je croyais que ses notes en journalisme et en anglais étaient les meilleures de...

– Oh ! oui, les meilleures, mais elle néglige tellement les autres matières que tous ses professeurs m'ont écrit. Et naturellement, elle enfreint tous les articles du règlement, et lorsqu'on la convoque devant ce truc, là, le conseil de discipline, et qu'on la punit, elle se contente de rire et continue à faire ce qui lui chante. Il y a deux jours seulement, j'ai reçu une lettre de la doyenne disant que Lucy pourrait être plus tard une des grandes voix – c'est son expression – une des grandes voix du Sud, tant elle est douée. Mais d'abord, elle doit obtenir son diplôme, ajouta-t-elle, et comme c'est parti, elle ne l'aura pas. Je sais ce que la doyenne veut dire : Lucy ne travaille jamais, elle passe tout son temps avec le jeune Noir qui vit chez Ben Cameron, ce Glenn Pickens. Maintenant, Ben l'envoie à l'université, rien de moins, dans ce collège pour Noirs du sud de la ville. More-quelque chose...

– Morehouse, dis-je machinalement.

– Morehouse, et la moitié du temps, Lucy est fourrée là-bas avec lui, elle participe à des réunions sur les droits civiques, à des manifestations et autres choses vulgaires. La semaine dernière, il y avait un *sit-in* en Caroline du Sud, et ta cousine Lucy s'est retrouvée au beau milieu de la foule, seul visage blanc dans cette mer noire. Naturellement, les journaux des deux collèges en ont parlé !

– Et c'est ce qui choque Agnes Scott ? demandai-je, dubitatif.

Je savais l'établissement d'un conservatisme extrême en matière d'enseignement et de règlement intérieur, mais je ne pensais pas qu'il pût prendre officiellement position sur une question aussi explosive que le Mouvement pour les Droits Civiques, car il évitait en règle générale de faire parler de lui. En outre, Sarah ne m'en avait rien dit et je savais que ses parents l'auraient retirée d'un collège prenant ce genre de position.

– Ils prétendent que non, que c'est à cause de ses notes, de son attitude vis-à-vis du règlement, répondit tante Willa. Mais c'est à cause de ça, bien entendu. Et Farrell Chastain est furieux, tu peux me croire...

– Et Red ? fis-je, curieux. (Je connaissais son impitoyable racisme mais je savais également qu'il était aussi versé dans la politique qu'un stercoraire.) Il est furieux, lui aussi ?

– Non, je ne crois pas. J'ai fini par autoriser Lucy à aller le voir à Princeton, dans l'espoir qu'elle traînerait moins avec les nègres...

La voix de ma tante avait peu à peu repris son ton geignard, vulgaire, et plusieurs têtes se tournèrent vers elle mais elle ne le remarqua pas. Je me sentis rougir, eus envie de me cacher sous la table.

– Qu'il le soit ou pas, ça n'a aucune importance, poursuivit-elle, parce que si son père lui serre la vis, tu peux être sûr qu'il laissera tomber Miss Lucy aussi vite qu'un serpent à sonnettes plutôt que de perdre tout cet argent.

– Elle a changé de conduite ? demandai-je.

Je savais qu'on n'avait jamais amené Lucy à renoncer à quelque chose qu'elle souhaitait faire en l'intimidant ou en essayant de l'en distraire.

– Eh bien, elle n'est pas sortie de la semaine avec ce jeune Noir mais il faut dire qu'il est allé dans le Mississippi rameuter les nègres pour qu'ils s'inscrivent sur les listes électorales, alors elle n'a pas eu l'occasion de le voir. Elle y serait allée elle aussi mais il n'a pas voulu. Il a dit que c'était trop dangereux. Écoute, Shep, je veux que tu lui parles. Tu te rends compte, j'en suis sûre, qu'elle est sur le point de gâcher sa vie, sans parler de notre réputation. Tu veux bien lui téléphoner ? Elle t'écoutera, elle t'a toujours écouté.

– C'est impossible, tante Willa, répondis-je avec autant de vigueur que je pus. La dernière fois que je lui ai vraiment parlé, c'était il y a trois ans, et à la fin de notre conversation, elle a déclaré qu'elle ne voulait plus me revoir. Elle raccrochera avant que j'aie le temps de dire allô.

A ma consternation, elle enfouit son visage dans ses mains et se mit à pleurer. Je savais qu'elle ne jouait pas la comédie : ses sanglots étaient violents, horribles. D'autres regards se posèrent sur nous, laissant sur ma chair des cratères fumants. Elle ne parut pas s'en apercevoir.

– Elle va bousiller toute ma vie, gémit-elle. (Sa voix, redevenue celle de la fille d'un pauvre fermier, avait perdu la distinction acquise en seize ans d'efforts incessants.) Elle s'arrêtera pas avant. Oh ! je regrette de pas être morte à sa naissance...

La colère m'envahit, prit le pas sur ma gêne.

– D'accord, je lui téléphonerai, mais que je ne t'entende plus jamais dire ça, ordonnai-je d'un ton dont le tranchant glacial m'étonna.

Il l'étonna elle aussi, apparemment, puisqu'elle cessa de pleurer et leva les yeux. Malgré ses larmes, son rimmel n'avait pas coulé.

– Merci, Shep, dit-elle d'un ton soumis. En ce moment, elle est à Princeton mais elle rentre demain soir. Dimanche. Tu l'appelleras ?

J'acquiesçai, sans être du tout sûr de téléphoner, mais tellement impatient de sortir de ce terrible restaurant collet monté pour retrouver le soleil éclatant et froid du samedi que j'aurais promis n'importe quoi. Réconfortée, elle déposa sur ma joue un léger baiser puis s'éloigna sur ses hauts talons sans contenir tout à fait le balancement de son postérieur rebondi. Je vis des têtes se tourner sur son passage tandis qu'elle descendait majestueusement la 43e Rue en direction de la Cinquième Avenue, avant de disparaître.

Je n'aurais peut-être pas appelé Lucy si je n'avais rencontré Alan Greenfeld ce soir-là pour dîner. Nous allâmes ensemble écouter Horace Silver chez *Nick*, et il me conta qu'il était allé à Princeton récupérer des affaires qu'il avait laissées dans son ancien appartement du Holder, qu'il avait vu Lucy et Red Chastain dans la véranda du *Tiger* tous deux complètement soûls à midi. Mon vieux sentiment de responsabilité envers Lucy, longtemps endormi, resurgit en moi et je ne dormis guère de la nuit. Je compris que je téléphonerais à Lucy, que je le regretterais probablement mais que je ne pouvais faire autrement.

Red était alors en troisième année. Je ne l'avais pas vu depuis deux ans et l'avais très peu fréquenté pendant notre année commune à Princeton. Mais j'avais suffisamment entendu parler de lui pour savoir qu'il était synonyme d'ennuis. Pendant deux ans, il avait partagé une suite avec trois autres étudiants sudistes que je ne connaissais pas. C'était le genre d'individus que le Sud envoyait régulièrement à Princeton : désinvoltes et terriblement irascibles, sportifs avec indolence, entrés à Princeton plus blasés que la plupart d'entre nous n'en sortaient – comme Red. Red et ses camarades formaient le noyau d'un groupe de ces Sudistes décadents et séduisants qui finissaient presque tous par trouver le chemin du *Tiger*, et qui passaient leur temps libre à boire dans leur chambre ou à aller voir les putains à New York. Red et ses amis avaient rassemblé tous les lits de leur suite dans une pièce pour faire de l'autre un bar élégant, et les interminables cocktails qui s'y déroulaient étaient devenus célèbres bien au-delà de l'Ivy League. Je n'étais pas préoccupé par l'engagement de Lucy auprès de ses chers Noirs, ni par son éventuel renvoi du collège mais je m'inquiétais de savoir qu'elle fréquentait toute une bande de Red Chastain. Je composai le numéro.

Après que j'eus dit « Allô », il y eut un long silence puis Lucy répondit « Salut, Gibby » d'un ton neutre. Je l'imaginai vautrée dans le fauteuil Chippendale de l'alcôve du téléphone, sous l'escalier, les pieds sur les barreaux, une cigarette pendant à ses longs doigts.

Je bredouillai, m'interrompis, recommençai à parler tandis que Lucy, silencieuse, ne faisait rien pour m'aider. En désespoir de cause, je balbutiai que j'avais rencontré sa mère à New York, que tout le monde se faisait du souci pour elle et que je voulais lui en parler.

– Parler de quoi ? demanda-t-elle d'un ton enjoué.

– De... Oh ! merde, Lucy. Du collège, des pauvres Noirs stupides et surtout de cette bande d'imbéciles débauchés avec qui Red vit au *Tiger*, débitai-je d'une traite. Tu n'as rien à faire avec ces types. On va parler de toi sur toute la côte Est.

Après une nouvelle pause, le rire profond de Lucy monta vers moi, et malgré mon embarras, les coins de ma bouche se relevèrent.

– Ça ne changera pas, fit-elle, et elle cessa soudain de rire. Tu es devenu un vrai con, Gibby, me lança-t-elle froidement. Tu n'as pas à me dire avec qui je peux sortir. Tu as perdu ce droit il y a trois ans, tu te rappelles ?

Elle raccrocha brutalement. Le sentiment de désolation dans lequel son absence me plongeait autrefois me submergea à nouveau puis s'évanouit, et Lucy disparut de mon esprit. Ce que j'avais dit à Sarah redevint vrai : je ne pensai plus à Lucy.

Aussi fus-je stupéfait quand, à trois heures du matin, un dimanche de novembre 1958, je me tirai péniblement du sommeil et allai ouvrir la porte pour découvrir Lucy, manifestement ivre, perdue et adorable dans un imperméable d'homme malpropre, appuyée au chambranle, fumant et me souriant.

– Salut, Gibby, dit-elle.

Sa voix, quoique pâteuse, était aussi profonde, aussi chaude que dans mon souvenir. C'était comme si je l'avais entendue quelques heures plus tôt et non après un intervalle de plusieurs mois. Hébété, je fus un moment incapable de parler.

– Lucy ? finis-je par coasser.

– Je peux entrer ?

Je m'éclaircis la gorge.

– Oui, bien sûr, entre.

Elle se retourna, fit un geste en direction de la rue et je vis un taxi s'éloigner dans une brume opalescente apparue pendant mon sommeil. Lucy pénétra dans mon appartement, parcourut machinalement des yeux la petite salle de séjour sans paraître voir vraiment ce qu'elle regardait. Elle s'assit sur mon sofa d'occasion, croisa ses longues jambes, fourra les mains dans les poches de son imperméable et leva la tête vers moi en continuant à sourire. Puis elle éclata de rire, de ce rire à la fois léger et profond qu'elle avait depuis l'enfance. Je souris en retour, par pur réflexe.

– Tu ne me demandes pas ce que je fais ici ? dit-elle gaiement.

L'idée me traversa alors que sa présence chez moi pouvait signifier quelque ennui. Jusque-là, je n'avais pas songé à m'enquérir de ce qui se passait malgré l'heure tardive et bien qu'elle eût dit qu'elle ne voulait plus me revoir. Elle était là, tout simplement. La présence de Lucy dans mon appartement un matin d'automne à trois heures n'avait pas besoin d'explication. Elle était aussi naturelle que sa présence dans la nursery de notre enfance ou dans la gloriette.

– Qu'est-ce que tu fais ici ? demandai-je pourtant.

Je pris soudain conscience avec gêne que je portais seulement un pantalon que j'avais enfilé à la hâte quand on avait frappé à la porte. Il ne faisait pas froid ; le vieux radiateur déglingué maintenait dans l'appartement une température quasi tropicale – quand il marchait –, mais je me sentais nu et vulnérable.

– Je passais dans le coin, gloussa-t-elle.

Je m'assis en face d'elle sur un petit fauteuil rebondi.

– Je suppose que tu es venue pour le week-end avec Red et sa bande.

– Exact. C'est le jour du match contre Yale. Red ne le manque jamais. Sauf ce coup-ci : il est rétamé dans sa chambre depuis onze heures du matin. Bah ! ça ne fait rien. Il en restait soixante-quatorze autres avec qui rigoler.

– Lucy, fis-je, tu te prépares de gros ennuis, tu sais.

Remarquant le ton sermonneur de ma voix, je m'attendis à une vive réaction mais il n'y en eut pas. Elle se leva du sofa, fit le tour de la petite pièce, regarda les quelques photos et affiches que j'avais mises sur les murs et l'unique tableau – un pastel de Satchmo soufflant dans sa trompette au *Vanguard*, œuvre d'un nommé Perce dont je n'avais jamais entendu parler –, souleva et reposa mes rares bibelots.

– Ne t'en fais pas pour moi, Gibby, me lança-t-elle par-dessus son épaule. J'ai toujours su manœuvrer Red, non ?

– Allume quelque part que je fasse du café, grommelai-je. Tu as l'air d'en avoir besoin. C'est étonnant que tu aies réussi à venir en train de Princeton dans cet état.

– Je n'ai pas pris le train. Quelqu'un m'a conduit en bagnole.

– Qui ?

– Oh ! j'en sais rien, Gibby, je n'ai pas saisi son nom. Qu'est-ce que ça change ? Je ne veux pas de café. Tu n'as rien à boire ? Et peut-être une vieille cigarette abandonnée ?

– Il y a des cigarettes dans le tiroir du bureau, répondis-je. Comme elles y traînent depuis l'été, elles sont probablement infumables. Et c'est du café ou rien. Assieds-toi, enlève ton imper. Tu me rends nerveux à bouger comme ça.

Elle se tourna vers moi, m'adressa un étrange sourire, lèvres closes, puis défit soudain l'imperméable, le laissa tomber par terre et apparut uniquement vêtue d'une combinaison de Nylon blanc. Je discernai l'ombre sombre des mamelons, la toison de poils bruns en haut des cuisses. Je baissai les yeux.

– Le reste de ma lingerie fine est accroché au mur de la salle à manger du *Tiger*, expliqua-t-elle. Je suis leur gente dame, ce week-end, et je leur ai accordé mes faveurs. Au lieu d'un seul chevalier, j'en ai soixante-quatorze. Sans compter Red, naturellement. Tu vois ce que tu as manqué, Gibby ?

Pour une raison quelconque, je rougis comme s'il n'appartenait pas à Lucy ce corps blanc et mince que je connaissais presque aussi bien que le mien depuis l'enfance. Je détournai la tête, me dirigeai vers la cuisine, située au bout de l'enfilade de pièces composant l'appartement. J'entendis derrière moi les pas mal assurés de Lucy. J'emplis la bouilloire, la posai sur le petit réchaud et me retournai pour lui faire face. Je n'allais pas me laisser faire par une fille ivre et querelleuse. Décidant de ne pas prêter attention à sa nudité, je demandai :

– Comment trouves-tu mon appart ? Tu t'attendais à quelque chose comme ça ?

– A dire vrai, je n'y avais pas pensé, répondit-elle. Mais ça me plaît. C'est comme un petit train, cette succession de pièces. C'est comme... Oh ! Gibby, tu sais quoi ? C'est comme Dumboozletown, Floride ! Tu te rappelles Dumboozletown ?

Elle se remit à rire, et son rire monta en spirale, interminablement, au point que je craignis qu'elle n'eût une de ses crises d'hystérie mais il n'en fut rien. C'était un simple rire. La tête renversée en arrière, elle riait, sans s'arrêter.

J'allais l'imiter, gagné malgré moi par son hilarité, lorsque je remarquai des meurtrissures sur sa gorge. L'empreinte vermillon de dix doigts, là où la mince colonne blanche du cou rejoignait la clavicule saillante. Un bleu plus ancien, violet, marquait le côté du cou jusqu'aux cheveux couvrant la nuque.

– Qui t'a fait ça, Lucy ? Red ? C'est Red, n'est-ce pas ? C'est arrivé ce week-end ? C'est pour ça que tu es venue ici ?

Elle cessa brusquement de rire, posa une main hésitante sur son cou, comme s'il était encore douloureux.

– Il m'a juste secouée un peu, fit-elle. Il ne voulait pas me faire mal, il était désolé. Non, ce n'est pas pour ça que je suis venue. Je te l'ai dit : je...

– Lucy, arrête tes conneries. C'est à moi que tu parles. Il était soûl, ou juste en colère ?

Elle ne répondit pas. Ses yeux avaient trouvé mon unique bouteille, du bourbon, que je réservais aux visiteurs : hormis les consommations obligatoires dans les clubs de jazz, je buvais peu alors, avant tout parce que je n'en avais pas les moyens. Elle tendit la main vers la bouteille, me lança un regard de défi. Je haussai les épaules. Je savais reconnaître quand j'étais battu. Elle ôta le bouchon, but une longue rasade à la bouteille, s'essuya la bouche du dos de la main.

– De sa part, ça ne veut rien dire, tu sais, répondit-elle enfin. C'est juste sa façon de me montrer qu'il m'aime...

Je la fixai en silence.

– Papa le faisait aussi, continua-t-elle. C'est courant. Il le faisait parce qu'il m'aimait. Quand j'étais vilaine, il me frappait, et puis il pleurait parce qu'il regrettait d'avoir dû le faire...

Je me rappelai soudain un soir dans l'entrée de la maison de Peachtree Road, après que la petite Lucy eut fait une fugue et reçu une gifle de tante Willa. « Tu me fais un câlin, maintenant, maman ? » avait-elle demandé. Tante Willa avait refusé et Lucy avait répliqué que son père la câlinait tout le temps. « Non, c'est pas vrai, avait rétorqué tante Willa. Il te câlinait jamais. T'étais tout le temps vilaine et il t'a jamais câlinée. Il te corrigeait, oui, voilà ce qu'il faisait. T'étais si vilaine qu'il te frappait chaque fois qu'il te voyait. »

Et le grand cri d'angoisse de Lucy, et ses sanglots dans l'escalier...

– Ta mère avait raison, murmurai-je.

Lucy comprit ce que je voulais dire, bien sûr.

– Peut-être. Oui, un peu. Mais c'était seulement parce qu'il m'aimait, Gibby.

Je demeurai muet sous la lame de souffrance et de désespoir qui me submergeait. Bien sûr que Red Chastain la frappait, bien sûr qu'elle le laissait faire – qu'elle l'y incitait même. Le père violent, Red prompt à cogner...

Au bout d'un moment, elle déclara d'un ton posé :

– Je crois qu'il est mort. En fait, j'en suis sûre. Il est mort à la guerre et nous n'avons pas été prévenus.

Je n'avais pas besoin de lui demander de qui elle parlait : Jim Bondurant était dans la pièce avec nous.

– Comment le sais-tu ?

– Parce que sinon, il serait venu me chercher, dit-elle simplement.

Il n'y avait rien à répondre à cela. Appuyé contre le comptoir, je bus mon café en la regardant. Elle avala deux autres lampées, alluma une des cigarettes desséchées que j'avais trouvées pour elle, leva la tête et me sourit.

– Tu te rappelles la fois où nous nous sommes coupé le poignet pour mélanger nos sangs, Gibby ?

– Bien sûr. J'ai passé le reste de la journée dans la crainte de m'évanouir.

– J'ai encore la cicatrice, dit-elle en tendant vers moi son délicat poignet blanc. (Une fine ligne blanche traversait le petit delta de veines bleues qui y palpitaient.) Et toi ?

J'exposai mon poignet à la lumière de la cuisine. Je n'avais pas repensé à cette journée depuis le lendemain du bal de dernière année, quand Lucy avait évoqué le serment que nous avions prêté ce jour-là. L'estafilade était là, plus petite et plus pâle que la sienne, minuscule affluent décoloré dans le hâle passé de ma peau. Je tins mons bras près du sien et nous regardâmes les balafres.

– Pauvre Luce, soupirai-je. J'ai fait un piteux chevalier. Je ne t'ai pas sauvé d'un seul dragon, n'est-ce pas ?

Elle me fixa avec insistance, comme si, par la seule force de sa volonté, elle eût pu m'arracher quelque chose.

– Il y a un dragon à combattre maintenant, dit-elle.

– Red ? demandai-je, effrayé.
– Non, répondit Lucy.
Son visage parut sur le point de se décomposer et soudain elle se mit à pleurer en silence. Les larmes coulaient de ses yeux bleus, roulaient jusqu'à son menton, tombaient sur ses minces épaules nues.
– Non, pas Red, gémit-elle.
Je la pris dans mes bras, la conduisis à la chambre, la fis asseoir au bord du lit. Elle ne releva pas la tête et les larmes tombaient, chaudes et légères, sur mes mains.
– Qui, alors ? fis-je.
– Oh ! Gibby, j'ai tellement peur, murmura-t-elle.
Elle enfouit son visage au creux de mon épaule, je lui caressai le dos.
– De quoi as-tu peur ?
– De tout, sanglota-t-elle d'une voix étouffée. De tout ce que je ne peux pas maîtriser.
Je tentai de partir d'un rire chaleureux, n'y parvins pas.
– Alors tu auras peur toute ta vie, Lucy.
Elle leva vers moi un visage à l'expression sauvage.
– Alors je ne vivrai pas ! cria-t-elle. Parce que je ne peux supporter ça – avoir peur pendant soixante ou soixante-dix ans ! Je ne le supporterai pas un jour de plus ! Je préfère mourir !
– Personne ne maîtrise vraiment sa vie, arguai-je. Mais cela n'implique pas qu'on doive avoir peur tout le temps. On... on n'y pense plus et on continue à vivre. On se débrouille, on s'accroche. Et il n'arrive pas grand-chose, finalement.
– Les autres sont plus forts que moi, alors, dit-elle en hoquetant. Ou ils ont quelque chose que je n'ai pas. Parce que je ne supporte pas de ne pas être... en sécurité. De ne pas savoir ce qui va m'arriver. C'est comme attendre de tomber dans le vide. J'ai toujours cette impression, Gibby, *toujours* ! J'ai besoin de me sentir en sécurité, de savoir que quelqu'un s'occupe de moi...
– Lucy...

Les pleurs se firent plus violents.

– Promets ! sanglota-t-elle. Promets que tu t'occuperas de moi !

– Je te le promets, répondis-je machinalement.

Je caressai ses cheveux et son dos, sentis sous mes mains la force de la peur et du chagrin surgis des profondeurs de l'enfance. Elle resta un moment contre moi, respirant à grands coups et je songeai, en retenant ma respiration, que nous avions peut-être évité cette fois l'une de ses terribles crises.

– Tu dis ça sincèrement ? finit-elle par me demander.

– Bien sûr.

– Alors, épouse-moi.

La stupeur bloqua ma respiration pour de bon et je gardai un moment le silence en me reprochant de n'avoir pas deviné où elle voulait en venir.

– Lucy, murmurai-je, la bouche contre ses cheveux, ce serait le moyen le plus sûr de gâcher ta vie et la mienne. Ce n'est pas possible, tu dois le comprendre. Ce ne serait pas bien. Des cousins ne se marient pas, ils ne *peuvent* pas se marier.

Avec un mouvement de grand serpent, elle se retourna dans mes bras, si rapidement, si souplement qu'avant que je puisse bouger elle se colla contre moi, entoura ma taille de ses jambes, défit la combinaison en gigotant. Elle respirait par le nez à petits coups bruyants et poussait des gémissements d'animal. Ses mains se posèrent sur ma braguette, glissèrent à l'intérieur du pantalon. Je sentis sa nudité chaude contre la mienne, une grande pulsion instinctive, un raidissement monstrueux, et je sus que j'étais à un doigt de déverser cette force furieuse en elle. Mon érection était massive, inexorable comme un volcan. Elle s'en empara frénétiquement, la guida vers elle au moment même où je me dégageai et roulai hors du lit. Sous le désir qui me martelait, j'éprouvais une rage terrible, et sous cette rage une frayeur aveugle, plus forte encore.

Me tournant vers le mur, je remontai la fermeture à

glissière de mon pantalon, m'efforçai de reprendre ma respiration et de me ressaisir. Je n'entendis pas Lucy bouger. J'enfilai un T-shirt, le fourrai sous mon pantalon, bouclai ma ceinture.

– Lève-toi et mets ton imper, dis-je d'un ton contenu. Je te ramène à Princeton.

Je l'entendis rire et me retournai, incrédule. Elle était étendue sur le dos, les mains derrière la nuque, les jambes écartées. Je détournai les yeux.

– Tu en avais envie, hein, Gibby ? me lança-t-elle d'une voix légère, douce et jeune. Je le sais, je l'ai senti. Je le vois, là, dans ton pantalon. Ça doit être un sacré truc parce que je sais que tu le gardes pour Sarah, et la pauvre ne reconnaîtrait pas une bite d'un hula-hoop. Alors qu'est-ce que tu fais ? Tu te branles ? Tu vas voir les putes de Times Square ? Quel gaspillage ! Réfléchis, Gibby. Je te donnerais cent fois plus de plaisir avant le petit déjeuner que la petite Sarah t'en procurerait dans toute une vie.

Je tirai Lucy hors du lit, la fis se lever, saisis l'imperméable et l'en enveloppai. Elle me dévisageait, souriante, les yeux brillants, puis le feu qui avait brûlé en elle toute la soirée mourut soudain et sa figure parut se vider, s'amollir.

– Je suis désolée, Gibby, dit-elle d'une voix presque normale. Je deviens vraiment larmoyante quand je bois trop. Red a bien fait de me donner une correction. Écoute, je ne veux pas que tu me ramènes. Je t'ai assez causé d'ennuis pour ce soir. Appelle simplement un taxi et prête-moi un peu d'argent, tu veux bien ? Je te le renverrai quand je rentrerai à la maison. Je peux être de retour à Princeton avant même que mon héros s'aperçoive de mon absence.

– Tu es sûre ? demandai-je en la regardant attentivement.

Elle eut un bref sourire, serra la ceinture de l'imperméable, passa ses longs doigts dans ses cheveux emmêlés.

– J'en suis sûre. Je te présenterais bien des excuses mais il est trop tard pour ça. En outre, tu me connais : incorrigible. Oh ! Gibby chéri, je t'aime. Vraiment. Ne prends pas cet air inquiet. Ça ira, je t'assure. Je rentre au *Tiger*, je sors Red du lit et je me fais offrir le petit déjeuner à la *Taverne*. Je vais m'empiffrer jusqu'à ce qu'il n'ait plus un sou.

Rassuré à demi, je l'accompagnai dans la rue silencieuse et mouillée, marchai avec elle jusqu'à la 9e Rue où je hélai un taxi. Dans la brume irisée, l'avenue ressemblait à un décor de cinéma et je m'attendais à voir Gene Kelly rentrer chez lui en dansant dans les caniveaux de Chelsea.

Je mis tout l'argent que j'avais dans la main de Lucy, refermai ses doigts sur les billets, la fis monter dans le taxi.

– Penn Station, dis-je au chauffeur.

Passant la tête par la vitre, j'embrassai la joue de Lucy, encore humide de larmes.

– Je te verrai peut-être à Noël. Prends bien soin de toi, Luce.

Elle tendit le bras, toucha ma bouche du bout des doigts.

– Promis, Gibby.

Ce soir-là, juste après neuf heures, quand le tarif de nuit entre en vigueur, ma mère me téléphona pour m'annoncer que Lucy et Red Chastain avaient quitté Princeton ce matin de bonne heure pour se rendre à Elkton, dans le Maryland, où un juge les avait mariés.

J'éprouvai alors un grand calme, qui pouvait être celui du vide ou de la paix.

14

Sarah obtint son diplôme avec la mention *magna cum laude* en juin 1960 et tous les Buckhead Boys ainsi que leurs amies furent précipités dans un monde plus vaste. Pour la plupart d'entre nous, cela signifiait simplement quitter le cocon des collèges tout proches pour retrouver nos anciennes chambres dans les grandes demeures de Buckhead, ou pour nous installer dans des appartements éloignés de cinq kilomètres au maximum de ces maisons, et prendre un emploi dans l'entreprise paternelle, située à moins de dix kilomètres des entrées à portique et à fronton derrière lesquelles nous avions grandi.

Mais, en dépit de cette proximité, il s'agissait d'importants rites de passage qu'on ne pouvait éviter et qui nous donnaient le sentiment grisant d'avoir quitté le nid. Les quelques-uns d'entre nous qui étaient déjà partis – comme Lucy, Red Chastain et moi – n'étaient plus aussi souvent traités de non-conformistes puisque nous étions tous, à présent, dispersés au vent du destin. Ce qui comptait, c'était abandonner la maison, que ce fût pour vivre à trois cents mètres ou trois mille kilomètres plus loin. Cette année-là, les fils et les filles des grandes maisons devinrent de jeunes adultes ayant leur propre résidence.

Ce fut cette année-là aussi que commença la série des mariages, et ces résidences furent généralement les traditionnels studios de Colonial Homes, East Wesley Court, ou les appartements des immeubles de briques rouges situés derrière la tour de la station de radio W.S.B., perchée sur la haute colline dominant Peachtree Road, ou encore les petites maisons pimpantes pour « jeunes couples » de Collier Hills ou de la zone s'étendant à l'ouest du terrain de golf de Bobby Jones, juste derrière Northside Drive. Même avec des moyens considérablement réduits, les jeunes mariés de Buckhead n'auraient jamais eu l'idée de s'établir à l'est de Peachtree Road. Nous disposions de très peu d'argent personnel mais chacun savait que nous en aurions un jour et nous avions depuis la naissance des exigences en matière de territoire.

Ben Cameron Junior et Julia Randolph furent les premiers à se marier et je revins pour assister à la cérémonie dans l'église de Tous-les-Saints, le samedi où Sarah obtint son diplôme quelques heures plus tôt. Malgré le soleil brûlant de juin, la vieille église de pierre rouge était fraîche et sombre. Elle accueillit ce jour-là cinq cents personnes au moins, dont la majorité était inconnue des mariés.

A cinquante ans, Ben Cameron venait juste d'entamer sa légendaire carrière de dirigeant de la ville. Il était cette année-là vice-président de la Chambre de commerce, dont il devait devenir président l'année suivante, et échafaudait déjà, selon Sarah, un plan de développement d'Atlanta qui en ferait l'un des grands centres urbains du pays. Il connaissait littéralement toutes les personnes susceptibles de consacrer leur énergie et leur influence à la réalisation de ce projet, et elles étaient toutes dans l'église ce jour-là pour assister au mariage de son fils unique. Le jeune Ben avait eu son lot de camarades à North Fulton et à Tech, Julia et ses parents ne manquaient pas non plus d'amis, mais le sanctuaire de Tous-les-Saints grouillait ce jour-là de personnages influents effacés, vêtus de costumes foncés.

Je faisais partie du cortège nuptial, comme toute notre bande ainsi que quelques cousins Cameron et Randolph et deux ou trois membres d'associations estudiantines. Nous étions vingt-quatre en tout, double phalange de blanc et de noir et d'organdi rose s'étirant devant l'autel. Sarah, demoiselle d'honneur de Julia, fermait le cortège au bras d'A.J. Kemp, qui avait l'air d'un singe savant vêtu d'un smoking. J'étais à ma place devant l'autel lorsqu'ils descendirent l'allée, et les grands yeux sombres de Sarah parcoururent la vaste nef pour rencontrer les miens. Elle me fit un clin d'œil, que je lui rendis. Ben et son fils se tenaient au pied de l'autel, face au fond de l'église où Julia devait apparaître. Ben Senior paraissait aussi jeune que le marié tant il donnait une impression de sveltesse et de décontraction. Quant à son fils, je crus d'abord qu'il avait bu à cause de la couleur fiévreuse de ses joues et de l'éclat de ses yeux gris. Mais je savais qu'il n'aurait pas fait cela le jour de ses noces et attribuai son état à la nervosité.

L'orgue attaqua le *Trumpet Voluntary* de Purcell ; la foule s'agita, murmura et se retourna pour voir Dorothy Cameron descendre seule l'allée au bras du jeune cousin Cameron chargé de la conduire à sa place. Normalement, elle aurait dû précéder notre cortège, juste après la mère de la mariée, mais Augusta Randolph était morte quand Julia avait onze ans et Ben avait tenu à donner à sa mère cette place d'honneur particulière. Julia avait accepté. Dorothy s'avançait avec autant de grâce naturelle que si elle avait traversé son jardin.

Elle sourit à Ben, puis ses yeux se portèrent sur Sarah et sur moi. Je sentis une soudaine flambée d'amour pour cette femme qui donnait son fils à une autre avec autant de joie qu'elle lui avait donné tout ce qu'elle avait pendant toute sa vie. Il n'y avait rien en elle de l'amour sombre et possessif de ma mère.

Sur la galerie du chœur, un quatuor de trompettes égrena les notes pures dans l'air de la cathédrale, et le murmure né avec l'apparition de Dorothy s'enfla quand Julia fit son entrée au bras de son père. Anguleuse, le nez camus, la plus agile joueuse de basket-ball de Washington Seminary, enveloppée des dentelles de sa grand-mère, elle semblait flotter au-dessus du sol comme une plume ou un flocon de neige, et rayonnait telle une jeune souveraine. Son visage ingrat semé de taches de rousseur flamboyait d'adoration pour Ben et je songeai à la justesse du dicton qui assure que toutes les jeunes filles sont belles le jour de leurs épousailles. Sans y être convié, le visage de Lucy m'apparut, livide à la lumière fluorescente du petit bureau d'un juge du Maryland. Je le chassai de mon esprit, me tournai vers Sarah. Ses yeux s'emplirent de larmes quand Julia arriva devant l'autel et sourit à Ben. Elle me jeta un coup d'œil, fit une petite grimace et rougit mais les larmes continuèrent à couler tandis que son cher grand frère devenait un homme marié, se penchait vers sa femme, soulevait son voile et l'embrassait.

« Nous devrions être à leur place, pensai-je. Qu'est-ce qui ne va pas chez moi ? Sarah est jolie, forte, bonne. Je ne l'aimerai jamais plus que maintenant. Je sais qu'elle m'aime. Pourquoi ne l'épouserais-je pas ? Lorsqu'elle rentrera de Paris... »

Après sa lune de miel à Sea Island, Ben commença à travailler pour un nouveau cabinet de jeunes architectes assez controversés, dont deux avaient fait leurs études avec le révolutionnaire Bruce Goff, à l'université d'Oklahoma. Julia et lui s'installèrent dans l'inévitable petite maison en bois de Greystone Road, à Collier Hills, cadeau de mariage de Randolph à sa fille.

Peu de temps après, Tom Goodwin épousa la petite Alfreda Slaton et emménagea avec elle dans un studio de Colonial Homes. Le père de Tom avait perdu son agence, sa maison et la plupart de ses économies l'année précédente, et pour la première fois de sa vie Tom était confronté à la perspective de subvenir lui-même à ses besoins. A.J. me révéla qu'avant le mariage, des membres de la bande avaient parié que Freddie n'irait pas jusqu'au bout maintenant qu'elle savait la propriété de Habersham Road à jamais hors de portée de ses griffes, mais elle avait finalement épousé Tom – probablement, ajouta A.J., parce qu'elle avait passé les meilleures années de sa jeunesse à le poursuivre de ses assiduités, et qu'elle n'ignorait pas que courir derrière une autre proie après avoir brûlé ses ponts la condamnerait au célibat. Selon une autre théorie, Colby Slaton aurait menacé de jeter sa fille à la rue si elle n'épousait pas Tom : personne, apparemment, ne tenait beaucoup à abriter Freddie.

Freddie Slaton Goodwin détestait Colonial Homes et souffrit d'y habiter. Dévorée d'ambition pour Tom, elle cachait sous des sourires à la saccharine son ressentiment envieux devant les nouvelles maisons, les voitures, les réceptions et les vacances que les autres considéraient comme naturelles. D'une façon générale, on estimait que Tom était un bon garçon, quoique pas très gâté côté cerveau, et qu'il se débrouillerait sans doute moyennement bien dans son emploi de chef comptable d'une agence de publicité pendant au moins quelque temps, mais que Freddie finirait par le démolir.

« Affronter Freddie Goodwin, c'est se faire étrangler par un rosier grimpant », m'écrivit Charlie cette année-là. A peine sorti de la fac de droit d'Emory, Charlie avait quitté la maison de sa mère pour prendre un appartement à Colonial Homes avec un camarade de faculté et fréquentait beaucoup les jeunes avocats, banquiers, cadres d'entreprise qui commençaient à envahir la ville. Tout le monde aimait Charlie, tant dans son cercle de connaissances qu'à son travail de jeune juriste pour la firme Coca-Cola, dont les actions avaient fait la fortune, maintenant envolée, de sa famille. De nous tous, Charlie était le seul qui ne sortît avec aucune fille en particulier – Sarah exceptée, naturellement, mais tout le monde, lui-même compris, connaissait la stérilité de leurs relations.

Avant la fin de l'année, Snake Cheatham épousa Lelia Blackburn, Pres Hubbard s'unit à Sarton Foy, et Little Lady fit le mariage de la saison et peut-être de la décennie en épousant, dans sa deuxième année à Brenau, l'immensément riche Carter Rawson. Nous ne le connaissions pas vraiment : âgé de deux ans de plus que la plupart d'entre nous, il avait passé de longues années loin d'Atlanta à Phillips Exeter,

Yale et Wharton. Mais nul ne doutait que Carter fût un génie des affaires, comme son père et son grand-père avant lui, et qu'il ferait briller le nom de la vaste entreprise familiale de construction sur d'autres côtes que celles de l'Amérique. Personne ne s'interrogeait non plus sur ce qu'un homme aussi avisé voyait dans une fille à cervelle d'oiseau comme Little Lady. Elle était à dix-neuf ans si délicieusement belle et si bien préparée à occuper un haut rang social qu'elle aurait pu débarquer dans n'importe quelle ville du pays et prendre en main l'organisation de ses bals de charité sans même déranger un cheveu de sa coiffure.

Adelaide Bondurant Rawson était peut-être le bien le plus précieux que Carter acquerrait jamais, et ma tante Willa fut payée au centuple des longs efforts déployés pour l'éducation de sa fille. Le jour où elle remit Little Lady dans les mains dc pirate de Carter, on la convia à faire partie du comité du bal du Piedmont Hospital et à entrer à l'Every Thursday Study Club. Même ma mèrc n'appartenait pas à l'Every Thursday. Elle passa le week-end au lit avec une de ses migraines et ne se leva pas avant le lundi. Pour la première fois en vingt ans, tante Willa déjeuna seule au Driving Club avec mon père mais pas une tête ne se retourna sur leur passage : on pouvait médire de Willa Slagle Bondurant, acheteuse de lingerie chez Rich, pas de la belle-mère de Carter Rawson III.

Comme Charlie, A.J. Kemp restait célibataire et expliquait en riant qu'il ne pouvait se permettre d'avoir une femme avant d'avoir fait carrière dans la banque dont le père de Snake Cheatham était président. Le bruit courait cependant qu'il fréquentait sérieusement une jeune fille aimable, intelligente, chaleureuse et affreusement quelconque de Hogansville, Géorgie, nommée Lana Bates. Nul d'entre nous – hormis Freddie Goodwin – n'avait rencontré Lana et ne savait quoi que ce fût à son sujet si ce n'est qu'elle était caissière à la banque et suivait un stage de formation continue où A.J. l'avait rencontrée. Dès qu'elle avait eu vent de l'existence de Lana, Freddie était allée à la banque, au guichet de Lana, s'était présentée et l'avait invitée à prendre un café à la pause, puis avait passé un quart d'heure à l'interroger en douceur.

– Son père est fermier, nous apprit-elle plus tard. (Ses petits yeux brillaient de satisfaction parce qu'elle avait enfin trouvé quelqu'un qu'il était impossible d'envier.) Il élève des porcs. Ça a déteint sur sa fille, apparemment : elle pourrait perdre pas mal de lard et a le nez retroussé comme un petit groin rose.

L'un de nous lui enjoignit de la fermer, ce qui lui fit prendre un air offensé, mais, lorsque nous fîmes effectivement la connaissance de Lana, aucun de nous ne fut impressionné et nous la traitâmes avec tant de courtoisie distante qu'A.J. ne l'amena plus dans nos réunions et n'y vint plus lui-même. Il épousa Lana à Noël dans la petite église en bois de Hogansville et personne d'Atlanta n'assista à la cérémonie en dehors de Melba, la mère d'A.J., qui dut amèrement regretter la princesse de Buckhead dont elle avait rêvé pour son fils.

– Avec l'épouse adéquate, A.J. serait vraiment devenu quelqu'un, déclarèrent quelques années plus tard les Buckhead Boys vieillissants lorsque A.J. et Lana quittèrent Atlanta pour s'installer à Hogansville où A.J., à la stupeur générale, reprit la ferme que le père de Lana avait laissée à sa fille.

– Et la ferme n'est pas plus grande maintenant que le jour où il a rencontré Lana, murmura une Freddie revigorée. C'est toujours une vieille baraque avec des cochons, des poulets, des vaches. A.J. laboure et Lana l'aide dans les champs.

Mais je pensais alors qu'A.J. avait compris quelque chose avant nous, qu'il avait trouvé la femme adéquate et qu'elle avait fait quelqu'un de lui.

Ce fut une époque – tous ceux qui la vécurent le dirent – où il fit particulièrement bon être jeune, plein d'espoir et placé devant de brillantes perspectives. Après les années de malaise où les yeux des ultra-conservateurs voyaient un communiste derrière chaque arbre (« et un nègre derrière chaque communiste », ajouta Lucy plus tard), un vent nouveau se levait avec le jeune candidat à la Maison-Blanche du Massachusetts, qui parla d'engagement, d'altruisme – cet aimant pour la jeunesse –, et laissa Richard Nixon loin derrière lui dans la poussière sur les écrans de télévision du pays. A Atlanta comme dans le reste du Sud, le grand dragon des troubles raciaux s'agitait mais le pragmatisme de la ville promettait d'apprivoiser le monstre dans l'intérêt des affaires. Après des années de stagnation, Ben Cameron et son équipe se concentraient sur un programme en six points destiné à maintenir les écoles ouvertes, à créer un vaste réseau d'autoroutes locales, à appliquer un plan de rénovation urbaine, à construire un stade et un auditorium de classe internationale, à mettre en place un système de transports rapides et à en informer le pays à travers une campagne publicitaire ambitieuse, quoique chauvine, intitulée « En avant, Atlanta ».

Au cours de la première période pleine d'espoir de cette incroyable décennie, Atlanta devint, je crois, une vraie ville, dans tous les sens du terme. Une grande cité dont la beauté n'était pas encore gâchée par l'asphalte et le béton, dont la jeunesse n'était pas encore devenue arrogante, dont l'ambition ne s'était pas encore transformée en vénalité, dont l'énergie ne s'était pas muée en agitation frénétique. S'il est une chose que je regrette d'avoir manquée pendant mes années d'absence, c'est le spectacle d'Atlanta se plaçant en tournoyant sur l'orbite de Camelot.

C'est à peu près à l'époque du mariage de Ben et Julia que commencèrent les coups de téléphone de Lucy. Lorsque je reçus le premier, la semaine qui suivit mon retour à New York après le mariage de Ben, je pensai d'abord qu'il était arrivé une catastrophe. Il était cinq heures du matin, trop tard pour que les plus farouches picoleurs de mes relations tentent de me convaincre d'aller quelque part ou de leur offrir le coup de l'étrier, et j'étais tout à fait réveillé, l'esprit en alerte, quand je décrochai l'appareil.

– Allô ? fis-je, sur mes gardes.

J'entendis le silence bourdonnant d'une communication interurbaine, puis une profonde inspiration et la voix de Lucy, à la fois familière et étrange, portée par un petit soupir qui, je le savais, était un jet de fumée.

– Salut, Gibby, dit-elle. C'est Lucy.

A dater de ce jour et jusqu'à sa mort, presque toutes les conversations téléphoniques que nous eûmes débutèrent par cette exhalation de fumée et par un rauque « Salut, Gibby ».

– Lucy ? Qu'est-ce qu'il se passe ?

– Rien du tout, répondit-elle d'une voix insouciante. Pourquoi se passerait-il quelque chose ?

– Parce qu'il est cinq heures du matin !

– Oh ! c'est vrai. Il y a trois heures de décalage. Je ne m'y ferai jamais. Ici, il n'est que deux heures. Je t'ai réveillé ?

– Oh ! non, fis-je, sarcastique, irrité par son sans-gêne maintenant que je savais qu'elle allait bien. De toute façon, il fallait que je me lève pour répondre au téléphone.

L'étendard de soie sombre de son rire se déploya jusqu'à moi par-dessus les cinq mille kilomètres qui nous séparaient et m'apporta Lucy dans ma chambre. Je vis son corps souple vautré dans un fauteuil, la cendre de la cigarette menaçant de tomber, les longues jambes posées sur le premier support venu. La Californie paraissait aussi proche que l'appartement voisin.

– Comment vas-tu, Gibby ? Donne-moi de tes nouvelles. Raconte-moi la remise des diplômes, le mariage de Ben et Julia.

– Je pourrais t'en parler aussi bien à huit heures du soir. Qu'est-ce que tu fais debout à cette heure-ci ? Car je présume que tu ne t'es pas levée spécialement pour me téléphoner...

Elle s'esclaffa à nouveau et je perçus cette fois l'éclat mal assuré que l'alcool donnait toujours à son rire.

– Je reviens d'une soirée, répondit-elle. Tous les autres sont morts de fatigue, mais moi je n'ai pas encore sommeil. Je m'ennuie, c'est tout. Alors je me suis dit que ça me ferait plaisir d'entendre ta voix. Ça fait un bout de temps, Gibby.

– Seulement huit mois, deux semaines et quatre jours.

Si j'étais plus ou moins soulagé de savoir Lucy en d'autres mains que les miennes, ses longs silences continuaient à me vexer. J'avais assez souvent des nouvelles d'elle et de Red par ma mère, qui les tenait de tante Willa, qui les tenait elle-même de l'inconsolable et indulgente mère de Red. Son père ne lui avait pas adressé la parole depuis qu'il avait quitté Princeton et épousé Lucy. J'étais exaspéré par les coups de téléphone de ma mère, par la satisfaction mal dissimulée de sa voix quand elle me rapportait les dernières étapes de l'odyssée décidément peu fulgurante de Red et Lucy, mais j'écoutais toujours. J'avais, je le découvris, un profond besoin de savoir où était Lucy.

Le lendemain de son mariage, après s'être réveillé dans une chambre de motel d'Ocean City avec une gueule de bois ravageuse et une soif monstrueuse, Red avait téléphoné à son père. Dans une sorte de bravade, il lui avait appris qu'il venait de se marier, annoncé qu'il amenait Lucy à la maison avant de retourner à Princeton et suggéré qu'une petite fête au Driving Club serait la bienvenue.

– La prochaine petite fête que tu célébreras, ce sera à l'Armée du Salut, répliqua Farrell Chastain, parce que tu n'auras pas un sou de moi tant que je vivrai ni après. Si tu veux rester à Princeton, tu devras apprendre à servir aux tables ou à faire la plonge.

Ne trouvant pas l'alternative séduisante, Red avait demandé à parler à sa mère, qu'il entendait pleurer et réclamer l'appareil, mais Farrell Chastain avait raccroché. Et lorsque Lucy avait ouvert les yeux, en aussi lamentable état que son mari, ce fut pour apprendre qu'il avait été chassé de la maison paternelle – comme son père à elle après son mariage – et que le pont conduisant au monde fermé de Peachtree Road, le seul qu'elle eût jamais connu, flambait joyeusement. J'ignore si elle accueillit la nouvelle avec frayeur ou panache mais ce dut être un moment très pénible pour elle.

Red avait alors déclaré qu'il avait toujours voulu être dans les Marines et s'était engagé sur l'heure au bureau de recrutement d'Ocean City. A midi, ils étaient partis pour Parris Island, Caroline du Sud, dans la Jaguar blanche que Farrell avait offerte à son fils pour son diplôme de fin d'études secondaires. A eux deux, ils possédaient cinquante-cinq dollars et quatorze cents. Lorsqu'il avait télégraphié à sa banque de Princeton pour retirer de l'argent, Red avait découvert que son père avait clos le compte. Un coup de téléphone à la maison, à une heure à laquelle il savait son père au travail, n'avait rapporté que les deux cents dollars que sa mère avait sur son compte personnel. Elle avait promis en sanglotant de les lui envoyer dès qu'il lui communiquerait leur adresse – ou plutôt celle de Lucy, puisque Red vivrait à la caserne, dans des conditions dont il ne soupçonnait pas l'existence. Étant donné l'état de leur fortune, le premier domicile conjugal de Lucy fut le *Flamingo Motel*, à trois kilomètres de la caserne, au bord d'une petite route défoncée, devant un marécage grouillant de moustiques. Le *Flamingo* n'avait pas de piscine, ni même de climatisation. Lorsque Red eut touché sa première solde et que Lucy eut trouvé un petit studio dans la ville voisine de Beaufort, elle était couverte de piqûres infectées et son corps svelte de lévrier avait perdu trois kilos.

Red avait ensuite connu le camp d'entraînement des jeunes recrues, puis l'école des officiers de Quantico, Virginie, fait un stage à la redoutable école du corps d'élite des Rangers, à Fort Benning, enfin reçu une affectation comme sous-lieutenant à Camp Pendleton, Californie. Il découvrit qu'il était aussi doué pour être une machine à tuer qu'un fils à papa, et que cela lui plaisait beaucoup plus. A vingt-deux ans, il s'était intégré à son nouveau monde aussi parfaitement que s'il y était né, et Lucy l'y avait suivi.

Je ne sais pas au juste quelle était sa nouvelle existence ni ce qu'elle en pensait. Comme pour l'école tant détestée de son enfance, elle refusa de me parler de ces premiers mois de femme de Marine, traînée d'un marais de Caroline du Sud à la plaine brûlante de Géorgie et finalement à cette baraque de Californie accablée par un soleil implacable et battue par le vent de Santa Ana. A ma connaissance, elle n'en souffla jamais mot à quiconque et ce silence est en lui-même éloquent. Pour la sensible, l'imaginative Lucy Bondurant, que la vie, la peur, la bravoure, la vulnérabilité faisaient vibrer comme un diapason, pour la femme coupée du seul refuge qu'elle eût jamais connu et des quelques amis et parents représentant tout ce qu'elle avait, pour celle qui n'était plus le casse-cou, le feu follet suprêmement désirable qui avait tourmenté et titillé toute une génération de Gods en sueur, mais simplement l'épouse maigre et dévorée par les moustiques d'un lieutenant des Marines, tout en bas de la hiérarchie de l'armée, ce dut être véritablement ce que son silence proclamait : indicible. Mais rien de tout cela ne transpira dans sa voix pendant cette première conversation téléphonique, et ce n'est que bien plus tard que je commençai à soupçonner ce qu'avait dû être la première année de Mrs. Chastain.

– Pourquoi ne réveilles-tu pas Red pour continuer la fête avec lui ? suggérai-je en cette nuit de juin 1960. Si je me souviens bien, il a toujours été l'âme des meilleures soirées de notre génération.

– Red est parti ramper dans les marais pour deux semaines un couteau entre les dents, étrangler les serpents à sonnette et faire sauter les yuccas, répondit Lucy avec un gloussement qui avait lui aussi des relents d'alcool.

– Alors avec qui faisais-tu la fête ?

– Avec son supérieur, ricana-t-elle. Un adorable petit gars du Texas nommé Rafer Hodges. Capitaine Rafer Hodges, des Marines des États-Unis. Deux mètres dix, des cheveux filasse et un tatouage « *Semper Fi* », je ne te dirai pas où. Seules son ordonnance, sa femme et moi le savons.

– Et où était sa femme ? demandai-je avec circonspection.

– A la maison, en train d'astiquer le sabre de son époux, je suppose, ou dormant du sommeil du juste. Là où elle déclara qu'elle allait lorsqu'elle sortit en trombe du club des officiers après que ce vieux Rafer eut dansé avec moi quatre fois de suite. Et on peut dire qu'elle a de l'influence parce que six autres épouses d'officiers sont sorties à sa suite. Bah ! ça faisait quelques types de plus avec qui faire la fête. Et je les ai tous soûlés. Imagine, Gibby, j'ai fait rouler sept Marines sous la table en une nuit !

– Lucy, tu vas t'attirer de gros ennuis avec ces femmes si tu ne fais pas attention. Tu ne peux pas te conduire là-bas comme à la maison. Tu serais rejetée par tous, tu compromettrais la carrière de Red. C'est cela que tu essaies de faire, le couler ?

– Merde, Gibby, tu es toujours aussi con, hein ? dit-elle, boudeuse maintenant. Ces bonnes femmes étaient bourrées jusqu'aux yeux, elles aussi. A partir de maintenant, je leur ferai mon grand numéro de charme et elles oublieront la soirée en un rien de temps.

– Dis-moi, pourquoi bois-tu autant ?

– Parce que ça donne plus de sel à la vie.

– Lucy, ça ne fait pas un an que tu es mariée. Tu ne devrais pas être obligée de boire pour trouver du sel à la vie. Même si tu détestes ta nouvelle existence, là-bas, il y a Red. Tu ne le détestes pas, Red. Tu es sortie avec lui pendant cinq ans avant de l'épouser. Tu l'aimes forcément.

– Il a changé, dit-elle, laconique.

– En quoi ? demandai-je, sans vouloir entendre la réponse.

Ces empreintes de doigts sombres sur le cou de Lucy...

– Oh... je ne sais pas. En tout et en rien. Il ne pense plus qu'aux Rangers. Parfois, il ne rentre même pas alors qu'il le pourrait. Lui et quelques autres types passent plusieurs jours dans le désert, avec juste un couteau et deux ou trois allumettes, et ils reviennent sales, puants, soûls et heureux comme des rois. Il n'aime plus tellement danser et faire la fête au club, et tu sais pourtant qu'il adorait ça... Mais surtout, il ne me comprend pas. Et je sais maintenant qu'il ne m'a jamais comprise.

« J'aurais pu te le dire il y a cinq ans », ne répondis-je pas.

– Tu n'es pas la fille la plus facile à comprendre, fis-je remarquer.

– Toi, tu me comprends, Gibby, murmura Lucy. Tu m'as toujours comprise.

Elle raccrocha et je demeurai longtemps éveillé dans l'aube blafarde de New York, perturbé, essayant d'imaginer ce que vivait Lucy. Plus tard, je m'en fis une idée : les absences de plus en plus fréquentes, de plus en plus longues de Red, qui glissait dans ce monde d'enfants perdus que sont les Rangers. Plus tard, les affectations à l'étranger, pendant des mois. Lucy abandonnée dans son minable logement de caserne, ne connaissant personne hormis des épouses de Marines qui ne l'aimaient pas, qui se méfiaient d'elle à cause de sa beauté, de son entrain, de son exotisme de fille du Sud. Leurs maris et les supérieurs de ceux-ci, séduits par la fougue et la splendeur de Lucy, parfois même drôlement mordus, mais sentant en Lucy Bondurant Chastain la menace de blâmes et de carrières brisées. Quelques soirées désastreuses au club des officiers où elle but trop, flirta trop ouvertement, se glissa dehors avec trop de jeunes officiers au crâne rasé. Quelques réceptions tout aussi désastreuses où elle porta des robes outrageusement provocantes, s'écria « Merde » devant les épouses d'officiers supérieurs. Et elle devint une paria, littéralement, dans cette Californie du Sud torride et invraisemblable, aussi seule chez elle qu'à l'extérieur. Pendant cet été caniculaire, ses coups de téléphone se succédèrent, de plus en plus rapprochés, jusqu'à devenir quasi quotidiens.

Vers le milieu du mois d'août, Lucy commença à se plaindre des soûleries et des brutalités de Red. Le plus souvent ivre elle aussi, elle sanglotait au téléphone, me suppliait de venir à Pendleton pour la sauver. A chaque fois, je la rappelais le lendemain, lorsqu'elle avait dessoûlé, et invariablement elle partait de son rire contagieux et me disait de ne pas faire attention à ses propos de la veille. Je ne m'inquiétais donc pas trop et attendais l'appel suivant avec une certaine dose de scepticisme. Mais les coups de téléphone se succédaient et elle semblait chaque fois si terrifiée, si désespérée que ma peur pour elle, ma rage contre Red resurgissaient et que je retombais dans l'état d'agitation où elle m'avait plongé une grande partie de ma vie.

A chacune des visites que Sarah me rendit cet été-là, elle assista à l'un des coups de téléphone tardifs de Lucy. Elle devenait alors silencieuse, serrant les lèvres et abaissant ses cils sur ses grands yeux d'ambre.

Un soir, quelque chose que je dis – ou que je ne dis pas – dut avertir Lucy de la présence de Sarah car elle s'écria : « Oh ! je te dérange, Gibby ? J'ai provoqué un *coitus interruptus ?* Non, je crois pas. Pas de *coitus* pour Sarah, hein ? Gibby, je te jure que si tu l'épouses, tu devras t'acheter une de ces poupées gonflables avec un trou que les gars emmènent en mer, parce que tu ne seras pas gâté de ce côté-là avec la petite Miss...

Je raccrochai, furieux, le visage brûlant, et Sarah me lança un regard interrogateur mais je ne répétai naturellement pas ce que Lucy avait dit. C'était insultant, outrageant, mais en plus c'était vrai. Malgré l'attachement que nous éprouvions l'un pour l'autre, les heures et les journées entières que nous passions dans mon appartement, la passion de nos baisers et de nos caresses, Sarah et moi n'avions pas fait l'amour. Nous avions maintes fois failli, tous les deux trempés de sueur et tremblants de désir, mais nous n'avions pas franchi le pas.

Aussi absurde que cela puisse paraître aujourd'hui, dans mon milieu et à cette époque, on ne couchait pas à la légère avec la jeune fille qu'on envisageait de faire entrer, en qualité d'épouse, dans un monde si ordonné et si restreint. Et, en dépit de notre ardeur, nous étions avant tout, Sarah et moi, des habitants de ce monde. Bien que nous n'eussions pas parlé sérieusement mariage, nous supposions que nous sauterions le pas seulement après que Sarah aurait passé une année à la Sorbonne. Dans le temps suspendu de l'été 1960, beaucoup plus qu'une année et un océan semblaient nous séparer du mariage.

Nous essayâmes pourtant. Une ou deux fois Sarah ne s'écarta pas de moi et nous demeurâmes un moment nus et presque unis. Une fois même je la pénétrai mais ses petits gémissements se transformèrent abruptement en cris de douleur et je me retirai, maudissant Sarah, moi-même, nos parents, le Sud et toutes les générations de femmes de nos deux familles qui planaient au-dessus de mon lit étroit en glapissant : « Arrêtez ! C'est mal ! C'est dégoûtant ! »

Après cette mésaventure, je ne laissai plus les choses aller aussi loin et j'étais souvent celui qui s'écartait. Attendre, c'était ce que nous devions faire, même si c'était désagréable – nous étions d'accord sur ce point. A cette époque, nous étions d'accord sur tout, nous partagions tout ce que nous avions. Ce qu'il nous manquait apparemment, c'était une passion assez brûlante pour vraiment baiser, et je crois que cette carence était en soi mortelle. Pour ma part, je détestais mon état de puceau mais une peur profonde m'empêchait d'envisager sérieusement d'avoir des rapports avec quelqu'un d'autre que Sarah.

La semaine avant son départ pour Paris, début septembre, Sarah passa un dernier week-end avec moi. Toujours irréprochablement logée au *Barbizon*, elle demeura avec moi chaque minute du vendredi soir et du samedi, exception faite pour un bref intervalle de sommeil de six heures. Après une journée passée à visiter galeries et musées, à nous promener main dans la main, à échanger assez de baisers furtifs pour tenir jusqu'à son retour, neuf mois plus tard, nous venions de nous attabler, vers dix heures du soir, devant une pizza et une bouteille de chianti quand le téléphone sonna. Notre séparation imminente aiguisant la sensibilité de nos radars, nous sûmes tous deux que c'était Lucy. Sarah ne dit rien.

– Je l'expédie en vitesse, promis-je en tendant la main vers l'appareil.

Mais je n'en fis rien. Lucy m'appelait de l'appartement d'une autre épouse de Marine, et entre ses sanglots, ses propos incohérents et les interventions indignées de l'autre femme, il me fallut près d'une heure pour apprendre de Lucy que Red lui avait poché les deux yeux et fendu la lèvre, qu'il l'avait chassée de la maison en menaçant de lui briser le crâne si elle revenait.

– Oh ! Gibby, que dois-je faire ? Il est affreusement soûl, il pourrait me tuer.

– Appelle la police militaire, Lucy, répondis-je, ma frayeur, mon indignation devant la conduite de Red balayant la colère suscitée par le coup de téléphone. Ne prends pas de gants avec lui. Appelle immédiatement la P.M.

– Je ne peux pas, gémit-elle. Elle ne s'occupe pas des Rangers, tout le monde le sait. C'est comme un club, une sorte de conspiration. Personne n'embête les tout-puissants Rangers ! Les gars de la P.M. me mettraient plutôt en prison.

– Ils n'ont aucun pouvoir sur toi, Luce. Écoute, tu es ivre, toi aussi ?

– Peut-être un peu, répondit-elle en reniflant. Mais ça ne l'autorise pas à me battre. Gibby, il faut que tu viennes. Tu dois me sortir d'ici...

Je finis par la calmer et par faire promettre à l'autre femme qu'elle me téléphonerait le lendemain pour me dire où en étaient les choses. Je savais que mon inquiétude pour Lucy s'entendait : je la sentais épaissir ma voix comme le limon d'une rivière. Je raccrochai, me tournai vers Sarah, qui n'avait pas bougé de sa chaise. Son visage était blanc, ses pommettes plus rouges que jamais, mais elle avait une expression mesurée, interrogatrice.

– Elle est dans une situation épouvantable, déclarai-je. Il la bat régulièrement et il l'a gravement blessée, cette fois. Elle veut que je vienne. Je devrais vraiment y...

Sarah explosa.

– Si tu vas là-bas, Shep, dit-elle entre ses dents serrées, avec des larmes de colère, tu l'auras sur le dos pour le restant de tes jours. C'est ce qu'elle veut. C'est ce qu'elle a toujours voulu. Tu es un idiot si tu ne t'en rends pas compte. Ou alors c'est peut-être ce que tu veux toi aussi, quoi que tu penses ou dises. En tout cas, ce n'est pas ce que je veux, *moi*. Et je ne le tolérerai pas. Je ne continuerai pas à te partager avec Lucy Bondurant ! Pas question !

Elle fondit en larmes. Le menton sur la poitrine, les bras croisés, elle se balançait d'avant en arrière sur le sofa bancal avec des sanglots d'enfant malade. Jamais je ne l'avais vue s'abandonner de la sorte.

Le spectacle de sa souffrance me libéra de Lucy. Je m'approchai, pris Sarah dans mes bras, la serrai si fort contre moi que j'étouffai le bruit de ses pleurs. Mais elle continua à sangloter et à trembler en silence. Je l'étendis sur le sofa, m'allongeai sur elle pour tenter d'arrêter les terribles hoquets.

– Ne pleure pas, Sarah, murmurai-je dans ses cheveux mouillés et emmêlés, dans son oreille. Ne pleure pas, je t'en prie...

– Oh ! Shep, prends-moi maintenant ! s'écria-t-elle.

Je lui obéis. Sans scrupules, sans remords, sans considération pour la douleur et la peur qu'elle devait ressentir, je la pénétrai, m'enfonçai en elle, me retirai, plongeai à nouveau, poursuivis mon va-et-vient. Elle m'accueillit, prit mon rythme ; je sentis ses hanches se soulever et retomber, de plus en plus vite, et entendis son grand cri rauque quand nous jouîmes ensemble. Je criai moi aussi – de soulagement, de gratitude et de joie.

Lorsque, recouvrant mon souffle, je me retirai d'elle, m'appuyai sur un coude et regardai son visage, elle eut un sourire lumineux et leva la main pour tracer un sillon sur ma joue humide et je m'aperçus alors que j'avais moi aussi pleuré.

– Nous l'avons fait, dit-elle, radieuse.

Je pensai que je n'avais jamais rien vu d'aussi beau que Sarah Cameron étendue sur mon canapé, le visage rouge, des mèches noires mouillées collées à son front.

– Nous l'avons fait, répétai-je. Je vais louer un canon pour tirer une salve d'honneur de vingt et un coups. Mon Dieu, je n'avais pas idée de ce que ça pouvait être. Tu sais, je n'avais jamais...

– Je sais, murmura-t-elle.

– Et cela ne te préoccupait pas ? Ce n'est pas tout à fait normal.

– Qu'est-ce qui est normal ? murmura Sarah en s'étirant voluptueusement. C'était la première fois pour moi aussi.

– Mon Dieu ! *Bien sûr* que c'était la première fois pour toi !

Je n'avais jamais douté que Sarah fût vierge. Il me vint alors une idée qui fit s'évanouir ma satisfaction d'étalon.

– Dis, tu crois que tu pourrais être enceinte ? m'alarmai-je. C'est pour quand, tes prochaines... règles ?

Je rougis jusqu'à la racine des cheveux.

– Dans deux semaines, répondit-elle, écarlate elle aussi.

Les rapports sexuels ne faisaient pas rougir les Roses et les Gods d'Atlanta, mais les règles, si, et en ce qui me concerne ce mot me fait encore devenir cramoisi.

– Mais pas de problème, poursuivit-elle. Je ne serai pas enceinte.

– Comment le sais-tu ? Je n'ai pas pris de précaution.

Sarah s'empourpra de plus belle, baissa les yeux et murmura :

– Moi si.

Je la fixai en silence.

– J'ai un diaphragme, continua-t-elle rapidement, d'une voix si basse que je distinguai à peine les mots. Je l'ai mis quand nous sommes rentrés. Je l'ai obtenu de Snake il y a un an, et depuis je l'ai porté tous les soirs que nous avons passés ensemble à New York. Tu me prendras peut-être pour une dévergondée mais au moins, tu n'as pas à craindre que je me retrouve enceinte.

– Sarah... fis-je, incapable de trouver autre chose à dire.

Je songeai à ce qu'il avait dû lui en coûter de faire cette démarche auprès de Snake. Avait-elle donc si peu confiance en moi ?

– Tu craignais que je te force ? demandai-je.

– Oh ! Shep, non ! Je ne le craignais pas, je *l'espérais*. Je ne parvenais pas à... franchir le pas... mais j'espérais toujours qu'un soir tu ne t'arrêterais pas...

Je la repris dans mes bras, la tins contre moi, sans parler, la berçant un peu, submergé d'amour et de reconnaissance.

– Une chance que tu partes pour Paris, soupirai-je finalement, parce que sinon, je ne te laisserais jamais te lever.

– Je vaux la peine d'attendre ? fit-elle en souriant.

– Et comment ! Mais à ton retour, je n'attendrai pas une seconde de plus que le temps qu'il te faudra pour débarquer du bateau et venir ici. Et pense aux jours, aux nuits, aux années de lit qui nous attendent !

– Oui, acquiesça-t-elle. Nous aurons tout le temps.

Ce ne fut pas avant de prendre son avion à La Guardia, le lendemain soir, que Sarah, fidèle à son habitude, se tourna vers moi, les yeux plissés de malice, et me demanda :

– Tu sais qui nous devons remercier ?

– Qui ?

– Lucy, bien sûr. Tu devrais lui envoyer une douzaine de roses. Ou je devrais le faire. A la réflexion, n'y pense plus. Ça la rendrait folle. Trois heures plus tard, elle viendrait pleurer sur le pas de ta porte et je ne serais pas là pour lui dire « bas les pattes ».

– Je le lui dirai moi-même, assurai-je, avant d'embrasser Sarah une dernière fois.

– N'oublie pas. Parce que si je te pince jamais dans les griffes de Lucy Bondurant, ce sera terminé pour nous, menaça Sarah en se retournant. Je suis une femme qui parle peu et qui s'en tient à ses décisions.

Elle disparut dans le soleil aveuglant de septembre ; je retournai à mon appartement de la 21e Rue Ouest et commençai à attendre son retour.

Trois semaines après que Sarah eut embarqué à bord du *United States*, Red Chastain partit pour sa première longue affectation outre-mer et Lucy resta seule à Pendleton pendant près de huit mois. Elle me téléphona le soir de son départ, le bredouillement habituel de l'ivresse dans la voix, les larmes juste en dessous.

– Gibby, tu ne peux pas venir me voir ? Je vais mourir de solitude.

Il était trois heures et demie du matin et l'idée me traversa soudain, avec la force d'une révélation, qu'il n'y avait aucune raison que Lucy me téléphone en pleine nuit pour m'annoncer qu'elle se sentait seule sans Red Chastain. Je pris une profonde inspiration avant de répliquer :

– Non, Lucy, je ne peux pas. Tu es une femme adulte, mariée. Pendant huit mois, tu seras débarrassée de Red, tu n'auras absolument rien à faire, aucun compte à rendre, et je te défends de me rappeler à moins qu'il s'agisse d'un cas d'urgence. Si tu te sens seule, fais-toi des amis, suis des cours, plante un arbre, écris un livre...

– Un livre sur quoi, Gibby ?

– N'importe quoi, Luce. Ce qui te passera par la tête. Je suis sûr que tu trouveras quelque chose.

Là-dessus, je raccrochai et éteignis la lumière. Le téléphone sonna deux fois, à trente minutes d'intervalle, mais je serrai les dents et ne répondis pas. Il sonna à nouveau le lendemain soir à onze heures, le surlendemain à huit heures ; les deux fois, je fixai l'appareil sans bouger, poings serrés, puis il se tut définitivement. Quelle que fût l'occupation que Lucy avait choisie en attendant que son mari la rejoigne pour reprendre leur horrible valse rouge, je n'en entendis jamais parler.

L'automne passa ; Noël vint et s'en fut ; le printemps vit le jour, prit de l'âge. Sarah m'écrivait des lettres vibrantes auxquelles je répondais avec passion. Je voyais parfois des amis, écoutais du jazz dans les boîtes ou restais à la maison, m'enterrais dans mes tunnels et chambres fortes, dormais, m'éveillais, recommençais. Et le vide de l'absence de Sarah se comblait peu à peu au fil des jours à mesure que la date de son retour se rapprochait.

Elle devait rentrer le 5 juin 1961, en milieu de matinée. Ben et Dorothy Cameron vinrent d'Atlanta pour l'accueillir et, la veille de l'arrivée de Sarah, je me rendis au *Plaza* pour dîner avec eux dans l'*Oak Room*. Pas une fois, pendant toutes les années passées à New York, je n'avais pénétré dans cette vieille salle sombre et élégante respirant la fortune et les privilèges. Ben et Dorothy descendaient toujours au *Plaza* : c'était le repaire habituel du père de Ben quand il se rendait à New York, et, comme disait Ben, les Cameron ne plaisantaient pas avec les traditions.

Ce soir-là, je l'examinai attentivement, comme si je voyais pour la première fois l'homme qui, un ou deux ans plus tard, serait pour tout le pays le maire aristocratique de la ville du Sud ayant réussi à maintenir, dans la tourmente des années 60, une sorte de paix furieuse avec ses citoyens noirs. Devant les vieux lambris patinés, je le regardai jouer avec l'argenterie, prendre la mesure des hommes et des femmes qui l'entouraient, et dont la plupart levaient instinctivement la tête pour l'observer. Je remarquai que le rire de ses yeux gris avait été remplacé par un regard évaluateur. Ses pupilles, réduites à deux têtes d'épingle dans la lumière, et le réseau de rides blanches dans la peau fine et bronzée entourant ses yeux lui donnaient l'air d'un homme habitué à contempler de lointains horizons. Pour la première fois de ma vie, je me sentis un peu mal à l'aise avec lui. A ses côtés, Dorothy semblait n'avoir pas changé. Vêtue d'une soie crème qui mettait en valeur son teint éclatant, ses traits de camée, les cheveux et les sourcils bruns qui étaient aussi ceux de Sarah, elle rayonnait comme une bougie de l'Avent. Je la trouvai très jolie et songeai que Sarah ferait une splendide femme mûre.

Après qu'on eut débarrassé les assiettes à dessert et apporté le cognac, Ben parla un peu du programme de développement de la ville dont Sarah m'avait touché un mot et de la campagne de relations publiques destinée à propulser Atlanta sur le devant de la scène nationale.

– Ça s'appelle « En avant, Atlanta », conclut-il.

Je m'esclaffai sans réfléchir :

– Ça fait fanfare et bannière au vent, non ? Pas très subtil, vous ne croyez pas ?

Ben sourit.

– C'est même tout à fait lourd. Ça ne me dérange pas. En fait, je suis l'auteur de ce slogan. Atlanta est une ville lourde, elle l'a toujours été. Mais cette lourdeur nous mettra sur orbite dans les dix années qui viennent.

– Et la question raciale ? objectai-je. Elle pourrait faire exploser votre fusée.

– Voilà le hic, bien sûr, répondit-il, cessant de sourire. Ça pourrait nous couler. Mais je ne crois pas que cela arrivera. L'agitation, ce n'est pas bon pour les affaires. Et j'ai quelques agents en place qui peuvent contribuer à la désamorcer. Nous ne pouvons pas nous permettre une crise, c'est tout. Nous devons avoir les Noirs avec nous, pas contre nous. Nous avons besoin de leur coopération, de leur argent. Nous ne pourrons rien faire sans eux.

– Réussirez-vous, même avec eux ? Rebâtir complètement une ville, c'est un objectif révolutionnaire, Ben.

– Nous pouvons le faire. Tu sais comment on nous appelle ? L'équipe au pouvoir, parfois même, le Club. C'est ce que nous sommes, et c'est pour cela que nous pouvons réussir. Nous avons beaucoup d'argent, nous pouvons financer nos grands projets. Et nous sommes absolument d'accord sur ce qu'il est nécessaire de faire. C'est quatre-vingts pour cent de la bataille. Nous sommes capables de donner l'impulsion nous-mêmes mais il nous faudra ensuite de l'argent extérieur pour soutenir le mouvement. Avec ces capitaux viendront des gens de l'extérieur, naturellement. Et le Club, les types de Buckhead, si tu veux, seront condamnés. Nous le savons. Il n'y a pas assez de jeunes turcs atlantais comme toi derrière nous.

– Vous essayez encore de me convaincre de retourner à Atlanta ? demandai-je.

– Je crois bien.

– Pourquoi ? La ville dont vous parlez n'a pas besoin d'un autre bibliothécaire.

– La ville dont je parle a besoin d'hommes jeunes, intelligents, réfléchis et riches.

– Je ne suis pas riche, Ben. Je ne le serai jamais, dis-je en toute sincérité. Vous savez certainement que nous sommes brouillés, mon père et moi.

– Tu ne connais pas réellement ta situation, Shep. Ton père ne t'en a jamais parlé et n'a jamais laissé ta mère le faire. Sais-tu au moins où se trouvent les biens immobiliers de ta famille ?

– Pas vraiment. Dans les quartiers sud-est de la ville, quelque part autour de la vieille filature de coton, je crois.

– Je te montrerai où exactement quand tu rentreras.

– Ben...

– Bon sang, Shep, tu devras bien rentrer pour épouser Sarah, même si tu repars le lendemain, dit-il d'un ton sec. Je ne te laisserai pas repartir sans t'emmener à Cabbagetown pour te faire voir d'où vient le fric des Bondurant.

Je levai les mains, les baissai dans un geste de capitulation. Je n'avais pas envie de répliquer que les biens immobiliers de ma famille avaient autant de chances de m'appartenir un jour que le pont de Brooklyn. Je pensais trop au lendemain et à l'arrivée de Sarah.

Les Cameron convinrent de passer me prendre le lendemain matin en se rendant au débarcadère du West Side. Refusant le taxi que me proposait Ben, je fis à pied les quatre kilomètres me séparant de chez moi. Je marchai lentement dans l'air doux, sans penser à rien ; j'étais heureux. Il était près de minuit quand j'arrivai à l'appartement et la sonnerie du téléphone retentit au moment où je glissais ma clef dans la serrure.

Je décrochai, m'attendant à entendre Ben ou Dorothy, mais la voix qui résonna sur la ligne par-dessus le bourdonnement de l'interurbain était celle d'un jeune médecin de l'hôpital militaire de Camp Pendleton, Californie : Lucy était aux urgences avec cinq dents en moins, la mâchoire brisée, une fracture de l'avant-bras et de la clavicule. Et elle avait le cuir chevelu entaillé là où la balle du revolver de service de Red Chastain l'avait éraflée. La police militaire de Pendleton recherchait le lieutenant Chastain. Son épouse serait probablement en état de quitter l'hôpital lundi matin mais comme elle ne pouvait rester seule et que personne, au numéro de téléphone d'Atlanta qu'elle avait donné, n'acceptait de parler aux médecins de l'hôpital ou aux supérieurs de son mari, tous très préoccupés par son état émotionnel ainsi que par ses blessures, elle n'avait apparemment aucun endroit où aller. Mrs. Chastain avait dit que son cousin, Mr. Bondurant, pourrait venir la chercher et la ramener chez elle, à Atlanta. Le docteur ajouta qu'il espérait que je viendrais le plus vite possible. Elle désirait si frénétiquement que je vienne qu'on ne parvenait pas à la calmer et il avait fallu couper deux fois les fils maintenant sa mâchoire fracturée pour lui permettre de respirer. Il ne répondait pas de son état si je ne venais pas.

Je demeurai longtemps assis au bord de mon lit, fixant sans les voir mes pieds chaussés de daim blanc sali, plantés sur le sol comme deux bons caniches à qui on a ordonné de ne plus bouger. Puis je décrochai le téléphone et appelai le *Plaza*.

Jamais Ben Cameron n'avait été saisi d'une telle colère froide. « Je vois », fit-il deux ou trois fois d'un ton glacial tandis que j'exposais la situation. Lorsque j'eus terminé, il déclara :

– Shep, tu es complètement idiot si tu vas en Californie chercher cette pauvre petite. Je ne sais pas combien de temps il me faudra avant de pouvoir te parler à nouveau calmement, ajouta-t-il, et il passa l'appareil à Dorothy.

Je crois bien qu'elle comprit – en tout cas, elle l'assura. Mais elle était aussi profondément blessée et déçue, je le savais, bien qu'elle n'en dît rien.

– Qu'est-ce qui se passe avec Lucy ? demanda-t-elle de sa belle voix aristocratique. Qu'est-ce qu'elle a, à ton avis, Shep ?

– Elle... elle est tellement vulnérable, répondis-je, totalement épuisé. Elle est seule, maintenant, sans personne pour l'aider. Malgré ce que vous pensez d'elle et la façon dont elle agit parfois, il y a en elle une bonté innée...

– Non, coupa Dorothy. La bonté innée, ça n'existe pas. La bonté s'apprend, durement. Elle suppose de la gentillesse, et Lucy n'est pas gentille. Elle a trop peur, trop envie de tout pour ça. L'innocence, c'est autre chose. C'est ce qu'on devine en elle : une innocence implacable, sans pitié.

Elle s'interrompit, poussa un soupir dans lequel j'entendis un monde de fatigue et de défaite.

– Bien sûr qu'il faut que tu y ailles, Shep, dit-elle. Tu ne pourrais pas vivre, et Sarah non plus, dans le remords d'un refus. Je te demande simplement de faire très, très attention. Lucy est un danger pour elle-même et plus encore pour toi. J'expliquerai ce qui se passe à Sarah, elle comprendra.

Mais Sarah ne comprit pas. Lorsque je revins de Californie, près d'une semaine plus tard, avec une Lucy pâle, amaigrie, presque méconnaissable, que j'installai dans son ancienne chambre de la maison de Peachtree Road après avoir arraché à ma mère et à la sienne la promesse de ne lui infliger aucun « Je te l'avais bien dit », et que je me précipitai en bas pour téléphoner à Sarah, ce fut pour apprendre de Dorothy qu'elle avait annoncé ses fiançailles avec Charlie Gentry deux jours plus tôt. Dorothy ajouta qu'ils désiraient tous deux me parler.

– J'espère que tu le feras, Shep. C'est une décision qui a été très pénible à prendre pour Sarah. Elle t'attendra demain dans son atelier.

Mais je quittai Atlanta le jour même et retournai à New York sans voir Sarah.

15

Comme je ne voulais pas aller à eux, ils vinrent à moi. Je n'étais pas à New York depuis une semaine que le téléphone de mon appartement sonna, un vendredi soir.

– Sarah et moi sommes au *Plaza,* nous voulons te voir, annonça Charlie Gentry sans préambule. Aucun de nous ne peut vivre normalement sans que nous ayons discuté. Nous ne repartirons pas avant de t'avoir parlé. Quand seras-tu libre ?

Une fureur d'enfant injustement traité envahit le creux froid et sifflant que je sentais dans ma poitrine depuis ma conversation avec Dorothy Cameron, le samedi précédent. Les jointures de mes doigts autour du combiné étaient d'un blanc bleuté ; tout mon corps se crispait dans l'attente d'une souffrance qui ne pouvait manquer de venir. Je les haïssais tous deux à cet instant précis.

– Je ne serai jamais libre pour vous, répliquai-je d'un ton qui me parut puéril et geignard bien que je n'eusse pas élevé la voix. Je n'ai rien à vous dire. Je n'arrive pas à imaginer ce que vous, vous pouvez avoir à me dire. Rentrez à Atlanta et mariez-vous.

Charlie soupira.

– Sarah m'avait prévenu que tu refuserais mais je ne voulais pas la croire. Je pensais que notre amitié serait la plus forte. Non, nous ne rentrons pas, Shep. Nous attendrons le temps qu'il faudra mais nous te parlerons. Tu préfères que nous venions chez toi ?

– Non, répondis-je instantanément, avec un sentiment proche de l'horreur. Non, j'irai là-bas.

Plutôt mourir, plutôt les tuer tous les deux que les laisser venir dans la pièce où Sarah et moi avions fait l'amour et jeté les fondations d'une vie.

En pénétrant dans le hall de l'hôtel, je fus surpris de ne pas les voir : j'avais pensé qu'ils m'y attendraient. Je demandai à la réception non pas Charlie mais Miss Sarah Cameron. L'idée ne m'effleura même pas qu'ils auraient pu ne pas prendre des chambres séparées.

– Miss Cameron vous prie de la rejoindre dans sa suite, me dit l'employé. Mr. Gentry est avec elle. Si vous voulez bien monter...

J'entrai dans la cabine lambrissée de l'ascenseur, qui sentait la cire, le tapis de qualité, et pressai le bouton du septième étage.

Dès que Charlie ouvrit la porte, je sus que j'avais commis une erreur en venant. Il s'écarta silencieusement pour me laisser entrer, l'air solide, calme et riche dans un costume d'été vert olive qui n'embellissait pas son teint jaune et ses yeux marron protubérants grossis par ses lunettes. Il avait beaucoup vieilli et seul son regard était le même : doux, malicieux, plein d'une insondable bonté. Il ne parla pas mais me toucha légèrement l'épaule.

Sarah était assise sur un petit sofa à fleurs devant une grande fenêtre donnant sur le parc. Elle se leva à mon entrée, fit un pas vers moi puis s'immobilisa au milieu du tapis bleu, les bras croisés, les pieds joints. Elle portait une robe de lin jaune et sa chevelure bouclée était peignée en arrière dans une coiffure que je ne lui connaissais pas. Elle semblait lutter pour garder sur ses lèvres un mince sourire. Elle aussi paraissait plus vieille, à des années lumière de la fille ardente, rieuse, luisante de sueur que j'avais tenue dans mes bras neuf mois plus tôt. Je me souvins alors qu'elle avait passé toute une saison à Paris depuis notre dernière rencontre et m'étonnai du changement que ces quelques mois avaient produit.

Mais je compris tout à coup que ce n'était pas Paris qui avait changé Sarah ni le temps qui avait marqué Charlie. Dans cette superbe chambre de Manhattan, ils semblaient mariés, irrévocablement et pour toujours. Leurs futures épousailles semblaient une vieille histoire. Bien que la largeur de la pièce les séparât, j'avais l'impression qu'il n'y avait pas entre eux le moindre espace. Je songeai, avec une certitude qui me donnait presque la nausée, que si je ne les avais pas vus dans cette chambre, s'ils étaient venus chez moi à la place, il aurait encore été possible d'empêcher ce mariage, il y aurait encore eu un peu d'espoir pour moi. A présent, c'était fini, et la souffrance qui depuis une semaine frappait à ma porte fit son entrée en rugissant. Incapable de parler, voire de respirer, je restai figé, frégate voguant dans la nuit, regardant d'abord Charlie puis Sarah.

– Bonsoir, Shep, dit-elle.

– Bonsoir, Sarah.

Ma voix semblait couler d'une source distincte de moi – le lustre, ou la petite pendule en porcelaine de la coiffeuse – et je fus profondément surpris qu'elle eût un son normal.

– J'ai commandé à boire, annonça Charlie. Nous avons pensé que nous pourrions prendre un verre ici, parler un peu, peut-être ensuite dîner ensemble. Choisis le restaurant.

Ce fut ce « nous » qui me détermina – ce « nous » qui, désormais, ne m'incluait plus. La rage vint à la rescousse par-dessus la douleur.

– Charlie, mon vieux, je n'ai pas envie de boire avec toi, répliquai-je. Et je crois que ce sera non aussi pour le dîner. C'est un dîner de victoire ou une petite bouffe prénuptiale ? Ah ! je pourrais rester et même assister à la consommation, comme on le faisait dans le temps en Russie impériale pour la nuit de noces du tsar, afin de s'assurer que tout fonctionnait bien pour tout le monde.

J'entendis la brève inspiration blessée de Sarah, je vis le visage laid et sombre de Charlie s'enflammer. Je savais que je regretterais mes propos jusqu'au jour de ma mort mais je n'avais plus qu'un seul désir : leur faire mal.

– Je peux tout de suite te rassurer pour Sarah, lançai-je à Charlie. Ça fonctionne très bien. Quant à toi, je me suis toujours posé la question.

– Bon sang, Shep... commença-t-il d'une voix tremblante.

– Ne t'en prends pas à lui, intervint Sarah, et je n'eus pas à la regarder pour savoir qu'elle pleurait. Prends-t'en à moi s'il faut absolument que tu passes ta colère sur quelqu'un. C'est moi qui lui ai demandé. C'est moi qui ai eu l'idée. Il ne t'aurait jamais trahi. Ne t'en prends pas à lui, je t'en prie, Shep. Écoute, au moins.

Je me tournai alors vers elle. Effectivement, elle pleurait. Magnifique dans sa robe jaune, perdue pour moi, elle pleurait pour Charlie Gentry – du moins je le croyais. J'ordonnai à ma rage de noyer à nouveau ma souffrance, ce qu'elle fit.

– Que pourrais-tu me dire que tu ne m'aies déjà dit ? ripostai-je. Tu as beaucoup parlé lors de notre dernière rencontre ; je ne vois pas ce que tu pourrais ajouter.

Elle courut se réfugier dans la chambre, ferma la porte derrière elle et je continuai à fixer l'endroit où elle se tenait l'instant d'avant, où il n'y avait plus que la fenêtre et, au-delà, la nuit étoilée. Dans la vitre, je vis le reflet de Charlie courber la tête, comme sous le poids d'une grande fatigue, et tendre la main vers moi. Je me retournai, contemplai sa main forte et calleuse, marquée de nombreuses petites écorchures à moitié guéries. Toute sa vie, Charlie porterait les stigmates de sa chasse aux reliques et les traces de la terre rouge de Géorgie dans laquelle elles étaient enfouies. C'était cette même main brune qui s'était tendue vers moi pendant toute notre enfance, qui m'avait soutenu, applaudi et parfois secouru. Dans cette chambre inconnue, je la vis soudain à travers un rideau de larmes. Mes épaules s'affaissèrent, je baissai la tête moi aussi mais ne pris pas sa main.

Il s'assit au bord du sofa, leva les yeux vers moi et m'indiqua un fauteuil dans lequel je refusai de m'asseoir.

– Je sais que tu penses que je t'ai trahi, Shep, dit-il d'une voix pesante. Et c'est peut-être vrai. Mais j'aurais fait n'importe quoi pour avoir Sarah. Toi, tu ne la voulais pas assez fort. Elle a besoin qu'on l'adore et tu ne l'as jamais adorée, Shep. Je ferai tout pour la rendre heureuse, j'y consacrerai ma vie. Et peut-être qu'entre moi et Atlanta, elle le sera. Elle a besoin d'Atlanta. Elle est née pour y...

– Non ! m'écriai-je. Elle est née pour être à moi. Tu le sais ! Elle le sait ! Tu fais un lot de consolation minable, Charlie ! Elle voulait juste se venger parce que je m'étais occupé de Lucy. Nous aurions fini par tout arranger mais tu étais là, reniflant comme un chien en chaleur, et d'un seul coup, elle ne pouvait même plus attendre une semaine.

Le visage de Charlie perdit toute couleur. Il se leva, prit une inspiration si profonde que je l'entendis trembler dans sa gorge.

– Je veux que tu partes, dit-il. Je croyais que nous aurions pu discuter avec toi, préserver notre amitié. Je croyais même que tu nous donnerais peut-être ta bénédiction. Sarah y tenait énormément. Nous t'aimons beaucoup. Mais maintenant, c'est différent, et si tu ne présentes pas tes excuses à Sarah...

La porte de la chambre se rouvrit ; Sarah sortit, s'avança vers moi et scruta longuement mon visage. Elle se pencha légèrement en avant mais ne me toucha pas. Je ne crois pas que je l'aurais supporté.

– J'ai besoin d'être aussi importante pour un homme qu'il l'est pour moi, Shep, murmura-t-elle. Sinon, je me sens.. totalement dévalorisée. Il faut que je compte énormément pour lui sinon je n'existe pas. C'est peut-être idiot mais c'est comme ça. Quand tu es parti chercher Lucy, j'ai vu que je n'avais pas cette importance à tes yeux, que je ne l'aurais jamais. Si tu pouvais comprendre ce que je ressens.

Je m'abandonnai à la colère avec un sentiment de quasi-jouissance. Jamais je n'avais éprouvé une telle rage, ni avec ma mère, ni avec mon père, ni même avec Lucy. Je partis d'un rire qui, même à mes oreilles, parut obscène.

– Tu te trompes, rétorquai-je. Sur mon compte et sur tout le reste. Tu as menti. Ce n'est pas moi que tu voulais. Tu voulais un animal de compagnie, pas un mari. Tu en as un maintenant. Profites-en !

Je quittai la pièce en claquant la porte, faillis renverser dans le couloir le serveur apportant à boire, pris l'ascenseur avec un homme et une femme portant des étiquettes en plastique où figuraient leurs noms, sortis en même temps de l'hôtel et de la vie de Sarah Tolliver Cameron. Je savais que si je la rencontrais à nouveau – je n'en avais pas l'intention – elle serait devenue Sarah Cameron Gentry et cette rencontre me serait insupportable.

Il devrait y avoir un corpus littéraire sur l'homme rejeté comme il y en a sur la femme. Des femmes touchées par l'amour ou transpercées par la perte de l'objet aimé jonchent la littérature mondiale comme des roses brisées. Mais le mâle rejeté est un sujet de plaisanterie. Pis, il ne sait pas comment porter le deuil d'un amour perdu et qui le lui dira ? Ses amis, gênés, lui conseilleront de se soûler, de baiser une autre fille, de trouver un nouvel amour. Et surtout de se taire. La littérature ne lui étant d'aucun secours, il se traîne péniblement à travers sa souffrance – comme je le fis –, inconsolable et soupçonnant à juste titre d'être pour les autres un personnage ridicule et indésirable. Finalement, il se retire, comme je le fis.

Après cette terrible scène du *Plaza,* mon monde vira au gris. La ville qui m'avait tant charmé, tant galvanisé, devint pour moi presque une ennemie. Il me fut tout à coup difficile de bouger, de me faufiler dans la circulation, de trouver mon chemin à travers la journée. Mon travail, mon petit cercle d'amis ne m'intéressaient plus autant qu'ils le faisaient quand j'avais Sarah auprès de moi pour leur donner de la résonance. Même le torrent du jazz qui avait bouillonné dans mes veines, mêlé à mon propre sang, me semblait plat et tiède. Je jouais de la clarinette ou du saxophone tard dans la nuit, sur l'escalier jusqu'à ce que la fatigue ou un voisin furieux me fissent rentrer, mais je n'allais plus au *Basin*

Street East, au *Vanguard* ou au *Half-Note* le soir. La seule chose qui ne perdit pas de son lustre, ce fut l'attrait chatoyant de l'Antiquité enfouie dans les rayons de la bibliothèque, et je passai bientôt tous les moments de veille que mon travail n'occupait pas à lire, lire sans arrêt. Je me plongeai dans l'Attique, la Thrace, la Grèce et Mycènes. De longues heures s'écoulaient de la sorte, sans souffrance. Je restais à la bibliothèque jusqu'à ce que le personnel de nuit me mette à la porte pour fermer. Ainsi commença, je crois, une longue retraite.

Si je ne puis prétendre que chaque moment de veille fut douloureux, il est juste de dire que ceux qui ne l'étaient pas furent enveloppés d'une sorte d'engourdissement glacé. J'appris à cette époque à mettre en hibernation certaines parties de ma conscience et je maîtrisai assez cet exercice pour que des pans respectables de chaque journée se déroulent en dehors du sentier de la douleur. Le travail se révéla être l'antalgique promis par tous les truismes et je devins un travailleur infatigable, à la concentration impressionnante. Si mes efforts avaient été consacrés à une tâche plus enrichissante que transporter du papier moisi d'une pièce à une autre dans le sous-sol de la bibliothèque, je me serais peut-être fait un nom dans quelque domaine intéressant. Mais je ne songeai même pas à changer d'emploi : le labyrinthe était aussi hospitalier pour moi qu'il l'avait été pour ce pauvre mutant de Minotaure et remplissait la même fonction : il me cachait. Je m'enfouissais sous terre le jour, sous des tonnes de cuir et de papier la nuit, et lorsque ces deux refuges m'étaient fermés, je rentrais chez moi et tentais de me cacher derrière du cuivre vite terni et des dissonances plaintives. Ce n'était pas aussi efficace que le dédale ou les rayonnages ; c'était alors que la douleur venait.

Je retournai plusieurs fois à Princeton et à la bibliothèque Firestone cet été-là, mais l'ombre de Sarah Cameron demeurait si présente sur le campus couvert de feuilles que je ne cessais de me tourner à demi vers elle pour ne découvrir qu'un frémissement de l'air à l'endroit où elle avait été. Une obscure colère s'embrasait alors en moi – colère contre la vie qui m'avait dépouillé à la fois de Sarah et de Princeton, colère contre Sarah qui me prenait jusqu'à Princeton et, le plus douloureux, colère contre moi-même qui l'avait laissée partir.

Sarah et Charlie ne se manifestèrent plus, naturellement. Je crois qu'ils l'auraient fait si je m'étais excusé, si j'avais fait le premier pas, mais j'en étais incapable. Cela ne m'eût pas rendu Sarah et tout résultat inférieur à celui-là n'aurait pas valu l'immense effort demandé. J'appris en juillet que le mariage aurait lieu en septembre, dans l'intimité – rien que les familles –, dans le jardin de la maison de Muscogee Avenue. Je tins l'information de ma mère, qui semblait aussi affligée d'être privée de l'événement mondain incontesté de la saison que furieuse de ma défection dans l'alliance avec la maison Cameron.

– J'ai pensé que tu aimerais être au courant, et je ne crois pas que quelqu'un d'autre aurait pris la peine de t'en informer, me dit-elle au téléphone.

Elle n'ajouta pas que tout le monde considérait ce mariage comme une bourde de la plus belle eau et se demandait si Charlie ne volait pas au secours d'une Sarah que j'aurais engrossée. Je raccrochai dès que je pus décemment le faire.

Ma mère avait raison. Personne à Atlanta ne m'avait donné signe de vie depuis que j'avais ramené Lucy de Californie, en juin. Cela n'avait d'ailleurs rien d'inhabituel : excepté par ma mère, Sarah ou Dorothy, je n'avais jamais eu de nouvelles d'Atlanta. Lucy me téléphona quelques jours après le retour de Sarah et Charlie à Atlanta. Je raccrochai en reconnaissant sa voix, elle rappela et je laissai sonner. Elle ne rappela pas une troisième fois. Elle m'écrivit pendant plusieurs semaines mais je déchirai ses lettres sans les ouvrir et le flot de ses missives finit par se tarir. A cette époque, je ne pouvais penser à Lucy sans être submergé par une rage aveugle qui m'effrayait beaucoup. Mais là aussi le flot se tarit après qu'elle eut cessé de m'écrire.

Et puis, au début du mois d'août, Dorothy m'appela.

– Shep, c'est Dorothy...

A cet instant, la souffrance anesthésiée se réveilla et j'eus envie de pleurer, de me lamenter comme un Irlandais à une veillée funèbre, de ramper le long des treize cents kilomètres de fil reliant la 21e Rue Ouest à Muscogee Avenue, de poser ma tête dans le giron de Dorothy et de sangloter comme un enfant inconsolable avant de m'endormir, épuisé. L'angoisse qui nouait ma gorge m'empêchait littéralement de parler. Je réussis à émettre un mince coassement qui n'abusa pas Dorothy Cameron.

– Oh ! mon Dieu ! fit-elle. Je ne t'ai pas téléphoné plus tôt parce que je savais que ce serait aussi terrible pour toi que pour moi. Chaque fois que je décrochais pour t'appeler, je me mettais à pleurer. C'est ridicule. Personne n'est mort. Bon, assez de stupidités, maintenant.

Magiquement, le nœud mortel se desserra ; je pus parler.

– Vous m'avez manqué, dis-je. Je ne soupçonnais pas à quel point avant d'entendre votre voix. J'aurais bien téléphoné mais je me suis conduit comme un tel couillon que je ne pensais pas que vous accepteriez de me parler. Mon Dieu, Dorothy, j'ai provoqué un tel gâchis.

– C'est vrai, dit-elle, mais d'un ton si neutre qu'il avait quand même quelque chose d'apaisant. Et c'est toi qui en as souffert le plus, et de loin. Ici, nous allons tous à peu près bien. C'est triste à dire, mais le monde a la déplaisante habitude d'enjamber nos corps prostrés pour aller de l'avant. Te cacher là-bas, ne pas répondre aux lettres ni aux coups de téléphone, ce n'est ni nécessaire ni très intelligent. Je t'appelle pour te demander de reconsidérer ta position sur ta venue ici. Pour une simple visite, bien sûr.

– Dorothy, je ne peux pas. Me cacher est stupide, j'en conviens, mais rentrer est une chose dont je suis encore incapable. Est-ce... est-ce que c'est Sarah qui vous a demandé de me téléphoner ?

Un espoir affamé et poltron monta des profondeurs enveloppées de glace de mon être, s'insinua furtivement dans mon cœur comme un coyote.

– Sarah ? Non. Tu as été affreusement grossier avec elle, Shep. Je ne crois pas qu'elle ou Charlie aient l'intention de t'appeler, et de toute façon, je n'intercéderais pour aucun d'eux. Ils sont parfaitement capables de s'occuper de leurs affaires – même si je pense qu'ils le font fort mal. Non, c'est Lucy qui m'a demandé de t'appeler. Elle dit que tu ne réponds ni à ses lettres ni à ses coups de téléphone et qu'elle a terriblement besoin de te parler. Je crois que c'est vrai, Shep.

– Lucy ? Ma cousine Lucy ? bredouillai-je, hébété.

J'avais relégué Lucy au fin fond de la crevasse de glace, plus profond encore que la douleur causée par Sarah et Charlie. C'était le dernier nom que je m'attendais à entendre dans la bouche de Dorothy Cameron, surtout assorti d'un appel à l'aide.

– Lucy, oui, fit Dorothy avec vivacité.

Je secouai la tête comme un chien sortant de l'eau.

– Bon, dans quel pétrin s'est-elle encore fourrée ? Je vous préviens, Dorothy, je ne tiens pas vraiment à l'apprendre. C'est une adulte, une femme divorcée ; elle a suffisamment de bon sens pour s'occuper d'elle-même. Ou alors, qu'elle trouve quelqu'un d'autre à qui se raccrocher. Je ne suis pas en état de lui parler, encore moins de venir réparer le dernier gâchis qu'elle a causé.

– Elle n'a causé aucun gâchis, répondit Dorothy d'une voix égale. En fait, c'est plutôt le contraire. Elle a trouvé un emploi qu'elle semble aimer, elle verse ce qu'elle peut à tes parents pour payer sa pension, et je ne l'ai jamais vue comme ça. Elle paraît... heureuse. Simplement heureuse. Pas exaltée ou survoltée. Elle a une sorte de rayonnement intérieur, de sérénité que je trouve très attirants. Je pense qu'elle a peut-être un nouvel amoureux, bien qu'elle n'en dise rien. En tout cas, depuis quelques semaines, elle vient le soir bavarder avec moi et je n'ai jamais vu un tel changement chez une jeune femme. Elle assure que c'est à cause de toi. Je n'arrive pas à imaginer ce que tu as bien pu lui dire. Et elle ne joue pas la comédie. Sarah aussi pense que ce changement est authentique. Elles passent pas mal de temps ensemble à faire les boutiques, s'occuper des détails du mariage. Lucy s'est excusée sincèrement des ennuis qu'elle a causés à tout le monde et elle avait les larmes aux yeux. Sarah en a été très touchée. Charlie demeure intraitable mais tu le connais...

Je le connaissais effectivement et savais qu'il possédait ce que Hemingway appelait un détecteur de couillonnades infaillible en ce qui concernait Lucy Bondurant. J'étais équipé du même appareil.

– Eh bien, je suis content de savoir qu'elle n'a pas d'ennuis mais, à votre place, je me montrerais prudent avec cette nouvelle Lucy, dis-je. Elle est capable de devenir qui elle a besoin d'être. Toute cette histoire me préoccupe beaucoup.

– C'est pourquoi tu devrais venir te rendre compte par toi-même. Lucy dit qu'elle doit absolument réparer ses torts envers toi pour pouvoir mener une vie normale et qu'elle ne sait pas comment te joindre. Shep, je suis convaincue que c'est tout ce qu'elle désire : mener une vie normale. Son travail est très intéressant et elle a aussi écrit des choses qui, d'après elle, pourraient être utilisées un jour ou l'autre. C'est comme si elle avait un merveilleux secret, comme si une bougie l'éclairait de l'intérieur...

Que se passe-t-il ? me demandai-je.

– Je ne rentrerai pas, déclarai-je. Je n'en suis pas encore capable. Mais je lui parlerai si elle en a toujours envie. Dites-lui de me téléphoner. Je ne raccrocherai pas cette fois. Et... Dorothy... Comment va Sarah ? Comment va-t-elle vraiment ? Est-elle... heureuse ?

– Heureuse ? répéta-t-elle, dégustant le mot comme si elle en ignorait le sens. Non, je ne crois pas qu'elle soit particulièrement heureuse en ce moment, Shep, mais elle va très bien. Elle se sentira utile dans son couple et pour la ville, et je crois que cela finira par la rendre heureuse. Utile, elle ne l'aurait pas été à New York, quoi que tu en penses. Pour des filles comme Sarah, être utile est au bout du compte bien plus important qu'être simplement heureuse.

Mon cœur se serra, brièvement, douloureusement. Sarah n'était pas heureuse. À trois semaines de son mariage. Sarah l'utile... J'eus la vision de ce que serait sa vie.

– Épargnez-moi vos conneries altruistes, Dorothy, dis-je sans élever le ton mais avec une véhémence qui fit trembler ma voix.

– Ne parle pas comme cela, Shep, répondit Dorothy. Nous t'aimons, nous savons que tu souffres. Nous le savons tous. Ne nous invective pas comme ça.

– Je suis désolé, murmurai-je.

Ce soir-là, j'écrivis à Sarah et à Charlie une lettre chacun, courte mais aussi chaleureuse et repentante que je pus. En m'excusant de ma conduite et en leur donnant ma bénédiction, j'eus l'impression d'être un pape Borgia hypocrite et corrompu. Avec tout mon amour, mis-je au bas de la feuille pour l'un comme pour l'autre. Je versai quelques larmes de fatigue et de honte dans la nuit chaude, épaisse, lorsque je glissai les lettres dans la boîte du coin de la 21e Rue et de la Neuvième Avenue, mais j'éprouvai aussi une sorte d'exaltation. J'imaginai Sarah ouvrant la sienne dans son atelier et la lisant, le visage éclairé par la lumière de l'automne ; je la vis fermer ses yeux brillants, laisser tomber sa tête sombre...

Deux jours plus tard, je reçus un télégramme de Sarah et Charlie : nous t'aimons, rentre pour le mariage.

Mais je ne le pouvais pas.

Durant les trois semaines précédant la cérémonie, je réussis tant bien que mal à ne pas penser à eux mais je songeai beaucoup à Lucy. « Elle assure que c'est à cause de toi », avait dit Dorothy, parlant du changement de ma cousine. « Je n'arrive pas à imaginer ce que tu as bien pu lui dire. »

Longtemps je n'en eus pas la moindre idée non plus puis je crus avoir trouvé. Cela s'était passé dans l'avion qui se traînait de Los Angeles à Atlanta, quelque part au-dessus de l'Utah, je pense, ou du moins dans la première partie de l'interminable voyage, avant que la fatigue, le contrecoup de la douleur et les médicaments ne la plongent dans le sommeil. J'avais tenté de discuter sérieusement avec elle mais la conversation avait tourné au monologue car Lucy refusait de parler de Red Chastain ou de son couple, si ce n'est pour dire que c'était terminé, bien entendu.

La police militaire de Camp Pendleton avait finalement retrouvé Red dans l'arrière-salle pleine de mouches d'une *cantina*, dans une impossible petite rue de Tijuana, et l'avait ramené au camp menottes aux poignets la veille de notre départ pour Atlanta. Deux de ses supérieurs étaient venus voir Lucy à l'hôpital pour lui demander quelles suites elle pensait donner à l'affaire mais elle s'était remise à trembler, à pleurer, et le docteur et moi-même les avions priés de partir – ce qu'ils avaient fait. Nous quittâmes donc la haute plaine accablée de soleil qui avait été une arène si cruelle pour Lucy Bondurant Chastain sans revoir son mari, et à ma connaissance elle ne le revit jamais de sa vie. Je savais qu'elle avait l'intention de demander le divorce dès son arrivée à Atlanta, mais hormis cela, elle n'avait aucun projet, et j'avais donc orienté mon attaque sur son travail, ce qu'elle comptait faire désormais de son existence. La mienne me semblait alors fermement installée sur son orbite incandescente, et je ne songeais qu'à la retrouver après avoir lancé Lucy sur quelque chemin peu susceptible de perturber le mien. J'étais impatient, alors, de me retrouver chez moi avec Sarah.

– Tu pourrais être écrivain, avais-je plaidé. Tu pourrais être publiée maintenant, tellement tu es bonne. Tous tes profs l'ont dit. Mais au lieu de cela, tu as gâché de merveilleuses années à couchailler avec des types comme Red Chastain. Bon Dieu, vous, les femmes du Sud, vous vous contentez vraiment de peu.

– Seigneur, serais-tu un de ces féministes ? avait répliqué Lucy, usant d'un terme qui venait d'entrer dans le langage courant.

– Je crois que oui, avais-je répondu après réflexion. Pas toi ? Je pensais que toutes les femmes à demi sensées l'étaient.

– Non. Je hais les femmes, tu le sais. Je ne fais confiance qu'aux hommes.
– Regarde-les, tes hommes !
– Oui. Gibby, mais ils sont sans surprise, tous. Je peux prévoir ce qu'ils feront, agir en conséquence. Les femmes sont mystérieuses, indéchiffrables, ce qui fait automatiquement d'elles des ennemies. Il vaut mieux avoir un homme de son côté et à son côté.
– Foutaises. C'est juste un prétexte que les femmes utilisent pour ne rien faire seules de toute leur vie.
– Nous avons élevé pas mal de gars du Sud comme toi, en tout cas, avait-elle rétorqué, piquée.
– Non. Ce sont les Noires qui le font.

Elle était demeurée longtemps silencieuse puis avait glissé dans le sommeil et avait dormi pendant le reste du voyage. Ce fragment de conversation, ces mots prononcés dans un cylindre métallique fermé, suspendu quelque part au-dessus de l'Ouest, avaient-ils réellement pu changer Lucy Bondurant ? Je n'arrivais pas à y croire mais je ne m'en rappelais pas d'autres...

Charlie et Sarah se marièrent le samedi après *Labor Day** et je ne fis rien de particulier pour marquer l'occasion. J'avais gardé quantité de corvées pour ce jour-là et au moment où, selon mes estimations, Sarah Cameron devenait Sarah Gentry, je me rendais à la blanchisserie, un paquet de linge sale sous le bras. En passant devant l'épicerie juive du coin de la Neuvième Avenue et de la 23e Rue, je marmonnai : « *Mazel tov,* Sarah », et, mû par une impulsion, je pénétrai dans le magasin sombre sentant l'ail et achetai du foie haché, mets pour lequel Sarah avait une passion tout hébraïque. Je rentrai chez moi dans le crépuscule encore chaud de septembre, mis le foie dans le réfrigérateur dont je refermai la porte cabossée quand le téléphone retentit.

C'était Lucy.

* Fête du travail, premier lundi de septembre dans la plupart des États américains. (N.d.t.)

– Salut, Gibby, dit-elle.

D'un seul coup, la joie, la tristesse, la souffrance et la nostalgie m'envahirent, si bien que ma voix, lorsque je répondis « Salut, Luce », résonna comme celle d'un autre à mes oreilles.

– Que se passe-t-il ? enchaînai-je.

– Je rentre de la noce, répondit-elle.

Entre les brèves bouffées de l'inévitable cigarette, la voix de Lucy me parut douce et chargée d'un sentiment que je ne lui associais pas d'ordinaire. Tendresse ? Pitié ?

– Ah ! ouais ? grommelai-je. Et c'était comment ?

– Très gentil. Simple, intime, et presque tout de suite fini. Personne n'a pleuré ou fait de simagrées, et les mariés avaient l'air heureux mais pas fous de bonheur. Déjà casés, d'une certaine façon. Avant leur départ, Sarah m'a embrassée et m'a demandé de te téléphoner pour te raconter avant qu'une vieille mégère le fasse. Tu leur manques. Ils espèrent que tu viendras les voir quand ils seront revenus de leur lune de miel. Voilà. Je voulais donc te dire que tout s'est bien passé, vraiment.

Il y avait effectivement quelque chose de changé en elle et que je sentais, là, dans sa voix. J'attendais les reparties acides et brillantes, l'ironie mielleuse, les petites pointes malicieuses que je connaissais si bien et ne les entendais pas. Ce n'était que gentillesse et altruisme.

– Je... Merci, Lucy, fis-je maladroitement. Je te suis reconnaissant. Dorothy m'a dit que tu les a beaucoup aidées, Sarah et elle, depuis ton retour.

– Je l'espère, répondit-elle avec simplicité. Toute ma vie j'ai été abominable avec Sarah et j'espère pouvoir commencer à me racheter. Si seulement je le pouvais aussi pour toi...

– Inutile, coupai-je.

Pour la première fois de mon existence, j'étais gêné de lui parler et ne trouvais rien à lui dire. Je n'éprouvais plus rien de ma rage de l'été précédent mais cette inconnue à la voix calme ne suscitait en moi aucune autre émotion pour la remplacer. J'avais l'impression d'essayer de faire la conversation à une vague connaissance.

– Et où passent-ils leur lune de miel ? demandai-je, juste pour dire quelque chose.

Je fus aussitôt horrifié : je ne voulais pas le savoir, je ne voulais pas que Lucy pense que cela m'intéressait.

– A Tate, je crois, tout simplement, répondit Lucy.

Tate, bien sûr, pensai-je avec un sourire involontaire. Le grand chalet familial que Sarah aimait tant. Je l'imaginais là-bas, plongeant comme une loutre brune dans le petit lac glacé d'un bleu profond, faisant à bicyclette le tour de la petite route de terre battue qui le ceinturait, prenant des rondins moussus sur le tas de bois s'élevant près de la porte de derrière pour les jeter dans le feu ronflant de la grande cheminée en pierre, se tenant déhanchée devant le vieux fourneau, maniant habilement une poêle en fonte. Je voyais Charlie la regarder du fauteuil situé près du feu, toute son âme dans ses yeux. Mais je ne pouvais me les représenter montant ensemble le vieil escalier en pin, entrant dans une des chambres...

– Gibby, rentre, je t'en prie, dit Lucy, rompant le silence. Ils seront partis deux semaines au moins, tu ne risqueras pas de tomber sur eux. J'ai besoin de te voir. Besoin de réparer. Je crois que j'en serai capable, si tu me laisses faire. Mais je ne peux supporter d'être... comme une étrangère pour toi. Je veux faire quelque chose de ma vie – seule, je veux dire –, et je ne pourrai le faire que si je sais que tu m'as pardonné.

– Je te pardonne, Luce, dis-je, sincèrement. Pas besoin de rentrer pour ça. D'ailleurs, je n'ai pas grand-chose à te pardonner. Pourquoi ne viens-tu pas, toi ? Si tu es fauchée, je t'envoie un billet d'avion...

– Gibby... commença-t-elle. (Elle prit une longue inspiration.) Je veux que tu viennes parce que j'ai écrit un livre, que Doubleday le publie et qu'il sort la semaine prochaine, qu'il y a des réceptions organisées pour moi ici et que je veux que tu m'y accompagnes. Je ne veux pas y aller seule et je ne crois pas que maman ou Lady tiennent beaucoup à venir.

– Lucy ! m'écriai-je dans l'appareil. C'est... Bon sang ! C'est merveilleux ! C'est... Pourquoi ne m'as-tu rien dit ? Tu l'as écrit quand ?

– L'été et l'automne derniers, quand Red est parti pour huit mois. Tu te rappelles ? Je t'avais appelé et je t'avais demandé en pleurnichant de venir me tenir compagnie et tu m'avais répondu d'écrire un livre ou de planter un arbre. Eh bien, j'ai écrit un bouquin. Et quand je l'ai terminé, j'ai téléphoné au professeur Dunne, de Scott, qui m'a donné le nom d'un agent littéraire de New York à qui j'ai envoyé le manuscrit, et voilà. Je ne t'en ai pas parlé parce que je pensais que tu ne t'intéressais plus à tout ce qui pouvait me concerner... Gibby, Rich organise un après-midi de dédicaces, les Cameron veulent donner un cocktail en mon honneur au Driving Club, et même maman pense qu'elle pourrait donner un thé avec ta mère, ici, à la maison... Et je viens de me rendre compte que je suis incapable d'affronter tout cela sans toi...

– C'est pour quand ? demandai-je, le cœur battant de fierté.

– Le week-end prochain. Samedi et dimanche.

– Je serai là vendredi soir. Tu peux venir me prendre à l'aéroport ?

– Oh ! Gibby, bien sûr ! J'ai une petite voiture, maintenant, une Volkswagen. J'ai obtenu un crédit et Mrs. Cameron s'est portée garante. Elle est bleue et... Oh ! merde, Gibby, tu m'as tellement manqué ! Et j'ai si peur !

– De quoi as-tu peur ? Ne crains rien. Tu tiens le monde dans tes mains maintenant. Rien à l'horizon si ce n'est des roses et des lauriers.

– C'est que je suis tellement heureuse, répondit Lucy. Je n'ai pas l'habitude. Personne n'a jamais donné une réception en mon honneur...

C'était vrai.

Je veillai toute la nuit, jouant de la clarinette, passant et repassant mes disques de Brubeck (en sourdine pour que la veuve portoricaine du premier étage n'appelle pas à nouveau la police), pensant à elles deux. Sarah et Lucy. Lucy et Sarah. Ou plutôt je laissai se dérouler les bandes emmagasinées dans ma mémoire. Je ne voulais pas penser. Dans la longue nuit, deux femmes scintillèrent devant mes yeux, toutes deux ardentes et belles, toutes deux à moi d'une certaine façon. Ni l'une ni l'autre faciles à définir, ni l'une ni l'autre faciles à abandonner. Toutes deux façonneuses d'existences – la mienne et d'autres – et cependant si différentes l'une de l'autre qu'il semblait incongru qu'elles puissent être les piliers d'une même vie. Elles l'étaient, pourtant. Ma vie sans elles était inimaginable. Mais je devrais désormais tenter de vivre sans l'une d'elles au moins.

Peu avant l'aube, je glissai dans le sommeil. La pensée que la musique avait tenue à l'écart pendant la nuit resurgit et je m'abandonnai enfin à sa tristesse : cette nuit était la nuit de noces de Sarah Cameron Gentry, pas la mienne.

16

Le vendredi suivant, je dormis pour la première fois de ma vie dans la grande pièce de derrière qui était la chambre d'ami de la maison de Peachtree Road.

Ce fut une nuit étrange, en grande partie sans sommeil, peuplée de bruits, d'ombres et de mouvements que je connaissais depuis toujours mais qui m'étaient étrangers maintenant parce que je les percevais sous un autre angle.

Je sentais presque sur ma peau la présence de ma tante Willa dans l'autre chambre de derrière, de l'autre côté du couloir, et plus encore des corps de ma mère et de mon père, allongés probablement côte à côte dans la vaste pièce de devant où, à ma connaissance, ils dormaient déjà avant ma naissance. Immobile sous les draps de lin blanc, dans un pyjama neuf dont je n'avais pas l'habitude, je guettais malgré ce que cela avait de ridicule les bruits sans joie de leur accouplement inimaginable, comme je les avais écoutés dans la petite pièce jouxtant la leur dans mon enfance. Lucy, qui avait mis fin à cette torture, ne dormit pas cette nuit-là sous le même toit mais dans la gloriette qui avait longtemps été mienne. Si je la lui cédai volontiers, le refuge qu'elle offrait me manquait beaucoup. Le lit blanc et froid de ma chambre austère ne mettait pas à l'aise.

Nous avions veillé tard dans la gloriette, Lucy et moi, après le lamentable petit rituel de retour au foyer que mes parents, ma tante et moi avions observé. Ma mère, plus liane et blanche de peau que jamais, s'était accrochée à moi, me tapotant le dos avec force simagrées, tandis que tante Willa, à présent une matrone de la bonne société d'Atlanta jusqu'au bout des ongles, souriait et fumait en silence dans la pénombre tiède de la véranda où nous étions réunis. Mon père, encore plus rougeaud, découvrit ses dents jaunissantes dans ce qui nous tint lieu de salutations, avala deux bourbons, eut un sourire carnassier et dit que oui, la Rolls-Royce garée dans l'allée était neuve ; il faudrait que je profite de ma visite pour l'essayer. Je lui rendis son sourire, répondis que ça me plairait beaucoup en sachant que je n'en ferais rien et qu'il ne renouvellerait pas sa proposition.

Peu de temps après, il prit la carafe de bourbon et retourna à la bibliothèque en disant qu'il avait des papiers à ranger si ces dames voulaient donner un thé ce week-end, et je ne le revis plus avant mon départ pour New York, le dimanche soir. Il n'assista pas à l'après-midi de dédicaces organisée par Rich le lendemain ni au cocktail que Ben et Dorothy donnèrent pour Lucy au Driving Club. Ma mère prétendit qu'il avait un rendez-vous d'affaires en dehors de la ville mais je ne me souviens pas qu'elle m'ait dit où, et de toute façon je n'en crus rien. Lucy et moi nous réfugiâmes dans la gloriette dès que nous pûmes décemment le faire, avec un soulagement aussi manifeste que profond.

– J'espère que cela ne te dérange pas, demanda-t-elle en allumant la lampe du vieux sofa bleu défoncé, sur lequel elle se laissa tomber. Je me suis installée ici une semaine ou deux après mon retour, en juin. Personne ne savait quoi me dire et je voyais bien que mon plâtre, mes bleus embêtaient tout le monde. C'était plus facile comme ça. Martha m'apportait à manger et je passais la plupart du temps à dormir. Ensuite, quand je me suis rétablie et que j'ai trouvé du travail, c'était plus pratique de loger ici parce que je ne dérangeais personne en partant ou en rentrant. Il m'arrive de travailler tard. Et puis je pensais que tu ne rentrerais pas. Mais si cela te dérange, je peux libérer la place en une minute. Je n'ai touché à rien...

C'était exact. La gloriette semblait presque dans l'état où je l'avais laissée en partant pour Princeton. Mes livres et mes disques s'entassaient en un même désordre ; les fanions du Georgia Tech et de l'Université de Géorgie demeuraient accrochés aux murs. L'étagère que ma mère avait fait mettre accueillait encore mes quatre cent quarante trophées sportifs, et une petite boîte en verre contenant des balles Minié dont Charlie m'avait fait cadeau pour Noël se trouvait encore, couverte d'un épais feutre de poussière, sur mon vieux bureau. Seul celui-ci manifestait la présence de Lucy puisqu'il était encombré de livres, de cahiers, de blocs-notes et d'une vieille Smith-Corona portative trônant en son milieu. J'aurais cependant deviné que Lucy vivait dans ces pièces même si l'on m'y avait conduit les yeux bandés. Par-dessus le musc de l'herbe et des bois jaunissants de septembre, par-dessus l'odeur du bassin aux nénuphars et celle de la gloriette elle-même, flottait la senteur soyeuse et taquine de son « Tabou ».

– Ça ne me dérange pas, assurai-je. J'aime te voir ici avec ta machine à écrire et ta vie toute neuve. C'est une excellente tanière pour un écrivain. Et elle doit te convenir : tu es merveilleusement belle.

C'était vrai. Lucy avait toujours été merveilleusement belle mais il y avait quelque chose de tout à fait nouveau en elle ce week-end. Dorothy Cameron avait raison. Je l'avais remarqué en descendant d'avion et ce sentiment s'était renforcé au fil des heures que nous avions passées ensemble. Ce n'était pas une différence physique. Ses cheveux de satin noir encadraient toujours de leur coiffure de page ses pommettes blanches ; son teint mêlait encore le rose et le crème. Elle ne portait ni rouge à lèvres ni maquillage, ce qui était inhabituel pour elle, mais je l'avais souvent vue comme cela auparavant.

Non, la différence était intérieure ; elle s'échappait de ses yeux bleus et de la douce incurvation de sa bouche, comme une brume matinale s'élevant de l'eau.

En quittant l'aéroport, nous nous étions arrêtés *Chez Rusty*.

– Pour que tu prennes des forces avant l'attaque, avait dit Lucy. Une fois que le week-end aura commencé, nous n'aurons plus de temps pour être ensemble. J'espère que toute cette agitation au sujet du livre ne t'agacera pas.

– Tu plaisantes ? Je ne serais pas plus fier si on t'avait décerné le prix Nobel de littérature. Je suis prêt à faire le parcours avec toi pour tous les livres que tu écriras. Travailles-tu déjà sur un autre bouquin ? Et quand me parleras-tu du premier ?

– Oh... plus tard. Bientôt. Ce soir, peut-être.

Elle avait fini son Coca en faisant avec sa paille un bruit grossier dans le fond du verre, comme un enfant. Au moment de commander, j'avais pris une bière et lui avais demandé si elle en voulait une aussi mais elle avait secoué la tête en disant :

– Plus de gnôle. Je suis cocalcoolique, maintenant.

– Tant mieux. Franchement, tu commençais à m'inquiéter.

– A juste titre. Je ne suis pas particulièrement gentille quand je bois. Ni quand je ne bois pas, d'ailleurs. Écoute, Gibby... (Elle s'était tournée vers moi si vivement que la cloche de ses cheveux était venue frapper sa joue.) Je veux tc dire ceci avant que tu ne me fasses taire : je regretterai jusqu'au jour de ma mort ce que je vous ai fait à Sarah et à toi. C'est toi qui devrais être là-haut à Tate avec elle, pas Charlie Gentry. Sans moi, tu y serais, je le sais. Non, laisse-moi finir, avait-elle poursuivi car j'avais commencé à protester. Je ne peux pas réparer ça mais je ne rendrai plus jamais quelqu'un malheureux par mon égoïsme et ma névrose. Je veux que tu saches que j'ai changé. Vraiment. C'est peut-être une mince consolation mais c'est tout ce que je peux te donner. Ça et la promesse de t'aimer toujours, de te souhaiter tout le bonheur du monde pour le reste de ta vie.

Ne sachant littéralement que dire, j'étais resté un moment silencieux puis j'avais répondu :

– J'aimais assez l'ancien modèle. J'espère qu'il n'est pas définitivement dans la naphtaline.

Le rire de gorge de Lucy avait retenti et je m'étais senti soulagé. Quelque part sous cette nouvelle apparence que je ne parvenais pas à qualifier – le mot que je cherchais dansait malicieusement hors de ma portée – se trouvait mon ancienne Lucy adorée et ensorceleuse. Jugeant que cela suffisait pour le moment, j'avais appuyé sur le bouton de la radio de la petite Volkswagen, je m'étais renversé contre le dossier du siège et avais respiré profondément, les yeux clos.

Ce fut seulement des heures plus tard, dans la pénombre de la gloriette, lorsque Lucy, dont le visage se découpait à la lumière de la lampe, clair et pur comme celui d'une jeune Jeanne d'Arc, parla de son installation ici pour éviter de gêner les autres membres de la maisonnée, que le mot que j'avais cherché au *drive-in* avait surgi dans mon esprit : sainteté.

– Il y a une autre raison à ma présence ici, dit Lucy, comme si elle avait lu mes pensées.

– Laquelle ?

– Ma mère et tes parents ne veulent pas de moi dans la maison. En fait, ils préféreraient que je parte tout à fait pour m'installer ailleurs. Ils m'ont donné un mois pour trouver quelque chose et j'ai pensé qu'il valait mieux me faire la plus petite possible d'ici là. Ils sont vraiment fâchés contre moi et je ne peux pas le leur reprocher.

Nous y voilà, me dis-je. Encore des ennuis. J'aurais dû m'en douter. Sinon, pourquoi m'aurait-elle fait venir ? Mais je comprends qu'elle ait abusé Dorothy et Sarah. Son numéro de nouvelle Lucy est si bon que ça tient du prodige...

Je me sentis soudain profondément fatigué. Pis, j'avais presque la nausée tant j'étais déçu.

– Bon, allons-y, Luce, soupirai-je.

Elle me jeta un rapide coup d'œil et j'aurais juré que l'étonnement de son regard était sincère. Puis elle éclata à nouveau de rire.

– Oh ! pauvre Gibby ! Non, tu n'as rien à voir là-dedans.

Tu ne pourrais rien y faire, même si je le voulais. Je suis la seule qui puisse faire quelque chose.

– Quoi alors ?

Elle ne répondit pas tout de suite. Il faisait une chaleur de nuit de la Saint-Jean dans la pièce et elle souleva sa lourde chevelure, la tint au-dessus de sa tête. Son chemisier blanc tout simple s'écarta de son cou frêle et je vis clairement l'entaille à l'endroit où la crosse du revolver de Red Chastain avait brisé la clavicule. J'eus tout à coup envie de pleurer en la voyant punie de la sorte.

– Il s'agit de mon travail; dit-elle. Ils l'ont vraiment en horreur et s'imaginent que je l'ai pris uniquement pour les ennuyer..., comme avec les éditos que j'écrivais à Scott, les marches et les *sit-in* auxquels je participais. Je ne leur reproche pas de penser ça, c'est leur droit. Mais je ne peux pas abandonner ce travail, Gibby. Je l'aime de tout mon être. Je ne savais pas ce que c'était qu'aimer son travail, qu'aimer des gens comme j'aime ces...

– Pour l'amour du ciel, qu'est-ce que tu fais ? Tu soignes des lépreux ? Tu fais le trottoir ?

– Je travaille au Mouvement pour les Droits Civiques, répondit-elle, le visage littéralement embrasé de joie. Dans un endroit appelé Damascus House, une vieille église du quartier noir, derrière le Capitole*. En fait c'est une mission urbaine dirigée par le père Clayborne Cantrell. Je sais que tu as entendu parler de lui – *Time* et *Newsweek* ont tous deux publié quelque chose sur lui. Pour un pasteur de l'Église épiscopalienne sudiste, il est plutôt révolutionnaire. Contraint de renoncer à son ministère à Saint-Martin après avoir été arrêté une quatrième fois lors d'un *sit-in*, il a trouvé cette vieille église vide dans le quartier du Capitole et y a établi Damascus House, modèle pour des dizaines d'autres missions urbaines dans tout le Sud. J'ai rencontré Clay – le père Cantrell – à un rassemblement, début juillet, et j'ai été fascinée par lui, comme tout le monde. Les larmes aux yeux,

* Parlement de l'État. (N.d.t.)

je l'ai littéralement supplié de me laisser travailler auprès de lui et il a fini par accepter... Mon Dieu ! Je ne le savais pas mais c'est ma vraie place, c'est le but que je devais donner à ma vie !

Lucy et les Noirs, encore une fois. Pas étonnant que sa mère et mes parents soient furieux, pensai-je. Un petit article du *Constitution* d'Atlanta sur une jeune fille de bonne famille épousant la cause de l'égalité, c'était une chose, mais les honneurs de *Time* et *Newsweek*... Quand comprendraient-ils que tenter d'isoler Lucy de ses chers Noirs était aussi futile que séparer la lune de ses marées ?

Mais les implications de sa passion ne laissaient pas de m'inquiéter.

– Lucy, le but de ta vie, c'est écrire, dis-je. Qu'est-ce que tu fais dans cette Damascus House ?

– J'inscris les gens sur les listes électorales. Je travaille pour faire libérer sous caution les manifestants arrêtés dans les *sit-in,* je.. Oh ! Gibby, il y a tant à faire.

Ses yeux bleus répandaient une lumière très proche de celle de la folie et j'étais presque effrayé par l'impression d'étrangeté qui se dégageait d'elle.

– Ne peux-tu faire autant pour le Mouvement en écrivant qu'en préparant la soupe ? demandai-je. Tu dois te rendre compte de la carrière que tu pourrais faire en tant qu'écrivain. Bon sang, toute la ville te rendra hommage demain. Tu as un grand pouvoir. N'atteindrais-tu pas plus de gens avec tes livres ?

– Je les aime, répondit-elle simplement. J'aime les Noirs, j'aime être près d'eux. Ce sont les meilleurs amis que j'aie jamais eus. Clay dit que nous devons marcher avec eux, lutter avec eux pour être crédibles.

– Ah ! je vois, dis-je. Clay. Le bon père. Lucy, ne comprends-tu pas que tu ne fais que te mettre en quête d'un autre homme ? Un nouveau sauveur ?

Elle m'adressa un sourire plein de douceur.

– Je ne te reproche pas de penser cela, Gibby, mais tu te

trompes. J'ai changé. Tu comprendras ce que je veux dire quand tu rencontreras Clay. Il est d'une bonté... fascinante.

Je l'observai en silence. Elle semblait contente de demeurer sous mon regard, sans parler, lovée au fond du sofa, fumant une cigarette. Au moins, elle n'avait pas renoncé au tabac. N'ayant pas réussi à assurer sa sécurité en trouvant parmi ses hommes un protecteur digne de confiance, elle avait décidé de devenir une fille très sage. Après tout, la vilaine Lucy s'était attiré des ennuis sans fin. Et à qui plus qu'à ses saints la société accordait-elle approbation et bénédiction ? Je savais que cette prémisse était aussi fausse que toutes celles sur lesquelles elle avait fondé sa vie jusqu'ici et qu'elle connaîtrait de nouveaux malheurs en y adhérant. En outre, qu'elle en eût ou non conscience, son attitude était dans une large mesure celle d'un enfant faisant enrager ses parents.

Car pour une fois, ma tante et mes parents étaient totalement soudés dans leur désapprobation de l'association de Lucy avec « ces nègres et cet extrémiste dément ». Abandonne cet horrible Mouvement, trouve-toi un travail décent dans le Northside ou quitte la maison, lui avaient-ils enjoint. Je ne pouvais qu'admirer son calme devant cet ultimatum.

– Je suppose que tu ne céderas pas, dis-je.

– Bien sûr que non.

– Tu as un appartement ou quelque chose en vue ?

– Quelque chose. Mieux qu'un appartement, Gibby. J'ai, ou je vais avoir, un mari.

Cette fois, je ne pus que la fixer des yeux, interdit, pris de vertige. Je me rappelai que je n'avais pas dîné, que j'avais juste avalé un sandwich à midi à la cafétéria de la bibliothèque. Mille ans plus tôt et dans un autre pays, me semblait-il.

Lucy tendit les bras, posa ses mains sur les miennes et me dévisagea. Je voyais chacun de ses traits avec la clarté d'une lumière nue d'hiver – les extraordinaires yeux bleus en feu ; le nez haut et droit ; la peau souple et lisse comme du chevreau ; la tendre chair rose de la bouche – mais je ne parvenais pas à les assembler pour composer un visage.

– Sois heureux pour moi, Gibby, dit-elle, la voix à peine plus forte qu'un murmure. Je l'aime. Je le respecte. Il est courageux, engagé et fort. Il adore jusqu'au sol que je foule. Il est plus âgé que moi – trente-huit ans. Depuis que Clay a fondé Damascus House, il y travaille comme comptable. Il est solide, calme ; il a un merveilleux sourire...

– Un comptable. Seigneur... Il a un nom ?

– Jack, répondit Lucy en riant. Jack Venable. John Creighton Venable, des Venable de Chattanooga. Sa famille est riche, une fortune plus ancienne encore que celle de tes parents. Il est brouillé avec elle lui aussi : nous avons un tas de points communs. Il est venu ici il y a deux ans environ. Jack a connu des moments terribles dans sa vie, et il a autant besoin de moi que j'ai besoin de lui. Sa femme, Kitty, s'est enfuie avec une autre femme, l'abandonnant avec deux petits garçons, Toby et Thomas. Ils ont neuf et onze ans, maintenant. Ils ont trouvé et lu avant Jack le mot qu'elle avait laissé. Elle avait toujours été instable mais personne ne se doutait qu'elle était lesbienne. Les pauvres enfants ! Toby, le plus jeune, n'a pas parlé pendant près d'un an après ça. Je m'occuperai d'eux, Gibby, tu ne me reconnaîtras pas. Et Jack... c'est le plus merveilleux des pères.

– Oui, mais... un *comptable* ? Apurement des comptes, profits et pertes parmi les masses prolétariennes ? fis-je en souriant.

Je ne l'imaginais pas plus mariée à un comptable qu'à un chef bantou – moins, en fait.

– Ne pousse pas, Gibby, répliqua-t-elle d'un ton égal, les yeux étincelants. Les masses prolétariennes, comme tu dis, ont besoin de quelques petites choses comme un budget familial, ou de se mettre en règle avec la Sécurité sociale. Des détails futiles de ce genre. Jack le fait pour eux vingt heures par jour contre ce que tu dépenses en cinq minutes chez *John Jarrell.*

Je rougis et gardai le silence.

Lorsque je fis la connaissance de Jack Venable, le lendemain soir, je découvris aussitôt que cet homme au teint pâle et sans attrait, avec ses cheveux blancs, son calme profond confinant au flegme, sa patience et son enchantement manifeste pour la flamme bondissante qu'était Lucy, était effectivement tout à fait ce qu'elle m'avait dit : un père merveilleux. Pour elle. Je me demandai s'il s'en rendait compte. Je ne pensais pas que Lucy en avait conscience, en tout cas.

Pourquoi pas ? me dis-je par-dessus le très vieux sentiment de perte que la nouvelle de son prochain mariage avait ranimé dans mon cœur. Ce qu'il lui faut, c'est peut-être un homme plus âgé, déjà établi, qui s'occupera d'elle et la chérira.

Jack Venable et ses enfants sans mère vivaient dans une ferme centenaire, m'apprit Lucy, à la sortie de la petite ville de Lithonia, à une trentaine de kilomètres d'Atlanta. Les garçons fréquentaient l'école publique tandis que leur père travaillait. Après l'école, ils étaient gardés par une vieille Noire qui s'occupait aussi du ménage, de la cuisine et du linge. Lucy était enchantée par l'idée de vivre à la campagne, dans une vraie ferme.

– Plus tard, nous élèverons des poulets, des cochons, dit-elle joyeusement. Je ferai pousser des légumes, des fleurs ; les enfants auront un poney, Jack observera les oiseaux... Ce sera parfait. Et nous irons à Damascus House ensemble. Oh ! Gibby, c'est ce dont j'ai toujours eu besoin sans même le savoir : être engagée dans quelque chose de réellement important, avoir un mari vraiment bon, vivre simplement... La nature, les saisons, la terre...

Me rappelant la luciole qui s'était épanouie dans l'air citadin de Buckhead, j'eus le cœur serré en imaginant Lucy dans une ferme du comté rural de DeKalb mais je n'exprimai pas mon appréhension.

– Lucy chérie, cela paraît... merveilleux. A quand le mariage ? Je peux être garçon d'honneur ?

Elle s'empourpra, baissa les yeux.

– Eh bien, ce sera dans peu de temps, une quinzaine de jours, peut-être, et Glenn – Glenn Pickens, tu sais, de chez les Cameron – veut être notre garçon d'honneur. C'est Clay qui célébrera le mariage, bien sûr. Ça se passera à Damascus House, une cérémonie très intime, vraiment, avec juste les Noirs qui y vivent, les résidents, comme invités. A la maison, personne n'est au courant. J'ai pensé qu'étant donné les opinions de ma mère et de tes parents, l'attitude de certains Noirs à l'égard des Blancs riches...

– Je suis pauvre comme Job, coupai-je, pincé.

– Je le sais, Gibby. S'il ne tenait qu'à Jack et à moi, je n'imaginerais pas de me marier sans t'inviter. Mais ton père – ta famille – possède beaucoup de terrains autour de Damascus House, et les gens le savent, là-bas. Certains Noirs sont vos locataires. Les propriétaires blancs absentéistes ne sont pas très bien vus.

– Je ne possède aucun terrain, m'entêtai-je. Ils sont à mon père, pas à moi. Et personne ne sait qui je suis, de toute façon.

– Si, dit Lucy à voix basse. Ils le savent.

Je décidai d'en rester là. Je ne voulais pas lui faire de peine. Comme elle l'avait dit, elle serait en sécurité, quelqu'un s'occuperait d'elle... Atlanta, après tout, n'était plus rien pour moi.

– Bon, fis-je du ton le plus enjoué que je pus, je le rencontre quand, ce parangon de vertu, ce Jack Venable ?

– Ce soir, j'espère. Il est en voyage depuis une semaine mais il nous rejoindra au *Carrousel* des frères Paschal à dix heures. Un de tes musiciens de jazz viendra y jouer et j'ai pensé que ça te ferait plaisir de l'entendre. Glenn Pickens sera là aussi. Tu connais Glenn. La boîte aussi tu la connais, nous y sommes déjà allés ensemble. Tu te rappelles ? En dernière année de North Fulton ? Ça ne te dérange pas que ce soit une boîte noire, n'est-ce pas ?

– Tu sais bien que non. Mais Jack ne viendra pas chez Rich pour les dédicaces, ni au cocktail ?

– Non, répondit Lucy avec un sourire triste. Il déteste le Driving Club et tout ce que ça représente, bien qu'avec ses origines familiales il pourrait y entrer, j'en suis sûre, s'il en avait l'envie... ou les moyens. Parce que sa famille lui a aussi coupé les vivres. Il ne fait pas grand cas de mon travail d'écrivain, alors je ne le ferai pas venir chez Rich. Il déteste toutes les corvées imposées par les maisons d'édition.

– Il déteste beaucoup de choses pour un pacifiste professionnel, fis-je observer. Ne me dis pas qu'il trouve que ce que tu écris ne vaut rien.

– Oh ! non. Simplement, il pense que je suis beaucoup plus utile à... à la société, je suppose, en travaillant à Damascus House. Et il a raison, Gibby. Écrire me semble terriblement égoïste dans les temps que nous traversons. Plus tard, quand le Mouvement aura accompli son œuvre, quand j'aurai cessé de travailler et que nous vivrons à la campagne... Jack ne verra pas d'inconvénient à ce que j'écrive.

– C'est gentil de sa part, marmonnai-je.

Décidément, ça ne me plaisait pas du tout.

Mais Jack Venable me plut lorsque je le rencontrai ce soir-là sur le trottoir envahi d'herbe du motel des Paschal. Il était près de dix heures et demie et il n'y avait personne d'autre dans la rue devant le bâtiment à un étage du motel-restaurant, épicentre officieux du Mouvement pour les Droits Civiques naissant. J'avais l'impression de me trouver dans un autre Atlanta, un Atlanta dont je n'aurais pas vraiment connu l'existence, car c'était une rue d'ombre et de pauvreté banale, éclairée par la lumière chiche de quelques réverbères non brisés, et je fus content quand la silhouette trapue qui se détacha de l'entrée s'avéra être celle du futur mari de Lucy. J'avais vivement conscience que l'aura de Buckhead et du Driving Club demeurait accrochée à moi comme une odeur forte. Lucy semblait ne pas être touchée par cette impression d'étrangeté et de danger imminent. Nous avions laissé sa Volkswagen cent cinquante mètres plus bas, et elle avait traversé l'inquiétant no man's land à mes côtés avec la même aisance désinvolte que les parquets cirés du Driving Club.

– Détends-toi, me dit-elle en souriant. On dirait que nous nous enfonçons au cœur des ténèbres. Tu as ton flingue sur toi ? A propos, le groupe qu'on va entendre s'appelle les Mau-Mau...

– C'est vrai ?

– Non. C'est le Ramsey Lewis Trio. Ils sont fantastiques, j'ai un de leurs albums. Jack les a connus quand il était à Washington pour son travail. Ils sont plus civilisés que nous.

– Je connais Ramsey Lewis, dis-je sèchement. J'ai tous leurs disques.

J'étais irrité qu'elle eût si rapidement senti la légère peur aigre qui émanait de moi. Le courage physique avait toujours été pour moi une victoire durement acquise alors que Lucy en avait en abondance depuis sa naissance.

Je savais, à la manière dont un natif du coin sait des choses sur sa ville sans savoir d'où il les tient, que certains des plus grands noms du jazz venaient régulièrement au *Carrousel,* le club du motel, depuis des années : Basie, Hampton, Don Shirley, Red Norvo et tout le panthéon du jazz déployaient leurs incomparables talents dans cet endroit tout à fait ordinaire, voire miteux. Très peu de Blancs les avaient entendus ou avaient même su qu'ils y passaient. Les frères Paschal ne faisaient pas de publicité ; c'était inutile. Les amateurs de jazz de la communauté noire ainsi que quelques Blancs privilégiés semblaient toujours savoir quels musiciens étaient en ville, et le club était toujours bondé.

Nous nous tînmes un moment sur le trottoir, clignant des yeux dans la lumière de l'enseigne du club, et lorsque Jack Venable sortit pour nous accueillir, le visage de Lucy s'éclaira avec une intensité qui fit pâlir le néon.

– Bonsoir, chéri, dit-elle en se dirigeant vers lui, les bras tendus. Tu attends depuis longtemps ? Viens que je te présente Gibby.

– Bonsoir, fit-il, l'embrassant sur la joue. Non, je viens juste d'arriver. Bonsoir, Shep – je ne vous appelle pas Gibby et je ne vous embrasse pas non plus.

– C'est préférable, approuvai-je, répondant à son chaleureux sourire.

Hormis ce sourire et ses cheveux blancs, il semblait si étonnamment quelconque qu'il faisait penser à un figurant jouant un homme d'âge mûr dans une foule. De ses petits yeux bleus, pris dans un réseau de fines rides, à ses mains et à ses bras, il était couvert d'un léger hâle. Il portait des lunettes à monture plastique transparente, une chemise de golf beige, un pantalon de gabardine marron, de vieilles bottes. Son ventre mou bedonnait au-dessus de sa ceinture. Ses bajoues et l'intérieur de ses bras avaient un aspect flasque et il s'en fallait de peu qu'il ne fût petit.

Mais le merveilleux sourire vous faisait fête, la voix était chaude, profonde, et j'aimais la façon dont il regardait Lucy.

– Vous êtes prêts ? demanda-t-il. Glenn nous attend à l'intérieur, il est allé prendre une table. Je ne sais pas qui il y aura d'autre. Il paraît que le patron lui-même viendra un peu plus tard.

– Oh ! fit Lucy à mi-voix.

– Le patron ? demandai-je.

– King, répondit Venable par-dessus son épaule. M.L.K. Il vient souvent ici. Il pourrait enseigner le jazz dans n'importe quelle université du pays s'il n'avait pas d'autres activités.

Un petit frisson courut le long de ma colonne vertébrale. Je ne m'encanaillais pas dans une boîte de jazz noire où je pouvais prendre mes aises en regardant s'amuser de joyeux nègres. Je pénétrais dans le centre nerveux d'un mouvement dont l'objectif et la passion faisaient pâlir en comparaison tout ce que j'avais connu jusqu'ici dans ma vie blafarde et privilégiée. Pendant quelques heures, je me trouverais parmi les jeunes hommes et les jeunes femmes qui l'avaient créé et qui l'animaient.

En me frayant un chemin entre les petites tables, entre les couches quasi palpables de fumée, flottant immobiles dans l'air, je sentis des regards sur nous. Jack et Lucy marchaient devant ; je les suivais, raide, la tête droite, un sourire inexpugnable aux lèvres. Jamais auparavant je n'avais fait partie d'un tout petit groupe de Blancs perdu dans une foule entièrement noire et je me rendais compte qu'une partie de moi cherchait une éventuelle hostilité dans la pièce comme un loup hume le vent.

Mais il n'y avait aucune hostilité, et très peu de curiosité. C'était une foule tranquille, parcourue seulement par le flot séminal de la musique.

Jack et Lucy s'arrêtèrent à une table du fond, s'assirent et je m'installai à côté d'eux. En face de moi, Glenn Pickens ne souriait pas mais ne fronçait pas non plus les sourcils, et lorsqu'il eut déposé un léger baiser sur la joue que lui tendait Lucy, frappé doucement l'épaule de Jack de son poing fermé, il me lança d'un ton plaisant :

– Salut, Shep. Ça fait une paie.

– Salut, Glenn, répondis-je. Comment vas-tu ? Tu as l'air en forme.

C'était vrai. J'avais gardé le souvenir d'un garçon maigre au cou grêle, un gamin couleur caramel aux oreilles décollées astiquant éternellement l'une ou l'autre des Lincoln noires de Ben Cameron ou passant un plateau aux réceptions de Dorothy, tirant la langue de concentration. Mais depuis, il s'était étoffé, avait considérablement grandi, et avait une stature imposante dans la pénombre de la salle. Il avait une tête longue, étroite, bien formée, et soit ses oreilles avaient rapetissé, soit son crâne s'était développé à leur mesure. Les lunettes d'écaille posées sur son nez curieusement indien lui donnaient un air érudit et prospère. Je me rappelai que Lucy m'avait dit qu'il obtenait des notes extraordinaires à Morehouse, et qu'il avait l'intention de passer un diplôme de droit à Howard quand il jugerait qu'il ne serait plus utile au Mouvement, mais qu'il était devenu si précieux pour le Dr King, de même que quelques autres jeunes lieutenants comme Julian Bond, Andrew Young et John Lewis, qu'il ne voyait pas quand il pourrait le faire. Je savais aussi qu'il avait passé beaucoup de temps dans des prisons fort inhospitalières de tout le Sud, et que ses épaules charnues avaient senti la morsure de plus d'un gourdin et de plus d'une lance d'incendie. Je fus soudain frappé de mutisme en sa présence. J'avais songé, en apprenant ces informations à son sujet, combien il était étrange qu'un personnage qui avait presque fait partie du mobilier de mon enfance se transforme, qu'on le veuille ou non, en guerrier combattant sur les remparts de l'histoire. Intéressant, avais-je pensé. Maintenant que j'étais en sa présence, je ne pouvais parler. Je me surpris sur le point de lui demander : « Alors, qu'est-ce que tu deviens ? » et je rougis en pensant que la question serait aussi incongrue que si je la posais à Martin Luther King lui-même. La musique se fit plus forte et j'accueillis le vacarme avec reconnaissance.

De l'autre côté de la table, Lucy se pencha pour parler à la jeune femme assise près de Glenn Pickens, Jack leva deux doigts pour appeler la serveuse. La fille qui accompagnait Glenn était jolie, presque aussi éclatante que Lucy dans la salle obscure. Elle paraissait intelligente, soignée, tranquille, avec un air d'autorité un peu sèche et des traits qui me semblaient vaguement familiers. Elle portait une jupe en lin et une blouse en soie beiges, simples mais parfaitement coupées. Je songeai qu'elle était faite comme Sarah, qu'elle avait son aisance, son élégance, sa présence, à cette différence près que sa peau était d'un brun profond et brillant. Ma propre blancheur clignotait pitoyablement auprès des magnifiques tons de chair sombre qui m'entouraient.

Ils sont à des années lumière de moi, pensai-je, intégrant Lucy et Jack dans le monde de la jeune femme et de Glenn Pickens. Mon univers est quasiment une seconde nature pour eux mais moi, je ne puis me sentir à l'aise cinq minutes dans le leur. C'était une erreur de venir ici.

– Voici Gwen Caffrey, dit Lucy en posant une main légère sur le bras chocolat de la jeune femme. Elle présente le journal de dix-huit heures sur la septième chaîne. Elle connaît son métier sur le bout des ongles et elle est féroce comme une tigresse, alors, attention à ce que tu dis.

La fille sourit, tendit la main. Sa peau était chaude,

étonnamment rugueuse, comme si elle se livrait à des travaux manuels. Peut-être était-ce le cas.

– Enchanté de vous connaître, assurai-je. Je n'avais jamais rencontré de journaliste de télévision – encore moins *une* journaliste.

– Et encore moins une Noire, je parie, enchaîna-t-elle.

C'était si proche de ce que je pensais que le sang afflua traîtreusement à mon visage. Elle partit d'un rire amical, j'eus un sourire hésitant.

– Détendez-vous, dit-elle. Tout le monde est comme vous. Nous ne sommes qu'une poignée dans tout le pays et à Atlanta, c'est une première. Moi, je n'avais jamais rencontré de diplômé de Princeton, alors nous sommes à égalité.

– Lucy a encore parlé, marmonnai-je, juste pour dire quelque chose.

Je n'étais pas précisément en train de faire valoir mes talents de conteur.

– Non, rectifia-t-elle. En fait, c'est Glenn qui m'a parlé de vous. Il m'a raconté qu'il vous a connu à l'époque où vous étiez tous enfants, à Buckhead.

– C'est exact, acquiesçai-je. Mais je suis surpris qu'il se souvienne de moi. Nous étions une ribambelle à traîner autour de chez les Cameron...

– Et tous les gamins blancs se ressemblent, intervint Glenn Pickens de l'autre côté de la table.

Son visage demeurant impassible, je ne pus savoir s'il me taquinait ou pas. J'eus l'impression que non. Je me remémorai ce que Lucy m'avait dit des Noirs de Damascus House (« Ils savent qui tu es ») et me sentis dénudé, mal à l'aise. Je n'avais jamais pensé que je pouvais exister en tant que personne pour Glenn Pickens, fils du chauffeur de Benjamin Cameron, pas plus qu'il existait en tant que personne pour moi.

Lucy et Jack Venable se mirent à rire avec naturel et j'eus l'impression que Glenn souriait, bien que ce fût plutôt une petite grimace qu'un sourire. Une jeune serveuse élancée s'approcha, embrassa rapidement Glenn Pickens avant de prendre les commandes. La musique, un piano folâtrant autour d'une basse et d'une batterie, emplissait la salle comme un essaim d'abeilles sorti de sa ruche. Les murs eux-mêmes palpitaient sur un rythme tantôt étincelant comme un banc d'épinoches, tantôt sombre et luisant comme des entrailles. Je m'y coulai d'instinct, les pieds battant la mesure, la tête se tournant d'elle-même vers le trio. Le pianiste, homme jeune à lunettes et aux cheveux en brosse, qui aurait pu être comptable comme Jack, nous adressa un salut que Venable et Glenn Pickens lui renvoyèrent. Lucy semblait jeune et très heureuse ; je commençai à me détendre un tantinet.

Elle se pencha vers moi, me toucha l'épaule.

– Ça va ? Ça te plaît ? me demanda-t-elle.

Les musiciens attaquèrent *Come Sunday,* d'Ellington, et je souris à Lucy.

– Ils sont terribles. C'est formidable de les écouter comme ça, en direct. Merci de m'avoir fait venir, Luce.

Elle frétilla de bonheur.

– Si Martin Luther King venait ce soir, je crois que je monterais droit au ciel, soupira-t-elle.

Jack Venable sourit, resserra son bras autour des épaules de Lucy.

– Pas question que tu me laisses, gronda-t-il. Même pour le Bon Dieu.

– Ce n'est pas impossible que King soit ici, remarqua Glenn Pickens. Il vient souvent. Certains membres de son équipe sont assis à cette table, là-bas, près de l'estrade. Je reconnais deux mômes de mon ancien quartier qui sont devenus ses collaborateurs. Vous voulez les rencontrer ?

Sans attendre l'assentiment de Lucy, il leva la main, fit signe à un groupe installé à une grande table dans le coin opposé de la pièce.

Deux très jeunes gens apparurent à côté de Glenn et nous examinèrent. L'un était rond, petit, presque gras, avec la peau plus claire que Glenn et des yeux gris ; l'autre était mince et très beau, aussi sombre que Gwen Caffrey. Tous deux paraissaient bien plus jeunes que n'importe lequel d'entre nous. C'est une croisade de jeunes, me rappelai-je. Le Dr King lui-même a une trentaine d'années.

Ils saluèrent joyeusement Glenn, qui leur tapa dans le dos et les présenta. Le grassouillet, c'était Tony Sellers ; le grand, Rosser Willingham. Je me rappelai vaguement avoir entendu leurs noms dans les comptes rendus sur les *sit-in* estudiantins de l'année dernière et les marches de la liberté de cet été. Tous deux avaient manifesté avec King, tous deux l'avaient accompagné tranquillement dans les prisons de l'Alabama. Tous deux avaient été battus, mordus par les chiens ; tous deux avaient dû affronter grenades lacrymogènes et balles. Rosser Willingham avait été blessé, je le savais. Lorsque Glenn me présenta, la gêne me noua la langue, ce qui valait probablement mieux, pensai-je. Lucy les gratifia de son incomparable sourire, tendit la main.

– Content de faire votre connaissance, Lucy Bondurant, dit Tony Sellers. J'ai entendu parler de vous. Comment vous trouvez Ramsey Lewis ?

– Merveilleux, répondit-elle. Je le préfère même à Don Shirley et Shep vous dira que ce n'est pas un mince compliment.

– Ramsey sera heureux d'entendre ça, reprit Sellers.

– Tu nous as manqué à Washington cet été, dit Willingham à Glenn Pickens. Ça t'aurait plu. La foule, t'aimes ça, si je me souviens bien. T'aurais été dans ton élément.

– J'étais occupé cet été, répondit Pickens, qui me parut presque sur la défensive. J'ai l'impression que nous aurons besoin d'aide dans la bagarre qui s'annonce. Des marches, il y en aura d'autres et j'y participerai.

Il lança à Rosser Willingham un regard appuyé, le gratifia de son sourire-du-bout-des-lèvres.

– Gwen a failli y aller, elle, ajouta-t-il en touchant le bras de la jeune femme. Sa chaîne devait l'envoyer là-bas mais au dernier moment, la direction a décidé qu'elle était trop petite et a choisi un mec à sa place. Elle a promis de grandir de dix centimètres si on la laissait jouer avec les grands mais rien à faire.

– Sa chaîne ? fit Tony Sellers, qui regardait Gwen par-dessus la table.

– Elle vient d'être nommée présentatrice du journal de dix-huit heures sur la 7, expliqua Pickens. Et elle a une émission trois soirs par semaine sur W.C.A.T.

– Formidable, nous pourrions en profiter, dit Willingham, sans sourire.

– Seulement si vous venez avec une nouvelle recette de salade ou un truc pour soigner les roses, précisa Gwen Caffrey.

– Les roses ? Hou-la ! s'exclama Willingham.

– C'est ça, les roses, répéta la présentatrice en le regardant dans les yeux.

Que se passe-t-il ? me demandai-je. Elle vient quasiment de les envoyer paître. Et Glenn a aussi une attitude curieuse envers eux. J'avais supposé qu'ils faisaient tous partie du Mouvement mais ce n'était peut-être pas le cas. Pourquoi se lancent-ils des pointes comme ça, pensai-je, mal à l'aise.

– J'ai participé aux *sit-in* quand j'ai pu me libérer, déclara soudain Venable.

Il avait un ton d'une telle solennité que je crus qu'il ironisait mais l'éclat de ses yeux derrière ses lunettes laides et fonctionnelles me fit comprendre qu'il n'en était rien.

– J'aurais voulu être dans le coup pour les marches, poursuivit-il, mais je n'étais pas libre. Maintenant, j'ai davantage de temps. Est-ce que vous... Est-ce qu'il y a quelque chose en vue ?

Son corps mou, penché très légèrement vers les deux jeunes Noirs, irradiait une bonne volonté d'homme mûr presque bizarre. Je me sentis rougir pour lui. Je n'avais pas soupçonné qu'un jeune garçon romantique habitait cette enveloppe flegmatique de comptable. Était-ce ce qui avait séduit Lucy ?

– Il y aura des actions d'envergure en automne dans le Mississippi, si ça t'intéresse vraiment, fit Tony Sellers d'une voix traînante. Le genre guérilla, avec le couteau entre les dents. Ça te conviendra peut-être.

Le visage de Jack s'assombrit.

– J'ai vu votre *sit-in* devant chez Rich, intervint Lucy en se penchant en avant. C'était formidable !

Les deux jeunes gens posèrent sur elle un regard poli, sans expression.

– Je suis content que ça vous ait plu, Miss Bondurant, répondit Willingham. C'était juste du travail d'amateur, bien sûr, mais cela avait de l'allant et une certaine fraîcheur.

Je sentis la chaleur sourdre en haut de mon front en gouttes de sueur. Glenn Pickens contemplait le fond de son verre et Gwen Caffrey, résolument tournée vers le trio de jazz, qui swinguait sur *In The Crowd*, s'abstrayait presque physiquement de notre groupe. Je n'osais regarder personne. Ils nous prennent pour des imbéciles, pensai-je.

Lucy sourit d'une oreille à l'autre.

– Arrête la mise en boîte, fiston, dit-elle. Mon nom de jeune fille, c'est Feldstein. Ma grand-mère sert d'abat-jour dans la maison d'un gros Teuton d'Argentine.

Rosser Willingham lui rendit soudain son sourire et leva deux doigts pour la saluer. Tout le groupe se détendit.

– C'était quelque chose, s'esclaffa-t-il. On devait bien être quinze cents dans le centre, ce jour-là. Les autocars faisaient la navette pour amener les gens. On avait des talkies-walkies, des pancartes spéciales que la pluie, les crachats – ou pis – ne pouvaient pas effacer, des imperméables spéciaux pour que les filles ne reçoivent pas de crachats – ou pis. Bon Dieu, nous avions l'impression d'avoir fait quelque chose de sensationnel. Et c'était le cas.

Seul Glenn Pickens ne rit pas avec les deux jeunes Noirs.

– Le Seigneur est ici ? demanda-t-il.

– Le Seigneur ? répéta Lucy.

– King. J'ai entendu dire qu'il était peut-être ici.

Willingham et Sellers le regardèrent fixement.

– Il est dans la salle à manger, dit Tony Sellers.

– C'est vraiment le quartier général, ici, hein ? fit Jack d'un ton respectueux.

– Ouais, enfin, ici, au moins, on sait qu'on peut se faire servir, grommela Willingham. On peut pas en dire autant de toutes les boîtes. C'est comme l'histoire que raconte John Lewis à propos de Nashville. « Pas de Noirs dans mon restaurant », dit le patron. « Ça tombe bien, répond le client, parce que j'ai pas envie d'en manger. »

D'autres rires fusèrent. J'éprouvai un sentiment de décalage mêlé de fascination. Ces jeunes gens étaient dangereux. Derrière l'ironie, les rires désinvoltes et les regards condescendants, il y avait les manifestations, les coups reçus dans les nuits chaudes et sombres, les emprisonnements, les lances d'incendie, les chiens et les fusils.

Je baissai les yeux.

– Ce n'est pas le seul moyen, déclara soudain Glenn Pickens.

Tout le monde se tourna vers lui.

– Malcolm X a dit l'autre jour que le temps de la résistance non violente finirait bientôt, ajouta-t-il d'un ton enjoué.

Les autres continuèrent à l'observer. Gwen leva les yeux au plafond, secoua la tête. Le silence se prolongea.

Bon sang, Glenn, dit enfin Rosser Willingham, ce n'est qu'un nègre prétentieux qui n'a pas su se faire une place.

Il s'esclaffa mais personne ne rit avec lui.

– C'est un fomentateur de troubles, renchérit Tony Sellers.

– Ce n'est pas ce que nous cherchons tous à faire ? répliqua Glenn. Fomenter des troubles ?

Jack Venable partit d'un rire nerveux, personne ne l'imita. La musique nous enveloppait de ses torons. La tension ne se dissipait pas. Je ne pouvais voir le visage de Lucy ; les autres, je ne les connaissais pas vraiment. Je me sentais terriblement seul.

Soudain une autre silhouette apparut à côté de notre table.

– Dites, les gars, vos mamans savent que vous êtes encore dehors ? fit une voix qui avait remué une nation entière, prêché l'amour et la bonté dans une centaine d'églises assiégées et une vingtaine de prisons.

La respiration coupée, je levai les yeux. Il était là, vêtu d'un cardigan, d'une chemise blanche à col ouvert et d'un pantalon de toile, l'air aussi incontournable qu'une montagne.

Aussitôt nous fûmes debout. Lucy faillit renverser sa chaise, Jack tendit le bras pour la rattraper. Martin Luther King aussi. L'air radieux, Lucy contempla en silence la lune sombre de son visage, les lèvres épaisses, les yeux en amande, légèrement asiatiques, les épaules robustes, les mains puissantes. Il lui rendit son sourire. Naturellement.

Après les présentations, il ne s'attarda pas. Il adressa quelques mots à Sellers et Willingham, félicita Glenn Pickens pour sa licence, serra la main de Venable et dégagea doucement la sienne, que Jack ne voulait plus lâcher. Au moment de partir, il s'arrêta près de Lucy.

– J'ai entendu dire que vous vous mariiez bientôt, Mrs. Chastain, dit-il. Je vous souhaite beaucoup de bonheur. Un mariage est toujours un grand jour.

Lucy le regarda dans les yeux, sourit de tout son être. Il lui toucha légèrement le bras puis disparut dans la foule tandis que le trio enchaînait allègrement avec *You Been Talking 'Bout Me, Baby*. Jack repoussa sa chaise, se leva en disant :

– Il faut rentrer, Lucy. Demain, il y a école.

Je décelai une vive exaltation sous les mots prosaïques.

Nous nous dispersâmes : Tony Sellers et Rosser Willingham allèrent retrouver King dans la sacro-sainte arrière-salle du club ; Glenn Pickens et Gwen Caffrey rejoignirent une table plus agréable ; Lucy, Jack et moi sortîmes dans l'air de la nuit, qui commençait juste à fraîchir. Nous restâmes un moment silencieux sous l'enseigne fluorescente, encore sous le coup des événements de la soirée. Nous accordions tous, je crois, une importance excessive à ce qui venait de se passer. Car, après tout, il ne s'était rien produit qu'on n'eût pu prévoir entre jeunes Noirs d'Atlanta et Blancs libéraux un soir de septembre 1961. J'avais cependant le sentiment que quelque chose s'achevait, que quelque chose d'autre commençait. Que Lucy s'était éloignée irrévocablement de moi pour aller dans un pays où je ne pourrais la suivre.

En regardant les deux êtres avec qui je me trouvais sur le trottoir – Jack et Lucy, l'une que je connaissais, l'autre pas –, je songeai qu'ils étaient les initiés d'un mystère aussi profond que ceux d'Eleusis, et formaient à ce titre une unité que je ne pourrais jamais pénétrer. Une peine aussi vieille et sombre que la terre m'envahit : j'avais perdu Lucy.

Elle embrassa Jack sur la joue, il lui rendit son baiser et me dit :

– J'espère que c'est la première d'un million d'excellentes soirées, Shep.

– Je l'espère aussi, répondis-je. Inutile de vous recommander de bien prendre soin d'elle.

– Inutile, approuva-t-il.

Il leva une main pâle et semée de taches de rousseur pour nous saluer, se retourna et partit d'un pas lent vers sa voiture. Lucy me regarda.

– Tu comprends, maintenant ? demanda-t-elle.

– Je comprends quoi ? fis-je.

Je devinais sa question mais me refusais perversement à lui faire ce petit cadeau.

– Ce que je veux dire à propos des Noirs, du Dr King, du Mouvement, de Jack... Tout. Tu ne vois pas comme c'est merveilleux ? Allez, Gibby, je sais que tu le comprends.

Mais je comprenais seulement qu'à partir de maintenant je marcherais dans le monde sans ma cousine Lucy. J'ignore pourquoi cette idée m'attristait tant. Jusqu'à ce week-end, j'étais profondément furieux contre elle, je ne voulais plus entendre parler d'elle, je n'envisageais nullement de la laisser revenir dans ma vie.

Ce fut seulement lorsque nous eûmes réintégré le Northside d'Atlanta et que nous filâmes sous les arbres jaunissants de Peachtree Street que je pus enfin accorder à Lucy ce qu'elle désirait.

– C'est un chic type, Luce, déclarai-je. Tout ira bien pour toi, maintenant.

– Merci, Gibby, murmura-t-elle d'une voix d'enfant.

Elle posa sa tête brune sur mon épaule et s'endormit avant que nous n'arrivions à Peachtree Road.

Les réceptions et le thé organisés en l'honneur de Lucy se déroulèrent sans incident et furent exactement ce à quoi je m'attendais : l'occasion de décerner à l'auteur des félicitations papillonnantes, davantage parce qu'elle avait finalement réussi, contre toute attente, à faire quelque chose d'elle-même que pour le mince petit roman que tous achetaient et que peu liraient ; l'occasion de boire et de manger beaucoup, et d'apprendre les dernières nouvelles après la coupure des vacances et avant le début de la saison d'automne. L'air quelque peu édulcoré dans ce climat d'approbation dont elle n'avait pas l'habitude, Lucy serra des mains, baisa des joues, sourit de son nouveau sourire angélique, apposa sa signature noire et oblique sur une trentaine de livres, remercia tout le monde d'être venu et se comporta d'une manière générale comme la jeune fille de bonne famille charmante et docile qu'elle avait jusqu'alors refusé d'être. Les plus âgés des habitants de Buckhead en furent attendris ; quant aux membres de notre bande, ils étaient franchement perplexes. Pendant tout le week-end, je vis les regards se braquer sur Lucy, les têtes se rapprocher pour échanger des murmures ; je sentis plutôt que je ne vis ces mêmes regards sur moi. Sachant qu'on cherchait sur mon visage les traces du traumatisme causé par le mariage de Sarah et Charlie, je souris davantage, embrassai plus de joues et tapotai plus de dos que je ne l'aurais fait en temps normal. Présentes à toutes les réceptions, ma mère et tante Willa, élégantes et froides, ne montrèrent pas, même par le tremblement d'un muscle, l'indignation que provoquaient en elles les nouvelles activités de Lucy.

Mon père n'assista à aucune réception et Ben Cameron ne fut pas au cocktail que lui et Dorothy donnèrent au Driving Club. Dorothy, qui m'accueillit par un baiser aussi chaud et naturel que s'il n'y avait pas eu des abîmes de souffrance entre nous, me murmura à l'oreille :

– Ne crois surtout pas que Ben t'évite. Il est à Walahauga pour un rassemblement, il essaiera de rentrer avant la fin de la réception. Lester Maddox nous donne du fil à retordre et l'élection est dans deux mois seulement. Ben doit absolument s'assurer du vote des Noirs pour gagner.

C'est alors que je me souvins que Ben Cameron se présentait aux élections municipales. En revanche, je ne me rappelais pas qui était Lester Maddox.

– Il est encore fâché contre moi ? demandai-je.

– Oui, répondit Dorothy. Mais pas de la même façon. Et il n'a jamais cessé de t'aimer.

– Il aurait dû, pourtant.

– Il ne fera jamais ça, et moi non plus.

Elle m'embrassa à nouveau et me passa à Lucy, svelte et curieusement collet monté dans sa robe de coton bleu sombre, ornée d'une pluie d'orchidées blanches offertes par Ben.

– C'est vous la dame qui a écrit le livre cochon ? grognai-je en la serrant contre moi. On plaque tout ce monde ? On va chez vous ou chez moi ?

Elle pouffa de rire, mais de façon bien élevée.

– J'aimerais que nous puissions nous éclipser pour parler tranquillement, chuchota-t-elle. Comme tu pars demain tout de suite après le thé, je ne sais vraiment pas quand nous pourrons le faire. Je dois voir Jack à Camellia Gardens après le cocktail, et nous assistons à la messe de onze heures à Damascus House demain matin...

– Ne t'en fais pas, dis-je. Je crois que je sortirai et que je dînerai avec Snake et Lelia, et peut-être A.J. et Lana. Je te verrai demain matin. A propos, tu es splendide. Cela me rappelle le jour où tu avais huit de ces fleurs sur toi.

Elle regarda les orchidées et ses yeux bleus s'emplirent de larmes.

– A cette époque, j'étais la plus jolie fille de la ville, n'est-ce pas ?

– Comment ça, « étais » ? Tu l'es encore. Tu parles comme si tu avais cinquante ans.

– Une partie de moi a cet âge, murmura-t-elle sans sourire.

– La partie que je vois est toujours celle qui rendait dingues tous les Gods d'Atlanta.

Je lui pressai les mains et vis les larmes tomber du bord noir de ses cils, rouler silencieusement le long de ses joues. Sa bouche trembla, se tordit. Elle passa les bras autour de moi, blottit son visage au creux de mon cou, comme Sarah l'avait si souvent fait, et chuchota quelque chose à mon oreille. N'ayant pas compris, je lui relevai le menton, lui lançai un regard interrogateur.

– J'ai dit « Je t'aime, Gibby », répéta-t-elle.

Une larme se détacha de son menton et trembla, transparente et parfaite, sur un des pétales d'un blanc cireux de son corsage.

– Au revoir et que Dieu te garde, ajouta-t-elle.

– Je retourne juste à New York, arguai-je d'un ton trop enjoué. Je ne pars pas pour toujours.

– Si, murmura-t-elle.

Après le thé que ma mère et ma tante donnèrent dans la maison de Peachtree Road, le lendemain après-midi, je ne revis pas Lucy et je n'attendis pas le retour de mon père pour lui dire au revoir. Je serrai ma mère contre moi plus longuement que d'habitude lorsque je quittais Atlanta pour regagner New York car je songeais que je ne reviendrais pas avant longtemps – si je revenais un jour. Je n'avais désormais plus de raison de le faire. J'avais perdu deux des trois femmes qui avaient revendiqué mon cœur et la plupart des autres liens que j'avais dans cette ville étaient superficiels, éphémères. Comme si elle devinait mes pensées, ma mère se mit à pleurer. Je me dégageai doucement de son étreinte, lui tapotai l'épaule en marmonnant « Dis au revoir à papa pour moi » et pris un taxi pour l'aéroport. Lorsque je déverrouillai la porte de mon appartement de la 21e Rue Ouest, la circulation du dimanche soir commençait à se clairsemer et seul un chapelet de lumières, dans la Neuvième Avenue, indiquait que la vie continuait.

Aux petites heures de la matinée, je m'éveillai avec la certitude que ma période new-yorkaise était terminée. Je savais à la manière détachée d'un vieillard qu'il n'y avait désormais plus rien à New York dont j'eusse besoin. Dans l'après-midi, j'écrivis à mon copain du Colonial, Corey Appleby, qui enseignait le français à Haddonfield Academy, dans le Vermont, lui demandai s'il y avait des postes vacants. Sur sa réponse affirmative, j'empruntai la Corvette d'Alan Greenfeld et me rendis là-bas le week-end suivant. En moins de deux semaines, je fus accepté comme chargé de cours en histoire médiévale – avec quelques heures d'anglais en première année – et il fut convenu que je commencerais à enseigner au début du trimestre suivant, le 5 janvier 1962. Ce changement dans ma vie ne produisit sur moi aucun effet si ce n'est une grande fatigue et une incessante envie de dormir. Pendant le reste de l'automne et le début de l'hiver, lorsque j'avais terminé mon travail, je rentrais chez moi et dormais.

Quatre jours avant Noël, quand la première tempête de neige de la saison déferla du New Jersey en déployant ses étendards blancs, mon téléphone bourdonna à six heures et demie du soir par-dessus le ronron de la télévision devant laquelle je m'étais endormi sur le sofa. Je décrochai, reconnus la voix de Lucy Bondurant Venable, que je ne comptais certainement pas entendre ce jour-là, ni peut-être n'importe quel autre jour. Avec les larmes familières de ses appels interurbains, elle m'annonça que mon père avait eu une grave attaque dans l'après-midi sur le terrain de golf de Brookhaven, qu'il était totalement paralysé, qu'on ne pensait pas qu'il passerait la nuit et que ma mère, prostrée dans sa chambre, ne serait quelque peu réconfortée que si je promettais de rentrer à la maison.

Je quittai donc New York le lendemain à l'aube dans une camionnette de location et, au lieu d'aller dans le Vermont, pris la direction d'Atlanta et de la maison de Peachtree Road. J'avais l'intention d'enterrer mon père, de consoler ma mère, d'entasser dans la camionnette mes maigres biens et de filer dans le Vermont dès que la décence me le permettrait. Avec de la chance, je pourrais même être là-bas pour la rentrée des classes.

Si quelqu'un m'avait dit, lorsque je vis le panneau de la ville d'Atlanta se dresser dans le crépuscule de décembre, que je n'en repartirais jamais, je lui aurais ri au nez.

17

Mon père ne mourut pas. Pendant la journée et la nuit qui suivirent, je garai la camionnette dans divers *drive-in* pour téléphoner à la maison et le message, transmis par ma tante Willa, était toujours le même : « Pas de changement. Il est toujours en réanimation, inconscient la plupart du temps. Lorsqu'il s'éveille, on ne peut dire s'il reconnaît quelqu'un. Il a bougé légèrement une main, un côté du visage et peut-être un orteil. Mais fondamentalement, il n'y a pas de changement. C'est un miracle qu'il soit encore en vie. Hub Dorsey ne lui donne pas un jour de plus. »

Mais il survécut aux kilomètres grisâtres que je couvris dans le véhicule peu maniable, mes quelques affaires ballottées derrière moi au hasard des routes nationales monotones du New Jersey, de la Pennsylvanie et de la Virginie. Ce premier jour, il faisait nuit quand j'arrivai en Caroline du Nord et je m'arrêtai dans un petit motel défraîchi à la sortie de Kannapolis quand la fatigue et le verglas m'empêchèrent de continuer. Je pris un hamburger et des frites dans le restaurant malpropre, les emportai dans ma chambre et les mangeai froids tandis que la voix « Vieil Atlanta » de tante Willa me répétait ce qu'elle m'avait dit toute la journée : « Pas de changement. » J'allumai le vieux poste de télévision planté au bout de mon lit et regardai stupidement les images tremblotantes de *Peter Gunn* jusqu'à ce qu'elles se fondent et disparaissent sous mes yeux irrités. Lorsque je les rouvris, c'était le milieu de la matinée ; une femme de chambre à l'air abattu frappait à ma porte tandis qu'une dame de Caroline du Nord aux allures d'amazone montrait à l'invité extasié de son émission matinale comment préparer une dinde sur canapé. Je remis les vêtements de la veille, me rendis au restaurant et bus un café en écoutant le message de tante Willa : « Pas de changement. »

Du fait de mon départ tardif, il faisait presque nuit lorsque je pénétrai dans North Atlanta par la Nationale 23, traversai Doraville et Chamblee, passai devant Oglethorpe University, où Lucy s'était un jour fait surprendre dans les bras de Boo Cutler par Mr. Bovis Hardin, quasi oublié aujourd'hui ; devant Brookhaven Drive où, à ma droite, les Roses et les Gods d'Atlanta avaient passé tant de nuits à danser au Country Club et où, deux jours plus tôt, mon père s'était effondré sur la terre froide ; devant les premières grandes maisons de Peachtree Road. A gauche, là où pendant de longues années la grande ferme de Mr. John Ottley, Joyeuse, s'était dressée le long d'une douce incurvation de la route, un fatras de bâtiments bas et blancs entourés d'une mer de voitures luisait de manière étrange dans la brume. Je frottai de mon poing mes yeux rougis, totalement perdu, avant de me rappeler qu'un centre commercial nommé Lenox Square y avait été construit un an plus tôt, un Xanadu terrestre qui passait pour le plus vaste du pays.

Je n'avais aucune peine à le croire. Des milliers de véhicules s'alignaient sur le parking comme autant de porcelets tétant voracement les mamelles d'une grosse truie blanche et luisante. Des ampoules dansaient et scintillaient aux branches des sapins ceinturant le parking. Bien sûr : les achats de Noël. Je sentis un moment une telle nostalgie pour le vieux drugstore Wender & Roberts et ses relents de « Soir de Paris » les jours de réveillon que mon cœur se serra dans ma poitrine. Puis Lenox Square disparut et je me retrouvai dans Buckhead, brillamment éclairé et embouteillé, abordai le dernier grand virage de Peachtree Road avant le numéro 2500.

Je passai devant la maison, sombre, imposante et belle derrière sa grille en fer. Une seule lumière brillait, en haut, dans la chambre de mes parents, aucune voiture n'était garée dans la gracieuse allée en demi-lune. Je continuai à descendre Peachtree Road jusqu'au supermarché de Peachtree Battle puis montai la longue colline en direction de Piedmont Hospital où tante Willa avait dit qu'elle m'attendrait. La dernière fois que je lui avais parlé, à midi, elle m'avait annoncé que ma mère s'était éveillée du profond sommeil dans lequel l'avait plongée la piqûre du Dr Dorsey et qu'elle faisait sa toilette pour recevoir les visiteurs. Hub Dorsey lui avait interdit de venir à l'hôpital avant le lendemain – si tant est que mon père tînt jusque-là. Dorothy Cameron était restée avec ma mère depuis qu'elle connaissait la nouvelle et reviendrait après le déjeuner. Tante Willa avait suggéré que Shem pourrait me conduire à l'hôpital si je passais d'abord à la maison mais j'avais répondu que je préférais me rendre directement là-bas. Je voulais examiner moi-même la situation avant de voir ma mère. Je voulais être au courant, avoir une attitude sèche, autoritaire et très claire sur ce qui devait être fait et par qui. Je tenais à avoir un plan d'action à long terme bien établi et prêt à être soumis. Ce plan n'incluait pas la possibilité que je reste à Atlanta – ma mère devait le comprendre tout de suite.

Lorsque je sortis de l'ascenseur pour pénétrer dans la salle d'attente brillamment éclairée du service de réanimation, j'eus un moment l'impression que toute ma vie m'attendait en embuscade. Les personnes assises sur les chaises et les canapés ou contemplant par la fenêtre en plastique les lumières de la circulation étaient toutes là pour mon père : les grands éléphants faisaient cercle autour d'un des leurs tombé à terre. Petite et droite sur un sofa, le visage calme, Dorothy Cameron se tenait à côté de Lucy, dont elle tapotait les mains jointes. Devant l'une des fenêtres, Jack Venable, mains dans les poches, tournait le dos à la pièce. Ben

Cameron, les cheveux presque totalement gris acier maintenant, l'air sombre et las, était assis sur un autre sofa près de tante Willa, pâle et immobile, tout à fait élégante en jersey noir sévère, fumant une cigarette à bout filtre. Sur une chaise en plastique moulé, un peu à l'écart, Sarah Gentry se tenait aussi droite et composée que sa mère, en uniforme rayé rose et blanc d'infirmière bénévole, sa tête brune et bouclée légèrement penchée, ses petites mains crispées dans son giron. Je remarquai à l'un de ses doigts l'éclat modeste du diamant offert par Charlie. En entendant tinter la cloche de l'ascenseur, elle releva la tête, me regarda droit dans les yeux et je vis bondir dans les siens, cernés de fatigue, l'étincelle familière de la joie. Sa bouche sans maquillage eut ce sourire chaleureux dont le souvenir était gravé en moi.

« Shep », articula-t-elle silencieusement. Dans la lumière impitoyable de la salle d'attente, les membres alourdis de fatigue, je sentis la joie de la revoir parcourir mes bras et mes jambes.

Voyant Sarah sourire, Lucy tourna la tête, me découvrit, se leva d'un bond et courut vers moi, le visage portant des traces de larmes récentes, les yeux rouges et gonflés. Elle avait l'air terriblement maigre et presque misérable dans une jupe plissée écossaise et un pull datant de l'époque du lycée. Sa chevelure d'un noir brillant était attachée en une queue de cheval mal peignée. Malgré son angoisse manifeste et le désordre de sa mise, elle était belle mais semblait avoir soudain vieilli. Les mains qu'elle glissa dans les miennes étaient glacées, crevassées.

– Je croyais que tu n'arriverais jamais, dit-elle.

Ses yeux s'emplirent à nouveau de larmes et je la serrai distraitement contre moi.

– Quelles nouvelles ? demandai-je.

– Toujours pas de changement, répondit-elle d'une voix étranglée. Il est dans un poumon artificiel, Gibby, et le Dr Dorsey continue à dire qu'il ne comprend pas comment il peut vivre... Oh ! il est si terrible à regarder ! Blême, tordu, hérissé d'un million de tubes ! Je ne supporte pas de le voir comme ça !

Je me demandai pourquoi elle était bouleversée à ce point. Mon père ne lui avait jamais été proche ; elle-même avait dû le reconnaître des années plus tôt. Je me souvins que le lendemain du jour où elle s'était enfuie de la maison avec Little Lady, après la mort de Jamie, elle était montée sur ses genoux, avait fait amende honorable et promis d'être une bonne petite fille s'il ne la renvoyait pas. La prenant de mauvaise grâce dans ses bras, il avait répondu qu'il s'occuperait toujours d'elle. Plus tard, elle m'avait expliqué sa conduite : « Il fallait que je m'assure que ton père le ferait jusqu'à ce que tu puisses le remplacer. »

Mon père n'avait pas veillé sur elle, et moi non plus.

C'était l'explication, bien entendu. Il représentait le seul havre qu'elle eût connu dans son enfance, et sa crise cardiaque avait dû réveiller l'ancienne terreur dont étaient faits ses cauchemars. Pourtant elle était adulte et mariée à présent. Qui plus est, elle avait épousé un père. Je me tournai vers Jack Venable, qui continuait à contempler la nuit de décembre. Ses épaules et son dos raides me dirent qu'il ne voulait en aucun cas faire partie de ce groupe de privilégiés et qu'il n'était là que pour Lucy. Je me demandai si le port dans lequel Lucy avait cru entrer en se mariant ne lui avait pas finalement été fermé.

J'échangeai quelques mots avec tante Willa, Dorothy, Ben et Sarah, puis Hubbard Dorsey, médecin de la famille depuis la mort du vieux Dr Ballentine, et adversaire occasionnel de mon père au golf, sortit de la salle de réanimation. Un stéthoscope autour du cou, il avait l'air épuisé dans sa blouse blanche défraîchie. Il sourit en me voyant, s'approcha de moi et je devinai à la rapidité de son pas que mon père avait franchi une sorte de seuil et qu'il ne mourrait pas.

– Eh bien, je ne pense pas que nous le perdrons cette fois-ci, annonça-t-il en passant un bras autour de mes épaules. Ses signes vitaux sont beaucoup plus stables, il respire par ses propres moyens et son encéphalogramme est presque redevenu normal. Il reste gravement paralysé – ça, ça ne changera pas, je crois, bien que je ne puisse rien affirmer pour le moment. Mais, à moins qu'il n'ait une autre attaque – et c'est toujours possible, bien sûr –, je crois qu'il s'en tirera. Cette fois-ci.

Lucy se remit à sangloter de plus belle et je la confiai à Jack, qui la prit dans ses bras et l'entraîna vers la fenêtre, loin du groupe. Les Cameron sourirent, se levèrent et s'étirèrent. Dorothy m'embrassa, Ben me serra contre lui sans rien dire ; tante Willa s'approcha et me baisa la joue, comme si ce genre de chose nous arrivait tous les jours, et me dit, de la voix suave qui avait remplacé depuis longtemps les criailleries de fille de ferme :

– Shep chéri, quelle bonne nouvelle, n'est-ce pas ? Tu lui as porté chance. Je téléphone tout de suite à Olivia. Il faut absolument que tu ailles auprès d'elle. Elle ne veut voir personne d'autre que toi.

– J'irai à la maison tout à l'heure, promis-je. Je désire d'abord voir papa, si c'est possible.

Je jetai un regard interrogateur à Hub Dorsey, qui acquiesça.

– Dans une minute. Je retournerai auprès de lui avec vous.

Je rejoignis alors Sarah et me tins devant elle sans avoir la moindre idée de ce que j'allais dire. Je ne l'avais pas revue depuis son mariage – en fait, pas depuis la terrible soirée du *Plaza* –, et aucun mot ne me venait à l'esprit ou aux lèvres. Je me contentais de la regarder. J'eus l'impression qu'elle avait beaucoup maigri. Le léger hâle qu'elle gardait toute l'année avait pris un ton jaunâtre que je ne lui connaissais pas et les cernes entourant ses yeux d'ambre avaient la couleur du safran. Je me demandai si elle avait été malade. Elle leva une main hésitante, me toucha la joue. Je remarquai qu'elle était aussi froide que celle de Lucy et qu'elle n'avait pas les habituelles demi-lunes de peinture sous ses ongles.

– C'est gentil d'être venu, Sarah, dis-je en couvrant sa main de la mienne.

– Oh ! Shep, comment aurais-je pu ne pas venir ? C'était mon tour de distribuer le courrier aux malades et je suis restée jusqu'à ce que tu arrives. Je voulais absolument te voir avant de rentrer à la maison.

– J'en suis heureux. Charlie est dans le coin ?

– Non, il est au bureau. Mr. Woodruff a un nouveau projet dans ses cartons et tout le monde est sur le pont. Charlie te fait ses amitiés, il te verra demain. Il espère que tu dîneras à la maison dès que tu pourras te libérer.

– Où habitez-vous ?

La question paraissait idiote mais j'ignorais la réponse.

– Nous avons une petite maison dans Greystone, à une centaine de mètres de chez Ben et Julia. Je crois que Ben déteste avoir sa petite sœur comme voisine mais il n'ose pas l'avouer. Ils vont avoir un bébé – on t'a prévenu ? Tous les gens que tu connais vivent à Collier Hills, Shep, ou dans les parages. Snake et Lelia sont une rue plus loin, dans Meredith ; Pres Hubbard et Sarton envisagent d'acheter une maison dans Walthall ; Tom et Freddie vivent à Colonial Homes, à moins d'une minute. Après Noël, quand les choses se seront un peu calmées pour toi, nous nous réunirons tous pour une petite soirée en ton honneur...

– Ça me plairait beaucoup, dis-je, sachant que je ne pourrais le supporter mais rassuré par la certitude que je me trouverais à trois mille kilomètres de là, dans le Vermont, avant qu'elle ait le temps d'organiser une soirée. Tu as l'air en forme, Sarah...

– J'ai l'air d'une maison en ruine et tu le sais, répondit-elle. Mais c'est temporaire. Bon, va voir ton papa. Inutile de te dire à quel point nous sommes heureux qu'il aille mieux.

– Moi aussi, repris-je.

J'embrassai sa joue, qui se révéla aussi froide que ses mains. Je me tournai vers Hub Dorsey.

– Allons-y, proposa-t-il.

Nous franchîmes les portes battantes, descendîmes le

couloir en direction de la salle des infirmières. L'odeur de la maladie emplit mes narines ; la mort était tapie quelque part, hors de vue, récurée et aseptisée au point d'en devenir presque convenable, mais elle n'en était pas moins là et n'en puait pas moins.

– Vous avez dit qu'il s'en tirerait. C'était la vérité ou c'était juste pour Lucy et tante Willa ? demandai-je.

– Non, je crois qu'il s'en tirera. Je crois aussi qu'il le regrettera probablement..., s'il est capable de penser quoi que ce soit. Impossible d'évaluer avant un bon moment les dommages subis par le cerveau. Il peut conserver une lucidité relative ou se transformer en légume. Le traumatisme physique est énorme. Il peut remuer une main, les orteils d'un pied, et tourner la tête de côté. Naturellement, il est incapable de parler et je doute qu'il le puisse un jour. Mais il pourrait nous surprendre. Il a une constitution de mastodonte.

Mon père ressemblait tellement à un mannequin de cire branché, à des fins pédagogiques, sur un stupéfiant déploiement de machines et d'écrans, que son sort ne me parut absolument pas réel et que, debout près de son lit, les yeux baissés vers lui, je n'éprouvais rien hormis un léger étonnement qu'il semblât si petit. Dans la sinistre lumière verte des écrans, enveloppé d'une grande chemise blanche d'hôpital, des fils serpentant autour de lui, il avait l'air d'un de ces infortunés insectes qui se prennent dans les toiles des magnifiques araignées d'automne que nous avons dans le Sud, les argyopes, et sont immédiatement entourés de soie blanche, comme des momies, puis vidés et transformés en cosses minces comme du papier. Il respirait de lui-même, un souffle faible et geignard qui soulevait sa poitrine. Un œil était ouvert, bleu, rageur, braqué sur le plafond ; l'autre était fermé et la bouche à demi close se tordait comme pour retenir un rire ou un début de larmes. Ses bras étaient attachés à ses côtés par des courroies et son corps même était maintenu sur le lit par des sangles.

– Pourquoi le ficeler comme ça s'il ne peut pas bouger ? m'étonnai-je.

– Une nouvelle crise pourrait provoquer des convulsions qui le feraient tomber du lit, répondit Hub Dorsey. Il paraît que pendant la première, il s'est presque arqué en arrière sur le terrain de golf.

L'image de mon père agité de spasmes sur le gazon velouté de Brookhaven était à la fois terrible et drôle et je déglutis pour maîtriser le rire dément qui bouillonnait dans ma poitrine.

– Une nouvelle crise... Il pourrait en avoir une autre ?

– C'est presque certain. Si ce n'est maintenant, ce sera plus tard. C'est ce qui finira très probablement par le tuer s'il ne fait pas une pneumonie tout de suite. Ça pourrait arriver ce soir ou dans dix ans, voire vingt. Le plus vraisemblable, c'est qu'il aura une série de petites attaques, si faibles que vous ne les remarquerez peut-être pas. Nous appelons ça des crises ischémiques passagères. Ça peut durer très longtemps. Ou alors, comme je le disais, il aura une autre crise forte et ce sera la fin.

– Dix ans, murmurai-je. (Je regardais le corps percé de tubes mais c'était le géant rougeaud et blond de mon enfance que je voyais.) Voire vingt...

– Oui. C'est la raison pour laquelle je pense qu'il regrettera probablement de s'en être sorti. Et vous aussi. Ce n'est pas une vie, Shep. Personnellement, je choisis la pneumonie. N'importe quel docteur serait de mon avis. Nous ne la surnommons pas pour rien « l'amie des vieillards ». Tout bien considéré, c'est une bonne façon de quitter la vie.

– Bon Dieu, fis-je à voix basse.

Comment pouvait-il parler ainsi devant un homme ravagé s'accrochant si horriblement et si merveilleusement à la vie ?

Il entoura à nouveau mes épaules de son bras.

– Aucun médecin ne s'accommode de la mort, Shep, mais nous nous accommodons encore moins de ce qui peut s'y substituer. Ce n'est pas votre père ni mon ami qui est attaché sur ce lit, comme un vieux bébé déformé. C'est un mutant et une gêne. Un accident. Un être qui devait mourir. Et qui est effectivement mort il y a deux jours, sur le terrain de golf. Ce qu'il en reste ne vous procurera aucune joie, je peux vous l'assurer. Et encore moins à Olivia. Je vous demande de me donner pour instructions de ne pas chercher à le maintenir en vie si une pneumonie se déclare maintenant. Et s'il s'en tire, je vous conseille de le mettre dans une clinique dès qu'il quittera l'hôpital. S'il est possible de le rééduquer, le personnel de la clinique le fera mieux que nous ou que qui que ce soit. Sinon, cela vous donnera au moins une chance de mener une vie normale, Olivia et vous.

– Je ne sais pas ce que ma mère... commençai-je.

– Elle s'en remettra à vous. Elle m'a déjà dit que c'est vous qui prendrez les décisions nécessaires. Croyez-moi, Shep, le mieux, c'est de le laisser partir si c'est possible, ou de le mettre dans une clinique spécialisée.

Une immense fatigue m'envahit, si forte que j'en chancelai presque. Mes genoux tremblèrent, ma tête se mit à tourner. Remarquant mon état, Dorsey me prit par le bras et me dirigea hors de la chambre.

– Allons prendre un café et peut-être manger quelque chose, suggéra-t-il. Je parie que vous n'avez pas arrêté de rouler pour venir. A quand remonte votre dernier repas ?

– Non, j'ai bien dormi et j'ai mangé hier soir, répondis-je. (L'étourdissement se dissipait.) Je crois que je vais aller à la maison, maintenant. Comment va ma mère ? Tante Willa dit qu'elle n'était pas en état de venir à l'hôpital.

– Elle doit aller mieux. Au début, elle était quasi hystérique et je l'ai mise sous calmant. Elle pleurait, elle riait... Je ne l'avais jamais vue comme ça. Je n'aurais pas cru qu'elle réagirait aussi violemment. Leurs relations devaient être plus intenses que je ne le pensais, si vous me permettez de parler ainsi...

Je levai une main, compréhensif. Moi aussi j'étais surpris de la réaction de ma mère. J'aurais dit qu'il ne restait quasiment rien, mis à part une longue habitude et les biens familiaux, des liens qui les avaient unis à l'origine.

– Je réfléchirai, pour la clinique, dis-je. En attendant, en cas de pneumonie, pas d'acharnement thérapeutique, c'est d'accord.

– A la bonne heure. Je suis réellement navré, Shep. C'est dur pour un fils unique de perdre son père.

– Merci, Hub. Ça ira. C'est pour ma mère que je me fais du souci.

Je détournai la tête afin qu'il ne pût constater l'absence d'inquiétude sur mon visage.

– Elle ira bien dès que vous serez là-bas. Cela fait deux jours qu'elle vous réclame. Vous êtes exactement ce qu'il lui faut pour surmonter la crise.

Je songeai aux blanches collines du Vermont, à la vieille bâtisse gothique qui m'attendait à Haddonfield, au nouveau rythme lent et doux des jours auquel je m'habituerais. J'étais plus résolu que jamais à ne pas manquer le début du prochain trimestre. J'avais déjà arrêté ma conduite : trouver une bonne clinique pour mon père, charger Tom Carmichael, son avocat, d'engager le plus vite possible un bon directeur, annoncer mes décisions à ma mère et repartir avant la nouvelle année. Je savais que tout cela pouvait être fait dans les délais les plus brefs malgré Noël, parce que je connaissais le pouvoir de la fortune de mon père. Au besoin, Ben Cameron m'aiderait. Tous les nouveaux hommes influents de Buckhead aussi. Si ma mère faisait des difficultés, je me sentais capable de sortir furtivement de la gloriette avec mes bagages avant qu'elle ne soit réveillée. J'avais compris, en découvrant le visage livide et pincé de Sarah, que je ne pouvais pas rester.

Ma mère ne m'attendait pas dans la petite véranda qui nous servait de salon d'hiver, ni dans sa chambre, en haut, mais dans la salle de séjour. Je ne me souviens pas d'y avoir vu mes parents sans qu'il y ait des invités à la maison, et, en pénétrant dans la vaste pièce aux murs abricot ornés de moulures ivoire, je me fis l'impression d'un intrus, d'un Vandale ou d'un Wisigoth allant au pillage. J'eus soudain vivement conscience que mes vêtements étaient défraîchis par le voyage, que je ne m'étais pas lavé depuis mon départ de New York.

Maman était assise sur l'un des deux sofas de satin flanquant la grande cheminée italienne de marbre gris qui donnait à la pièce son centre de gravité. Dans sa robe de velours rouge reprenant les tons les plus sombres des tapis d'Orient passés, elle avait l'air d'une duchesse médiévale. L'énorme sapin décoré, brillant entre les fenêtres palladiennes aux rideaux tirés, et la lueur du feu bondissant étaient les deux seules sources de lumière de la pièce. Il ne manquait qu'un lévrier couché aux pieds de ma mère pour compléter le tableau d'une sombre splendeur moyenâgeuse.

– Shep chéri, dit-elle avec douceur.

Elle ne se leva pas mais tendit les deux mains vers moi. Je les pris, m'assis sur le sofa à côté d'elle. Elle appuya légèrement son front contre mon épaule et demeura immobile, si bien que je n'eus d'autre recours que de passer un bras autour de ses épaules. Pendant un moment qui me parut très long, nous restâmes aussi sans bouger, sans parler – moi parce que je ne trouvais rien à dire, que le parfum et la proximité de ma mère me séchaient la bouche, elle à cause de l'obscur jeu mère-fils qu'elle jouait. En définitive, ce silence et cette immobilité ne me gênaient pas tellement. C'était préférable aux rires et aux sanglots hystériques dont Hub Dorsey m'avait parlé.

Elle leva la tête, me regarda, et je m'aperçus que ses yeux noirs étaient parfaitement maquillés, qu'ils avaient l'éclat de la fièvre. Deux taches de couleur brûlaient sur son visage blanc et elle avait mis un rouge à lèvres parfaitement assorti au velours de soie qu'elle portait. Sa lourde chevelure noire était tirée en arrière et nouée en un sévère chignon au-dessus de son cou blanc. Elle portait cette coiffure depuis la guerre, et dans un monde auquel les coiffures en ruche de Jackie Kennedy avaient donné des formes bulbeuses, elle gardait un style Arts Déco sinueux, tel un élégant serpent noir des années 30 parmi une troupe piaillante de poussins dorés. Ce style lui seyait. Excepté les boutons de nacre crémeux brillant à ses petites oreilles et son alliance, elle ne portait pas de bijoux.

– C'est un moment terrible, chéri, dit-elle. Plus que terrible, tragique. J'ai eu une telle peur, une telle angoisse que j'ai cru mourir, et il n'y avait personne près de moi pour me consoler. Rien que l'éternelle Willa, qui rôdait autour de moi en murmurant. Mais maintenant que tu es ici, tout ira bien. Je peux m'appuyer sur mon garçon fort et courageux. Oh ! je croyais que tu n'arriverais jamais, Sheppie.

– Je suis passé à l'hôpital avant de venir. Hub est quasiment certain que papa s'en sortira. Ne t'inquiète pas trop, maman, il s'est bien remis.

Je ne voyais aucune raison de lui répéter ce que Dorsey m'avait dit.

– Je devrais être à son chevet mais je tenais tellement à te voir que je ne pouvais me décider à quitter la maison avant ton arrivée, dit-elle d'une petite voix grêle et lasse. J'ai eu des nouvelles régulièrement cependant : Hub et Willa me téléphonaient toutes les demi-heures. Maintenant que tu es ici et que papa va mieux, je passerai tout mon temps près de lui. J'irai à l'hôpital tôt demain matin et j'y resterai toute la journée. Mais pour le moment, reste assis près de moi et donne-moi de tes nouvelles. Tu te rappelles les Noëls de ton enfance ? Tu trouvais le sapin trop grand, tu avais peur d'entrer dans la pièce. Tu devais avoir trois ans, peut-être quatre ou cinq, tu étais adorable dans ton petit pyjama...

A mesure qu'elle parlait, la petite voix blessée prit de la force et du volume jusqu'à devenir un flot de bavardage juvénile et je la regardai avec incrédulité. Avait-elle bu ou retombait-elle dans l'hystérie décrite par Hub ?

– Je n'ai pas vraiment de nouvelles qui en vaillent la peine, répondis-je. (Je pensai au lointain havre de Haddonfield dont il eût été suicidaire de parler maintenant.) Ce que j'aimerais faire, c'est manger un morceau, prendre une douche et me coucher. Je n'ai rien avalé depuis midi. Et tu devrais dormir toi aussi. Tu as l'air tendue comme un ressort. Hub t'a donné quelque chose pour t'aider à dormir ?

– Oh ! mon pauvre bébé, s'écria-t-elle en pressant ses mains blanches sur ses lèvres comme si elle venait d'apprendre une nouvelle consternante. Bien sûr, il faut que tu manges ! Nous allons demander à Shem de nous apporter des sandwiches et un verre, ici, au coin du feu. Cela aura un petit air de fête, non ? Pardonne à ta vieille mère égoïste. J'aurais dû deviner que tu avais faim ! Nous pourrions peut-être déboucher une des bouteilles de champagne prévues pour Noël et faire une vraie fête...

– Maman, coupai-je en levant la main, pas de champagne, vraiment. Un sandwich et un verre de lait ou une tasse de café, ça suffira. Faisons une razzia à la cuisine, d'accord ? Inutile de faire veiller Shem et Martha alors qu'ils ont sans doute dormi aussi peu que nous.

Elle parut un moment perplexe, comme si elle ne pouvait imaginer que ses domestiques puissent manquer de sommeil, puis sourit tristement.

– Mon grand garçon attentionné. Bien sûr. Ils étaient presque aussi inquiets que moi pour papa. Viens dans la cuisine, alors, je te préparerai moi-même quelque chose. Ce sera un plaisir de refaire à manger pour mon fils.

Ne me souvenant pas qu'elle l'eût jamais fait, je ne dis rien. Nous sortîmes de la salle de séjour obscure, ma mère me précédant, son corps mince dansant sur des pieds menus chaussés d'escarpins dorés à hauts talons. Je vis luire un bas sur son cou-de-pied et remarquai qu'elle avait attaché son chignon sur sa nuque avec un bandeau brillant – pierres du Rhin ? diamants ? On eût dit qu'elle se rendait à un gala de bienfaisance organisé au Driving Club.

La cuisine était chaude, brillamment éclairée. Il y avait une assiette de sandwiches à la dinde et au jambon sur un plateau recouvert d'une serviette, du café frais dans le pot électrique. Apparemment, Shem et Martha avaient regagné leur appartement au-dessus du garage. Ma mère se percha sur un tabouret, croisa ses jambes élégantes et but à petites gorgées le café que je lui avais servi. J'engloutis plusieurs sandwiches jusqu'à ce qu'une impression de satiété s'épanouisse dans mon estomac, puis je me versai du café. Nous aurions pu servir d'illustration à l'un des magazines féminins de ma mère : la mère et le fils, souriant et partageant un en-cas dans une cuisine chaude, brillamment éclairée. Quelque part, États-Unis, en cette époque bénie du début des années 60. Souffrance et puanteur, mort et tuyaux, moue de mépris figée sur des lèvres silencieuses, fleur mortelle s'épanouissant dans un cerveau détruit, tout cela n'existait pas dans notre monde en quadrichromie. Ma mère ne venait pas de s'éveiller d'un sommeil de drogues et d'angoisse ; mon père ne gisait pas sur un lit d'hôpital ; Sarah ne portait pas au doigt l'anneau d'or de Charlie Gentry et je n'en avais pas le cœur desséché. Je reposai ma tasse, adressai à ma mère un sourire onctueux, conscient à nouveau que je n'avais rien à lui dire : ni sages conseils, ni mots de réconfort, ni serment de loyauté. Je ne souhaitais rien plus ardemment que l'oubli et la paix de ma chambre obscure, dans la gloriette.

– Ah, ça va mieux, soupirai-je finalement. Tu veux retourner près du feu ?

– Oh ! non, l'atmosphère est trop guindée là-bas, non ? Restons un peu bavarder ici. Ensuite, j'ai une surprise pour toi, là-haut. Dis-moi, comment était Sarah ? Contente de te voir ? Elle est déjà enceinte ?

La conversation avait pris un tour si inattendu que je m'étranglai en buvant mon café et que j'en répandis un peu sur la table devant moi. Ma mère eut un petit gloussement argentin.

– Tu en pinces encore un peu pour elle, hein. Sheppie ? me lança-t-elle, presque gaiement. Je m'en doutais. Bah ! ça ne fait rien. Il y a des millions de jolies filles à Atlanta et nous nous arrangerons pour que tu reprennes contact avec chacune d'elles, maintenant que tu es rentré à la maison. Il y a aussi des nouvelles, les filles les plus mignonnes qui soient. Je les vois tout le temps aux réunions de la Junior League. Des filles qui se consacrent à une carrière. Jolies *et* intelligentes. Tu n'as pas besoin de Sarah. Tu leur feras un de ces effets ! Tu es vraiment beau garçon, Sheppie, tu l'as toujours été, quoi que ton père ait pu en dire, et maintenant que tu es adulte...

– Mère, l'interrompis-je avec une sorte de désespoir incrédule, il faudra probablement que nous parlions de papa. Nous pouvons attendre que tu l'aies vu et que nous ayons discuté avec Hub avant de régler quoi que ce soit, mais il faut que tu comprennes que son état... n'est pas très bon.

– Je le sais, bien sûr, dit-elle sans changer d'expression. Il a eu une attaque. Comment son état pourrait-il être bon ? Mais Willa et toi-même assurez qu'il ne mourra pas...

– Mourir, peut-être pas, mais il ne sera probablement plus jamais lui-même, et il ne pourra peut-être pas... s'occuper de lui, ou même simplement bouger... Je ne veux pas que tu penses que tout redeviendra comme avant. Je ne veux pas que tu penses cela et qu'ensuite tu souffres. Maman, il vivra peut-être des années sans pouvoir bouger. Il faut nous y préparer.

Elle m'adressa un sourire éclatant et je sentis des picotements dans ma nuque et dans mes mains.

– J'ai déjà dressé tous les plans, déclara-t-elle comme si elle discutait d'un déjeuner de la Junior League. Je l'ai fait hier et aujourd'hui, pendant que tout le monde était à l'hôpital. Bien sûr que rien ne sera comme avant. Je sais que ton père risque de rester paralysé. Mais il vivra, c'est déjà quelque chose. J'aurai un mari, tu auras un père. Il y aura toujours un homme dans la maison – deux, maintenant que tu es de retour.

– Maman, ne t'imagine pas que tu le feras venir ici ! Tu sais ce que c'est qu'avoir chez soi quelqu'un qui est totalement paralysé ? Qui s'occuperait de lui ? Tu n'y arriverais jamais, même avec Shem, Martha et tante Willa. Quand je parle de nous préparer, je songe à une bonne clinique où l'on pourra le conduire à sa sortie de l'hôpital, à quelqu'un qui s'occupera des affaires...

Sa main aux ongles rouges écarta la question.

– Boh ! les affaires. Tom Carmichael peut s'en charger jusqu'à ce que tu apprennes à te débrouiller. Il te dira tout ce que tu as besoin de savoir et tu pourras installer ton bureau dans la bibliothèque ou te rendre à la banque quelques fois par semaine, si tu préfères – c'est tout ce qu'il faisait. Et bien sûr que je le ramène à la maison. Je l'installe dans la chambre de Willa, je transforme celle de Little Lady en salon, le petit salon en chambre d'infirmière. Des infirmières, il y en aura vingt-quatre heures sur vingt-quatre. Et je m'occuperai de lui, moi aussi. C'est mon mari. Dans ma famille, nous nous occupons des nôtres...

Je la dévisageai. Bien sûr qu'elle le soignerait, bien sûr qu'elle le garderait près d'elle. Ainsi, elle aurait tout : pouvoir sur cette maison, pouvoir sur lui. Et en prime, le prestige de cette nouvelle sainteté : Olivia Bondurant veillant sur son mari impotent, assise patiemment à son chevet, posant une main fraîche sur le visage silencieux et rageur.

– Où tante Willa dormira-t-elle ? demandai-je.

C'est tout ce que je trouvai à dire.

– Dans la gloriette, et si tu penses qu'elle en sera ravie tu te trompes, claironna ma mère avec une satisfaction évidente. Mais que peut-elle dire ? Elle ne peut exiger de dormir ici ou là dans la maison de sa belle-sœur. Elle a déjà eu de la chance d'avoir un toit pendant toutes ces années. Et Little Lady n'a sûrement pas envie de l'installer chez elle et Carter. Non, la gloriette lui conviendra parfaitement. Comme cela, nous ne l'aurons pas dans nos jambes avec un malade dans la maison. Quoiqu'elle aimerait bien le soigner elle-même, je le sais, dans l'espoir de le convaincre de lui laisser un petit quelque chose dans son testament. Seigneur ! Qu'elle s'estime heureuse que je ne la jette pas à la rue !

J'avais la langue et la gorge sèches, le cœur battant. La gloriette, mon beau refuge ; l'endroit où Lucy et moi nous étions cachés du monde pour nous sentir enfin en sécurité. Cela me donnait la nausée de l'imaginer là-bas, dans ses vêtements chics d'acheteuse en chef, avec son bric-à-brac soigneusement choisi, l'odeur de femelle qui s'accrochait à elle...

– Quand... quand s'y installe-t-elle ? bredouillai-je.

L'idée me vint, soudaine et terrible, qu'elle y avait peut-être déjà emménagé et que je devrais passer les nuits suivantes dans la chambre d'ami froide et sans joie, ou pis encore dans l'ancienne tanière de tante Willa.

– Dès que cet horrible petit pédéraste de chez Rich aura refait sa chambre pour papa, répondit ma mère. Il a déjà apporté des dessins et des échantillons de tissu, le jour même où j'ai téléphoné. Voyons... Était-ce avant-hier ? Je crois bien. J'ai l'impression qu'il y a des siècles. Oui, il se dandinait sur le perron moins de quatre heures après que j'ai appelé le service décoration. Le nom de Bondurant signifie encore quelque chose chez Rich, même avec tous les parvenus qu'il y a en ville.

Elle eut un sourire de satisfaction à la pensée du pauvre décorateur de chez Rich abandonnant les vitrines de Noël pour se ruer chez elle, échantillons sous le bras. Je songeai qu'elle parlait de l'après-midi où papa avait eu son attaque. Il était à l'hôpital, on ne savait pas s'il allait vivre ou mourir et elle, elle était enfermée dans sa chambre ; tout le monde la croyait prostrée et elle s'occupait de redécorer la maison.

– Et maintenant, la surprise, chantonna-t-elle. Viens, Sheppie, c'est en haut.

Incapable de parler, je descendis de mon tabouret et la suivis hors de la cuisine. Épuisé par les deux interminables journées de voyage, l'hôpital, la vision horrible de mon père intubé et tordu, je gravis en silence derrière elle le magnifique escalier, simplement parce que j'étais trop fatigué pour réagir.

Elle s'arrêta devant la porte de leur chambre, au bout du couloir du premier étage, me regarda par-dessus son épaule et me sourit.

– Prêt ? fit-elle avec une intonation enfantine.

– Oui, grommelai-je.

La dernière chose que je souhaitais, c'était un cadeau de Noël. Je ne pensais qu'à une chose : dormir.

– *Voilà !* s'écria-t-elle en poussant la porte.

Je n'avais pas pénétré dans cette chambre plus d'une

dizaine de fois depuis que j'avais quitté l'horrible petite pièce attenante où j'avais dormi du sommeil d'un voyeur captif, de ma petite enfance à l'arrivée de Lucy. Je la haïssais, bien que ce fût de loin la meilleure chambre de la maison. Il me semblait que ses murs s'étaient imprégnés de ma rage, de ma frayeur et de mon dégoût d'enfant. Je l'évitais même lorsque ma mère m'invitait expressément à y entrer, ce qui était rare. Je demeurai sur le seuil, aussi peu disposé à y pénétrer que si c'était une fosse à cobras.

C'était une pièce immense qui occupait la plus grande partie de l'aile gauche du premier étage et s'étendait sur toute la largeur du bâtiment, avec de grandes fenêtres palladiennes donnant sur Peachtree Road, le jardin et la gloriette. Je me souvins que, lorsqu'on regardait par la fenêtre, l'été, on voyait les bois épais de Buckhead ondoyer jusqu'à la rivière, dont les rues semblaient être de minces affluents. On avait l'impression de se trouver sur la passerelle d'un grand navire, et c'était la seule chose que j'avais toujours aimée dans cette pièce. La vaste mer de son parquet de chêne ciré était jonchée de tapis anciens de Kerman et de Boukhara aux doux tons pastel. Devant la cheminée de marbre rose, installée dans une niche d'un des murs ivoire, deux sofas roses se faisaient face par-dessus une jolie table basse.

Le petit secrétaire français de ma mère se trouvait devant les fenêtres donnant sur Peachtree Road, et deux grandes armoires d'acajou flanquaient la cheminée. Contre le mur d'en face, flottant sur un lumineux espace ivoire, il y avait le lit qu'elle avait partagé avec mon père pendant toutes leurs années de mariage, chaste modèle à baldaquin avec un voile de dentelle et une courtepointe en satin brodé de roses. Tout dans cette pièce avait toujours été luxueux, élégant, serein, rangé, conventionnel. Comme ma mère, à tous les égards.

La chambre proprement dite se prolongeait par une terrasse vitrée – donnant aussi sur le jardin – où mon père lisait parfois ou faisait la sieste sur un lit de repos, et par l'horrible petit cabinet de toilette où j'avais connu mon premier exil. Les portes qui y menaient étaient fermées, plongeant la grande pièce dans une pénombre à laquelle mes yeux fatigués mirent un moment à s'habituer.

– Alors ? gazouilla ma mère, qu'est-ce que tu en penses ?

Je me penchai en avant, faillis pousser un cri de stupeur et tendis machinalement la main vers l'encadrement de la porte pour garder l'équilibre. C'était le sanctuaire d'un grand chasseur blanc – et fou – que je contemplais.

Le mur, les fauteuils, les sofas et la table étaient couverts de coupons de tissu, d'échantillons de peinture et de bibelots primitifs. L'austère lit à baldaquin disparaissait à présent sous une étoffe grossière ressemblant à de la gaze ; la courtepointe délicate était recouverte par la peau de quelque animal n'ayant jamais foulé de son sabot le sol américain. Les tapis d'Orient se cachaient sous des peaux de zèbre et la dépouille d'un léopard à la gueule grande ouverte s'étalait devant la cheminée. Les tables de chevet avaient été poussées dans un coin de la pièce, remplacées par de hauts tambours oblongs. Sur les murs ivoire, lances et javelots se croisaient artistiquement ; sur les sofas jumeaux, les têtes de quelques félins rugissaient leur colère dans la semi-obscurité. Près de la porte de la terrasse, un ara chatoyant était perché dans une grande cage.

Comme je ne disais rien, ma mère me prit par le bras, m'entraîna vers l'un des sofas et me força plus ou moins à m'asseoir sur un coussin dur recouvert de fourrure. Bien que pris de vertige et jetant en tous sens des regards affolés, je me rendis machinalement compte, au toucher, que ce n'était pas de la vraie fourrure. Mes yeux allèrent du visage blanc et des lèvres écarlates de ma mère à la tête de léopard à mes pieds, et je constatai qu'il n'était pas vrai lui non plus. Ni les peaux de zèbre, après un examen plus attentif. Pour l'ara, je ne savais pas, mais les lances et les javelots paraissaient assez authentiques pour vous éventrer. Au milieu de tout cela, ma mère souriante était aussi plastiquement et follement belle qu'une gravure de Sheena, reine de la jungle.

– Dis quelque chose, m'ordonna-t-elle en se déhanchant

dans sa robe de velours rouge sang, prêtresse africaine prête à me jeter aux fourmis.

– Nom de Dieu, murmurai-je involontairement. Tu as l'intention d'installer papa dans ce bazar ?

– Ne sois pas idiot, répliqua-t-elle avec impatience. (Elle se laissa tomber sur le sofa d'en face, prit une cigarette dans une coupe d'argile peinte que je n'avais jamais vue. J'éprouvai un certain soulagement que ce ne fût pas un crâne.) C'est pour toi.

– Moi ?

J'avais dû pousser une sorte de gémissement car elle se mit à rire, me tapota le genou et y laissa sa main.

– Toi. Tu es l'homme de cette maison, maintenant, et tu as besoin d'une chambre d'homme. Il est temps que tu quittes cette stupide gloriette et que tu t'installes ici en haut, dans la grande maison, dans la grande chambre, là où est ta place. Ronnie, le petit bonhomme de chez Rich – il est formidable, même s'il ne connaît pas grand-chose aux tapis –, dit que le style safari se fait beaucoup maintenant, avec les nouvelles fourrures synthétiques et tous ces objets en cuivre importés si bon marché. D'après lui, dans l'Est, toutes les maisons importantes ont leur pièce safari. Tout cela, c'est juste pour te donner une idée, bien sûr. Ce sont des échantillons parmi lesquels tu choisiras, et tu peux... atténuer un peu l'effet, si tu veux. Ou alors opter pour un style complètement différent. Le nautique, c'est très bien aussi, m'a dit Ronnie, à cause de Kennedy, tu vois, mais nous avons pensé que le safari convenait mieux aux dimensions de la pièce, et je sais que tu as toujours aimé les livres d'aventures, les animaux, et ce bouquin que Kipling a écrit sur la jungle. Je lui en ai parlé – il voulait savoir comment tu étais, bien sûr, et en apprenant ça, il a dit que c'est exactement ce qu'il te faut. Moi, ce n'est pas mon style, naturellement, mais je dois reconnaître que c'est très intelligent. Regarde, le voile du lit rappelle une moustiquaire, et les tambours sont authentiques. Le perroquet, c'est peut-être un peu trop, quand même...

Elle pencha la tête de côté, scruta mon visage avec le sourire radieux d'une femme certaine d'avoir bien fait.

– Tu aimes ton cadeau de Noël, chéri ?

– Maman, fis-je d'une voix chevrotante d'adolescent, où dormiras-tu, toi ?

– Oh ! ne te tracasse pas pour moi, lança-t-elle joyeusement. Je passerai beaucoup de temps auprès de papa. Et j'ai pensé que je me contenterais d'un petit nid sur la terrasse vitrée, rien qu'un lit, une armoire et ma coiffeuse. Je n'ai pas besoin de beaucoup de place. Ronnie dit qu'on pourra facilement percer une entrée séparée donnant sur le couloir, pour que je ne sois pas obligée de traverser ta chambre. Le petit cabinet de toilette, tu peux le garder pour y mettre tes affaires. Ce sera drôle, n'est-ce pas, Sheppie ?

Je la regardai fixement. Qui était-elle ? Médée, Jocaste ? Gertrude* ? Si je m'installais dans cette chambre, elle aurait véritablement tout : l'argent, le pouvoir, le mari invalide au bout du couloir, le fils à nouveau dans la même chambre qu'elle. Pris de nausée, je me levai du sofa, les jambes flageolantes, et me dirigeai vers la porte. Derrière moi j'entendis crisser le Nylon de ses bas quand elle se mit debout d'un bond, le léger claquement de ses talons quand elle me suivit.

– Sheppie ? appela-t-elle. Sheppie ?

Je me retournai.

– Je ne passerais pas une seule nuit ici même si c'était la dernière chambre de tous les États-Unis. Pas dans ce bric-à-brac, et pas dans un décor nautique non plus, bon Dieu. Et surtout pas – je répète, *surtout pas* – avec toi dans la petite pièce, juste à côté. Non, pas question. Maman, je ne reste pas à Atlanta, fais-toi à cette idée dès maintenant. Je ne suis revenu que pour voir papa et arranger les choses pour toi...

– NOOOOON !

La longue, terrible plainte me fit penser à une veillée funèbre, à la mort. Ma mère se laissa tomber sur le lit et y

* Mère du prince Hamlet. (N.d.t.)

demeura assise, à demi enfouie dans la fourrure, les mains sur les genoux, les petits pieds sagements joints, la bouche tordue dans un rictus enfantin de chagrin et d'indignation.

– Tu n'as pas le droit de me quitter ! hurla-t-elle. (Des larmes coulèrent de ses yeux clos, laissèrent une traînée de rimmel sur son visage de craie.) Pas maintenant ! Pas après ton père, pas après ça. Je n'aurai plus rien si tu me quittes...

Je l'observai en silence. Sur le vaste lit, elle semblait toute petite, pas plus grande qu'un enfant, une fillette hébétée par une peine qu'elle ne comprenait pas. Je sus alors qu'elle n'était pas Jocaste mais seulement la petite Olivia Redwine, de Griffin, Géorgie, que l'absence d'homme rendait infirme comme ses aïeules et ses sœurs. Même avec tout ce dont elle jouissait – l'argent, la position sociale, la grande maison et ses meubles, les toilettes, les voitures, les clubs, les œuvres de charité, les bals et les déjeuners –, elle n'était rien sans un homme à elle, mari ou fils, paralysé, émasculé ou mort. Toute son existence le lui criait. Elle en était convaincue de toute son âme rétrécie, et je savais qu'elle avait raison. Je pensai à Lucy, à Little Lady vendue en mariage à Carter Rawson, à ma tante Willa, l'écorchée, aux ongles de Sarah Cameron, vierges de peinture à présent. J'éprouvai soudain de la haine pour le Sud, cette belle contrée de tueurs de femmes, de briseurs d'âmes. Je n'y resterais pas.

Mais je ne brusquerais rien avant Noël. Je ne pouvais faire cela à la femme-enfant sanglotant sur l'épouvantable lit couvert de fourrure. Qu'elle pense que je reste. Au besoin, je m'enfuirais un jour à l'aube, comme j'avais pensé le faire. Je n'avais à présent aucun scrupule à envisager cette solution, ni à mentir à ma mère.

Je m'assis près d'elle, la pris dans mes bras.

– C'est fini, dis-je, c'est fini, maintenant. Je ne parlais pas sérieusement. Si tu as vraiment besoin de moi, je resterai, bien sûr. Simplement... je ne peux pas dormir dans cette chambre. C'est la tienne, c'est celle de papa. Dans la gloriette, je me sens bien. Laisse-moi y vivre si tu veux que je reste.

Elle capitula sans un gémissement. Je pense que la menace de me perdre chassa la déception qu'avait pu susciter ma réaction devant le travail de Mr. Ronnie. Nous n'en parlâmes plus et je ne sais quand au juste, dans les jours qui suivirent, le décorateur de chez Rich et ses assistants vinrent enlever les artefacts indésirables du cœur des ténèbres. Je gardai ma mère dans mes bras jusqu'à ce qu'elle cesse de pleurer et qu'elle acquiesce d'un hochement de tête. Puis je l'allongeai doucement sur les oreillers de fourrure, tirai sur elle l'impossible peau de bête de Mr. Ronnie, éteignis la lumière et sortis dans la nuit au souffle glacé pour me réfugier dans la gloriette.

Je m'apprêtais à sombrer dans le sommeil quand, me retournant, je vis sur la table de nuit un exemplaire du livre de Lucy. J'en avais un autre à New York mais je ne l'avais pas encore lu : j'avais l'intention de le commencer à Haddonfield, après le Nouvel An. Lucy n'avait pas sollicité mes commentaires. En fait, elle n'avait guère parlé de son livre lorsque j'étais revenu pour sa publication et n'avait pas abordé le sujet par la suite dans ses lettres et coups de téléphone. Ces derniers étaient en grande partie consacrés à Jack, au Mouvement, à la vie quotidienne à Damascus House, à ses mésaventures dans les autobus et les bâtiments administratifs, à la soupe populaire et, moins fréquemment, au *Carrousel*. Mais de son livre ou de ceux qu'elle pourrait un jour écrire, elle ne disait mot. Je me demandai qui l'avait posé là, près du lit. Pas ma mère, j'en étais sûr. Je tendis la main vers le mince volume. C'était l'histoire d'une petite fille blanche élevée dans une famille noire à La Nouvelle-Orléans pendant la Crise, je le savais.

Je me soulevai sur un coude et, frissonnant dans le froid, allumai la lumière et ouvris le livre. Sur la page de garde, je lus cette dédicace : « A mon père, James Clay Bondurant », et sur la page du titre, de son écriture penchée : « Cher, cher Gibby : suis ma piste ! »

Je reposai le livre, éteignis la lumière, roulai sur le côté, blottis mon visage au creux de mon bras et fondis en larmes

– pour la femme diminuée et condamnée, étendue sur le lit de charlatan de la grande maison, pour les livres non écrits de Lucy Venable, pour les ongles sans trace de peinture de Sarah Cameron Gentry.

18

A Buckhead, quand un titan s'écroule, le reste de la troupe l'entoure pour le protéger des regards et des griffes des prédateurs et pour secourir la famille affligée. Du moins, c'était ainsi à l'époque de mon père. Aujourd'hui, quand tombe un membre de la Vieille Garde, il est rare que plus de trois personnes influentes connaissent son nom. De nos jours, les gens qui détiennent le pouvoir sont plus jeunes de plusieurs générations et ont souvent la peau plus foncée que ceux de cette décennie de tempête.

Le lendemain matin, veille de Noël, la maison de Peachtree Road était donc pleine des voix et des visages familiers qui avaient été les piliers de mon enfance. Dès onze heures commencèrent à arriver les hommes et les femmes de la génération de mon père, les parents des Roses et des Gods et, en plus petit nombre, les Roses et les Gods eux-mêmes.

Toute la journée, Shem Cater répondit à la porte, prit les chapeaux et les manteaux, gara et alla chercher les voitures, souriant avec dignité dans une veste blanche que je ne lui avais jamais vue, tandis que Martha ne cessait d'apporter du café, des gâteaux, de petits sandwiches et des canapés au fromage. Vers quatre heures, elle pénétra dans la salle de séjour avec le chariot du thé chargé de carafes de xérès, de gin et de bourbon. Je ne sais d'où venait cette nourriture ni quand ils l'avaient préparée. Je ne pouvais que penser que les Noirs de Buckhead avaient dans ces circonstances un sens du rituel et des convenances au moins aussi aigu – et peut-être même plus – que les Blancs. Il ne m'était pas venu à l'esprit de veiller à l'état du garde-manger ou à celui de l'armoire à liqueurs et ma mère, occupée à transformer sa chambre en pavillon de chasse africain, ne s'en était probablement pas souciée non plus. La veillée funèbre de mon père – car c'est en ces termes que j'y pensais, même s'il s'accrochait encore à sa vie dévastée et réduite à un *bip-bip* – était entièrement du domaine de Shem et Martha Cater.

Ma mère passant la journée à l'hôpital, je demeurai à rôder inconfortablement dans le séjour, en veste et cravate, pour recevoir le flot de visiteurs. J'embrassai les joues froides et parfumées des femmes, serrai les mains gantées de gris des hommes en regardant les unes et les autres avec des yeux irrités par la fatigue et les circonstances. Les femmes ne me donnèrent pas l'impression d'avoir changé : jolies et élégantes dans leurs fourrures, elles souriaient et se déplaçaient avec aisance dans cette demeure que, comme toutes les autres grandes maisons de Buckhead, elles connaissaient presque aussi bien que la leur.

Les hommes, c'était différent, sans doute parce que je n'avais pas revu un grand nombre d'entre eux depuis des années, littéralement, et que je posais sur eux un regard neuf. Ces vingt ou trente hommes, jeunes pères que je me rappelais avoir vu aux matchs de football du lycée, dans les vestiaires du Country Club, autour des piscines et des vérandas ; ces hommes indulgents qui souriaient d'un air entendu lorsque leurs femmes se lamentaient sur les rentrées tardives ou les mauvaises notes de leurs fils – ils étaient maintenant en pleine possession de leurs moyens, formaient ensemble une sorte de bande et s'apprêtaient à passer à l'action. Ils étaient devenus « le Club », ils le savaient, et la ville, la région le sauraient bientôt ; les jeunes principicules qui étaient leurs fils avaient fini par s'en rendre compte et par comprendre, en conséquence, d'où proviendrait un jour leur propre pouvoir.

Ben Cameron, qui vint en milieu d'après-midi, le jeune

Ben dans son sillage, avait été élu maire de la ville et prendrait ses fonctions en janvier. Sous la grâce, la courtoisie et l'apparente indolence qui l'avaient toujours caractérisé, je décelai la force qui remodèlerait le profil de la ville et récrirait son avenir. Il était dans cette pièce le pivot, le pilier, l'épicentre du pouvoir d'une génération.

Ben ne resta pas longtemps. Il salua le petit groupe de la salle de séjour, échangea avec les visiteurs des « Joyeux Noël », se glissa dans la cuisine pour dire quelques mots à Shem et à Martha, comme il le faisait toujours, revint me tapoter négligemment l'épaule et me dire :

– Nous ferons n'importe quoi pour t'aider, Shep, naturellement. Ne sois pas un étranger pour nous.

Je savais que la première partie de sa phrase était sincère ; j'étais moins sûr de la seconde. Ben et moi n'avions pas eu de véritable conversation depuis la soirée du *Plaza,* en juin dernier, juste avant que Sarah ne rentre de Paris. Je savais qu'il était fâché contre moi mais il ne m'avait pas manifesté cette colère au cours des brèves rencontres que nous avions eues depuis et je me demandais si elle avait faibli. Tout bien considéré, je pensais que oui. Dorothy se montrait aussi chaleureuse que d'habitude mais ne parlait pas de Sarah et de Charlie. Quant à Sarah elle-même, elle semblait parfaitement installée dans son rôle de jeune mariée et de bénévole. En outre, avec son élection, les plans révolutionnaires que lui et son équipe avaient dressés pour la ville, Ben Cameron avait probablement autre chose en tête que les bourdes de Shep Bondurant. Néanmoins, je le surpris plusieurs fois à m'observer pendant sa visite, d'un œil aussi évaluateur que si j'étais un nouveau venu. Je me sentis confusément mal à l'aise sous ce regard gris insistant, comme un enfant ou un chien qui devine qu'on attend quelque chose de lui mais ne sait pas quoi.

– Passe à la maison quand tu y verras un peu plus clair, me proposa-t-il en endossant son manteau en poil de chameau. Nous devons parler.

– Entendu, acquiesçai-je, sachant que je n'en ferais probablement rien.

Je ne voyais pas de quoi nous aurions pu parler en dehors de Sarah, et je ne pensais pas que l'un de nous voulût s'aventurer sur ce terrain. J'irais voir Dorothy, mais quand Ben serait au travail. La semaine après Noël, avant mon départ pour Haddonfield, ce serait parfait. Pour une raison quelconque, je tenais à ce que Dorothy sache pourquoi je ne restais pas à Atlanta.

Le Ben junior s'attarda après le départ de son père et demeura dans la salle de séjour à boire du bourbon près du feu jusqu'à ce que le dernier visiteur fût rentré chez lui pour le réveillon. Lorsque je revins dans la pièce après avoir reconduit la dernière personne, Ben se préparait un autre verre. Il le leva en guise de salut, inclina sa tête étroite dont les cheveux roux foncé, plus longs que ne le voulait la mode, tombèrent sur ses yeux gris. Il recula vers l'un des sofas abricot, s'y enfonça, étendit les jambes et les croisa aux chevilles. Il portait un pull en cachemire bleu clair pardessus une chemise Oxford blanche à col ouvert, un pantalon gris épousant parfaitement ses hanches minces et ses longues jambes. Si l'on exceptait le réseau de fines rides entourant ses yeux, il ne semblait pas plus vieux d'une heure que le jour de son mariage. Je savais pourtant qu'il avait fait beaucoup de choses. Il commençait à être connu pour les maisons élancées qu'il construisait dans les collines sauvages des banlieues nord-ouest de la ville et devenait, selon ma mère, le jeune architecte à la mode pour les nouveaux riches affluant à Atlanta.

Ben aimait l'architecture résidentielle et s'en était tenu jusque-là à ce domaine, mais le père de Snake Cheatham appréciait tellement son sens des formes qu'il l'avait convaincu de dessiner l'une de ses agences bancaires de banlieue. La magnifique structure de pierre et de verre avait suscité tant de commentaires que Ben travaillait à présent sur les plans de deux autres succursales. La première avait fait l'objet d'un article dans *Architectural Digest* et on commençait à le réclamer dans tout le pays. Ma mère disait qu'il envisageait de quitter le cabinet pour lequel il travaillait afin de s'établir à son compte mais qu'il ne prendrait pas de décision avant que Julia ait eu le bébé. Malgré les perspectives favorables et l'argent de Ben Senior, Julia était, toujours selon ma mère, épouvantée par l'idée que Ben quitte sa place pour voler de ses propres ailes.

« Dorothy m'a laissé entendre que Julia et Ben avaient eu une véritable dispute à ce sujet », m'avait dit ma mère avec délectation. Son propre fils montrant peu de chose dont elle pût s'enorgueillir, elle se réjouissait de ce que le prince héritier de la maison des Cameron connût l'échec dans son mariage.

Ben et moi demeurâmes un moment dans un silence agréable tandis que les flammes mouraient derrière le pare-feu, que le sapin commençait à briller dans la pièce non éclairée. Il finit son bourbon, posa le verre sur la table, près du sofa.

– Il faut que je rentre, soupira-t-il. Les parents de Julia nous attendent pour dîner. Sa belle-mère fait une soupe aux huîtres à chaque réveillon de Noël. C'est une tradition.

Il ne se leva cependant pas et ajouta :

– Tu ne restes pas, n'est-ce pas ?

Sa question me prit tellement au dépourvu que je répondis simplement :

– Non. Je ne reste pas.

– Bravo, me complimenta-t-il, et je l'examinai plus attentivement.

Il me sembla qu'il brûlait de la même fièvre que le jour de son mariage, qu'elle donnait à ses yeux gris un éclat que j'aurais peut-être pris pour celui des larmes si je n'avais été aussi près.

– Comment le sais-tu ? demandai-je.

Je n'avais pas parlé de mon intention de quitter Atlanta à Dorothy, ni à quiconque d'autre, d'ailleurs.

– Parce que tu es comme moi, maintenant, répondit Ben

en fermant les yeux. Tu es différent. Tu marches à l'écart. Tu portes la marque de Caïn. Il n'y a rien pour toi, ici.

– Quelle marque de Caïn ? fis-je, intrigué.

Pourquoi parlait-il de lui comme d'un marginal ? Je connaissais peu d'êtres aussi adaptés à la vie de Buckhead que Ben Cameron Junior.

– Je ne sais pas. Ça sonnait bien, dit-il en souriant, les yeux toujours clos. Mais j'ai raison, non ? Rien de ce qui t'attend ne se trouve ici.

Il ne parlait pas de Sarah et je savais ce qu'il voulait dire.

– Oui, convins-je. Je partirai le 1er de l'An. Mais n'en parle à personne, je t'en prie. Déjà, il faudra que je m'enfuie par la fenêtre en pleine nuit. Ma mère...

– Je sais. Ils vous entortillent, vous sucent la vie et vous entraînent vers le fond, hein ?

Mis à part l'amertume des propos, il y avait dans sa voix quelque chose de vieux, de mort, que je détestais entendre. Que se passait-il ?

– Pars vite, Shep, reprit-il. Vite et loin. Cours en zigzag sans te retourner. Dynamite les ponts derrière toi.

– Ben... commençai-je.

Il se redressa, passa ses longs doigts effilés dans ses cheveux de cuivre.

– Désolé, je me sens élégiaque, ce soir, s'excusa-t-il. Je n'aime pas Noël et ça m'inquiète de voir les pères de mes amis commencer à mourir, et le bébé ne vient pas, et tout le monde est terriblement nerveux. Bon Dieu, il y a des moments où je suis impatient de voir ce gosse et d'autres où je pense qu'il ferait mieux de ne jamais venir. Je ne le pense pas vraiment, bien sûr, mais un bébé... c'est tellement définitif, Shep. Rien n'est pareil après la venue d'un bébé. Les... les possibilités rétrécissent.

Il se leva.

– Cette fois, il faut vraiment que j'y aille, dit-il. Julia sera folle de rage. Elle n'arrive plus à se mettre debout et à s'habiller sans aide, maintenant, et ça la rend drôlement mauvaise.

– Comment est-elle ? m'enquis-je machinalement.

Je songeai au petit corps musclé de sportive, aux yeux marron pleins d'adoration, au nez retroussé et aux mains menues de Julia Randolph Cameron. Je ne pouvais l'imaginer vautrée dans un fauteuil, incapable de s'habiller seule.

– Grosse comme une baleine échouée et deux fois plus inesthétique, répondit-il sans sourire. Celui qui a dit que les femmes enceintes rayonnent de beauté ne connaissait sûrement pas Julia.

C'était une réflexion si méchante que je restai coi. Je ne reconnaissais même pas la voix de Ben. La lueur du feu accusait les méplats de son visage au point d'en faire une caricature. Je songeai soudain à sa grand-mère, la vieille Milliment à la langue de vipère, dont il avait dû hériter un gène dominant. En ce moment, il n'y avait rien en lui de son père, de sa mère ou de Sarah.

Sur le pas de la porte, il s'arrêta, me prit tout à coup dans ses bras, me serra fortement contre lui puis s'éloigna dans l'obscurité. Le brouillard glacé de la veille redescendait et derrière la grille en fer, les réverbères de Peachtree Road portaient des colliers opalescents. Les phares des automobiles étaient entourés d'une auréole ; leurs pneus laissaient une trace nacrée d'escargot sur l'asphalte noir.

– Joyeux Noël, Shep ! fit la voix de Ben, flottant jusqu'à moi. Bon vent !

N'entendant pas claquer de portière, je me dis qu'il devait avoir laissé sa voiture dans Muscogee Avenue, chez ses parents. Je me demandai si Sarah et Charlie y viendraient ce soir pour le *Welsh rarebit* que Dorothy préparait traditionnellement pour le réveillon.

Ma mère était encore à l'hôpital ; Shem et Martha m'avaient souhaité bonne nuit avant d'aller voir Toto et son mari. Toto avait épousé un mécanicien qui travaillait sur la chaîne de l'usine Ford, à la sortie de Hapeville ; elle vivait à Forest Park et avait deux petites filles. Je songeai à appeler Lucy, me rendis compte que je ne connaissais pas son numéro à Lithonia et que, de toute façon, elle passait son premier réveillon en famille dans la vieille ferme avec Jack et les enfants. Même tante Willa était absente : elle était allée dans la nouvelle maison de Little Lady et Carter, à Wyngate, et passerait la journée de Noël avec eux dans la grande bâtisse en pierre des parents de Carter.

J'allai à la cuisine remplir une assiette des sandwiches laissés par les visiteurs, me versai une tasse de café, m'installai dans la véranda et mis un vieil album de Charlie Parker sur le phonographe. Puis je m'assis avec une certaine gêne dans le grand fauteuil de mon père, le trouvai étonnamment confortable, renversai la tête en arrière et laissai l'argent fondu de « Bird* » glisser autour de moi et sur moi comme le mercure d'un thermomètre brisé. Je dérivais, me revoyais au *Vanguard* avec Sarah quand une voix résonna :

– Shep ? Tu dors ?

Je levai la tête. Charlie Gentry se tenait sur le seuil de la salle de séjour, le manteau constellé de gouttelettes, ses cheveux couleur de bois plaqués sur son crâne carré. Le vieux sourire d'une extraordinaire douceur incurvait sa bouche.

– J'ai frappé, j'ai appelé, dit-il. J'ai entendu de la musique, alors je suis entré. La porte n'était pas fermée. J'ai pensé que tu étais là : personne d'autre n'écoute Bird.

– Charlie ! m'écriai-je. Bon sang, je suis content de te voir. Entre. Je me sentais un peu solitaire, ici.

– C'est ce que j'ai pensé. J'ai vu ta mère à l'hôpital et elle m'a dit que tu étais seul. Je vais chez Dorothy et Ben, Sarah est encore à la fête des enfants de la Speech School.

Je me tins devant lui, raide et embarrassé. L'amour, la colère, la peine et les années, tout simplement, flottaient dans l'air entre nous. Et puis, comme si une corde commune s'était rompue, nous éclatâmes de rire et nous nous jetâmes dans les bras l'un de l'autre.

– Tu m'as manqué, grommelai-je.

* Surnom de Parker. (N.d.t).

Le dessus de son crâne m'arrivait au menton et je remarquai que ses cheveux commençaient à se clairsemer.

– Toi aussi, espèce de couillon, rétorqua-t-il.

Je servis deux bourbons, jetai une bûche dans la cheminée de la salle de séjour, où nous nous assîmes, à la lueur du sapin. Dehors, la nuit était tombée. Au sous-sol, la chaudière ronflait et j'entendais les petits chanteurs de l'église presbytérienne d'en face entamer leur traditionnel tour de Buckhead.

« *Glory to the new born king...* »

Leurs voix étaient frêles, cristallines dans le tendre silence de la nuit. La circulation de Peachtree Road s'était presque réduite à un ru.

– C'est la première fois depuis mon arrivée que j'ai l'impression que c'est Noël, dis-je.

– Je m'en doute. Triste Noël pour vous. Mais Hub Dorsey pense que ton père vivra. C'est une bonne nouvelle.

– Non, Charlie.

Je venais de le retrouver, je n'allais pas me mettre à échanger des platitudes avec lui.

– Tu as raison, soupira-t-il. Ce sera dur pour lui, et plus encore pour toi. C'est terrible d'essayer d'être l'homme de la maison quand personne ne vous y a préparé.

Je songeai à Thad Gentry, saisi d'une démence radieuse, pensionnaire permanent à la clinique Brawner maintenant, et aux pénibles années pendant lesquelles Charlie s'efforça de faire ses études de droit tout en s'occupant de sa mère. A présent, il était l'homme de deux maisons, et je me demandai si cela lui coûtait. Je ne le pensais pas – pas avec Sarah dans l'une d'elles.

Il ne me demanda pas si je resterais à Atlanta : il présumait que oui, j'en étais convaincu. Nous parlâmes peu de notre avenir ce soir-là. Charlie parla de son présent, avec une joie si sincère et si humble que je me surpris à sourire en l'écoutant. Bien que Sarah fût le principal élément de son bonheur, il semblait si merveilleusement adapté à son monde qu'il était impossible de ne pas sourire devant cette parfaite adéquation, comme devant une créature des bois en totale harmonie avec son environnement. Dans son costume bleu marine et ses chaussures bien cirées, il faisait beaucoup plus vieux que son âge, comme pendant cette affreuse soirée au *Plaza*, mais son visage était maintenant lisse et rose de satisfaction et d'enthousiasme.

– Les choses vont bien pour toi, dis-je, et ce n'était pas une question.

Il me regarda timidement, comme s'il avait honte de ce que son bonheur reposât en grande partie sur ma souffrance.

– Pour paraphraser Max Shulman, Dieu n'a jamais demandé à personne d'être stupide, ajoutai-je.

Il sourit et je sus que ma remarque avait exorcisé sa gêne.

– Elles vont si bien que j'en suis effrayé, parfois, avoua-t-il. Tu sais, Shep, je n'ai jamais voulu devenir un crack. Juste un bon avocat, capable d'élever une famille et d'apporter quelque petite amélioration à Atlanta. Mais maintenant... je ne sais pas. Il se passe quelque chose à la Coca-Cola. Je ne peux pas t'expliquer, si ce n'est que... Bon, certains pontes m'ont plus ou moins remarqué et me préparent une carrière. Il semblerait qu'on ait de grands projets pour moi en haut lieu.

Charlie paraissait si embarrassé que j'éclatai de rire.

– Attends qu'ils apprennent que tu n'as jamais su nouer ta cravate toi-même, lui lançai-je. Qui ça en haut lieu ?

– Eh bien... Mr. Woodruff.

– Seigneur ! m'exclamai-je. Tu as attrapé une comète par la queue ?

C'était exactement cela. Robert W. Woodruff, depuis longtemps directeur de la compagnie Coca-Cola, l'un des plus grands philanthropes du pays, dont les fondations avaient transformé l'aspect de la ville – hôpitaux, bibliothèques, musées, théâtres, centres universitaires, parcs, écoles d'ingénieurs, écoles des Beaux-Arts, dotations, œuvres charitables –, dispensateur de centaines de millions de dollars au bénéfice d'Atlanta, pouvoir anonyme derrière chaque trône de la zone métropolitaine, homme dont la volonté était secrètement la loi de la ville – un protecteur non négligeable pour un avocat de vingt-trois ans nanti d'un diplôme dont l'encre était à peine sèche.

– Qu'est-ce que tu as fait ? Tu l'as surpris dans la grange avec la fille d'un embouteilleur ? Tu as sauvé son setter d'un train fou ?

– Je ne sais pas ce que j'ai fait, reconnut Charlie. Je suis tout le temps resté au secteur juridique – sans me distinguer. Et puis un jour, Mac Draper s'amène et me dit que Mr. Woodruff se demande si ça me plairait de déjeuner avec lui et quelques autres dans la salle à manger des cadres. J'y suis allé. Nous n'avons même pas parlé boulot, vraiment. Juste d'Atlanta, de ce que je pensais de la ville, comment je m'y sentais. Quelques jours après, il me convoque, me demande si je n'envisagerais pas de quitter un jour la compagnie pour travailler avec lui à l'une de ses fondations.

– Et c'est bien ?

Je l'ignorais et je me rendais compte qu'un vrai Buckhead Boy l'aurait su. Le fossé me séparant de la ville s'était encore agrandi.

– Tu plaisantes ? C'est comme sortir du rang des musiciens pour recevoir la baguette de chef d'orchestre. Pour moi, c'est ça, en tout cas. Ce n'est sans doute pas un travail très dynamique, mais je pense que, à long terme, je pourrai y faire beaucoup de bien. Pour la ville, s'entend. Ce que je ne comprends pas, c'est pourquoi *moi.*

– Pourquoi pas toi ? répondis-je, avec l'affection que son manque de confiance en lui avait toujours suscitée chez moi. Tu seras forcément un bon avocat, Charlie, sinon tu n'aurais pas terminé major de ta promotion. Tu as des perspectives extraordinaires. Le gendre de Ben Cameron, c'est pas de la petite bière. Et je ne connais personne qui aime autant que toi cette sacrée ville. Si j'avais six cents millions de dollars, c'est toi que je choisirais pour les distribuer à ma place. En outre, tu es le type le plus incorruptible que je connaisse.

Charlie rougit de plaisir, baissa la tête.

– Maintenant, dis-moi ce qui se passe, demandai-je en riant.

– C'est incroyable, tu ne reconnaîtras pas cette ville dans dix ou quinze ans. Je ne sais pas par où commencer. Tout tombe du ciel en même temps pour Atlanta : Ben à la mairie, ces hommes que nous connaissons depuis toujours derrière lui, de l'argent, de l'énergie, de l'intelligence et de la passion – et Mr. Woodruff étendant ses ramifications partout, comme... comme une araignée au centre d'une gigantesque toile. Horrible analogie, mais il est en contact avec tout le monde, littéralement. Personne ne fait quoi que ce soit dans cette ville sans son feu vert. On n'en parle jamais mais c'est vrai. Notre meilleur atout – *leur* meilleur atout, si tu préfères –, c'est qu'il y a assez d'argent ici pour financer notre croissance. Pas besoin d'aller chercher des capitaux ailleurs. Bon Dieu, écoute ce qui est prévu pour la dizaine d'années qui vient : un grand stade et les équipes qui vont avec ? On peut faire ça chez nous, inutile de s'adresser aux voisins. Un nouveau centre artistique ? Un réseau de transports rapides ? De nouvelles autoroutes ? Un aéroport international ? Quelques coups de téléphone et on met quelque chose sur pied. Des vols directs pour toutes les capitales européennes, des consulats de tous les grands pays du monde dans Peachtree Street ? Plus de tours, dans les dix ans qui viennent, que n'importe quelle autre ville américaine n'en a bâti en un demi-siècle, des filiales des cinq cents plus importantes firmes nationales, des centaines de milliers de mètres carrés de bureaux dans les cinq comtés qui nous entourent, des centres commerciaux dans toutes les communes du même secteur, des appartements, des maisons ? Donne-nous un an ou deux...

Il s'interrompit pour reprendre haleine, l'air exalté.

– Et le problème racial ? objectai-je, comme je l'avais fait moins d'un an plus tôt au cours d'une conversation similaire avec Ben Cameron.

– C'est le point capital, bien sûr, convint-il en fronçant les sourcils au-dessus de ses yeux clairs, grossis par ses lunettes.

La loi doit mettre fin à la ségrégation scolaire en septembre. Si nous n'y parvenons pas, rien de ce que je t'ai dit ne verra le jour. La ville ne survivrait pas à un échec. Mais Mr. Woodruff veut que les établissements scolaires restent ouverts, et d'une façon ou d'une autre, ils le resteront.

– Comme ça ? m'étonnai-je.

– Comme ça, répéta Charlie, qui ne souriait pas.

– Et tu penses que cela suffira ? Il me semble que même ici, dans le bastion du Mouvement pour les Droits Civiques, l'intégration ne remplirait pas un dé à coudre. Je n'ai vu aucune vague noire déferler sur Peachtree Road.

– Les choses ne vont pas aussi mal que ça, argua Charlie. Il n'y a plus de ségrégation dans les autobus, les Noirs peuvent jouer sur les terrains de golf publics, descendre dans quelques hôtels et manger dans plusieurs restaurants, aller dans la plupart des cinémas. Simplement, ils ne le font pas encore.

– Alors, quand Martin Luther King deviendra-t-il membre du Capital City Club ? répliquai-je.

Charlie ne donnait pas dans l'autosatisfaction mais sa naïveté m'incitait soudain à l'asticoter un peu. Comment pouvait-il vivre à Atlanta, prétendre aimer cette ville comme il le faisait, et ne pas voir que, fondamentalement, les barrières demeuraient en place, qu'aucun mur porteur ne s'effondrait ?

– Tu as raison, nous devons faire quelque chose pour les clubs, admit-il. Et je crains que ce ne soit le plus difficile, bien que ce soit de loin le moins important. Mais nous finirons par le faire. Nous ne sommes pas idiots. La classe dirigeante blanche n'est pas stupide. Pendant toute la période des *sit-in,* Ben Cameron a rencontré officieusement certains dirigeants noirs au Commerce Club...

– Et qu'est-ce qu'ils ont mangé ? interrompis-je, incapable d'arrêter de le taquiner.

– Sois pas con, Shep. C'était après la fermeture, dans une arrière-salle. Comme je l'ai dit, Ben n'est pas idiot, et les Noirs non plus. Un repas fin aurait tout gâché. Nous trouverons une solution parce que nous y sommes obligés. Parce que Mr. Woodruff et quelques autres comme lui tiennent à régler le problème. Atlanta a pour lui deux atouts que la plupart des autres villes du Sud ne possèdent pas : une communauté noire bien établie ayant derrière elle pas mal d'argent, une classe dirigeante blanche pleine de bon sens et de capitaux qui s'est engagée à résoudre le problème racial. Observe Ben à l'œuvre dans les années qui viennent, tu verras bientôt des résultats. La campagne « En avant, Atlanta » a déjà commencé, et le programme en six points entrera en vigueur quand il prendra ses fonctions. Je suis terriblement fier d'y participer, même de façon modeste et en demeurant éloigné de la scène.

– Et moi, je suis terriblement fier de toi, déclarai-je, sincère. Tu es un type bien, tu mérites tout ce qui t'arrive. Ne te dénigre jamais.

L'horloge dorée de l'entrée en rotonde sonna huit heures ; Charlie se leva. Je pris son manteau sur la chaise où il l'avait posé, l'aidai à l'enfiler et le reconduisis.

– Le jeune Ben est passé cet après-midi, annonçai-je. Il a l'air d'avoir des soucis, tu l'as remarqué ?

Charlie me jeta un regard perplexe.

– Non, dit-il. Je pensais que tout allait bien pour lui : son travail, la reconnaissance de son talent, le bébé qui va naître... Qu'est-ce qui pourrait ne pas aller ? Tu parles comme Sarah.

– Qu'en pense-t-elle ?

– Que quelque chose ne va pas, justement. Elle n'arrive pas à dire quoi et reconnaît qu'elle n'a aucune raison de penser ça. Mais elle m'en a parlé plusieurs fois. Je sais que cela l'inquiète.

– Ça m'inquiète aussi, fis-je.

– C'est probablement la naissance du bébé... C'est un moment tellement extraordinaire. Shep... commença-t-il.

– Oui ?

Il tourna vers moi un visage absolument radieux.

– Je voulais que tu sois au courant avant tout le monde

excepté Ben et Dorothy. C'est en fait pour ça que je suis venu. Sarah tenait à ce que je te le dise. Elle est... Nous allons avoir un enfant. Elle est enceinte de près de trois mois. C'est pour juin.

Je sentis le silence s'abattre sur moi comme un épervier. Je pensai à la maigreur de Sarah, aux cernes sous ses yeux d'ambre et à ce qu'elle m'avait dit à l'hôpital : « J'ai l'air d'une maison en ruine... Mais c'est temporaire. »

– Félicitations, papa, réussis-je enfin à dire.

Les larmes qui flottèrent dans mes yeux et le cachèrent un moment à ma vue étaient dues autant à sa joie qu'au grand vide que je sentais en moi.

– Merci, répondit-il. Inutile de préciser que, Sarah mise à part, c'est ce qui fait de moi l'homme le plus heureux de la terre.

– Inutile, acquiesçai-je.

Lorsque la lourde porte blanche se ferma derrière lui, une autre porte fit de même en moi, quelque part au voisinage de mon cœur dévasté.

Nous parvînmes tant bien que mal à passer ensemble une parodie de jour de Noël, ma mère et moi. La moitié des résidents de Buckhead nous avaient conviés à partager leur repas familial mais ma mère avait refusé, rechignant peut-être à abandonner le pittoresque pathos de la femme belle et courageuse seule au chevet de son mari le jour de Noël, et j'en fus très content. Je ne crois pas que j'aurais réussi à faire la conversation dans quelque élégante salle à manger, ou devant quelque antique cheminée, alors que chaque fibre de mon être aspirait à partir. Ma mère proposa que nous déjeunions au Driving Club mais je m'y opposai : l'endroit était trop marqué par l'empreinte de mon père et charriait trop de bois flotté appartenant à mon enfance.

Nous allâmes donc chez *Hart's*, ce charmant bastion de l'authenticité buckheadienne, un des rares lieux, hormis deux ou trois clubs, où le Vieil Atlanta dînait régulièrement malgré la médiocrité de la cuisine. Dans mon enfance, c'était une résidence privée et les nouveaux propriétaires avaient sagement conservé les magnifiques pièces au plafond haut et les grands chênes s'inclinant au-dehors, si bien qu'on avait l'impression, lorsqu'on y dînait, de se trouver simplement dans une des grandes maisons que l'on fréquentait depuis toujours. C'est peut-être ce qui explique pourquoi l'établissement était si prisé dans le milieu de mes parents. « Oh ! nous ne sortons pas vraiment, disait-on. Nous faisons juste un saut chez *Hart's.* » Et effectivement, le personnel noir connaissait les clients par leur nom, leur demandait des nouvelles de leur santé et de leurs enfants. Je crois que, pour les vieux résidents de Buckhead, la conséquence la plus néfaste du Mouvement pour les Droits Civiques, ce fut peut-être quand les propriétaires fermèrent le restaurant plutôt que de laisser des Noirs y manger.

Mon père continuait à se libérer imperceptiblement de l'étreinte mortelle de son attaque, bien qu'il demeurât paralysé. Mis à part son pied, qui gagnait en mobilité chaque jour, il gisait raide et brisé, tournant alternativement son visage furieux de ma mère à moi et de moi à la fenêtre, sans proférer un son. Mais chaque jour on lui enlevait un tuyau et, à la fin de la semaine, il fut capable d'avaler un peu de la pâtée visqueuse qu'une infirmière lui mettait dans la bouche avec une cuiller, bien que le plus gros coulât le long de son menton. Hub Dorsey estimait qu'une fois qu'on pourrait enlever le cathéter et que mon père serait en état de prendre des médicaments, nous pourrions envisager de le faire sortir de l'hôpital. Hub secoua la tête d'un air désolé quand je l'informai de l'intention de ma mère de ramener mon père à la maison et de l'installer en haut. Il promit de lui parler. J'ignore s'il le fit – en tout cas, ce fut en vain. Mr. Ronnie, de chez Rich, muré dans un silence réprobateur envers ma personne et suivi d'une cohorte de sous-fifres, arriva chez nous avec force rouleaux de papier peint, pots de peinture, mètres de tissu, et entreprit de transformer en sanctuaire pour empereur invalide les pièces de l'aile droite qui avaient constitué le domaine de tante Willa, de Little Lady et, brièvement, du petit Jamie Bondurant. Je me terrai dans la gloriette ou dans la véranda du rez-de-chaussée, hors de portée de sa malveillance affairée ainsi que des cachemires, des velours et des soies qui montaient au premier étage, tels les trésors de Cathay. L'idée d'une chambre de malade impériale ne me plaisait pas plus que celle d'une chambre safari. Elle aurait peut-être secouru un Philippe de Macédoine agonisant mais hâterait probablement la fin de mon père, pour qui le comble de la frivolité décorative, c'étaient les plus sombres tartans des clans des Highlands écossais, de l'autre côté du Styx.

Confrontée à la perte et de son boudoir et de la gloriette, ma tante Willa n'eut d'autre recours qu'accepter la proposition de ma mère de se faire « un adorable petit appartement à elle » au deuxième, dans les mansardes qui avaient été le domaine de Lucy et le mien, au début de l'enfance. Willa avait momentanément le dessous et le savait. Il faut lui reconnaître qu'elle fit cependant bonne figure et entreprit immédiatement de charmer le versatile Mr. Ronnie jusqu'à ce qu'il passe la plupart de son temps là-haut avec elle, étalant joyeusement ses échantillons, agrafant ses tissus et redonnant forme à ses coussins. Vivement irritée par la défection du décorateur, ma mère ne dit cependant rien. Elle savait aussi bien que Willa, aussi bien que Lucy et moi avant elle, que les mansardes, c'était l'exil, même transformées en sérail. C'était l'impasse. Avec deux femmes bouillonnant d'une colère souterraine qu'elles cachaient sous des sourires suaves et des plaisanteries languissantes, je pris l'habitude de me terrer dans la bibliothèque de mon père, dont les épaisses portes de chêne m'empêchaient de voir et d'entendre, et je commençai à feuilleter d'une main hésitante les dossiers et les papiers qui étaient des hiéroglyphes visibles des affaires paternelles. Pour moi, ils n'avaient aucun sens et je m'étais beaucoup mieux débrouillé avec mes antiques documents babyloniens.

Cette semaine-là, je rendis visite à quelques Buckhead Boys et à leurs épouses – en grande partie parce qu'il aurait paru bizarre que je ne le fasse pas –, mais je n'allai pas chez

Charlie et Sarah. Je passai une soirée dans la ferme de Lucy et Jack, perdue au bout d'une épouvantable route de terre battue, à des kilomètres de Lithonia. Ne m'étant jamais aventuré aussi loin à l'est dans le comté de DeKalb, je m'égarai le long de routes de campagne détrempées que les sous-bois cernaient de si près que j'entendais le crissement des branches quand elles rayaient la laque polie à la main de la grosse Rolls de mon père se vautrant dans la boue. Lorsque j'arrivai enfin, avec une heure de retard, ce fut pour découvrir une Lucy dépeignée, le visage rougi par la chaleur du vieux réchaud à gaz d'une vaste cuisine enfumée, deux garçons au visage mince et jaune que la faim et leurs « beaux habits » détestés rendaient querelleurs, un dîner se desséchant dans le four, et Jack Venable, les traits tirés et la voix cassante d'exaspération. La maison elle-même, où régnait un désordre indescriptible, aurait eu besoin d'un coup de peinture intérieur et extérieur. Comme elle n'avait pas de chauffage central, on passait hâtivement d'une petite pièce surchauffée à une autre par de sombres étendues arctiques de carrelage et de linoléum écorné.

Nous mangeâmes une fricassée de poulet d'un goût exécrable dans la vaste pièce de devant qui servait manifestement de chambre-salon, sur des tables de jeu recouvertes de l'exquis damas ancien que ma mère avait offert à Lucy comme cadeau de mariage. Mes propres chandeliers de cristal Georg Jensen trônaient sur la table des adultes, et je reconnus les assiettes en porcelaine décorées de roses ainsi que les verres fragiles composant le « deuxième service » de la maison, hérité de ma grand-mère paternelle et que ma mère n'avait jamais aimé. Un énorme radiateur rougeoyait furieusement devant la cheminée condamnée. Le grand lit poussé dans un coin, aussi sombre et massif qu'un drakkar, provenait manifestement de la famille de Jack.

L'ensemble de la maison était un amalgame schizophrénique d'authentique mobilier campagnard de Géorgie, triste et boiteux, et de somptueux cadeaux de mariage de Buckhead. J'eus l'impression qu'au total le lugubre style campagnard remportait la bataille. Je me demandai comment Lucy ressentait la réalité de son nouveau royaume bucolique.

Ce ne fut pas une bonne soirée. Mon retard et le dîner trop cuit y contribuèrent certainement, mais les causes en étaient plus profondes. Je trouvai les enfants singulièrement peu engageants, même compte tenu du traumatisme de la défection de leur mère, suivie de celle de leur père, remarié à une intruse beaucoup plus jeune. Ils lorgnaient Lucy du coin de leurs petits yeux pâles, se curaient le nez et refusaient obstinément de répondre à ses questions et commentaires, ne parlant qu'à leur père. Quant à moi, ils ne m'accordèrent même pas un regard.

Jack lui-même était silencieux, mangeait méthodiquement, hochait la tête, répondait par « oui » ou par « non » aux questions directes mais se bornait à cela. Il but plusieurs Martini-gin avant le repas, du scotch après, s'assit dans un gros fauteuil défoncé près du radiateur et regarda la télévision en silence tandis que Lucy servait le café et le cognac en faisant la conversation sur un ton si animé qu'il en était presque fébrile. Elle buvait pas mal elle aussi, sirotant un verre de jus d'orange dont le niveau ne baissait jamais et qui répandait une odeur de vodka. Bien qu'elle portât un pantalon corsaire de velours noir, un chemisier en soie et les perles de son diplôme de fin d'études secondaires autour de son cou frêle, je ne la trouvai pas jolie. Elle avait la peau des mains et autour de la bouche à vif, comme si elle ne se lavait qu'à l'eau froide. Ses souliers plats en daim étaient éculés, sa lourde chevelure noire coiffée en queue de cheval, comme lorsqu'elle était à l'hôpital. Je sentis une soudaine bouffée de colère. Étaient-ils si démunis qu'elle dût renoncer au coiffeur ainsi qu'à presque tous les autres luxes auxquels elle était habituée ? Pourquoi Jack ne faisait-il pas ressemeler ses chaussures ou ne lui en achetait-il pas une nouvelle paire ? Était-elle si absorbée par leur travail dans le Mouvement qu'elle avait renoncé aux toilettes, ou n'avait-elle plus les moyens d'en porter ? J'avais en horreur son aspect et la façon dont, manifestement, elle vivait. En plus de son délabrement, la maison n'était pas propre, et Lucy faisait penser à une jument arabe dans une écurie crottée de chevaux de trait. Si c'était là le havre que Venable lui avait offert, j'avais envie de le lui enfoncer dans la gorge. Et pourquoi se montrait-il si taciturne, si grossier ? S'étaient-ils querellés ou était-ce son attitude habituelle maintenant qu'ils étaient mariés, qu'elle n'était plus une flamme insaisissable mais qu'elle brûlait dans son âtre ?

Malgré le bavardage et la gaieté de Lucy, son rire de gorge et ses ragots obscènes invariablement précédés par un « Oh ! écoute, Gibby » haletant, la soirée se mourait à nos pieds et je me levai deux heures seulement après mon arrivée en alléguant le vent glacial, les mauvaises routes, l'éloignement de Buckhead. Jack s'extirpa à contrecœur de son fauteuil, me reconduisit à la porte avec Lucy, me gratifia d'une poignée de main distraite et d'un négligent « Il faudra revenir, Shep. Et attention dans l'allée. Ce serait dommage d'esquinter la Rolls. »

J'étais si furieux de sa remarque et de sa froideur envers Lucy qu'avant d'arriver à la voiture, je me retournai avec l'intention de répondre par des propos désinvoltes mais lourds de sens, comme « Prends bien soin d'elle, Jack, je t'ai à l'œil », mais les mots moururent dans ma gorge. Il se tenait dans l'encadrement de la porte, les bras autour de sa femme, la tête penchée vers elle, et il y avait une telle tendresse sur son visage, dans les mains posées sur ses hanches que je sentis ma gorge se nouer. Quelle que fût la raison pour laquelle il lui avait battu froid ce soir, ce n'était pas le manque d'amour.

Le lendemain, Tom Carmichael et Marshall Haynes, le bras droit de mon père à la Trust Company, vinrent me voir à la maison. Shem Cater les introduisit dans la bibliothèque où j'avais délaissé registres et dossiers pour me réfugier dans un vieux Bulfinch qui avait appartenu à mon grand-père Redwine. Ils en vinrent immédiatement aux choses sérieuses.

– Nous devons fixer une série de réunions, Shep, ici ou à

mon bureau ou à la banque, dit Tom, et Marshall approuva en hochant sa tête aux cheveux blond pâle coupés court.

Les gens de ma génération, qui tenaient sans doute l'information de leurs pères, assuraient que Marshall Haynes était un magicien des chiffres pour les comptes des sociétés, l'homme jeune à suivre dans les années à venir. A mes yeux, il avait l'air d'un gamin de treize ans – anémique, en plus – et je me souvins que lorsque mon père avait été confié à ses soins, après que le vieux Claude Maddox eut pris sa retraite, il avait été furieux de l'affront qu'on lui faisait en le mettant dans les mains d'un gosse. Mais au bout d'un mois ou deux, il avait cessé de bougonner et avait ensuite parlé de Haynes sur le ton qu'il utilisait pour Carmichael, Cheatham ou Cameron. Marshall Haynes et moi nous regardâmes avec l'antipathie instinctive du jeune cadre compétent pour le jeune prince incompétent – et vice versa. Chacun de nous savait que l'autre avait quelque chose que lui-même n'aurait jamais et qu'il lui enviait.

– Je considère que nous pouvons vous préparer en six semaines à opérer de manière autonome, attaqua Haynes d'un ton plaisant.

Et Tom Carmichael enchaîna :

– Le travail au jour le jour est réellement simple. Votre père s'en acquittait en deux ou trois heures et n'avait pas vraiment besoin de venir au bureau chaque jour, si ce n'est pour déjeuner au Capital City ou au Commerce Club. Vous connaissez le personnel : ce sont les meilleurs employés qu'on puisse trouver pour ce genre de tâche et votre père les avait formés à sa guise. Fondamentalement, ils peuvent faire tourner seuls la maison mais vous devez pouvoir remplir un rôle de directeur, de décideur. Marshall et moi vous mettrons au courant pour l'actif, le portefeuille boursier, etc. ; nous vous tracerons à grands traits un tableau des structures et des aspects juridiques de l'affaire.

Haynes approuva de la tête et je trouvai qu'ils ressemblaient à deux comédiens dans un mauvais sketch père-fils.

– Vous aurez besoin de rafraîchir vos connaissances,

même si ces questions vous sont familières depuis toujours, dit-il. D'ailleurs, d'après Tom, votre domaine, ce sont les études classiques, pas l'immobilier. La situation dans l'immobilier a beaucoup changé depuis que vous êtes parti pour l'université, et pas moyen de savoir dans quelle direction elle évoluera dans les douze mois qui viennent. Il y a beaucoup d'idées nouvelles que nous pouvons vous apprendre. Autant le faire tout de suite afin que vous puissiez prendre les rênes avant qu'il ne s'écoule trop de temps. Ensuite, ce sera essentiellement à vous de jouer, avec nous deux dans les coulisses pour vous épauler, bien sûr. Nous serons là chaque fois que vous aurez besoin de nous.

Il eut un sourire qui était une réplique de celui de Tom Carmichael – le sourire officiel des hommes qui constituaient à présent le Club. Je me renversai en arrière, lui rendis son sourire et répondis avec perversité :

– Désolé, pas question, je suis content que vous soyez venus, cela m'économisera un coup de téléphone. Je ne rafraîchirai pas mes connaissances, je ne prendrai pas les rênes. Je pars pour le Vermont inculquer la culture classique à des gosses de riches grassouillets. Ce dont j'ai vraiment besoin, c'est que vous me trouviez un bon directeur, qui puisse rafraîchir ses connaissances et prendre les rênes, que vous le trouviez vite, et que vous lui confiiez tout le bazar. Disons demain ou après-demain. Vous pouvez faire cela, n'est-ce pas, Tom ?

J'avais délibérement exclu Haynes dans la question.

Ils se regardèrent un moment en silence puis Carmichael répondit :

– Je peux le faire, oui. Mais ça me contrarierait beaucoup. Écoutez, Shep, ne faites rien à la légère ou précipitamment. Je sais que les choses n'ont pas toujours été... roses entre votre père et vous, mais tout est changé, maintenant. Vous ne pouvez pas partir comme ça.

– Je n'agis pas précipitamment, Tom. J'ai réfléchi. Et je peux parfaitement partir comme ça. En courant, même.

Toutes ces histoires ne signifient rien pour moi et ça ne changera pas.

L'air découragé et réprobateur, il reprit.

– J'aurais cru qu'elles étaient très importantes pour vous. Naturellement, c'est votre affaire.

– En effet. Si vous ne voulez pas me trouver quelqu'un, je le trouverai moi-même, et je ferai probablement une bourde. Alors, d'accord ?

– Je... D'accord. Je vous demande seulement de réfléchir un jour ou deux, d'en parler à votre mère...

– C'est la dernière chose que je ferai, et si j'apprends que vous lui en avez touché un mot, j'aurai votre peau.

J'ignorais pourquoi je me montrais aussi dur envers lui. C'était un homme respectable, qui avait loyalement servi mon père pendant des années. Je me sentais merveilleusement bien, pourtant. Les yeux de Marshall Haynes m'observaient avec une lueur de respect accordé de mauvaise grâce, et c'était encore plus agréable.

– Vous avez certainement l'intention de lui répéter ce que vous venez de nous dire, fit Tom Carmichael, glacial. Vous ne pouvez pas filer comme ça sans la prévenir. Ses propres avoirs dans l'affaire sont substantiels, c'est le moins qu'on...

– Bien sûr que je la préviendrai, rétorquai-je. Mais plus tard. La semaine prochaine, juste avant de « filer ». Elle a bien d'autres préoccupations pour le moment, je ne veux pas la tracasser avec cette histoire avant que ce ne soit nécessaire.

Voyant qu'ils ne pouvaient m'ébranler, ils partirent, probablement pour aller au Capital City Club lécher leurs égratignures et réfléchir à la meilleure façon de me circonvenir. Ils perdaient leur temps.

J'étais à nouveau dans la bibliothèque, plongé dans Bulfinch, le lendemain matin, quand Shem Cater passa la tête par la porte et annonça en souriant :

– Une visite pour vous, Mr. Shep.

Ben Cameron entra dans la pièce, se tint au centre d'une tache pâle de soleil matinal sur le tapis d'Orient passé, les mains dans les poches d'un splendide manteau de cachemire bleu foncé. Il ne souriait pas.

– Bonjour, Ben, dis-je en me levant du fauteuil où j'étais vautré. Asseyez-vous. Je vous offre une tasse de café ?

– Non. J'ai un thermos dans la voiture. Prends ton manteau, un cache-nez et des gants, Shep. Je t'emmène. J'ai quelque chose à te montrer si tu as un peu de temps.

– Qu'est-ce que c'est ?

– Je préfère que tu le voies, répondit-il. Accorde-moi cette faveur. Je te ramènerai dans deux heures. Nous déjeunerons en ville, ou à Brookhaven, si tu préfères. Tu n'es pas occupé par quelque chose qui ne peut attendre, n'est-ce pas ?

Il regarda le Bulfinch avec insistance et j'eus un éclat de rire.

– Non, dis-je. Rien qui ne puisse attendre. Je prends mes affaires.

Lorsque je revins de la gloriette avec mon manteau et un vieux cache-nez de Princeton, Ben m'attendait déjà à l'arrière de la grande Lincoln noire garée dans l'allée. Je fus profondément surpris de découvrir derrière le volant un Glenn Pickens en costume sombre et cravate, les mains gantées de gris. Le puissant moteur de la voiture tournait au ralenti et Glenn la fit démarrer dès que j'eus refermé la portière. Lui non plus ne souriait pas et il ne dit rien en dehors d'un « Bonjour, Shep » au ton neutre en réponse à mon salut. En examinant son visage impassible, je ne parvenais pas à croire que, moins de quatre mois plus tôt, nous avions passé au *Carrousel* une soirée de gêne et d'exaltation. J'ignorais qu'il conduisait encore pour Ben Cameron : pour une raison on une autre, j'avais cru que cet emploi avait pris fin lorsqu'il avait obtenu son diplôme de droit. Me rappelant alors que c'était Ben qui avait payé ses études, je me dis que Glenn lui en était probablement assez reconnaissant pour lui rendre service chaque fois qu'il le pouvait.

– C'est un enlèvement ? demandai-je.

J'acceptai le gobelet de café que Ben me versa avec la

thermos, souris quand il y ajouta une rasade de cognac de sa gourde plate en argent.

– Exactement, répondit-il. Et pas de questions avant d'avoir vu ce que je veux te montrer. D'accord ?

– D'accord. Continuez à me donner du cognac et vous ne m'entendrez pas broncher.

Ben avait l'air préoccupé et parla à peine tandis que la grosse Lincoln – neuve – dévorait les kilomètres familiers menant au cœur de la ville. Lorsque nous arrivâmes à Five Points, épicentre des affaires et de la finance, il se tourna vers moi et dit :

– Tu sais que Sarah est enceinte, n'est-ce pas ?

– Oui. Charlie me l'a appris le jour du réveillon. Elle va bien ?

– Non, répondit-il d'un ton sombre. Elle est malade comme un chien. Dorothy assure que c'est temporaire mais je suis très inquiet. Sarah n'est jamais malade.

– Je suis désolé, bredouillai-je, me sentant aussi coupable que si j'étais la cause des nausées matinales de Sarah.

– Tu peux l'être, grommela-t-il.

Il se retira à nouveau dans le silence, sifflotant entre ses dents et tambourinant de la main sur son genou. Vexé, je me tus, moi aussi. Quelles que fussent les souffrances de sa fille, les miennes étaient plus grandes, j'en étais persuadé.

La Lincoln traversa Five Points, s'engagea dans Capitol Avenue et nous pénétrâmes dans le vaste territoire s'étendant au sud et à l'est où vivait une grande partie de la population noire d'Atlanta. J'y étais déjà venu, généralement dans la Chrysler, avec Shem Cater, pour raccompagner ou aller chercher un des domestiques de ma famille, mais, à mes yeux de Blanc, les rues où habitaient les Noirs étaient, à l'instar des Noirs eux-mêmes, toutes pareilles. Je tournai un regard interrogateur vers Ben, qui garda le silence. J'éprouvai un vague malaise. Que pouvait-il y avoir dans cette étendue désolée que Ben Cameron tenait à me montrer ?

Nous traversâmes l'un après l'autre les quartiers noirs

situés au sud du cœur de la ville, qui me parurent aussi misérables que dépourvus de caractère : je n'aurais su dire où commençait l'un, où finissait l'autre. Mais Ben, lui, le pouvait. Il les nommait lorsque nous les traversions, décrivait leurs particularités. De temps à autre, il demandait : « C'est bien ça, Glenn ? » et celui-ci répondait « C'est ça, Ben », ou bien « Pas exactement. C'est la piscine de Mule Coggins, pas celle de Morley. » Comment diable, dans une existence aussi remplie, Ben Cameron avait-il trouvé le temps d'apprendre la géographie et l'ethnologie de ces sinistres habitats noirs des entrailles de la ville ?

Les quartiers noirs se composaient de petites rues étroites, souvent non pavées, avec des maisons en bois ou en briques d'un ou deux étages, tellement serrées les unes contre les autres que souvent elles n'étaient même pas séparées par une allée, ce qui apparemment n'avait pas d'importance. Les voitures étaient peu nombreuses, le plus souvent garées dans la rue, sur le trottoir quand il y en avait un, les cours se réduisant à quelques mètres carrés de terre battue ou de béton, jonchés de jouets cassés, de bouteilles et de détritus. La plupart des maisons n'avaient plus de peinture, certaines n'avaient plus de vitres et montraient des yeux d'aveugle en carton ou en papier journal. Les perrons menant aux planchers affaissés des porches étaient faits de briques empilées ; des cabinets extérieurs s'inclinaient de façon menaçante dans certains jardins envahis de mauvaises herbes. Des terrains vagues étranglés par les squelettes bruns de kudzu rompaient çà et là les alignements monotones des bicoques et des taudis. Les seules personnes en vue étaient des gosses malingres, trop peu vêtus, et de vieilles femmes.

Chaque quartier était traversé par une artère plus large regroupant une épicerie délabrée, un drugstore, des magasins de vins et spiritueux, des boutiques de prêteur sur gages et un ou deux cafés. Là, les gens étaient plus nombreux – des hommes, essentiellement, de l'adolescent au quinquagénaire, entrant ou sortant d'un pas lent, formant de petits groupes transis au coin des rues sous des réverbères brisés, les épaules arrondies pour se protéger du froid, nous suivant de leurs yeux aux aguets tandis que la Lincoln passait lentement. J'avais envie de baisser la tête pour échapper à ces regards insistants, que Ben affrontait franchement. Parfois Glenn Pickens levait la main en direction de quelqu'un qu'il connaissait et recevait en retour un salut nonchalant.

– Où sont les femmes ? demandai-je, oubliant que je n'étais pas censé poser de questions.

Je n'en avais pas vu une seule de moins de soixante-dix ans depuis que nous étions dans les quartiers sud-est.

Ce fut Glenn qui me répondit :

– Là d'où nous venons, Shep, dit-il sans tourner la tête. Elles travaillent dans les cuisines de Buckhead.

J'aurais dû le savoir, pensai-je, les joues en feu. Près de moi, Ben eut un demi-sourire.

Alors que nous traversions Summerhill, il fit un geste vers un écheveau de ruelles, sur la droite. D'autres baraques misérables, aussi lunaires et dépeuplées que les autres, s'y blottissaient l'une contre l'autre.

– C'est là que passera la nouvelle autoroute et que sera construit le stade, dit-il. C'est le meilleur site que nous ayons et les plans sont prêts.

– Où iront ceux qui vivent dans ces maisons ?

Il eut un rire sans joie.

– Bonne question. Je suis sûr qu'ils aimeraient connaître la réponse. Seigneur ! Nous sommes capables de réunir dix-huit millions de dollars pour un nouveau stade, et les responsables du logement promettent cinquante millions pour éliminer les taudis en dix ans, mais ils ne peuvent apparemment pas reloger une seule famille noire dont ils abattent la maison, ni consacrer un sou à des quartiers comme Vine City ou Buttermilk Bottom. Il faut faire mieux que cela. Beaucoup mieux.

– Je croyais qu'il y avait des logements sociaux, fis-je, bien que sachant que ce n'était sans doute pas à moi qu'il s'adressait.

– Il y a trois grands ensembles. Tous construits entre 1936

et 1941. Nous aurons une sacrée chance si nous passons l'été sans qu'on nous allume un feu sous les fesses.

Glenn nous conduisit à travers Mechanicsville et Pittsburgh, longea ensuite l'oasis du cimetière d'Oakland. Revenu en terrain familier et sanctifié, je poussai un involontaire soupir de soulagement puis nous empruntâmes DeKalb Street, en direction de l'est. Nous passâmes devant la petite enclave linéaire de Cabbagetown qui, bien qu'aussi désespérément pauvre que les autres quartiers, demeurait obstinément blanche, devant le dédale de bâtiments de la filature de coton qui semblait couver Cabbagetown, puis Glenn tourna et arrêta la Lincoln.

– Nous ferons le reste à pied, annonça Ben. Enroule ton écharpe autour de tes oreilles et bois un coup de cognac. Il faut marcher un moment dans le vent.

– Où sommes-nous ? demandai-je.

Je ne m'étais jamais aventuré au-delà de la partie de Cabbagetown qu'on découvrait de notre caveau de famille, juché sur une colline ombragée de myrte du cimetière d'Oakland. C'était pour moi la face cachée de la lune.

– Ça s'appelle Pumphouse Hill, répondit Ben. Dans le temps, pour avoir de l'eau, il n'y avait qu'une vieille pompe à main en haut de cette colline, là-bas. Si l'on voulait se laver, boire, éteindre un feu, on pompait.

– La plupart des gens d'ici le font encore, précisa Glenn. (Il était descendu silencieusement de la Lincoln et nous avait rejoints, le col d'un manteau de drap gris relevé sur ses oreilles.) La ville a fait installer l'eau courante dans les années 50 mais beaucoup de familles n'ont pas les moyens de l'avoir. Les deux tiers des bouches d'incendie du quartier n'ont probablement pas fonctionné depuis dix ans.

Ben fronça les sourcils.

– C'est du ressort de la municipalité, ça, pas des habitants, dit-il. Nous n'avons aucune excuse. Je vais tomber sur Dan Roberts à bras raccourcis quand nous serons de retour.

– Pour être juste, ce n'est pas entièrement sa faute, plaida Glenn. En été, dès le départ de l'équipe d'entretien, les gosses ouvrent les bouches en grand pour se rafraîchir sous le jet d'eau et il doit renvoyer une équipe pour les fermer. Il fait ce qu'il peut. Il n'a pas tellement de personnel.

– Je vais quand même lui tomber dessus, pour établir un précédent, reprit Ben. Ce serait stupide d'attendre le 2 janvier pour ça.

Nous remontâmes la première rue de Pumphouse Hill et nous n'étions pas passés devant trois maisons que je me demandai si j'arriverais à le supporter. Tout misérables que fussent les autres quartiers, ils semblaient princiers comparés à Pumphouse Hill. Je n'avais jamais rien vu de tel. Les maisons étaient beaucoup plus vieilles, beaucoup plus délabrées. Certaines n'avaient plus de toit. La rue non pavée était jonchée de saletés, de choses innommables. Pour la première fois de la journée, je me réjouis de la température glaciale : la puanteur eût été irrespirable si les excréments traînant dans les caniveaux et sous les fenêtres n'avaient été gelés. Près des portes, des détritus pourrissaient là où on les avait jetés. Je vis des chats et des chiens récemment morts, non pas écrasés par une voiture, mais gisant simplement par terre, raides et banals, comme s'ils avaient succombé au froid pendant la nuit. Je perdis l'équilibre, me rattrapai au bras de Ben Cameron, regardai ce qui m'avait fait trébucher : c'était la carcasse gelée d'un rat de la taille d'un petit fox-terrier. Je sentis mon cœur se soulever.

Pumphouse Hill ne comptait pas plus de six ou sept rues qui délimitaient tout au plus quatre pâtés de maisons, pas davantage. Mais la misère y était incommensurable. Elle emplissait le monde, me serrait le cœur et me réduisait au silence. Nous parcourûmes chacune de ses rues où seuls le bruit de nos pas écrasant l'argile gelée, le hurlement du vent et, de temps à autre, le jappement grêle d'un chien brisaient le terrible silence.

Je trouvai finalement la force de parler :

– Personne n'habite ici ?

Je n'avais pas vu âme qui vive depuis que nous étions descendus de la Lincoln.

– Oh ! si, répondit Glenn. Des tas de gens. Ils sont tous au lit.

– Au lit ? répétai-je stupidement.

Voulait-il dire qu'ils dormaient ? qu'ils étaient malades ? qu'ils faisaient l'amour ?

– Ouais, au lit. Tu sais ce que c'est qu'un lit ? C'est là où les gens du coin se fourrent pour avoir chaud quand ils ne peuvent pas payer la facture de gaz ou d'électricité et qu'ils ne trouvent pas de bois de chauffage.

Je devins à nouveau écarlate. Nous terminâmes en silence le tour de ce terrible quartier. Lorsque nous revînmes à la Lincoln et que nous nous glissâmes à l'intérieur, je tremblais de froid et d'émotion.

– Pourquoi m'avez-vous emmené ici ? demandai-je à Ben Cameron.

Il prépara un café arrosé, me le tendit, scruta longuement mon visage de ses yeux gris.

– J'ai pensé qu'il fallait que tu voies cet endroit d'abord, répondit-il enfin. Ta famille en est propriétaire.

Une vague de dégoût et de colère me jeta littéralement contre le dossier de mon siège.

– Je ne vous crois pas, répliquai-je, les lèvres crispées, les oreilles sifflantes. Mes parents... Ils ne savent pas... Ils n'auraient jamais...

– Ils savent, coupa Ben.

Je compris qu'il disait la vérité.

– Ton père sait, en tout cas, continua-t-il. Il est au courant depuis des années parce que cela fàit des années que je le harcèle pour qu'il nettoie ce trou à rats. Je suppose qu'Olivia ne sait pas. Je ne crois pas qu'elle permettrait une telle chose. Shep, je connais ton père depuis longtemps ; son soutien m'a permis de me présenter à la mairie et j'ai envers lui une dette dont tu ne connaîtras probablement jamais l'ampleur. Mais je jure que je l'aurais traîné en justice si ce n'avait été pour Miss Olivia. J'ai grandi en jouant avec elle, à Griffin ; nos familles étaient amies depuis des décennies. C'est pourquoi je ne suis pas intervenu sur cette question et j'ai persuadé... d'autres de ne pas le faire non plus. Maintenant, ton père est hors circuit, tu es là, les choses sont différentes. Ça ne peut plus attendre. Je t'ai laissé un peu de temps parce que tu ne connais pas bien les affaires de ton père, mais il ne nous reste plus une seconde à perdre maintenant. Glenn dit que le mécontentement grandit, ici. Avec la tourmente que prend le problème racial dans le Sud, il faut remédier à la situation, et vite. Cela pourrait exploser d'un moment à l'autre. Alors j'ai pensé que le moyen le plus rapide de mettre les choses en branle, c'était de te montrer Pumphouse Hill.

Je regardai Glenn Pickens en silence.

– Je ne savais vraiment pas, murmurai-je.

– Je ne pensais pas que tu savais, Shep, dit-il, le visage fermé. Mais maintenant, tu sais.

– Oui, fis-je.

Je ne prononçai pas un mot sur le chemin du retour et nous ne déjeunâmes ni en ville ni au club. La Lincoln n'était pas complètement immobilisée dans l'allée en demi-lune du 2500 Peachtree Road que j'en descendais pour me ruer dans la chambre de ma mère. Je pouvais m'entendre crier, braillement fou et distant, comme si, deux pâtés de maisons plus loin, un dément divaguait, au bord des larmes. Je dus crier longtemps car lorsque je m'arrêtai, j'avais la voix si rauque que je pouvais à peine murmurer.

Ma mère leva les yeux de la réussite qu'elle faisait sur son bureau. Elle ne parla pas et me regarda attentivement tandis que je hurlais, dans une flaque de soleil d'après-midi couleur miel.

– Ces maisons n'ont jamais appartenu à ton père, déclara-t-elle d'un ton calme quand j'eus terminé. Elles sont à moi, elles l'ont toujours été. C'est mon père qui me les a laissées, en disant qu'elles seraient pour moi une rente, que je n'aurais qu'à encaisser l'argent sans jamais leur consacrer un *cent* de mon capital, et c'est exactement ce que j'ai fait. Ton père y aurait englouti depuis longtemps la moitié de notre fortune, mais je me suis toujours rappelé les conseils de papa, et je n'ai jamais accepté de les céder à ton père, ni permis qu'il gaspille pour ce trou à rats l'argent qui te reviendra bientôt. Et ne me toise pas de cette façon, mon cher fils. Mes locataires ne se sont jamais plaints. Dieu sait où ils trouveraient des loyers moins chers dans cette ville !

En lui tournant le dos, je pensai à la façon dont elle avait vécu toute sa vie, à ce que la misère des déshérités invisibles et silencieux de Pumphouse Hill, blottis dans leur lit, lui avait offert. Je songeai à ce qu'elle m'avait offert à moi, à mon noble grand-père Redwine, au trust qu'il m'avait légué et à ce que cet argent avait financé. La honte me donna le vertige.

Sans me retourner, je lançai à ma mère :

– Tu me permettras de charger Tom et Marshall Haynes de commencer à assainir cet endroit dès demain et d'y construire des logements décents, sinon je partirai d'ici avant ce soir. Quoi que cela puisse coûter, et quel que soit le temps nécessaire. Sinon, je pars, et je jure devant Dieu que je ne remettrai jamais les pieds dans cette maison, et que je ne te reverrai jamais.

– Sheppie...

– Choisis, mère.

Pendant tout l'après-midi et une partie de la soirée, nous nous affrontâmes sauvagement telles des bêtes féroces puis elle finit par accepter. Je savais qu'elle céderait. Pour une fois, je me félicitai du pouvoir malsain que j'avais sur elle et dont elle m'avait elle-même investi : celui de l'homme souverain, seul capable de lui donner quelque valeur. J'en usai efficacement, avec une cruauté née de mon horreur pour elle et de mon mépris pour moi-même. Avant de nous retirer, elle dans sa chambre refaite, moi dans la gloriette, nous convînmes qu'elle me laisserait réhabiliter Pumphouse Hill du mieux que je pourrais. Je glissai dans le sommeil en pensant que je téléphonerais à Ben Cameron le lendemain matin pour le mettre au courant. Avec un peu de chance, Pumphouse Hill serait vivable cet été.

Mais ce ne fut pas un jour de chance, ni de miséricorde.

Aux petites heures du jour de l'aube, tandis que ma mère et moi dormions, épuisés, un incendie criminel ravagea Pumphouse Hill, et les pompiers, confrontés à une température glaciale, à un vent violent et à des bouches d'incendie hors d'usage, ne purent pas grand-chose. Une centaine de maisons brûlèrent entièrement ; onze personnes moururent, dont sept enfants.

La police présuma plus tard qu'une personne sachant que ma famille possédait ces maisons y avait mis le feu et avait aussitôt prévenu les journaux, car un reporter téléphona à ma mère presque avant que le premier camion de pompiers n'arrive sur le lieu du brasier, et à peine quelques minutes plus tard une cohorte de journalistes et de photographes se pressait devant le perron du 2500 Peachtree Road. Réveillé par un Shem Cater aux yeux effarés, encore engourdi de sommeil et finissant d'enfiler ma robe de chambre, je parcourus d'un pas chancelant l'allée menant à la maison, pénétrai dans le vestibule mais il était trop tard.

Ma mère, livide et hébétée de frayeur, était aux abois, le déshabillé de guingois, les cheveux emmêlés pendant sur ses épaules comme ceux d'une sorcière. J'arrivai juste à temps pour l'entendre glapir :

– Ce n'est pas à moi ! Je ne sais rien de cet endroit ! Je ne l'ai jamais vu ! Il... il est à mon fils ! Je le lui ai donné il y a des années ! C'est lui qui s'en est toujours occupé ! C'est à lui que vous devez vous adresser...

Ses propos et ma photographie, bouche bée, le regard sans expression, dans la magnifique entrée de la maison de Peachtree Road, furent en première page de tous les journaux de l'État le lendemain matin. Le titre du *Constitution* d'Atlanta annonçait : « Le feu détruit les maisons d'un marchand de sommeil de Buckhead. » Et le sous-titre précisait : « L'héritier d'une grosse fortune de Buckhead responsable de ces taudis de la mort. »

Je n'adressai plus la parole à ma mère de toute son existence.

Ben revint me voir plus tard ce soir-là, avec une bouteille

de Wild Turkey. J'étais dans la bibliothèque, où je me trouvais depuis le départ des photographes et des reporters. J'y avais passé la journée. Personne n'avait pénétré dans la pièce, pas même Shem Cater qui, sans que je lui en donne instruction, avait laissé aux heures des repas un plateau de nourriture sur la console proche de la porte, avait frappé doucement puis s'était retiré. Je n'avais pas touché aux plateaux. Je ne pensais pas avoir eu beaucoup de visites. Bien qu'on ne pût entendre de la bibliothèque la sonnette de la porte d'entrée, on y percevait, par quelque phénomène acoustique, les crissements de pneus dans l'allée, et ce bruit ne m'était parvenu que deux fois. Buckhead entoure les siens quand la mort ou l'affliction frappe, mais lorsque le scandale éclate, la communauté resserre ses rangs et laisse le fautif seul dans la plaine hurlante. En l'occurrence, je m'en réjouissais.

J'avais allumé le feu que Shem tenait toujours prêt dans la cheminée et entretenais son ronflement avec des bûches prises dans le coffre en cuivre. Mais je n'avais allumé aucune lumière, et lorsque Ben entra dans la pièce son ombre bondit et dansa à la lueur des flammes. N'ayant pas entendu de voiture, je me dis qu'il avait dû couper à travers le bois reliant l'arrière de Muscogee Avenue à Peachtree Road. Il portait un gros pull scandinave sous un vieux parka et des bottes de chasse. Cette lourde tenue d'extérieur le faisait paraître plus jeune, plus semblable au Ben Cameron que j'avais toujours connu. Je ne fus pas surpris de le voir. Je me rendis compte que, tel un enfant à bout de ressource, j'avais attendu qu'il vienne me dire ce que je devais faire maintenant. J'étais incapable de réfléchir depuis que ma mère s'était tue dans le vestibule.

Il s'assit sur le profond sofa, en face de mon fauteuil, déboucha la bouteille de bourbon et nous en versa chacun un plein verre. Nous bûmes en silence à la lueur du feu.

– Où est ta mère ? demanda-t-il enfin.

– Elle s'est enfermée dans sa chambre ce matin, répondis-je, la voix enrouée faute d'avoir servi. Je ne crois pas qu'elle ait vu quelqu'un à part Hub Dorsey et Tom Carmichael. Ils sont passés tous les deux. Martha lui porte à manger. Elle acceptera probablement de vous voir si vous montez.

D'un geste, il écarta cette suggestion.

– Tu es resté dans cette pièce toute la journée, reprit-il. Shem me l'a dit. Je suis passé à la gloriette mais tu n'y étais pas, alors je suis entré par la porte de derrière.

– C'est mieux ici, répondis-je, laconique.

J'étais si fatigué que j'avais peine à articuler. Fatigué et peu disposé à lui expliquer que je m'étais senti trop vulnérable dans la gloriette, trop exposé aux intrusions, aux regards indiscrets et aux appareils photo.

– Mieux vaut rester dans la maison un jour ou deux, pour plus de sûreté, approuva Ben. J'ai mis des gardes en faction devant et derrière pour éloigner la presse et les badauds. Avec un peu de chance – tu n'en as pas précisément eu beaucoup ces derniers temps –, le tumulte s'apaisera dans quelques jours. Pendant un moment, je passerai par le bois pour venir ici, pour la même raison. Je ne veux pas qu'on parle de collusion entre nous. D'ailleurs, c'est plutôt drôle de jouer au conspirateur.

– Collusion ? répétai-je d'une voix étouffée.

Je ne comprenais pas.

Ben posa son verre et se pencha en avant, les coudes sur les genoux, contempla un moment le feu crachant des flammèches bleues puis se mit à parler. Il causa longement, déclarant en substance que le Club et lui laisseraient ma mère me jeter aux loups. Tous me savaient irréprochable, ajouta-t-il ; tous étaient indignés par la trahison de ma mère. Je serais assisté des meilleurs avocats du Sud en cas de procès. En ce moment même, plusieurs de leurs hommes de loi étaient réunis dans la maison de Muscogee Avenue, qu'une ligne directe reliait à Mr. Woodruff. Ils pouvaient m'assurer avec quelque certitude qu'il y aurait probablement enquête, mais que l'affaire ne serait pas portée devant un jury de mise en accusation, que, bien entendu, aucune charge ne serait retenue et que la presse cesserait d'en parler.

Toutefois, personne n'interviendrait pour réfuter les accusations de ma mère.

Je savais qu'ils étaient en mesure de tenir leur promesse. Physiquement, je serais en sécurité.

– Sais-tu pourquoi nous te laissons servir de bouc émissaire, Shep ? demanda Ben.

– Pour sauver ma mère, je suppose, répondis-je d'une voix morne.

– Non. Pour nous sauver tous. Toi compris. Nous tous, ici, à Buckhead. Pour sauver Buckhead même et le mode de vie que chacun de nous connaît. Nous vivons des temps dangereux ; un faux pas d'un seul d'entre nous pourrait nous faire perdre ce mode de vie en un clin d'œil. Il a failli partir en fumée la nuit derrière. Il disparaîtra d'ailleurs bien assez tôt, mais si nous jouons correctement nos cartes, nous pourrons retarder ce jour jusqu'à ce que vous, la vague suivante, pour ainsi dire, soyez prêts à prendre les rênes, jusqu'à ce que nos familles soient à l'abri du besoin. Il ne faut pas que l'on sache que l'un de nous, ici, à Buckhead, et plus particulièrement l'*une* de nous, a toléré cette chose ignoble en connaissance de cause. Le problème racial est trop explosif. Il vaut mieux que ce soit toi, une sorte d'outsider, quelqu'un qui avait peut-être l'excuse de ne pas être sur place. Entretenir cette fiction, c'est la pire chose que je commettrai jamais, et probablement la pire chose que cette ville t'infligera jamais. Mais je le ferai. Je sauverai les miens. J'épargnerai à ma ville les conséquences de cette affaire.

Comme je ne disais rien, il tendit le bras, posa la main sur mes cheveux et les écarta doucement de mon front. Je sentis des sanglots au fond de ma gorge.

– Tu as été mon fils dans tous les sens du mot, hormis le sens biologique, continua-t-il. Je te voulais pour gendre, même si Charlie est un type épatant. Rien ne changera entre nous – pas de mon fait, en tout cas. Je ne te le reprocherais pas si le changement venait de toi. Toutefois, il y a quelque chose que je voudrais te rappeler et soumettre à ta réflexion. Ton heure n'est pas encore venue, Shep. Dans une vingtaine d'années, quand elle aura sonné, il y aura une équipe entièrement nouvelle au pouvoir dans cette ville, des gens qui n'auront jamais entendu parler de l'incendie et qui s'en moqueraient totalement s'ils étaient au courant. Tu ne perdras pas ta... ta place au soleil – pas à long terme. Nous te demandons d'y renoncer pour un temps. Je te le demande. Nous t'en serons éternellement reconnaissants ; *tous* les habitants de cette ville auront une dette envers toi, même si, malheureusement, ils ne le sauront jamais... Mais si tu penses que tu ne peux pas accepter notre idée, si tu te sens vraiment obligé de mêler ta mère à cette histoire... eh bien, je laisserai le champ libre aux tribunaux et à la presse.

Ben se tut. Au bout d'une minute ou deux, il se leva, sortit silencieusement de la pièce et referma la porte avec douceur derrière lui.

Assis dans la bibliothèque de mon père, parmi les ruines de mon existence, je comprenais son point de vue, et cela donnait la mesure de son pouvoir et de son habileté.

19

La police ne trouva jamais l'incendiaire de Pumphouse Hill. À vrai dire, je ne suis pas certain qu'elle l'ait cherché avec acharnement. Clem Coffee, premier exemplaire d'unc race entièrement nouvelle de flics formés à l'université et aussi déplacé dans les rangs des policiers traditionnels d'Atlanta qu'une ballerine dans une mêlée de rugby, était l'homme de Ben Cameron, et quoiqu'il demandât à ses inspecteurs une enquête dans les règles, il le fit discrètement, sans qu'il y ait pratiquement une seule fuite dans la presse. Appréhender le coupable, c'eût été ouvrir une énorme boîte d'asticots, un festin grouillant pour les journalistes, et j'imagine que Clcm fut aussi soulagé que Ben et le Club – ainsi que ma mère, je présume – quand l'unique piste – le coup de téléphone anonyme au journal à quatre heures du matin – ne déboucha sur rien.

Cette piste était bien mince. Le reporter qui avait pris la communication put seulement dire que son correspondant parlait sans doute à travers un mouchoir, d'une voix cultivée et précise, qu'il indiqua l'emplacement de l'incendie et suggéra que le journal prenne contact avec Sheppard Gibbs Bondurant, de Buckhead, pour de plus amples informations. Clem Coffee, qui vint à la maison avec Ben, croyait que quelqu'un sachant à qui appartenait Pumphouse Hill nous y avait vus, Glenn Pickens, Ben et moi, et avait pour ainsi dire saisi l'occasion de notre visite. Je me dis que cela réduisait considérablement le champ des recherches : combien d'habitants des quartiers sud-est savaient qui était propriétaire de leur purgatoire ? Combien s'en souciaient ?

– Leur nombre t'étonnerait, répondit Ben. Il y a là-bas un réseau d'informations qui ferait honte aux services secrets des États-Unis. Je ne serais pas surpris que tout le monde là-bas sache que les maisons n'étaient pas... à toi.

– Alors pourquoi personne n'intervient ? demandai-je.

– Ils se fichent pas mal de l'identité de celui qui trinque tant que c'est l'un de nous, Shep, répondit Coffee. De toute façon, on ne peut pas faire grand-chose à moins de trouver l'incendiaire, et vous pouvez être sûr que personne là-bas ne mouchardera un frère de couleur.

– Même pas pour un meurtre ? Parce que c'en est un.

– Surtout pas pour un meurtre. Il vaut mieux que vous portiez le chapeau, que vous le méritiez ou non. Celui qui a monté ce coup était sûr qu'il n'y aurait pas de représailles contre vous ou votre famille, ou contre qui que ce soit des quartiers sud-est. Du moins, c'est ma théorie. Ce n'est pas celle que j'expose publiquement, cela va sans dire. En outre, ça a marché, non ? Pumphouse Hill est en voie de réhabilitation.

Il l'était, en effet, avec une lenteur exaspérante. Ma mère m'avait informé par l'intermédiaire de Tom Carmichael de sa volonté tardive de consacrer une partie de l'argent familial à la reconstruction du quartier, et j'avais chargé Tom d'engager un entrepreneur pour commencer les travaux.

Bien que cela ne me fût d'aucun réconfort, je constatai que le monde continuait naturellement à tourner. Ben prit ses fonctions le 2 janvier, svelte monarque couronné d'acier sur le perron de l'hôtel de ville, entouré de Dorothy, Sarah, Charlie, Ben, et Julia tenant dans ses bras Ben Cameron IV. Quelque chose d'indéfinissable, l'impression de rouages mis en mouvement, d'un puissant moteur interne démarrant doucement, imprégnait l'air cristallin de 1962. Ben leva aussitôt toutes les restrictions concernant le service des policiers noirs. Ce fut sa première décision de maire, acte prophétique pour toute la durée de son mandat. On annonça la construction d'un nouvel auditorium municipal de cinquante millions de dollars et d'un grand ensemble résidentiel pour Noirs à Thomasville. A Washington, John Kennedy était à l'apogée de sa trajectoire et Jacqueline Kennedy avait tout simplement conquis le monde. Fin février, le colonel John Glenn chevaucha autour de la terre une ridicule petite comète pétant des flammes. Et dans la maison de Peachtree Road, ma mère sortit de l'exil qu'elle s'était elle-même imposé et reprit presque sans remous la tapisserie de soie de sa vie.

Je ne sais vraiment pas comment elle alla durant le mois passé dans sa tour, et j'ignore encore pourquoi elle s'y cloîtra. Si c'était pour éviter la condamnation et les conséquences de son acte, elle avait dû se rendre compte au bout d'une semaine qu'elle serait épargnée. Si c'était pour m'éviter, il avait dû lui apparaître presque aussi rapidement qu'elle n'avait pas de souci à se faire. Lorsque je m'étais retiré dans la gloriette, le surlendemain de l'incendie, c'était pour de bon en ce qui la concernait. Je doute fort qu'elle éprouvât jamais de la honte ou du remords au sujet de Pumphouse Hill, bien qu'elle souffrît indéniablement et sincèrement de mon refus de la voir. Pendant la première semaine qui suivit l'événement, elle m'expédia presque chaque heure par Shem ou Martha des messages me pressant de venir lui parler et, devant leur manque d'effet, envoya Tom Carmichael me voir. Je ne lui ouvris pas non plus. Finalement, Hub Dorsey frappa un soir à ma porte jusqu'à ce que je le laisse entrer, puis me conjura de mettre fin à cette folie et d'aller voir ma mère.

– Elle est dans un état terrible, Shep, plaida-t-il. Elle ne dort plus et je crois qu'elle n'a rien mangé depuis une semaine. Elle a dû perdre cinq kilos. Elle pleure tout le temps. Écoutez, je suis au courant de tout. Ben m'a parlé. C'est un lourd fardeau pour vous, nous le savons tous, même si nous ne pouvons pas en souffler mot. Mais je ne réponds pas de l'état de santé de votre mère si vous ne la laissez pas arranger les choses avec vous, ou tout au moins vous parler. Elle est assez punie de devoir vivre avec le souvenir de ce qu'elle a fait. Si elle vous perd après ce qui est arrivé à votre père, je ne crois pas qu'elle s'en remettra. Cette histoire la tue.

– Certainement pas, répliquai-je.

Et Hub partit bientôt en hochant la tête.

Après son intervention, ma mère en personne vint pleurer à ma porte pendant deux ou trois jours, m'appelant, me faisant toutes sortes de promesses que je parvenais à noyer sous la musique de Beethoven ou de Brubeck. Elle m'envoya des rames entières de messages sur les plateaux que Shem m'apportait de la cuisine mais je les brûlai dans la cheminée de séjour de la gloriette et en éparpillai les cendres. Je me félicitais qu'elle ne se fût jamais décidée à y faire installer le téléphone. Une fois, elle tenta de me faire parvenir une lettre par Ben Cameron, le seul visiteur que j'admettais à cette époque, mais il me raconta qu'il lui avait conseillé de me laisser tranquille. Apparemment, elle l'écouta. Ses visites et ses supplications cessèrent ; elle se ressaisit, s'habilla, se fit coiffer et faire les ongles, et se remit sur l'orbite mondaine hivernale qui constituait sa vie quotidienne, plus pâle, plus mince et plus belle que jamais, et probablement très admirée pour le courage qu'elle montrait devant la honte que son fils avait attirée sur la maison Bondurant. Excepté Ben et le Club, je ne crois pas que beaucoup de membres du Vieux Buckhead aient su la vérité.

Je ne tardai pas à connaître son emploi du temps et à façonner ma vie en conséquence. Lorsqu'elle était sortie, j'allais dans la maison et rapportais les livres, les documents, les meubles, tableaux et bibelots que je désirais de la bibliothèque de mon père. Shem m'avait dit que ma mère ne mettait jamais les pieds dans cette pièce et qu'il ne l'avait pas vue dans la cuisine depuis Noël. C'est par lui que j'appris que tante Willa s'était finalement installée dans les mansardes refaites et que ma mère ramènerait mon père à la maison la deuxième semaine de février, avec une équipe d'infirmières pour s'occuper de lui vingt-quatre heures sur vingt-quatre.

Shem m'apportait à manger, m'aidait à déplacer des meubles et proposait parfois de me conduire quelque part. Martha préparait mes repas, s'occupait de mon linge, faisait le ménage, grognait et grommelait comme elle l'avait toujours fait. Je réalisai plus d'une fois combien nous leur étions redevables pour leur constance, et combien peu nous la méritions.

Un jour que Shem Cater avait emmené ma mère en ville avec la Rolls, je me glissai dans la pièce où gisait mon père, cet incroyable sérail créé pour lui par le triomphant Mr. Ronnie, et m'assis dans un fauteuil à son chevet. Il me regarda de son œil courroucé de vieil aigle ; sa bouche tordue remua à plusieurs reprises et un son rappelant un essaim furieux en sortit ; les doigts d'une main griffèrent la couverture mais il ne put en faire ou en dire davantage. Il était si miné, si blême et déjeté que je ne retrouvais littéralement rien, sauf l'œil bleu-blanc rageur, du redoutable Wisigoth blond qui avait dominé mon enfance, et je ne fis aucune difficulté lorsque l'infirmière me pria de partir. Des mois s'écoulèrent avant que je ne retourne dans cette chambre.

Je ne pouvais plus désormais quitter Atlanta pour le Vermont, New York ou quelque autre endroit. J'étais libre de le faire, naturellement, mais c'était impensable. Je suppose qu'une sorte d'orgueil obscur et sauvage me retenait captif dans une petite bâtisse, derrière la grande maison qui était mienne, me cachant de la femme qui m'avait trahi.

J'ai dit que Buckhead avait resserré les rangs et m'avait laissé seul dans la plaine mais ce n'était pas entièrement vrai. Dès le début, Lucy me rendit visite, presque chaque soir dans un premier temps, et toujours avec Jack dans son sillage parce que la Volkswagen avait fini par mourir à la tâche et qu'ils n'avaient plus que le petit break Ford, seule chose qu'il avait gardée de son premier mariage. La première fois qu'elle vint, après avoir essayé de me joindre au téléphone pendant une semaine, elle me déclara :

– Je me moque de ce que disent les journaux et de ce que tu ne dis pas. Je sais que tu n'as rien à voir avec ces horribles taudis ni avec l'incendie. Quelqu'un t'a pris comme bouc émissaire. Je n'en suis pas certaine mais je pense que c'est tante Olivia. Ça me rend furibarde que tu ne m'en parles pas, mais si tu ne dis rien, si tu veux rester enfermé ici un million d'années, d'accord. Tu ne peux pas m'empêcher de venir, tu ne peux pas me mettre à la porte et je n'abandonnerai pas. Bon. Je ne parlerai plus de cette affaire avant que tu ne le fasses toi-même. Je voulais juste que tu saches que je t'aime et que tu ne peux pas me berner.

– Je le sais, répondis-je. Mois aussi je t'aime. Raconte-moi ce qu'il se passe à Damascus House.

Elle se lança dans un compte rendu des *sit-in*, marches, rencontres avec Martin Luther King, tandis que Jack Venable, les jambes étendues devant le feu, buvait du scotch et grignotait des cacahuètes en lui souriant de tout son grand cœur.

Sarah et Charlie vinrent aussi et parlèrent de tout sauf de la seule chose à laquelle chacun de nous pensait : les enfants morts brûlés dans la nuit glaciale de Pumphouse Hill. Je ne crois pas que je me serais senti aussi mal à l'aise s'ils étaient venus séparément, mais ensemble, Sarah et Charlie Gentry avaient un vernis récemment acquis, conventionnel et de bon ton, qu'ils n'avaient jamais eu chacun de leur côté. C'était comme si la seule carte dont ils disposaient pour leur mariage était celle, compliquée et banale, qui circulait depuis un demi-siècle dans Buckhead.

Finalement, Sarah me dit en fronçant ses sourcils sombres :

– Écoute, Shep, il y a quelque chose qui me paraît bizarre et je veux qu'on en parle.

Je vis Charlie me faire brièvement « non » de la tête derrière elle. Je sus alors – si je l'avais ignoré auparavant – que Charlie connaissait la vérité mais que Ben, le Club et lui avaient estimé que leurs femmes – et cela incluait même Sarah – ne devaient pas êtres mises au courant. Bien sûr. On invoquait la vieille règle de conduite face à une situation gênante et infamante : protégeons nos femmes frêles et impressionnables, même au prix du mensonge. Pour moi, le prix était bien plus élevé : c'était le déshonneur.

– Tout te paraît bizarre, probablement, répondis-je. C'est ça, la grossesse. Tu es rayonnante, Sarah. Comment te sens-tu ? Tu n'avais pas l'air très en forme, pendant un moment.

Elle me fixa de ses yeux noisette frangés de noir puis soupira :

– Bon, d'accord, jouons à ce jeu stupide que toi, papa et Charlie avez inventé. Mais tu ne soupçonnes pas à quel point c'est puéril. Oui, je me sens merveilleusement bien, merci. Plus de nausée matinale, plus rien. Mais « rayonnante » n'est pas le mot. Je ressemble plutôt à l'illustration d'une histoire de fille mère dans quelque fichu magazine féminin.

J'éclatai de rire et Charlie aussi – plus de soulagement que le secret n'eût pas été violé qu'à cause de la justesse de l'autoportrait de Sarah. Elle avait raison, cependant. Avec son visage bien propre, ses grands yeux clairs, ses joues rouges et le léger renflement de son ventre sous son pull à col roulé, elle avait l'air d'une fille abandonnée se rendant à un foyer pour jeunes fugueuses. Grâce à ses muscles de sportive, le reste de son corps mince avait gardé sa fermeté, et elle paraissait aussi jeune qu'en ce jour lointain, au bord de la Chattahoochee, où je l'avais pour la première fois vue comme une femme. Il me parut tout à coup incroyable que tant de souffrance et de temps aient coulé depuis entre nous.

Une semaine plus tard, par une tiède soirée de février, Sarah revint à la gloriette, seule cette fois.

– Il y a quelque chose qui ne va pas, je veux que tu me dises quoi, attaqua-t-elle sans préambule en s'asseyant à côté de moi sur le sofa.

– Il n'y a rien qui ne va pas au sens où tu l'entends, répondis-je, sachant qu'elle se doutait que je mentais. Il y a des tas de choses qui ne vont pas, mais ça, tu le sais. Il me faudra longtemps pour oublier cet incendie.

Elle se renversa en arrière, fourra les mains dans les poches de sa robe de grossesse.

– Cette stupide loi du silence, ou je ne sais quoi, m'exaspère, reprit-elle. Elle nous fait tous injure, et à moi plus particulièrement. Pour l'amour du ciel, Shep, c'est *moi*. Se peut-il que tu aies si peu d'estime pour moi que tu ne veuilles pas me confier la vérité ? Tu ne sais donc pas que je n'en parlerais à personne si tu me le demandais ? Cette chose entre nous, c'est... un mur. Un mur que nous ne pouvons ni escalader ni contourner.

– Je t'en prie, ne m'interroge pas, Sarah, fis-je d'une voix basse et tendue.

– Pas besoin de t'interroger. Je sais. Ce n'était pas toi, n'est-ce pas ? Ce n'était pas toi et tout le monde te laisse porter la responsabilité de cette affaire. Oh ! Shep, je les hais, et je te déteste presque parce que tu les as laissés faire...

– Sarah ! m'écriai-je, fermant les yeux de souffrance et de désespoir.

– Bon, murmura-t-elle. D'accord, excuse-moi. Je ne t'infligerai plus jamais ça. Tu m'offres du café, ou du thé ? J'ai terriblement envie d'un bourbon à l'eau mais c'est exclu jusqu'à la naissance du bébé.

Je fis chauffer de l'eau, mis un sachet de thé dans une tasse en porcelaine et la posai sur la table à côté d'elle.

– Merci, dit-elle, mais elle ne toucha pas à son thé.

Les bras autour des genoux, elle contemplait les cendres du feu de la semaine dernière que je n'avais pas encore enlevées de la cheminée. Je m'entendis prononcer ces paroles venues de nulle part : « Sarah, es-tu heureuse ? » et voulus aussitôt m'arracher la langue. Nous avions tellement veillé, l'un et l'autre, à diriger la conversation loin de ces rapides lorsque nous nous rencontrions.

Elle me regarda sans surprise.

– Oui, répondit-elle. Oui, je suis heureuse. Pas au sens où tu l'entends, je crois, mais d'une autre façon, je suis vraiment heureuse. Comment ne pas l'être ? Charlie est sans doute le meilleur homme que je connaisse. Il est merveilleux avec moi. Et le bébé me donne plus de bonheur que je ne l'avais rêvé. Je ne savais pas que j'éprouverais une telle joie à avoir un bébé. J'en aurai probablement sept mille.

Elle se tut un moment puis reprit :

– Bien sûr, je ne serai jamais heureuse comme nous aurions pu l'être ensemble. J'ai épousé Charlie par dépit, c'est vrai, et il le sait. Mais notre mariage est une totale surprise pour moi et je ne mérite pas tout ce que je reçois en échange. Tu n'as pas à t'en faire pour moi.

– Alors je ne m'en ferai pas, dis-je, des picotements dans les yeux. Tu t'es remise à peindre ?

Elle éclata de rire, avec une certaine gêne me sembla-t-il.

– Où diable pourrais-je peindre dans notre maison de poupée ? Et puis le Dr Farmer ne veut pas que je tripote ces produits pleins de plomb avant la naissance du bébé. J'aurai tout le temps de peindre après.

– Ne t'arrête pas trop longtemps. Tu as trop de talent. C'est une partie trop importante de toi.

– C'était une partie de quelque chose d'autre, fit-elle, comme si elle se parlait à elle-même. Cela n'a plus rien à voir avec ce qui se passe maintenant, d'une certaine façon.

Je gardai le silence, elle aussi. Elle but son thé en me regardant de côté et je pris conscience qu'avait surgi entre nous une tension si forte, si inconfortable qu'elle en était presque palpable. Nous étions à court de choses anodines à nous dire et aucun de nous n'osait s'aventurer dans l'autre territoire.

Finalement, elle se leva ; je la raccompagnai et elle m'embrassa sur la joue avant de me demander :

– C'est aussi dur pour toi que pour moi ?

J'acquiesçai.

– Je m'en doutais, dit-elle avec sourire radieux capable d'illuminer le monde. Je... je ne crois pas que je reviendrai, Shep. Peut-être de temps en temps avec Charlie, mais pas souvent. Tu sais pourquoi. Et nous savons tous deux que nous... que je t'aime. J'accourrai immédiatement si tu as besoin de moi, mais nous ne pouvons pas être... juste des amis.

– Non, murmurai-je.

C'était vrai. Sarah et moi pouvions être des camarades en excellents termes, et nous avions été, au moins une fois, de glorieux amants, mais la simple amitié nous était à jamais inaccessible.

Un jour de mars que le vent mugissait et que le soleil brillait haut dans le premier des grands cieux de printemps, un employé de la compagnie Southern Bell arriva avec sa camionnette pour installer le téléphone dans la gloriette. Lorsque je lui demandai qui l'en avait chargé, il pointa le pouce par-dessus son épaule en disant :

– La dame de la grande maison, là-bas.

– Eh bien, vous pouvez informer la dame de la grande maison là-bas que je ne veux pas de téléphone, merci quand même. Attendez, je vais vous donner quelque chose pour votre peine.

– Z'êtes Mr. Bondurant ?

– Oui.

– La dame a dit de vous dire de pas faire l'andouille, qu'elle en a assez d'attendre que vous veniez et qu'elle pourrait se décider à venir elle-même. Elle a demandé que vous l'appeliez dès que l'installation sera faite. Vous saurez qui c'est, elle a dit.

Je le savais effectivement : le mot « andouille » m'avait mis sur la voie. Ce n'était pas le style de ma mère.

Lorsque le téléphone fut installé, je fis le numéro des Cameron et Dorothy décrocha à la seconde sonnerie.

– Ah ! s'exclama-t-elle, le cadavre qui parle comme un homme. Tu peux marcher, aussi, ou il n'y a que la voix qui fonctionne ?

– Dorothy, vous devriez me connaître suffisamment pour savoir que je ne veux pas de ce fichu truc, dis-je. Même si j'apprécie votre geste. Ma mère va me téléphoner quinze fois par jour.

– Pas si tu ne lui dis pas que tu as le téléphone. J'ai

demandé à la compagnie de m'envoyer les factures. Ce n'est pas de la charité : je compte bien que tu me rembourseras. Écoute, Shep, je désire te voir. Cette stupidité a assez duré. Je viendrais bien moi-même mais je suis sûre que quelqu'un me verrait – je n'ai pas l'intention de ramper dans les broussailles un couteau entre les dents, comme Ben. Olivia apprendrait que je me glisse chez elle pour te voir, alors que je ne lui parle même pas, et ce serait vraiment jeter de l'huile sur le feu. Je veux pouvoir bavarder avec toi quand j'en ai envie, et pour commencer je veux que tu viennes ici.

– Chez vous ? Maintenant ?

– Maintenant serait parfait, mais je ne puis sans doute pas en attendre autant du seul authentique ermite de Buckhead, n'est-ce pas ? Non, viens ce soir, si tu ne veux voir personne, et passe par la véranda. Ben sera en ville, pour une réunion.

– Je ne sais pas trop, Dorothy... commençai-je, soudain pris de panique à l'idée de quitter la gloriette.

– Viens ici avant d'être incapable de quitter ta jolie petite prison, coupa-t-elle sèchement.

Je sortis à la tombée de la nuit avec l'intention de passer par le bois, mais j'eus soudain l'impression que l'air y était étouffant et fétide. Mû par une impulsion, je me tournai vers la grande maison et me mis à courir, descendis l'allée jusqu'au trottoir puis remontai Peachtree Road à grandes enjambées en direction de Muscogee Avenue. Je portais des chaussures de tennis, un vieux survêtement du lycée, et le bitume était merveilleusement agréable sous mes pieds, presque élastique. Il n'y avait personne sur le trottoir et je courais dans une obscurité douce et fraîche entre les flaques jaunes des réverbères. Mon cœur peinait dans ma poitrine, un point s'alluma sous mes côtes, comme une flamme, mais le vent me poussait, et lorsque, après avoir tourné le coin de la rue, j'entamai la longue descente de la première colline obscure, j'eus l'impression d'être nu comme un nouveau-né et de flotter dans l'air et dans l'espace. C'était un sentiment extraordinaire. Lorsque je parvins à la porte de la véranda des Cameron, j'étais trempé, je soufflais tel un phoque, mais je me sentais léger comme un roseau évidé.

Dans mon accès d'euphorie, je serrai Dorothy dans mes bras, soudain conscient qu'elle m'avait terriblement manqué. Dans sa longue robe de chambre de velours, elle ressemblait tellement à Sarah que j'éclatai de rire. Seuls les fils d'argent de ses boucles brunes et les fines rides en éventail au coin de ses yeux trahissaient son âge. Son menton volontaire, ses pommettes étaient aussi lisses et ciselés que ceux de sa fille, son pas aussi léger. Elle rit elle aussi, me serra contre elle, en levant un peu le nez.

– Pour parler comme Leroy, tu sens le fatigué, dit-elle. Toi avoir travaillé ?

– Non. Moi avoir couru.

Elle me servit un bourbon sans me demander si j'en désirais un, en versa un autre pour elle et nous nous assîmes dans la véranda qui m'était presque aussi familière que celle du 2500 Peachtree Road. Sur diverses étagères reposaient les lares et les pénates de cette grande demeure : médailles et distinctions honorifiques de Ben, trophées de son fils, coupes de natation et de plongeon de Sarah, ainsi que plusieurs de ses extraordinaires tableaux incandescents. En les regardant, j'éprouvai un serrement de cœur, comme si je me trouvais devant les vêtements laissés par une morte. Les trophées du jeune Ben me troublaient aussi, bien que la raison de cette réaction m'échappât. Pendant le reste de la soirée, je gardai les yeux fixés sur Dorothy.

Elle ne parla ni de l'incendie ni de ses conséquences, si ce n'est pour dire :

– Il était grand temps que tu sortes de la gloriette.

Lorsque je lui demandai si vraiment elle n'avait pas adressé la parole à ma mère depuis, elle répondit :

– Non, et je ne le ferai probablement pas. Que je l'absolve ou non, c'est sans importance, mais en tout cas je ne lui pardonnerai jamais.

Je sus ainsi que, à la différence de sa fille, elle était au courant du rôle de ma mère dans l'affaire et participait, comme les membres masculins du Club, à la conspiration du silence. Sans doute de mauvaise grâce. Je savais que Ben lui avait toujours tout dit, qu'il ne lui avait pas caché cette histoire, mais je savais aussi qu'il lui avait certainement fait promettre le silence et qu'elle tiendrait parole, même s'il lui en coûtait beaucoup.

Nous parlâmes donc des menus événements de Buckhead, du mandat de Ben à la tête d'une ville en plein changement, du jeune président aux cheveux roux dont les mains empoignaient aussi bien le ciel que la terre, du Mouvement pour les Droits Civiques en pleine expansion, et de l'engagement croissant de Lucy dans cette lutte. Nous parlâmes de jardinage et de musique, de la portée de chatons dans le garage, des arbres reverdis et du barrage que les castors avaient récemment construit dans le petit lac profond et froid de Tate, d'art, de théâtre et de voyages. Elle m'apprit d'un air triste qu'elle et Ben avaient dû renoncer au voyage en Europe, en mai, avec plus de cent membres de l'Atlanta Art Association, parce que Ben estimait qu'un maire nouvellement élu ne pouvait passer un mois loin de sa ville pendant la première année de son mandat.

– Je comprends son point de vue, ajouta-t-elle. Cela ferait très mauvais effet. Mais comme je regrette ce voyage ! Quasiment tous ceux qui y participent sont de vieux amis. C'eût été comme une réception d'une durée d'un mois. Je voulais faire cadeau de nos places à Sarah et Charlie mais elle doit accoucher début juin, et ils ne seraient pas rentrés à cette date. Tu n'aimerais pas y aller avec quelqu'un ?

– Jamais de la vie. Ma mère en sera, et je ne crois pas l'Europe assez grande pour nous deux.

Dorothy me pressa la main.

– Si tu es capable de plaisanter, ça ira, dit-elle.

– Mais ça va déjà, répondis-je. Vous pensiez que non ?

– Je n'en savais rien. C'est sans doute la chose la plus affreuse qui t'arrivera jamais.

– Alors, c'est une bonne chose que d'en être débarrassé tout de suite. A partir de maintenant, tout sera rose.

Au moment où je m'apprêtais à partir, Dorothy Cameron fit une chose merveilleuse pour moi : elle me mena dans leur bibliothèque, me montra cinq grosses caisses en bois posées sur le carrelage ancien en disant qu'elles renfermaient les journaux intimes que son père, son grand-père et son arrière-grand-père avaient tenus depuis leur enfance. Trois vies de patriciens, décrites en détail, couvrant plus de deux cents ans, d'un manoir du Dorsetshire à la terre rouge et chaude de Virginie, aux Carolines et, enfin, à Atlanta. Les Chase de Merrivale House, revivant dans une splendide calligraphie arachnéenne sur le vélin jauni d'un grand nombre de volumes.

– C'est une idée que j'ai eue, poursuivit-elle tandis que je fixais les caisses sans comprendre. Je sais combien tu aimes la recherche pure et quel écrivain talentueux tu es. Je sais aussi que, pour préserver ton âme et ta santé mentale, tu as besoin d'un vrai travail, qui ait de la valeur. Alors je t'offre ma famille, au lieu de me débarrasser de ces journaux en les donnant à une société d'histoire où personne ne les lira jamais ou ne comprendra ce qu'ils contiennent. Ce n'est pas de la vanité, Shep. Il me semble que ma famille est typiquement géorgienne, avec son histoire qui commence en Angleterre, passe par la Virginie et les Carolines pour finir en Géorgie, ici. Ce sont des Géorgiens accomplis, en quelque sorte. Nous ne sommes pas venus avec les émigrés sortant de la prison pour dettes et s'établissant à Savannah, avec Oglethorpe. Ils ont fait l'objet de nombreux livres. Nous étions l'une des quelques familles bien nées et relativement instruites qui partirent pour les colonies, et je n'ai pas souvenir d'avoir lu quoi que ce soit de fouillé sur ce genre de colons. Tu as là un immense travail d'histoire et de sociologie, entièrement circonscrit par les liens du sang, et écrit avec les mots de ceux-là mêmes qui les vécurent. Je pense que tu devrais te charger de cette tâche. Tu ferais un livre merveilleux. Au total, cela te prendrait une vingtaine d'années mais je crois que ce n'est pas le temps qui te manque. Voudrais-tu essayer ? J'aime mieux que tu consacres ta vie à cela plutôt que de sombrer dans l'alcool ou la pédérastie.

Les Géorgiens accomplis naquirent ce soir-là. Dorothy avait raison : je me pris de passion pour ces hommes talentueux, excentriques, qui se bousculaient en criant pour sortir de ces pages qui s'effritaient, et leur libération préserva effectivement mon âme et ma santé mentale pendant de longues années. Ce soir-là, Dorothy m'offrit un quart de siècle de mon existence, et lorsque je rentrai chez moi, ce fut dans la Lincoln de Ben conduite par Leroy, les cinq caisses dans le coffre et sur la banquette arrière.

Je les vidai le soir même. Le lendemain matin, avant même de faire venir un menuisier afin de prendre les mesures des rayonnages nécessaires pour accueillir leur contenu, je m'assis par terre dans une flaque de soleil printanier et me mis au travail.

Presque aucun de ceux ayant fait partie de ma vie antérieure de Buckhead Boy ne vint me voir ce printemps-là. Je pense que ce fut moins la condamnation que la gêne, une sorte de réticence tribale dont j'avais moi-même donné l'exemple en me terrant dans la gloriette, qui tint les Buckhead Boys loin de moi. A.J. vint, bien sûr. Charlie passa de temps en temps, ainsi que Ben, et je m'entretins régulièrement avec Dorothy, mais Sarah ne revint pas et, vers le milieu du printemps, Lucy elle-même interrompit ses visites presque quotidiennes à la gloriette avec Jack. Elle me téléphona un soir, des sanglots dans la voix, pour m'annoncer que Jack rechignait à venir me voir, qu'ils s'étaient disputés à ce sujet, qu'il avait finalement décidé de ne plus se rendre à la gloriette et lui avait interdit d'y aller seule les rares fois où il lui laissait la Ford.

– Ce n'est pas à cause de toi, Gibby, précisa-t-elle entre deux bouffées de cigarette. (Elle buvait aussi : j'entendais un tintement de glaçons dans un verre.) Il t'aime vraiment beaucoup. C'est à cause de moi. Il dit que je suis un mauvais exemple pour les enfants, que je les néglige, que je passe tout mon temps libre avec toi. Il dit que dorénavant nous rentrerons directement à la maison après le travail et que nous ferons des choses avec les enfants, comme une famille normale. C'est de la foutaise, évidemment. Nous n'avons jamais été une famille normale. Ces gosses ne sont pas normaux. Ils ne m'ont jamais aimée, ils détestent chaque minute que je passe avec eux. Ces soirées autour de la cheminée en famille sont une épreuve autant pour eux que pour moi. Mais Jack en raffole. Il sait pourtant que je n'étais pas comme ça quand il m'a épousée. Il savait qui j'étais, il savait quelles étaient mes priorités. C'est un renversement complet. Je suis incapable d'être ce genre de petite femme stupide.

Toute sa sainteté semblait avoir disparu, et j'en ressentis un vague soulagement.

– Les enfants changeront peut-être quand ils seront un peu plus habitués à toi, arguai-je. Passer tes soirées avec eux pendant un moment ne peut pas être si terrible.

– Avec ces deux-là, c'est épouvantable, répliqua Lucy. A moins de préparer une thèse sur le curage de nez. Ils ne m'accepteront jamais, Gibby. Dans leur petite tête, je suis maintenant celle qui a chassé leur sainte mère. Et pour aggraver les choses, Jack veut que nous ayons un bébé. Il a jeté mon diaphragme. Tu imagines la catastrophe : moi, enceinte jusqu'aux yeux, participant à une manifestation, conduisant un autobus, ou persuadant les gens de s'inscrire sur les listes électorales ?

– Tu ne veux pas d'enfants ? Je ne sais pas pourquoi, je pensais qu'il allait de soi que tu en aurais.

– Toutes les femmes ne sont pas aussi maternelles que ta chère Sarah, lança-t-elle d'un ton acerbe. Oh ! excuse-moi, ajouta-t-elle aussitôt. C'est l'alcool qui parle. Je suis jalouse parce que je me doute qu'elle fera une mère mille fois meilleure que moi. Et puis, pour être franche, cela ne me plaît pas du tout que tu passes tout ton temps perché dans l'arbre généalogique de Sarah.

– Pourquoi ? fis-je, sincèrement surpris.

Auparavant, elle avait prétendu être tout à fait ravie que

j'aie trouvé un travail important et captivant. Elle se sentait beaucoup mieux, avait-elle dit, en sachant que je ne dépérissais pas dans la solitude et l'isolement.

– Je ne sais pas, répondit-elle. C'est illogique, et totalement indigne, je suppose... J'ai l'impression que c'est un lien de plus qui t'unit à Sarah Cameron – un lien qui durera quasiment toute ta vie.

– Sarah est sortie de ma vie, Luce. Tu le sais comme tout le monde.

– Non, je ne le sais pas, fit-elle à voix basse.

Mais elle abandonna le sujet, et, à dater de ce jour, chaque soir, son « Salut, Gibby » dit d'une voix de gorge, suivi d'un silence, d'une longue bouffée de cigarette, préluda mon injection quotidienne de vie hors les murs de la gloriette. J'en vins à l'attendre et à en éprouver cruellement le manque les rares fois où j'en fus privé. Au cours de ces premiers longs mois d'isolement, Lucy fut ma fenêtre sur le monde.

Au début du mois de mai, ma mère partit avec une centaine de membres de l'Atlanta Art Association pour faire pendant un mois le tour des galeries et des musées d'Europe, et je me sentis libre d'errer en fin d'après-midi dans la grande maison. Parfois je rendais visite aux Cater, dans la cuisine ; parfois je montais au premier étage et passais quelques minutes silencieuses auprès de mon père, toujours muet et prisonnier de sa chair déjetée ; parfois je m'asseyais simplement dans la véranda, où le coussin du gros fauteuil qui avait été celui de mon père retrouvait peu à peu sa forme à présent que la lourde carcasse paternelle ne l'écrasait plus quotidiennement, et son creux convenait maintenant à mon corps plus mince et plus léger. C'était le seul endroit de la maison de ma mère sur lequel j'estimais avoir quelque droit territorial. Je ne pensais plus au 2500 comme à la maison de mon père : même à un océan de distance, ma mère la dominait désormais.

Le matin du premier dimanche de juin, je balançais entre la grasse matinée dans la chambre obscure et fraîche de la gloriette et un petit déjeuner dans la véranda de la grande maison, avec un pot de café et les journaux du dimanche, lorsque j'entendis la porte s'ouvrir et une voix appeler doucement :

– Shep ?

Même les yeux clos, même à demi endormi, je reconnus la voix de Sarah et n'en fus pas surpris. Dans ce monde à demi éclairé où l'on peut expliquer toutes les ambiguïtés, justifier toutes les anomalies, je n'éprouvai qu'un profond contentement à entendre la voix de Sarah me tirer du sommeil, et je souris avant même d'ouvrir les yeux. Je les tins clos un moment, sachant que ce contentement disparaîtrait lorsque la lumière du jour les inonderait.

Je la sentis s'asseoir au bord de mon lit, tendis le bras vers elle, les yeux toujours clos, lorsqu'elle répéta « Shep ». Cette fois, quelque chose dans sa voix fit se lever mes paupières comme si un fil leur avait été attaché. Je me redressai, clignai des yeux dans le jour d'un blanc violent pénétrant par la porte que Sarah venait de franchir, et la regardai.

Je crus d'abord qu'elle était venue m'annoncer quelque terrible chose survenue à Charlie, ou à son futur bébé, car elle avait le visage si gonflé, si tordu d'avoir pleuré que je la reconnus à peine. De nouvelles larmes coulèrent de ses yeux rougis, tombèrent de son menton sur sa robe de grossesse, et je fixai stupidement les taches qu'elles faisaient sur le tissu bleu. Je me rendis compte alors que rien n'était arrivé au bébé parce qu'il était toujours là, gros renflement élastique sous la robe.

– Il est arrivé quelque chose à Charlie ? balbutiai-je, plein d'inquiétude.

– Non. Pas à Charlie. C'est... Shep, papa vient d'avoir un coup de téléphone de Carter Stephenson, le journaliste de W.S.B. Le... le... l'avion de ta mère... il s'est écrasé. En décollant, à Orly, et j'ai bien peur qu'il n'y ait aucun survivant. La nouvelle vient juste de tomber, il n'y a pas encore de détails, mais papa a vérifié qu'il ne s'agissait pas d'une erreur et... Je suis navrée.

Elle cacha son visage dans ses mains, pleura sans retenue.

– Je suis venue te prévenir parce que je ne voulais pas que tu l'apprennes par la radio, ou par le coup de téléphone d'un reporter, et maintenant je ne peux pas...

– Aucun survivant, répétai-je comme un idiot. C'est absurde. Il y a sûrement une erreur. Ils étaient trop nombreux...

Le creux de mon estomac était glacé ; le froid qui s'en échappait s'infiltrait dans mes membres, les rendant flasques. Je me rappelle avoir pensé très clairement que si je me levais je risquais de m'écrouler par terre ou, pis encore, de souiller mon pantalon. Mais, en dehors de cela, je ne pensais pas, je ne sentais rien. Malgré ce que je venais de dire, je savais que Sarah avait raison : elle ne m'aurait jamais apporté une telle nouvelle sans être absolument sûre qu'il ne pouvait y avoir d'erreur.

– Plus de cent, murmurai-je. Plus de cent et je... nous les connaissions tous. Ils étaient Buckhead, Sarah. Des gens quc nous connaissions depuis toujours... Et il n'y aurait aucun survivant ? On ne peut encore en être certain...

– Deux ou trois personnes seulement, dans la partie de l'avion qui s'est détachée.

– Alors, peut-être...

– Non, répondit Sarah. C'étaient des membres de l'équipage. Personne d'autre n'a survécu. Personnc, Shep.

– Bon Dieu, tante Willa pourra quitter les mansardes, dis-je absurdement.

– Oh ! mon pauvre chéri, s'écria Sarah.

Elle m'enlaça, blottit son visage au creux de mon épaule, là où il s'était toujours si bien logé, et je la serrai contre moi avec cette unique pensée : on dirait qu'il y a un ballon de basket entre nous. Le glacier qui venait de descendre sur mon esprit était neigeux, sans faille, parfait.

Elle leva la tête, s'essuya les yeux, me regarda.

– J'ai dit à Charlie que je revenais tout de suite. Il est à la maison avec maman. Papa est à la mairie. Il part ce soir pour Paris... Shep, laisse-moi passer la journée avec toi. Ou alors, viens avec moi chez papa et maman...

– Non, merci, Sarah. Je pense que j'irai chez Lucy, répondis-je, me surprenant moi-même.

Mon esprit rationnel me soufflait que rien ne serait moins réconfortant que la triste petite ferme en compagnie d'un Jack Venable taciturne et de ses deux enfants boudeurs. Mais quelque chose en moi de puissant, de viscéral réclamait ma cousine Lucy. Nous avions tous deux perdu la grande ancre de notre enfance et je ne pensais pas que Sarah, constamment entourée de l'amour lumineux de Ben et Dorothy, pût comprendre les complexités poignantes de ce deuil. Pour le moment, j'étais tout à fait engourdi, mais je savais que cela ne durerait pas et je voulais, lorsque l'hébétude cesserait, me trouver près de la seule personne qui comprendrait mon chagrin – si chagrin il y avait.

– Je comprends, chuchota-t-elle, et j'eus l'impression que mon vieux radar, naguère si sensible à toutes les humeurs de Sarah, détectait un soupçon d'orgueil blessé.

Elle se leva, alourdie par le bébé et l'affliction.

– Nous sommes à deux pas, dit-elle. Tu peux venir ou nous appeler à n'importe quelle heure du jour ou de la nuit. Maman te fait dire que la chambre d'ami est prête, si tu veux y dormir. En tout cas, elle te téléphonera dans une heure ou deux.

– Remercie-la. Et merci à toi d'être venue. Cela a dû être dur pour toi.

– C'est naturel, répondit-elle en se remettant à pleurer. Rien au monde n'aurait pu m'en empêcher...

– Je le sais. Rentre, maintenant. Ta mère a sûrement besoin de toi. Ça ira, pour moi. Il faut que j'annonce la nouvelle à tante Willa et que je voie comment le dire à mon père...

– Oh ! mon Dieu, gémit Sarah, et elle quitta la gloriette en sanglotant.

Après son départ, je demeurai immobile, m'efforçant de préserver le silence blanc et froid de mon esprit, mais des flammes commençaient maintenant à en lécher les bords. Le téléphone sonna, je décrochai et posai l'appareil sur la table, où il bourdonna longuement avant de se taire. Je me levai, allai d'un pas vacillant au poste de radio, le mis en marche.

Les comptes rendus de l'accident étaient à présent plus détaillés : un peu après midi – 6 h 29, heure d'Atlanta –, le Boeing 707 d'Air France transportant dix membres d'équipage et cent vingt-deux passagers avait dérapé sur la piste en décollant de l'aéroport d'Orly. Tous les passagers, tous les membres de l'équipage sauf deux étaient morts quand l'appareil avait explosé en une boule de feu. Parmi les victimes, on dénombrait cent six membres de l'Atlanta Art Association qui rentraient d'un mois de vacances. C'était la plus grave catastrophe de l'histoire dc l'aviation. La plupart des corps carbonisés, encore attachés à leur siège, n'avaient pas encore été sortis des décombres...

Olivia Redwine Bondurant. Morte dans un champignon de feu à cinq mille kilomètres de Peachtree Road. Je suis orphelin de fait, me dis-je avec surprise. Cette pensée me sembla aussi saugrenue que si quelqu'un m'avait soudain collé l'étiquette d'assassin ou de révolutionnaire. Je ne parvenais pas à chasser l'image de la longue chevelure noire et brillante de ma mère, torsade élégante, détachée et en feu. Pendant longtemps, ce fut la seule image dans la blancheur silencieuse de mon esprit.

Je finis par reprendre le téléphone, composai le numéro dc Lucy et Jack. A la seconde sonnerie, ce fut lui qui répondit, dans un murmure furieux :

– Ça fait une heure qu'elle essaie de te joindre. Elle était hystérique. Elle avait besoin de toi.

– J'arrive, dis-je, étonné que ma voix fût si ferme.

– Non. Je lui ai donné deux tranquillisants et elle a fini par s'endormir. Ne viens pas maintenant, ça la bouleverserait. Peut-être plus tard, quand elle se sera repo...

Je raccrochai.

– Et moi, pauvre con ? fis-je à voix haute mais sans véhémence. C'est ma mère qui a été carbonisée, pas celle de Lucy.

Je demeurai un moment assis, sans savoir quoi faire de

moi-même, puis je me levai et me dirigeai vers la grande maison. Tante Willa était probablement à l'église Saint Philip mais je ne voulais pas que mon père apprenne la nouvelle par une infirmière.

Manifestement, quelqu'un venait d'appeler pour me parler car Shem sortait par la porte de derrière, le visage d'un gris de cendre.

– Mr. Shep... commença-t-il.

Je vis des larmes dans ses yeux marron, dont le blanc jauni était strié de veines rouges. Je ne pouvais imaginer qu'il eût aimé ma mère, en quelque sens du terme que ce soit, mais elle et mon père avaient donné forme et signification à sa vie ainsi qu'à celle de Martha depuis une trentaine d'années. Ils devaient se sentir comme moi perdus et à la dérive.

– Mon père a entendu ? demandai-je.

– Non, Mr. Shep. Il dort. J'ai dit à l'infirmière de lui donner deux pilules et d'arrêter de pleurer quand il se réveillera.

– C'est bien, Shem.

Je posai ma main sur son épaule, il la couvrit de sa propre main noire et rugueuse. Nous restâmes un moment silencieux puis il dit simplement :

– Qu'est-ce qu'on fait, maintenant ?

– Va chercher la Rolls, répondis-je, à nouveau surpris par mes propos mais sachant en même temps que c'était ce qu'il fallait dire. Je vais à l'hôtel de ville.

– Oui. Mr. Shep.

Shem se redressa et son pas, quand il partit en direction du garage, me parut plus ferme et plus décidé. Lorsque je sortis sous le portique, après m'être changé, il se tenait près de la ridicule masse brillante de la Rolls, presque au garde-à-vous, vêtu d'une austère livrée sombre que je n'avais jamais vue.

– Pourquoi ces vêtements, Shem ? m'enquis-je en m'asseyant sur la banquette arrière.

– Z'allez vous occuper de faire ramener Miss Olivia à la maison, s'pas ?

– Oui, je pense, répondis-je, prenant soudain conscience que c'était ce que j'allais faire.

– Eh bien, alors...

Il ne dit rien d'autre en descendant l'étendue déserte et ensoleillée de Peachtree Road, ce Noir de Buckhead entamant un long voyage pour ramener sa maîtresse à la maison. Son silence et sa livrée me transpercèrent le cœur plus que toute autre chose pendant cette interminable et terrible journée.

Devant l'hôtel de ville, la rue était également déserte mais les drapeaux étaient déjà en berne, et, lorsque je gravis l'escalier de marbre menant au bureau de Ben Cameron, au premier étage, la foule avait envahi le couloir. Je reconnus plusieurs visages et les fixai, perplexe, jusqu'à ce que le souvenir me revînt que l'accident d'Orly était une tragédie pour tout Buckhead. Ces êtres familiers, qu'un même choc rendait blêmes, étaient là pour la même raison que moi : apprendre de l'homme qu'ils avaient élu ce que nous devions faire maintenant. Nous échangeâmes des signes de tête mais nous ne parlâmes pas. Les larmes, les propos réconfortants viendraient plus tard, avec la douleur.

La plupart des gens présents étaient toutefois des journalistes et j'étais à peine parvenu en haut des marches que je vis deux ou trois d'entre eux se détacher de la foule et s'avancer vers moi : le « seigneur des taudis », que sa mère avait récemment condamné pour le plus grand plaisir du public, venait réclamer sa dépouille calcinée. Mon front se couvrit de sueur, mon cœur se mit à battre follement. Je ne pouvais leur échapper et je me savais incapable de les affronter.

Je les vis s'écarter soudain devant moi au moment même où je sentis deux mains se poser sur mes épaules et me diriger vers l'antichambre et le bureau personnel de Ben. La porte se referma ; je me retournai et découvris Glenn Pickens, imposant et massif dans son costume sombre, avec dans ses yeux d'obsidienne une lueur qui aurait dispersé bien plus qu'une bande de reporters.

– Merci, Glenn, fis-je d'une voix faible.

– Je suis désolé, Shep, dit-il. Pour tout.

Nous nous regardâmes un moment, puis il sortit de la pièce, referma la porte derrière lui, et j'examinai le petit groupe de gens silencieux entourant le bureau où Ben Cameron parlait dans un téléphone en en tenant un autre contre sa poitrine. Il releva la tête, me vit, me fit signe de m'asseoir et reprit sa conversation.

Il était vêtu de la tenue de tennis qu'il portait manifestement lorsqu'il avait été prévenu. Sous son hâle permanent et le semis de taches de rousseur de ses pommettes, il était livide, et je pensai pour la première fois à la détresse qui devait être la sienne. Non seulement il avait perdu près d'une centaine de gens qui constituaient l'armature de son existence, mais il devait enfouir son propre chagrin et agir avec sang-froid et autorité pour leurs familles et la ville en général, ravaler sa souffrance pour que la leur puisse être plus rapidement soulagée.

Peg Hartley, l'assistante de Ben, corpulente et efficace, le visage marqué de larmes, s'occupait d'un troisième téléphone. Des collaborateurs entraient et sortaient avec des télégrammes, des listes, des déclarations à lire et à signer. Un représentant d'Air France était assis dans un coin, silencieux et effondré. Le père de Snake Cheatham et Doug Fowler, le bras droit de Mr. Woodruff à la compagnie Coca-Cola, se tenaient devant une fenêtre, le dos tourné à la pièce, et discutaient à mi-voix. Carter Stephenson, de W.S.B., et Gordy Farr, du *Constitution*, assis face à face, écrivaient fébrilement sur une petite table.

Ben raccrocha, fit le tour de son bureau et me serra contre lui.

– C'est terrible, fit-il. Je ne puis te dire à quel point je suis désolé pour ta mère.

– Merci. Je... Moi aussi. On n'arrive pas à y croire, n'est-ce pas ?

– Ah ! non, s'exclama Ben, et sa voix se brisa. Bon Dieu, Shep, c'était... toute ma génération. J'ai grandi avec la plupart de ces gens. Laura Rainey était la première fille avec qui je suis sorti. Nous étions allés à une piscine-party chez Sibley French et elle avait mis un maillot de bain deux pièces. Pendant des semaines, tout le monde a parlé de ce maillot. Si je n'avais pas rencontré Dorothy, j'aurais probablement épousé Jane Ellen Alexander. Et la première fois que je me suis soûlé, c'était avec Tommy Burns, à Tate. Et Whit Turner, et Howard Shelton, et Marjorie Callahan... Seigneur, c'est une petite ville qui a disparu. D'une certaine manière, c'était...

Il s'interrompit, s'essuya les yeux, me regarda.

– Je peux faire quelque chose pour toi ? me demanda-t-il. Tu sais que je pars ce soir pour Paris. Je te promets de veiller... à ce qu'on s'occupe bien d'elle.

– Je veux aller avec vous, dis-je.

Il fit non de la tête, ouvrit la bouche pour parler, resta un instant silencieux puis reprit :

– Ce sera affreusement triste. Et il n'y a rien que tu puisses faire – moi-même, je ne ferai probablement pas grand-chose. Pour le moment, c'est l'affaire des officiels, des gars du gouvernement...

– Je ne dérangerai personne, plaidai-je. Vous ne saurez même pas que je suis là. Mais il faut que j'y aille, Ben. Et je tiens à ce que ce soit avec vous.

– D'accord, capitula-t-il. Tu as un passeport ?

– Bon Dieu, non.

– Doug, appela Ben, le patron peut encore intervenir pour nous avoir un autre passeport avant ce soir ?

De l'autre bout de la pièce, Doug Fowler posa sur moi un regard dubitatif.

– Je crois que oui, si c'est absolument nécessaire.

– Ça l'est, assura Ben Cameron. Tant que tu y es, dégote-moi aussi une seconde place dans le vol Delta 555 pour New York.

Se tournant vers moi, il ajouta :

– Tu me demandes beaucoup à la fois, Shep.

– Je le sais. Et je ne pourrai jamais vous le rendre.

– Si, mais nous verrons ça plus tard.

Je revins à la voiture, dont Shem Cater faisait tourner le moteur au ralenti, et rentrai me changer. En chemin, j'entendis à la radio la voix profonde, calme et mesurée de Ben faire une déclaration officielle :

« Atlanta connaît une terrible tragédie. Nous adressons nos plus sincères condoléances à... »

– Arrête ça, Shem, demandai-je.

Une heure plus tard, comme je pénétrais dans la grande maison un sac à la main, terrifié à l'idée de devoir monter prévenir mon père, tante Willa descendit l'escalier, encore vêtue du tailleur de lin blanc qu'elle avait mis pour aller à l'église. Son visage avait perdu toute couleur ; ses yeux curieusement décolorés, eux aussi, lui donnaient l'air hébété d'un lapin pris au piège. Ses mains tremblaient légèrement et elle ne cessait de passer sa langue sur ses lèvres rouges. Je l'examinai. Ce que je lus sur ses traits qu'on eût dit émaillés, ce n'était pas de la peine mais de la peur pure et simple. J'aurais imaginé plusieurs façon dont ma tante réagirait à la mort violente de sa belle-sœur, mais la peur n'en faisait pas partie.

– Mon père est réveillé ? demandai-je.

– Il ne va pas tarder à l'être. Je suis descendue te demander si tu veux que je le mette au courant. Je sais que ce n'est pas à moi de le faire, mais il accepte souvent les choses plus facilement de moi que de l'infirmière, et pour toi ça doit être terrible...

Sa voix se brisa sous l'effet de la frayeur et je compris ce qui la terrorisait. Malgré l'odieuse servitude à laquelle ma mère l'avait réduite, il existait entre elles une sorte de symbiose, un lien alambiqué mais incassable qui mettait ma tante en sécurité en même temps qu'elle la maintenait captive. Avec la mort de sa souriante geôlière, ce lien avait disparu, et moi, successeur présumé, je n'avais aucune raison de désirer ou même de simplement tolérer sa présence. Ses deux filles étaient en puissance de mari, mais elle-même, dans sa suite de mansardes redécorées, n'était qu'à un pas de la rue, elle le savait.

Je posai mon sac par terre, passai un bras autour des épaules de ma tante et la fis asseoir sur la dernière marche de l'escalier.

– Je te serais très reconnaissant de t'en charger, dis-je. Je ne m'en sens pas capable. Je verrai ce que je dois faire à mon retour, mais pour le moment, j'aimerais que tu t'occupes de lui.

Chose incroyable, elle leva vers moi des yeux pleins de larmes.

– Et pour l'amour du ciel, enchaînai-je, sors tes affaires de ce fichu grenier et porte-les dans la chambre de maman. Il n'y a aucune raison de la laisser inoccupée, et moi-même je n'ai pas l'intention de quitter la gloriette. Je veux que tu y sois installée à mon retour, d'accord ?

Elle hocha la tête, la bouche tremblante, les joues tachées de rimmel. Elle se pencha en avant, me serra brièvement contre elle et je l'entendis murmurer :

– Merci, Shep.

En refermant la porte derrière moi, je portai une main à mon visage et sentis les traces humides que ses larmes y avaient laissées.

Jamais plus je ne la vis pleurer.

Lorsque je me présentai à l'aéroport cet après-midi-là, Lucy Venable m'attendait, assise près d'une petite valise, les pieds joints, les mains sur les genoux comme une enfant sage. Elle avait la tête légèrement baissée, les yeux et le nez rouges, mais ne montrait aucun signe de l'hystérie pour laquelle Jack lui avait administré des calmants dans la matinée. Elle était étonnamment jolie, et même ravissante, compte tenu de la prostration dont son mari avait parlé et de son apparence ces derniers temps. Sa chevelure noire et brillante avait retrouvé la coiffure de page qui encadrait ses pommettes hautes. Elle portait un fourreau de lin rouge, un petit chapeau rond de paille écarlate et des escarpins en crocodile que je ne lui connaissais pas. Plusieurs hommes dans la foule avaient les yeux rivés sur elle et je comprenais pourquoi : redevenue elle-même, Lucy rayonnait de ce feu invisible qui émanait d'elle autrefois.

Elle releva la tête, me vit, se leva d'un bond et courut vers moi, jeta ses bras autour de mon cou. Cette fois, tous les regards se braquèrent sur nous. Son visage était vierge de tout maquillage, très pâle, mais l'ancienne flamme dansait dans ses yeux extraordinaires. Lorsqu'elle m'embrassa sur la joue, je sentis son cœur battre contre ma poitrine et elle me murmura à l'oreille :

– Nous ne parlerons pas de tante Olivia, pas maintenant, ne t'en fais pas. Je t'aiderai, je ne te compliquerai pas la vie.

– Tu es vraiment en beauté, dis-je. Tu es venue me dire au revoir ? Où est Jack ?

– Merci, répondit-elle avec son grand sourire de naguère, plein d'assurance. J'ai tout emprunté à Little Lady il n'y a pas deux heures. Non, je ne suis pas venue te dire au revoir, je t'accompagne. Et Jack boude sous sa tente, à la maison.

– Tu m'accompagnes...

– Je pars avec toi. J'ai soutiré l'argent du voyage à Carter. J'ai un billet, un passeport – tout est arrangé. Tu n'as pas à t'inquiéter.

Avant que je puisse répondre, Ben Cameron arriva avec Hinton Drexel, l'avocat de la municipalité, et Carter Stephenson, de W.S.B.

– Bonsoir, ma chérie, dit Ben en embrassant Lucy. Shep, tu as le plus joli comité d'adieu de tout l'aéroport. Tu es prêt ? On nous réserve une rangée de sièges.

J'ouvris la bouche sans savoir ce que j'allais dire mais Lucy me devança :

– Je viens avec vous, Mr. Cameron. Vous pouvez m'empêcher de monter à bord de cet avion, mais si vous le faites je prendrai le suivant. Pas question que Shep aille là-bas s'occuper de sa maman sans moi.

Ben nous regarda tour à tour en silence puis haussa les épaules.

– On est en république, dit-il avec un petit sourire. Tout

le monde a le droit de prendre l'avion. Je suis sûr que Shep sera ravi de ta compagnie.

Et c'est ainsi que Lucy Bondurant Venable passa à côté de moi les longues heures du trajet jusqu'à New York puis au-dessus de l'Atlantique lorsque je me rendis à Paris pour ramener la dépouille mortelle d'une mère qui m'avait aimé et fait beaucoup de mal, et qui n'avait jamais aimé sa nièce. C'était – j'y songeai au-dessus de l'étendue noire houleuse – une impressionnante, quoique posthume, manifestation de son pouvoir.

Ben, Hinton Drexel et Carter Stephenson dormirent très peu. Je les découvrais discutant à voix basse, têtes rapprochées sur les sièges de devant, chaque fois que j'émergeais d'un sommeil léger et sporadique. Lucy parla peu. Après avoir mangé son dîner, pendant lequel elle m'apprit avec détachement que Jack était furieux qu'elle parte et avait refusé de la conduire à l'aéroport, si bien qu'elle avait pris un taxi de la ferme à la maison de Little Lady et fait payer à Carter l'énorme prix de la course, elle m'annonça : « Je vais essayer de dormir et tu devrais en faire autant. Demain, ce sera une journée terrible. » Puis elle se pelotonna dans le coin, près du hublot, et s'endormit, sa main dans la mienne. Je finis par m'assoupir moi aussi, m'éveillai plusieurs fois, sombrai à nouveau dans le sommeil. Lorsque je me réveillai pour de bon, couvert de sueur, m'extirpant péniblement d'un rêve peuplé de flammes, Lucy bâillait en s'étirant et les premiers rayons du soleil s'accrochaient aux ailes argent du jet de la T.W.A. En dessous de nous, les lumières de Paris s'éteignaient.

Quand l'appareil entama son long virage en direction d'Orly, Ben vint s'asseoir sur le bras de mon fauteuil. Il avait resserré sa cravate, remis sa veste, peigné ses cheveux roux semés d'acier et paraissait incroyablement maître de lui : le maire d'une grande ville jusqu'au bout des ongles.

– Je veux te dire ce que je sais de l'accident, déclara-t-il. Nous n'aurons probablement pas le temps d'en parler plus tard.

Il prit une profonde inspiration, moi aussi. Lucy changea de position sur son siège et me prit la main.

– L'avion a commencé à rouler sur la piste à l'heure prévue, douze heures trente, continua-t-il. D'après les témoins, il n'a jamais décollé. Le pilote a dû comprendre tout de suite que quelque chose n'allait pas. Il a bloqué les roues : il y a des traces de freinage sur trois cents mètres. Puis le train d'atterrissage s'est détaché. L'appareil a quitté la piste, abattu deux ou trois poteaux téléphoniques ; il a parcouru quatre cents mètres sur le ventre avant de heurter un hangar. C'est ce qui a probablement causé l'explosion – ça et les tonnes de carburant s'échappant de la carlingue brisée. L'avion s'est cassé en plusieurs morceaux qui ont tous pris feu, à l'exception de la queue. C'est là que se trouvaient les membres de l'équipage qui ont survécu. Ils ont été éjectés. Les pompiers sont intervenus presque immédiatement mais ils n'ont pu s'approcher suffisamment pour sauver qui que ce soit. Tout s'est passé... très, très vite.

Après un silence, je demandai :

– Alors, les passagers ont été... pulvérisés ?

– Non, répondit Ben. Ils ont été brûlés vifs. Le kérosène a brûlé assez rapidement, mais il n'est pas question de les identifier.

Lucy émit un gémissement à côté de moi et enfonça ses ongles dans ma paume. Je ne les sentis pas ; ce n'est que plus tard que je découvris les croissants rouges à l'endroit où ils avaient entamé la chair. Mais elle ne pleura pas.

– Désolé, Lucy, poursuivit Ben, mais vous devez savoir ce qui vous attend, tous les deux. Je ne veux pas que vous soyez frappés de stupeur devant les journalistes. Je représente Atlanta, et vous aussi, que vous le vouliez ou non, simplement parce que vous m'accompagnez. Si vous pensez ne pas pouvoir supporter le choc, je demanderai qu'on vous conduise dans une salle où vous resterez jusqu'à ce que nous ayons terminé. Je ne vous le reprocherai pas. Je ne sais si je tiendrai le coup moi-même alors que je n'ai pas perdu de parent proche. Lucy, je crois qu'il vaut mieux que tu ne viennes pas avec nous quand nous irons... à la morgue. Ce n'est pas un endroit pour toi.

– D'accord, Mr. Cameron, répondit Lucy d'un ton soumis, et je coulai un regard dans sa direction.

Mon infaillible vieux radar m'avertissait qu'elle n'avait aucunement l'intention de rester derrière tandis que je passerais les lieux de la catastrophe au peigne fin pour retrouver des vestiges de ma mère. Je savais aussi grâce à cette même antenne qu'elle supporterait bien le choc. Je ne pouvais en dire autant de moi-même. Je n'éprouvais toujours aucune émotion, mais un tremblement délicat avait pris possession de mes membres et j'avais l'impression qu'un essaim d'abeilles bourdonnait dans mes veines. J'aurais été incapable de marcher ou même de me lever.

Après que Ben eut regagné son siège et que l'avion eut commencé à descendre, Lucy prit ma main dans les siennes et la retourna de manière à révéler le dessous du poignet. Elle baissa la tête, pressa sa joue contre le fin bracelet blanc de la cicatrice que le couteau de cuisine avait tracé il y avait si longtemps, derrière la gloriette.

– Tu n'as pas tourné de l'œil, cette fois-là, dit-elle. Tu es allé jusqu'au bout. Et tu le feras encore aujourd'hui. Je sais que tu en es capable, parce que nous sommes un même sang, toi et moi.

Je sus alors que je réussirais à faire ce pour quoi j'étais venu.

– Je t'aime, Lucy, déclarai-je.

En descendant d'avion, nous plongeâmes dans la chaude lumière de Paris et dans un déploiement de sympathie officielle. Il y avait au total une trentaine ou une quarantaine de personnes : représentants du gouvernement français, de diverses administrations ayant un rapport avec Air France. L'ambassadeur américain, homme courtaud et robuste qui donnait l'impression de marcher sur une poutre suspendue dans le vide, était venu avec plusieurs collaborateurs et derrière eux, tenus à distance par un cordon de gendarmes, deux cents journalistes environ attendaient en silence. Je ne me rappelle quasiment rien de ces premières minutes, sauf qu'on me fit passer d'une main tendue à l'autre, hochant la tête et souriant stupidement, tandis que Lucy murmurait derrière moi : « *Merci, monsieur... Oui, bien sûr**. »

La seule pensée claire que me laissa cette matinée, c'est ma surprise que Lucy parlât français – j'ignorais qu'elle l'avait appris à Scott. En me retournant, je découvris qu'un petit noyau d'officiels français s'était agglutiné autour d'elle et je songeai qu'il était bien dans sa manière de venir sans invitation, vêtue d'une robe empruntée à sa sœur, et de voler la vedette aux prestigieux morts d'Atlanta. Je réprimai une affreuse envie de ricaner bêtement et me souvins des commentaires de John Kennedy sur la conquête foudroyante des Français par sa femme : « Je suis l'homme qui a accompagné Jacqueline Kennedy à Paris. » Présentement, Ben Cameron, Hinton Drexel, Carter Stephenson et moi étions ceux qui accompagnaient Lucy Bondurant Venable.

Après les salutations, on nous conduisit dans un salon privé d'Air France où Ben donna une conférence de presse. Les journalistes d'une demi-douzaine de pays se montrèrent étonnamment convenables et déférents, et Ben affronta leurs questions avec dignité et calme. On nous emmena ensuite en limousine au bout de la piste 26, où l'avion, le *Château de Sully*, s'était écrasé sur la terre cruelle comme un grand phénix lourd et gauche manquant son rendez-vous avec le ciel, et ne renaissant pas cette fois de ses cendres.

De l'avion, nous n'avions pas vu l'endroit de l'accident, soit parce que nous étions arrivés d'une autre direction, soit parce que la nuit agonisante l'avait recouvert de son linceul. A présent, sous le clair soleil du lundi 4 juin, on ne pouvait échapper à ce paysage lunaire, à ce sombre pays des morts s'étendant sur plusieurs centaines de mètres.

Pompiers et policiers s'affairaient depuis vingt-quatre heures sur les débris de l'appareil, qu'ils avaient fouillés sans relâche après que les cadavres eurent été portés dans des

* En français dans le texte. (N.d.t.)

fourgons mortuaires et emmenés. La queue de l'avion se dressait en l'air, intacte, stèle disgracieuse de l'ère spatiale. En dessous, la terre noircie était jonchée de morceaux de métal tordu et fondu, non identifiables, brillant comme des viscères là où les cendres s'étaient envolées. Plus loin, la petite ville de Villeneuve-le-Roi, que le pilote avait réussi à épargner, se dorait rêveusement au soleil. Des oiseaux gazouillaient, des gens parlaient à voix basse derrière le cordon de gendarmes en regardant les premiers membres du clan venus d'Amérique pour ramener leurs morts à la maison, mais les sons paraissaient s'arrêter dans leur course et tomber à la lisière du cercle noir. C'était comme si cette grande cicatrice refusait toute offrande des vivants. Près de moi, ses pieds faisant craquer les cendres. Lucy répétait à voix basse : « Nous sommes un même sang, toi et moi. » Je ne crois pas qu'elle se rendait compte de ce qu'elle murmurait. C'était une sorte d'incantation d'enfant, inconsciente et rassurante. Dcvant moi, Ben et Hinton Drexel avançaient en silence ; Carter Stephenson griffonnait sur un calepin.

Nous enfoncions jusqu'à la cheville dans cette centaine d'existences, dans une couche d'objets personnels aussi épaisse que des grêlons après l'orage. La plupart étaient à demi calcinés, tellement noircis qu'il était inutile de les examiner, mais beaucoup étaient reconnaissables, icônes incongrues non de la mort mais d'une vie obstinée, insatiable. Guides touristiques, menus, cendriers, portefeuilles, chèques de voyage ; une poupée française pour une enfant qui ne la bercerait jamais, une bouteille de fine champagne incroyablement intacte, un fanion du Rotary Club d'Athens, Géorgie, une canne à pommeau d'argent, un escarpin doré, des lambeaux de tulle et de velours, un châle en brocart. Ben Cameron se baissa, ramassa la canne et le châle. Des larmes coulaient sur son visage qui demeurait cependant impassible.

– C'est la canne de Wynn Farrell, dit-il d'une voix grêle de vieillard, sans s'adresser à personne en particulier. Elle avait appartenu à son père et à son grand-père, je crois.

Wynn n'en avait absolument pas besoin mais il l'emportait partout. Et c'est le châle d'Elizabeth Carling. Je l'ai vu sur elle des centaines de fois quand la soirée était fraîche, au club ou dans une réception. Mon Dieu, aucun de nous ne s'en remettra jamais.

Au bout d'un moment, les objets cessèrent d'avoir un sens quelconque pour moi et auraient aussi bien pu être des mottes de terre ou des cailloux. Ils ne m'émouvaient pas plus que ne l'eussent fait des affleurements anonymes dans quelque ancienne coulée de lave. Lorsque nous quittâmes enfin ce charnier silencieux pour aller déjeuner à Paris, je m'aperçus que j'avais grand-faim.

Lucy ne nous accompagna pas à la morgue, finalement, et n'en émit même pas le désir. Ben demanda à notre chauffeur de la déposer avec Carter Stephenson et un jeune homme de l'ambassade américaine manifestement sous le charme à l'excellent petit hôtel proche de l'ambassade où on nous avait retenu des chambres. En descendant de la voiture au bras du jeune homme, elle me glissa simplement :

– Rappelle-toi, Gibby, nous sommes un même sang...

Ben Cameron, Hinton Drexel et leur suite se rendirent dans les cinq morgues cet après-midi-là. Après la première, je les attendis dans la limousine, non parce que j'étais bouleversé ou sur le point de m'évanouir, mais parce que après avoir vu les premiers cadavres je compris qu'il était vain de chercher à les identifier de cette manière. Ma présence m'apparut tout à coup comme une intrusion brutale et grossière. Si ma mère gisait dans la morgue où je m'étais rendu, je n'en savais rien ; si elle se trouvait dans une autre, nul d'entre nous n'aurait pu le dire. Les corps, austères et guindés dans leur drap blanc, n'étaient pas défigurés. Dans la plupart des cas, les cheveux n'avaient même pas brûlé. La peau avait simplement pris une teinte brunâtre semblable à celle des momies, ce qui rendait l'identification impossible. Les perles des dents brillaient dans les sourires intacts ; les yeux, opaques et pochés, demeuraient ouverts.

Je laissai Ben examiner les vêtements ôtés aux cadavres, regagnai la limousine et me renversai sur la banquette arrière. Le chauffeur, un homme d'âge mûr, me dit quelque chose dans un français rapide et nasillard. Comme je hochais la tête pour exprimer mon incompréhension, il me tendit un petit gobelet de cognac que je bus en pensant, avec une irritation insensée, qu'il me fallait remplacer l'image familière de ma mère, les cheveux en flammes, par celle d'une princesse égyptienne au visage ocre, morte depuis des millénaires.

A l'hôtel, Ben et Hinton Drexel montèrent dans leurs chambres pour s'atteler à la longue et terrible tâche consistant à téléphoner aux familles restées à Atlanta : Carter se retira dans la sienne pour préparer ses articles ; Lucy et moi bûmes jusqu'à la tombée tardive de la nuit. Nous ne nous soûlâmes cependant pas. Main dans la main, nous parlâmes peu. Aucun de nous ne suggéra de dîner ou ne déclara ce que nous savions tous deux : que nous n'avions plus rien à faire à Paris et que nous repartirions le lendemain. Nous ne pensions toutefois pas que le voyage avait été inutile. Je sentais, obscurément mais avec force, qu'une chose essentielle avait été accomplie.

Mais je sentais tout aussi vivement que nous ne devions pas nous attarder à Paris. D'un accord tacite, nous nous levâmes tous deux de notre table vers neuf heures et prîmes la petite cage en fer ornée d'arabesques de l'ascenseur pour monter à nos chambres voisines. Sans me demander si je voulais bavarder un peu ou si j'avais besoin de compagnie, Lucy m'embrassa sur la joue, me dit « Bonne nuit, Gibby », entra dans sa chambre et referma la porte derrière elle. Je me déshabillai, me mis aussitôt au lit, épuisé au point de ne plus pouvoir penser, et attendis le sommeil.

Il ne vint pas. Pendant un temps qui me parut une éternité, je demeurai étendu dans le noir, conscient de tout et de rien, sentant l'air lui-même peser sur ma peau nue, froide et vide comme une peau de raisin.

Vers minuit, Ben Cameron frappa doucement à ma porte,

l'ouvrit, et je me rendis compte que j'avais oublié de la fermer à clef. Il s'approcha, s'assit au bord de mon lit comme Sarah l'avait fait trente-six heures plus tôt seulement, ce qui semblait incroyable.

– Tu dors ? me demanda-t-il.

Lorsque je répondis « non », il tendit le bras et alluma la petite lampe de chevet. Il avait les traits tellement tirés que la peau de son visage ressemblait à un mouchoir en papier froissé, mais il souriait.

– Je viens de recevoir un coup de téléphone de la maison, dit-il. Sarah a eu une petite fille cet après-midi à quatre heures dix-sept. Elle et l'enfant se portent bien. Sarah tenait à ce que je te prévienne. Elle m'a aussi demandé de te dire qu'ils l'appelleront Olivia Redwine Gentry... parce qu'elle veut que le nom de ta mère continue de vivre.

– Merci, Ben, fis-je.

– Je t'ai apporté ça, reprit-il. C'était dans la troisième... dans le troisième endroit où nous sommes allés. Je suis presque sûr que c'était à ta mère, et j'ai pensé que tu voudrais peut-être le conserver. Nous savons maintenant où elle est, Shep, et nous pouvons la ramener pour toi. Elle n'était pas... elle ne portait pas de marques.

Il posa un petit objet sur la table de nuit, se leva et quitta la chambre, refermant la porte derrière lui. Je tournai la tête : ce qu'il avait laissé était une chaussure, un escarpin élégant à talon aiguille, comme ceux que j'avais vus cent fois dans l'armoire de ma mère ou à ses pieds menus quand elle partait pour une réception. Elle les faisait faire à New York, avec son monogramme gravé à l'intérieur. Celui-ci était noirci à l'extérieur mais la doublure de satin demeurait immaculée et j'y vis, dans une écriture ornementée, les lettres O.R.B. : Olivia Redwine Bondurant.

J'éteignis la lumière, restai assis dans le lit, la chaussure de ma mère à la main, et finalement, dans l'obscurité lourde, je me mis à pleurer, bruyamment et douloureusement, comme un enfant inconsolable, non pour la forme qui gisait dans la troisième morgue de Paris, mais pour l'être qui avait ri et dansé dans ce bel escarpin stupide. Je sanglotai jusqu'à avoir l'impression que ma poitrine allait éclater d'angoisse. Je ne pouvais m'arrêter et je me rappelle avoir pensé, pour la première fois de ma vie, qu'on pouvait mourir de pleurer.

A un moment dc cette nuit – je ne sais quand –, Lucy entra dans la chambre, se coula dans le lit. Elle était nue et pressa son long corps frais et soyeux contre moi, sur moi, sous moi. Sa bouche ouverte, douce et chaude, se posa sur mon visage, mes cheveux, mes joues, mes paupières, mon nez, et finalement sur ma bouche, si bien que je sanglotai directement dans son haleine. Puis elle me prit simplement en elle et me berça sur un rythme aussi vieux que le monde, et Lucy était Sarah était Lucy était Sarah était ma mère était Sarah était Lucy, était le monde... et tout ce que je n'avais pas senti bourgeonna, fleurit, se gonfla, éclata et me parcourut en rugissant. Elle le reçut en elle et je fus libéré.

Nous prîmes l'avion pour Atlanta le lendemain et nous ne parlâmes pas de cette nuit, ni alors ni jamais. Lorsqu'elle m'apprit trois mois plus tard à Tate, où nous passions le week-end, elle, Jack et moi, qu'elle était enceinte, je bredouillai :

– Est-ce que... ?

Elle secoua la tête.

– Je n'en sais rien, dit-elle. Honnêtcment, je n'en sais rien et je ne le saurai jamais. Cela pourrait tout aussi bien être de Jack, et si ce n'est pas de lui, il ne le saura jamais.

Je dus me satisfaire de cette réponse, parce qu'elle semblait lui suffire.

Mais lorsque, en janvier 1963, sa fille naquit au Piedmont Hospital pendant une tempête de grêle de trois jours, et que je m'enquis du nom de l'enfant, il y eut dans ses yeux bleus lumineux plus que de l'amour et de la fierté pour cette petite fille parfaite lorsqu'elle répondit :

– Malory. Elle s'appelle Malory Bondurant Venable.

TROISIÈME PARTIE

20

Dès le début, le lien unissant Lucy à sa fille fut quelque chose d'extraordinaire. Je ne l'avais pas imaginé : tout le monde en parlait. Tante Willa, modèle même de la grand-mère gâteau de Buckhead, fit remarquer :

– Ma parole, ce bébé écoute Lucy. Regardez comme il la suit des yeux.

Et Jack, renversé dans son fauteuil du séjour de la gloriette, le soir de la naissance de Malory, déclara d'un ton triomphant :

– C'est comme regarder deux images se faisant face de part et d'autre d'un miroir. Ou des jumelles. Ces quatre yeux d'un bleu identique qui s'observent avec une telle intensité qu'on pourrait presque voir des étincelles passer de l'un à l'autre. Et les sons que le bébé émet quand Lucy lui parle. Comme si elle comprenait et répondait. Lucy dit que c'est exactement ça. Shep, j'aime mes garçons, bien sûr, mais je n'ai jamais éprouvé quelque chose de comparable à ce que je ressens pour cette petite fille. C'est presque taillé dans la même matière que mes sentiments pour Lucy. Dis-moi franchement, tu as déjà vu un aussi beau bébé ?

– Non, répondis-je. Jamais. D'accord, on peut compter les bébés que j'ai vus sur les doigts d'une seule main, mais elle est vraiment plus belle que ne le sont généralement les petites filles.

– Dieu merci, elle ressemble à Lucy, soupira-t-il avant d'avaler son scotch.

Son visage terreux était empourpré, plus empreint de douceur qu'il ne l'avait été depuis les premiers jours de son mariage avec Lucy. Avec quelque chose d'enfantin, malgré les cheveux blancs clairsemés et les rides.

– Je n'aurais pas aimé refiler la binette des Venable à une petite fille. Malory, c'est une vraie Bondurant.

Je gardai un visage impassible au-dessus de ma poitrine serrée par une étrange angoisse. Il faudra que je m'accoutume à ces serrements de cœur passagers, pensai-je, car si Malory était effectivement une vraie Bondurant, elle ressemblait davantage à Lucy et aux vieilles photos de son grand-père James qu'à moi. J'en remerciai le ciel, bien qu'une partie infinitésimale de mon être éprouvât une obscure déception. Après tout, quelle importance ? décidai-je. Malory Venable était le sang de mon sang, à un degré ou à un autre, et j'avais l'alibi du cousin gâteau pour expliquer mon ravissement. Car, comme tous ceux qui la virent pendant les premiers jours de son existence, je tombai amoureux de la petite Malory Venable.

Je la découvris l'après-midi de sa naissance, avant qui que ce soit d'autre, excepté Jack et tante Willa. Lucy avait laissé des instructions pour que je sois admis comme parent proche, et lorsque je pénétrai dans sa chambre d'hôpital, elle était seule avec l'enfant, qui tétait paresseusement son sein veiné de bleu. Je sentis mon visage s'enflammer à la vue de cette chair translucide dont j'avais gardé le souvenir mais je suis sûr que Lucy ne le remarqua pas. Elle était ce jour-là en pleine extase.

Nous nous regardâmes longuement par-dessus la tête brune et soyeuse du bébé, puis elle dit doucement :

– Oh ! Gibby, regarde. Regarde-la.

Je m'approchai, l'embrassai sur la joue et sentis par-dessus son parfum, « Tabou », l'odeur fraîche et laiteuse du nouveau-né. Mes yeux picotèrent. Pour une raison quelconque, je ne pouvais regarder directement l'enfant.

– Elle est magnifique, Luce, déclarai-je. Comme sa maman.

– Plutôt comme son grand-père, tu ne crois pas ? Ou comme les hommes de la famille Bondurant. Ce petit nez fin, vous l'avez tous.

Il n'y avait aucun sous-entendu dans ses propos, juste le ravissement que lui procurait son bébé. Je me détendis, regardai vraiment Malory Venable pour la première fois. Elle détourna la tête du sein de Lucy, comme si elle avait senti mon regard. Elle avait des yeux bleus éclatants de lumière, si semblables à ceux de Lucy que je ressentis un choc au creux de l'estomac. Je bougeai la tête, son regard me suivit et elle émit un petit son doux et liquide très proche du gloussement de joie d'un adulte. Un amour fou s'épanouit dans mon cœur et tendit ses vrilles vers elle. Il n'avait en lui ni nuance ni complexité ; c'était, et c'est resté, le sentiment le plus pur que j'aie jamais éprouvé.

Lucy vibrait presque d'amour et de joie ce jour-là, babillant d'une voix douce avec le bébé dont le regard suivait son visage avec une attention véritablement adulte par son intensité. J'éprouvai une sorte de peur superstitieuse pour elle, une appréhension qui n'avait rien à voir avec la réalité de l'avenir. Ce genre d'amour parfait, rayonnant, tentait sûrement le sort et les dieux. Je ressentis un désir violent de les protéger toutes deux, de les envelopper, de les cloîtrer, puis je me souvins que cette tâche incombait à présent à Jack Venable.

Tu ferais bien de t'en occuper sérieusement, mon vieux, lui conseillai-je par la pensée.

– Je peux t'apporter quelque chose ? demandai-je à Lucy.

– Non. J'ai tout ce dont j'aurai jamais envie. Ici dans cette chambre. Oh ! si. Apporte-moi le vieil exemplaire de *La Mort d'Arthur*, de Malory. Il est toujours quelque part dans la gloriette, tu crois ? Et aussi *Le Livre de la jungle*. Je veux les lui lire maintenant, avant de rentrer à la maison. Je veux qu'elle sache d'où elle vient, et ce qui sera important pour elle.

– Je pense qu'ils sont encore sur les rayonnages, répondis-je. Sinon, je les rachèterai. Ce sera le premier cadeau que je lui ferai.

– Oh ! retrouve-les, Gibby, je t'en prie. Je veux lui lire « Nous sommes un même sang » dans le livre où nous l'avons lu ensemble. Je veux *nos* livres.

– Je chercherai, promis-je. Et je les apporterai demain si je les trouve. Mais cela ne fera aucune différence pour elle avant cinq ou six ans, tu sais.

– Non, dit Lucy, tout à fait sérieuse. Elle saura – elle sait déjà. Elle comprend ce que je lui dis et je comprends ce qu'elle me dit. Tu peux me croire folle mais c'est vrai. Malory est à moi et je lui appartiens. Elle m'entendra l'appeler toute sa vie, où qu'elle se trouve. Et elle viendra.

Le bonheur fiévreux de Lucy continua à resplendir du même éclat jusqu'au jour où Jack devait venir les chercher toutes deux pour les ramener à la maison. Ce matin-là, elle s'éveilla sous l'emprise d'une dépression frisant la catatonie. Le visage tourné vers la fenêtre, elle demeurait sans bouger, sans parler, respirant à peine, fixant les arbres nus agités par le vent le long de Peachtree Road, et rien ni personne ne la faisait réagir. Lorsque l'infirmière posa Malory sur sa poitrine, elle ne la prit pas dans ses bras pour la bercer, et l'enfant serait tombée du lit si l'infirmière ne l'avait pas rattrapée. On emporta le bébé à la nursery pour lui donner son premier biberon et elle ne se mit à pleurer que lorsque la porte se referma entre elle et sa mère. Mais on l'entendit alors vagir tout le long du couloir et les infirmières rapportèrent plus tard que ses pleurs cessèrent seulement quand elle s'endormit d'épuisement, des heures plus tard.

Jack et tante Willa arrivèrent, s'assirent près de Lucy, lui frictionnèrent les mains, lui parlèrent mais elle ne répondit pas. Jack, dont les cheveux et les mains portaient encore des traces de la peinture blanche avec laquelle il avait repeint la ferme pour recevoir la mère et l'enfant, était au bord de l'affolement. A l'évidence, la vieille Noire de Lithonia ne pourrait s'occuper à la fois du bébé et de Lucy dans cet état, et il n'était pas question que Jack s'absente de son travail plus de quelques jours. Lorsque, vers midi, Lucy n'avait toujours pas répondu à quiconque, on fit appel à un psychiatre et Jack me téléphona. Je vins à l'hôpital, m'assis au chevet de Lucy, lui pris la main et prononçai son nom avec douceur.

– Lucy... C'est Gibby. Parle-moi.

Cette fois elle tourna la tête, me regarda, et je faillis pousser un cri tant elle avait changé depuis la veille. Ses yeux bleus, dépourvus de lumière et de vie, faisaient penser à une aquarelle abandonnée sous la pluie. Son visage s'était aplati, curieusement épaissi, et avait une blancheur de craie. Ses lèvres fendillées articulèrent mon nom, puis elle dit dans un murmure rauque :

– Je n'ai jamais vu les arbres aussi beaux. Octobre est le mois le plus merveilleux, n'est-ce pas ?

Je sentis comme de la glace le long de ma colonne vertébrale.

– Nous sommes en janvier, tu viens d'avoir une petite fille, et il est temps maintenant d'arrêter ces bêtises pour la ramener chez toi avec Jack, fis-je d'une voix trop forte.

Elle ferma les yeux, tourna à nouveau la tête vers la fenêtre.

– Je ne connais pas de Jack, gémit-elle. Je n'ai pas de petite fille. Gibby, ramène-moi. Je veux mon papa. Je veux rentrer à la maison.

Jack Venable poussa un faible grognement de douleur, tante Willa eut un soupir indigné. Lucy ne prononça pas un mot de plus ce jour-là. Le psychiatre s'enferma avec elle pendant une heure ; l'obstétricien fit faire des tests et, lorsque les résultats furent disponibles, les deux médecins nous rejoignirent dans la salle d'attente.

– C'est une névrose de post-partum classique, diagnostiqua le psychiatre. (Il avait une chevelure de pur argent sur un visage rose et sans rides de nouveau-né. Un visage de fesse de bébé, aurait dit Lucy.) Je sais que cela paraît bizarre, mais ce n'est pas rare, et j'ai vu des cas bien plus graves. Je crois qu'elle se remettra assez rapidement avec un bon traitement et des soins attentifs. J'ai cru comprendre que Mr. Venable ne pourra les prodiguer. Y a-t-il un endroit où l'on pourrait assurer à la mère le calme et le repos total tout en s'occupant du bébé ?

Il regarda tante Willa puis moi. Sachant que je n'avais pas le choix, j'acquiesçai. Tante Willa fit de même, les lèvres pincées.

– Nous serons heureux de l'accueillir, déclarai-je. Martha Cater la soignera et nous trouvera sûrement une nurse pour le bébé. Sa fille, peut-être. Elle s'est occupée de Lucy, autrefois. La maison est proche de l'hôpital et pas tellement éloignée de ton bureau, Jack. Tu pourras venir avant et après ton travail – ou même dormir chez nous, si tu veux. Ce n'est pas la place qui manque.

– Je... commença Jack. Bon, d'accord.

Je savais que l'idée de renvoyer Lucy dans cette maison de richesse et de froideur ne lui plaisait pas du tout mais lui non plus n'avait pas le choix.

– Je vous en serai très reconnaissant, ajouta-t-il. Mais seulement jusqu'à ce qu'elle soit sur pied. Et je ne dormirai pas là-bas, merci quand même. Je passerai quand je pourrai.

– Parfait, approuvèrent en chœur l'obstétricien et le psychiatre.

– Bien, fit tante Willa. (Elle se leva de sa chaise avec grâce, lissa le fourreau de laine grise qui enserrait ses hanches et ses fesses élégantes.) Je ferais mieux d'aller tout préparer pour accueillir le bébé. Voyons... mmm... non, la seule solution, c'est de donner ma chambre à Lucy et à Malory. Moi, je retourne dans ma mansarde. Nous ne pouvons décemment pas déménager le pauvre Shep Senior et son infirmière. Mon Dieu ! que de malades, que d'infirmières...

Sa voix se perdit dans le claquement de ses talons tandis qu'elle descendait le couloir en direction de l'ascenseur. Je savais – et Jack devinait probablement – que, sous son apparence de mère martyre et dévouée, Willa Slagle était à nouveau furieuse contre sa fille, cette gêneuse qui ne la laissait décidément pas en paix dans la demeure agréable où elle avait fini par faire son trou.

Lucy revint donc au 2500 Peachtree Road avec une infirmière et Malory. On l'installa en haut, dans la grande chambre ; la vieille Martha fit venir Toto de Forest Park et trouva une nourrice dans l'une des cités nouvelles. Tante Willa reprit son travail, je retrouvai la gloriette et les ancêtres de Sarah Gentry. Et tandis que je travaillais, la pensée que Malory Bondurant Venable se trouvait dans la petite pièce qui avait été ma première chambre ne me quittait pas un instant.

Pendant une semaine environ, Lucy demeura immobile dans son lit, contemplant par la fenêtre la cime des arbres qui avaient ombragé ses étés pendant dix-huit ans. On ne lui permettait aucune visite mais, de temps à autre, je me glissais furtivement dans la chambre pour admirer Malory, dormant dans sa perfection nacrée tandis que Toto la berçait, puis j'allais m'asseoir au chevet de Lucy. Je lui tenais la main, lui parlais de choses anodines et réussis une ou deux fois à la faire sourire. Un après-midi, vers la fin de la première semaine, elle dit tout à coup d'une voix faible :

– Je me sens si lasse quand je pense que je devrai toujours m'occuper d'elle, Gibby. Je ne sais même pas m'occuper de moi. Je ne sais pas ce que nous allons devenir.

C'étaient les premiers mots qu'elle m'adressait depuis son départ de l'hôpital, et je sursautai.

– Jack s'occupera de vous deux, bien sûr, répondis-je.

Elle secoua la tête sur l'oreiller d'un air effrayé.

– Il essaiera, mais finalement il n'en sera pas capable, geignit-elle.

– Mais si. Et je serai là, moi aussi. Si toi et Malory avez un jour besoin qu'on s'occupe un peu plus de vous, je serai là.

– C'est vrai, Gibby ? demanda Lucy en tournant vers moi son visage émacié.

– Naturellement.

Elle garda un moment le silence puis dit en souriant :

– Oui. Je te crois, maintenant.

Peu après, son état commença à s'améliorer et, une semaine plus tard, tante Willa l'emmena passer une dizaine de jours à Sea Island, au soleil printanier. Lorsqu'elle revint, légèrement hâlée, le visage moins creusé, elle était redevenue gaie et elle serra Malory contre elle à la faire crier.

– Tu n'as pas pleuré pendant que maman était partie, hé, mon petit ange ? susurra-t-elle à la joue satinée de l'enfant. Je sais que tu n'as pas pleuré. Je te sentais à chaque instant, je t'ai envoyé mille messages par jour, et je sais que tu as été sage. N'est-ce pas, Martha ? N'est-ce pas, Shep ?

– Oui, m'âme, convint Martha Cater d'un ton renfrogné. Elle a pas pleuré après vous. J'ai jamais vu un bébé aussi sage.

Je savais qu'il en coûtait à Martha de faire cette déclaration, elle qui avait ronchonné quand Lucy avait annoncé son départ, qui avait prédit des sanglots, des nuits sans sommeil et le dépérissement de l'enfant. Rien de tout cela ne s'était produit. Malory avait pleuré inconsolablement pendant une heure environ après le départ de sa mère. Puis, comme si elle avait effectivement reçu un message, elle avait regardé autour d'elle, l'air surpris, avait arrêté de pleurer et s'était rapidement endormie. Lorsque je donnai ces détails à Lucy, elle eut un sourire éclatant.

– Je sais, dit-elle. Nous nous sommes arrêtées au *New Perry Hotel* pour prendre le petit déjeuner et soudain je l'ai entendue. Je ne peux pas t'expliquer. Et je... je lui ai parlé. Je me suis concentrée et je lui ai envoyé un message lui disant de ne pas pleurer, que j'étais avec elle, que tout allait bien. Que tu étais là et que tu t'occuperais d'elle. Je sais qu'elle a alors cessé de pleurer. Je l'ai senti. C'est un immense soulagement, Gibby. Cela veut dire que je peux retourner au travail ou ailleurs et que tout ira bien pour elle, parce que je peux lui parler.

– Il ne nous manquait plus que deux phénomènes dans la maison, marmonnai-je, inquiet malgré moi.

Lucy prit l'habitude d'emmener le bébé à la gloriette dans l'après-midi, lorsque j'avais fini de lire ou de prendre des notes, qu'elles avaient toutes deux pris leur bain et fait la sieste. Je préparais le café, sortais le cake ou les gâteaux secs apportés par Martha, allumais le feu dans la cheminée et mettais un disque de Vivaldi ou de Palestrina. Lucy posait alors dans mes bras le poids léger et parfumé de Malory, s'étendait sur le sofa, grillait une cigarette. Parfois, elle buvait un sherry, devenait volubile et parlait à nouveau du Mouvement pour les Droits Civiques en pleine ascension, et du travail jamais terminé à Damascus House.

La ségrégation commençant à s'écrouler dans les écoles et les universités, les manifestants noirs concentraient leurs efforts sur les hôtels et les restaurants, et il n'y eut quasiment pas de journée sans marche ou *sit-in* ce printemps-là. Je savais que Ben Cameron rencontrait presque quotidiennement les dirigeants noirs. Le 1er mars, une manifestation eut lieu à l'hôtel *Henry Grady*, dans Peachtree Street, ce bastion de la bourgeoisie blanche, et la moitié des résidents de Damascus House, y compris le charismatique Clayborne Cantrell, se rendirent joyeusement à la prison du comté de Fulton en chantant *We Shall Overcome*. Lucy brûlait d'envie d'être avec eux.

– Je devrais être là-bas, répétait-elle à travers la fumée de sa cigarette. Je devrais être avec eux. C'est mon combat aussi. Je l'ai délaissé trop longtemps.

– C'est ça, grommelai-je en berçant Malory endormie dans le vieux lit d'enfant que Shem Cater avait descendu du grenier. Juste ce dont ta fille a besoin : sa mère en cabane.

– Elle n'en souffrirait pas. Je lui parlerais de loin. Et tu serais auprès d'elle.

– Jack aussi. A moins qu'on le mette en prison avec toi.

– Plus de prison pour lui, il est devenu trop important. C'est lui qui s'occupe de l'argent. Clay ne lui permet plus de manifester. D'ailleurs, Jack ne se laisserait pas arrêter : il n'y a pas de scotch en prison. Pas de livres ni de disques.

Mais, après l'arrestation d'un grand nombre de résidents

de Damascus House, Lucy devint nerveuse, lointaine, et la fenêtre de sa chambre restait éclairée toute la nuit. Vers la fin de la semaine, elle vint à la gloriette, un drap d'enfant bordé de dentelle sur les épaules, tandis que Malory était enveloppée dans une des blouses de sa mère.

– On change les rôles, gloussa-t-elle. Tu vois ? C'est elle la maman et moi le bébé, maintenant. A son tour de s'occuper de moi.

Elle souleva gaiement l'enfant, qui gémissait en tentant de dégager ses petits pieds et ses petits poings du vêtement trop grand. J'éprouvai de la colère et un peu de la frayeur que j'avais ressentie le matin où Lucy s'était réfugiée dans la dépression. Avec agacement, je lui pris Malory des bras, ôtai la blouse grotesque, récupérai le drap et en enveloppai l'enfant.

– Ne la rends jamais ridicule, Lucy, dis-je d'une voix calme malgré ma colère.

Elle me toisa, les yeux étincelants.

– Ne me dis pas ce que je dois faire avec mon propre enfant, répliqua-t-elle enfin.

Je soutins son regard en silence, elle baissa les yeux, prit Malory et retourna dans la maison. Le lendemain soir, Jack Venable vint chercher Lucy et le bébé pour les ramener à la ferme de Lithonia, et sa joie devant sa fille, son amour pour Lucy étaient si palpables qu'ils remplirent presque le vide de mon cœur quand je regardai partir le bébé emmailloté de rose.

Peu après, Lucy confia Malory à la vieille Noire pour pouvoir reprendre son travail et m'informa par ses coups de téléphone du soir – qui reprirent bientôt – que sa fille était aussi heureuse de la compagnie de sa nouvelle nurse et de ses demi-frères, Toby et Thomas, qu'elle l'avait été de la mienne et de celle de sa mère.

– C'est un de ces rares bébés d'une parfaite sérénité, Gibby, me dit-elle en inhalant la fumée de sa cigarette. Estelle assure qu'elle ne pleure jamais. Elle devient ronde comme un petit tonneau et est aussi ravie de nous voir le soir que si nous avions passé la journée avec elle.

Puis elle enchaînait sans transition sur le travail à Damascus House, et j'avais l'impression qu'elle était profondément satisfaite de se replonger dans le combat contre la ségrégation, comme si l'aisance avec laquelle elle évoluait parmi les militants noirs était un soulagement après l'intensité dévorante de ses rapports quotidiens avec Malory. Bientôt sa journée de travail s'allongea terriblement, et, au milieu de l'été, Jack quitta Damascus House – avec un soulagement visible, pensai-je – pour un emploi de comptable moins prenant et légèrement mieux payé dans une grande société du centre. A partir de ce jour, il s'occupa presque seul des trois enfants tous les soirs.

Je continuai à travailler dans la gloriette et de nombreux mois s'écoulèrent avant que je ne remette les pieds dans la grande maison. Ce n'était pas que je l'évitais particulièrement, mais Lucy et Malory étant parties, et mon père réagissant toujours aussi peu qu'un animal sauvage drogué et enchaîné, je n'avais aucune raison de m'y rendre. La maison de Peachtree Road était maintenant incontestablement le territoire de ma tante Willa, comme si c'était elle et non moi qui y était née. Lors de mes rares incursions pour prendre des vêtements ou un livre, j'avais l'impression de cambrioler une maison inconnue. L'air était imprégné de son parfum coûteux, et, les quelques fois où j'allai m'asseoir un instant près de mon père muet et grimaçant, la chambre en était inondée. Je sus par cet indice – ainsi que par les protestations grommelées des Cater – qu'elle continuait à passer une grande partie de son temps libre auprès de lui, s'occupant à Dieu sait quoi car il ne lui faisait certes pas la conversation. Il demeurait aussi silencieux qu'une idole toltèque.

Ma tante avait manœuvré avec la lenteur et la finesse d'un chat pour s'établir dans la maison. Absorbé par les ancêtres de Sarah Gentry et la venue de Malory, je n'y avais pas prêté attention, bien que ce fût moi qui, en l'invitant à prendre la chambre de ma mère le jour de mon départ pour Orly, lui en eusse donné implicitement la permission. Je vois maintenant que cette autorisation lui conféra en même temps une position bien plus importante : celle d'impératrice douairière. Tante Willa n'était pas idiote. Elle avait dû remarquer dès le premier jour mes sentiments pour Malory, et elle connaissait depuis toujours les liens immuables et complexes qui m'attachaient à Lucy. Je crois qu'elle prit possession de la chambre de ma mère puis de sa maison avec l'absolue certitude que je ne chasserais pas la mère de Lucy et la grand-mère de Malory d'une demeure qu'elles et moi considérions comme la leur. Et elle avait raison.

Shem et Martha Cater détestaient recevoir des ordres d'elle, mais leurs antennes sensibles les avertissaient – fort justement – que je ne voulais pas en entendre parler et ils gardaient donc pour eux la plupart de leurs récriminations. Personne d'autre ne semblait remarquer la situation, excepté peut-être pour faire observer, à un moment ou à un autre, qu'il était heureux que Willa veuille et puisse nous servir de gouvernante, à mon père et à moi, et pour se demander ce que nous ferions sans elle.

Rares étaient alors les belles femmes mûres de sa génération qui se rappelaient qu'elles s'étaient autrefois moquées d'elle avec ma mère. Sans être l'une d'elles, Willa avait su acquérir leur vernis, et à Atlanta les apparences ont toujours eu le pouvoir d'apaiser et de charmer. Il n'y a pas ici assez d'authentique sang bleu pour que l'on s'indigne de l'intrusion d'une Willa Slagle Bondurant. En outre, au milieu des années 60, la ville chevauchait la queue d'une comète et le Vieil Atlanta, bon gré mal gré, suivait le mouvement, bouche bée et étourdi parmi des galaxies et des constellations dont il n'avait jamais rêvé. Personne n'avait le temps ni l'envie de snober tante Willa comme on l'eût fait peut-être dix ans plus tôt.

Elle régnait donc, onctueuse et hautaine, dans la maison où elle était arrivée vingt-cinq ans plut tôt, vacillant sur des hauts talons crottés, aussi belle, distinguée et courtisée que n'importe laquelle des femmes qui l'avaient toisée avec dédain au Driving Club. J'étais dans l'ensemble assez content de la laisser régenter la maison, comme je laissais Marty Fox, homme prudent et caustique que j'avais engagé l'année précédente, diriger les affaires de mon père. Je connaissais le pouvoir de Willa sur Lucy mais j'avais également vu ses larmes, sa peur, donc sa vulnérabilité, et je ne pensais pas qu'elle eût aucun pouvoir sur Malory. Si elle faisait une tentative dans cette direction, j'aurais toujours la possibilité d'y mettre fin rien qu'en la menaçant de la chasser de la maison – ce que je n'aurais pas hésité à faire.

Car c'était effectivement *ma* maison, non celle de mon père. Toutefois, je ne pense pas que Willa le sût avec certitude, ni alors ni longtemps après. Elle devait croire que la maison appartenait peut-être encore à mon père, que j'y étais simplement toléré, comme elle, et c'était sans doute pour cela qu'elle passait de longues heures à son chevet, espérant, dans quelque recoin de son âme de paysanne, qu'il la récompenserait en lui léguant la maison.

Il serait intéressant de savoir ce que mon père pensait de la présence de sa belle-sœur près de son lit. Nous ne sûmes jamais s'il avait bien compris ce qui était arrivé à ma mère, mais il avait dû remarquer son absence et conclure, à un moment donné, qu'elle était morte. S'il était assez lucide pour faire ce raisonnement, la vanité des veilles de tante Willa à son chevet dut lui donner de nombreux moments de sombre jubilation. Car il savait depuis de longues années ce que je n'appris qu'après l'accident d'Orly par Tom Carmichael : la maison ainsi que la presque totalité des immeubles et autres biens que mon père avait gérés étaient au nom de ma mère et m'avaient été directement transmis à sa mort. En un instant, j'étais devenu un jeune homme très riche et lui un vieillard quasiment sans ressources. Je me suis toujours demandé s'il ne nous avait pas haïs, ma mère et moi, à cause de cette perspective bien avant qu'elle ne devienne réalité. Cela expliquerait au moins en partie son aversion pour moi et sa longue retraite dans son bureau pour fuir la présence de ma mère. Après que Tom Carmichael eut amené Marty Fox à la maison et me l'eut présenté, je ne retournai plus jamais dans cette pièce.

Je ne me sentais pas riche, ou même différent de quelque manière que ce soit, et j'oubliais pendant de longues périodes – jusqu'à ce que Marty m'apporte sa liasse mensuelle de factures, de chèques et de papiers à signer – que les biens des Bondurant étaient à présent entre mes mains tout à fait incompétentes. Le seul avantage que tout cet argent présentait pour moi, c'était qu'il assurait ma tranquillité et me libérait de tâches pénibles et fastidieuses. J'en usais sans vergogne. Marty Fox dirigeait quasiment les affaires, tante Willa dirigeait la maison. J'avais assez de matériau historique de la famille Cameron à ma disposition pour m'occuper jusqu'à la sénilité si je le désirais, et, de l'autre côté des murs de la gloriette, peu de choses m'attiraient suffisamment pour m'en faire sortir. Le feu qui continuait à couver sous les cendres de Pumphouse Hill, les préoccupations naturelles pour leur famille, leur carrière naissante tenaient à présent les Buckhead Boys et leurs épouses à distance respectable de ma personne.

Si j'avais vraiment été des leurs, si j'avais élevé une famille, poursuivi une carrière et évolué avec eux entre les clubs, les maisons et les lieux de vacances de notre ancienne orbite, je crois qu'ils auraient pardonné l'incendie et m'auraient repris dans le bercail, mais je portais alors au front la marque des solitaires. Animaux grégaires jusqu'à la moelle, ils le voyaient, le sentaient et m'abandonnaient à mon sort. Un par un, ils se firent un devoir de m'inviter à dîner dans leurs maisons quasi identiques de « jeunes couples » au cours de la période qui suivit la mort de ma mère ; ils me convièrent à leurs fêtes, m'inclurent dans leurs sorties et autres rituels du troupeau mais j'avais déjà déserté leurs rangs, j'avais déraillé, quittant une fois pour toutes la voie qui les mènerait un jour dans les allées du pouvoir, prêts à reprendre le flambeau quand le Club le leur tendrait. Je n'en avais cure. A cette époque, toutes les rencontres étaient des collisions et les morts de la gloriette m'accueillaient avec plus de gentillesse que les vivants de Buckhead. L'argent m'achetait la solitude ; j'avais les moyens de devenir une sorte de reclus.

Seule Dorothy Cameron essaya alors de me faire revenir dans le monde.

– Il n'y a aucune raison pour que tu continues à te terrer dans cette gloriette, me dit-elle un soir de l'automne 1963 que j'étais venu la voir à la tombée de la nuit.

Je savais Ben absent : le journal avait annoncé qu'il rencontrait ce soir-là des représentants de plusieurs organisations noires pour rédiger des recommandations en vue d'une législation antiségrégationniste en matière de logement et d'emploi. Je trouvai Dorothy dans le bureau de la maison de Muscogee Avenue, la petite Livvy Gentry jouant tranquillement à ses pieds dans un parc. Sarah, expliqua-t-elle, répétait pour les *Junior League Follies*, et Charlie était enfermé dans un bureau avec Mr. Woodruff, comme cela lui arrivait deux ou trois soirs par semaine à présent.

Dorothy me mit Livvy dans les bras. C'était un bébé plutôt simiesque, aussi frêle de stature que Sarah l'avait été au même âge, mais avec les yeux en boutons de bottine et la lèvre supérieure en saillie de Charlie. J'avais l'impression de tenir un singe épilé. Au bout d'un moment, je la rendis à Dorothy. Cet enfant avait beau porter le nom de ma mère, être la chair et le sang de mon amour perdu, je n'éprouvais absolument rien pour elle, si ce n'est un vague regret qu'elle ne ressemblât pas davantage à Sarah.

– Je fais du bon travail avec vos ancêtres, déclarai-je. Ce sera un livre magnifique si je suis capable de le mener à bien. Cela demande beaucoup de temps et de concentration.

– Tu ne dois pas pour autant délaisser tes autres obligations. Tout cet argent que tu possèdes, tu dois le faire travailler. Si tu ne veux pas sortir de ta retraite pour t'en occuper, donne-le à quelqu'un comme Charlie, qui saura en faire usage. Tu n'en as pas besoin, Shep. C'est immoral de passer son temps avec de vieux papiers alors qu'une partie de cette fortune pourrait changer la vie de tant de gens.

– J'ai chargé Tom et Marty de rénover tous les immeubles que nous possédons, répliquai-je avec rancœur. Cet argent, je ne le gaspillerai pas. A ma mort, je le laisserai en des mains où il sera utile, et en ce moment j'essaie de mettre sur pied une sorte de trust pour Malory.

Dorothy me lança un regard pénétrant.

– Très généreux de ta part, Shep, commenta-t-elle. Mais je suppose que cette idée n'emballe pas Jack, non ? Et d'après ce que j'ai entendu dire, Lucy ne songe même pas que sa fille pourrait avoir un jour besoin de cet argent. Il paraît qu'elle milite plus que jamais dans le Mouvement, qu'elle rentre le plus souvent quand son bébé est déjà endormi.

– Vous entendez beaucoup de choses, fis-je observer sans aigreur.

– En effet. C'est étonnant ce que les gens me confient. Je me trompe au sujet de Jack ?

– Non, répondis-je. Il a même refusé d'en discuter et a déclaré qu'il ne laisserait pas Malory toucher un sou de ce trust si j'allais contre son opinion et l'établissais quand même. Je crois cependant qu'il changera d'avis. Lui et Lucy ne gagnent pas assez à eux deux pour l'envoyer en colonie de vacances, encore moins au lycée et à l'université.

– C'est un homme fier, dit Dorothy. Je comprends son point de vue. C'est sa fille, après tout.

– Elle fait aussi partie de ma famille, objectai-je.

– Je le sais, dit Dorothy.

Quelque chose dans sa voix me fit penser qu'elle en savait autant que moi sur les ascendances de Malory, mais elle n'en dit pas davantage, ni ce jour-là ni jamais.

Ce fut cet automne-là que je commençai à m'inquiéter sérieusement pour Lucy et, par voie de conséquence, pour Malory. Sa passion pour son travail à Damascus House et pour le Mouvement vira à l'obsession. De deux ou trois soirs par semaine là-bas, elle passa à trois ou quatre, dormant même parfois au bureau sur un lit de camp. Je le savais uniquement parce que le bruit de fond que j'entendais chaque soir, lorsqu'elle me téléphonait, était indiscutablement celui d'autres téléphones et de ronéos. Je ne crois pas qu'elle m'aurait dit d'où elle m'appelait si je le lui avais demandé. Elle connaissait maintenant mon sentiment sur le temps qu'elle passait loin de sa fille.

– Arrête, Gibby, rétorquait-elle. Malory va très bien, je viens de téléphoner. Elle a très bien mangé, s'est endormie aussitôt et n'a pas pleuré une seule fois de la soirée. Jack pense qu'elle est sur le point de marcher, c'est une question de jours. Qu'est-ce que tu en dis ? C'est terriblement jeune pour marcher, tu sais.

– J'espère que tu seras là pour voir ça, maugréai-je. Tu en es à combien cette semaine ? Trois soirs au bureau ? Quatre ? Cette enfant finira par penser qu'Estelle est sa mère.

– Elle sait qui est sa mère, ne t'en fais pas pour ça, riposta Lucy, sur la défensive. Il ne s'écoule pas une heure sans que je lui parle à distance. Elle me répond toujours. C'est formidable, qu'elle marche, non ? Avant la fin de l'année, je l'emmènerai manifester avec nous.

– Tu ferais mieux de rentrer chez toi, fis-je, exaspéré. Malory a besoin de sa mère, c'est aussi simple que ça.

– Elle a besoin d'un monde où les enfants noirs ne se font pas mordre par des chiens, ni taper dessus à coups de matraque, répliqua Lucy d'une voix sifflante. C'est aussi simple que ça. Tu crois que je ne milite pas pour elle ?

– L'idée m'a traversé l'esprit que tu le fais surtout pour toi, puisque tu en parles.

Mes propos étaient injustes, mais Lucy sombrait quelquefois dans un bla-bla libéral facile qui me mettait hors de moi. Pour une raison quelconque, je ne supportais pas la banalité en elle.

– Va te faire foutre ! s'écria-t-elle avant de raccrocher brutalement.

Je n'eus plus de nouvelles d'elle avant de lui téléphoner pour m'excuser, deux jours plus tard. Après quoi je ne lui parlai plus de ses trop longues heures de travail ni de son obsession, mais je ne cessai pas de m'en préoccuper. Le dynamitage de l'église baptiste noire de Birmingham, en septembre, l'avait presque rendue folle. Elle avait pleuré, ragé pendant des jours, et Jack n'avait pu l'empêcher de participer à la marche de Washington (où Martin Luther King avait prononcé son « J'ai fait un rêve » galvanisant) qu'en menaçant de confier Malory à tante Willa et à moi si elle partait. Depuis, son état de tension n'avait fait qu'augmenter et je me demandais maintenant si cette menace suffirait à la dissuader.

Un vendredi de novembre, Jack Venable me téléphona en milieu d'après-midi.

– Tu peux me rendre un immense service ? dit-il d'une voix pâteuse et morne, comme sous l'effet d'une grande fatigue.

– Bien sûr. Que se passe-t-il ?

– Tu pourrais aller chercher Lucy à Damascus House ? On vient de m'appeler de là-bas, elle a... une sorte de crise. Avec tout ce qui se passe en ce moment, ils n'ont pas le temps de la ramener, et moi je ne peux pas laisser les enfants pour aller la chercher. Si tu pouvais t'en charger, je t'en serais éternellement reconnaissant.

Quelque chose n'allait pas.

– Qu'est-ce que tu fais chez toi en pleine journée ? m'étonnai-je. Malory a quelque chose ?

Après un long silence, il reprit :

– Tu n'es pas au courant ?

– Au courant de quoi ? demandai-je, le cœur glacé.

– On a tiré sur Kennedy à Dallas. Il est mort.

La pièce s'enfla, se fit plus brillante autour de moi ; la voix de Jack faiblit puis déferla à nouveau comme une lame.

– ... sais ce qu'elle éprouvait pour lui, disait-il.

Ce que j'avais pris pour de la fatigue se révéla être de l'affliction. Sa voix se brisa, il se racla la gorge avant de poursuivre :

– Il était le bon Dieu pour Lucy. Et elle est terriblement instable depuis la naissance du bébé. Je ne veux pas entasser les trois enfants dans la voiture et aller là-bas, je préfère qu'ils ne la voient pas dans cet état. Je crois qu'ils ne le supporteraient pas, et moi non plus, peut-être. Toi, tu as toujours su comment la calmer. Si tu pouvais t'occuper d'elle, là-bas ou ailleurs, jusqu'à ce qu'elle soit en état de voir les enfants. Estelle est partie, je suis seul avec eux.

– J'y vais tout de suite, déclarai-je.

– Merci, dit Jack d'une voix lasse. Merci.

Je ne partis cependant pas immédiatement. Mes jambes me trahirent et je dus demeurer un bon moment assis sur le sofa, secouant la tête pour l'éclaircir. Je songeai à demander à Shem Cater de me conduire, mais je voulais être seul et finalement je m'installai au volant de la Rolls et pris la direction du lugubre quartier de Five Points, les bras et les jambes saisis de tremblements.

Clayborne Cantrell célébrait une messe dans la chapelle quand j'arrivai, si bien qu'il n'y avait presque personne aux abords de Damascus House. J'entendis des sanglots, d'étranges lamentations intemporelles qui firent se dresser mes cheveux sur ma nuque, et un hurlement de pure souffrance, semblable à celui d'un chien, par-dessus ce chant d'espoir et d'engagement particulièrement poignant à présent : *We Shall Overcome.*

Je gravis le vieux perron de pierre, tournai à droite pour pénétrer dans le petit bureau où Lucy travaillait. Je sentis des larmes couler sur mon visage mais ne les essuyai pas : c'était sans importance.

Dans la petite pièce encombrée, Lucy était assise à côté d'une Noire d'âge mûr très corpulente qui lui tenait les deux mains. Il ne me fallut pas plus d'une seconde pour me rendre compte qu'elle maintenait Lucy sur sa chaise. Ma cousine ne cessait d'essayer de se lever en secouant la tête, ce qui faisait danser les pans de sa chevelure noire. Son visage avait la blancheur jaunâtre du papier bon marché ; des cernes blancs entouraient ses yeux bleus flamboyants et elle souriait – un sourire terrible, figé.

– Salut, Gibby, me lança-t-elle. Tu es venu pour la marche ? Flora, je te présente mon cousin Gibby. Il sait toujours ce qu'il faut faire. Je te l'avais dit que les gens finiraient par venir, il suffisait d'être un peu patient. Merde, qu'est-ce que Claiborne fabrique avec l'autocar ? Nous perdons du temps. On pourra chanter plus tard. Ce qu'il faut, c'est se mettre en route...

Elle se pencha pour regarder dans la direction d'où provenaient le chant et les pleurs. Sans lui lâcher les mains, la Noire hocha la tête.

– Elle croit qu'on va aller à Washington pour marcher sur la Maison-Blanche, soupira-t-elle. Elle dit qu'avec la mort du président et la plus grande marche de l'histoire ce sera la fin de la lutte, qu'il n'y aura plus d'injustice raciale. Elle pense qu'il a été tué par une bande de ségrégationnistes et que c'est la fin...

– Oui, c'est fini ! s'écria Lucy, la voix tremblante d'excitation. Nous avons gagné, tu ne le vois pas ? Après ça, plus personne au monde ne croira à la ségrégation – c'est le plus grand martyr que le Mouvement pouvait avoir ! Mais nous devons partir maintenant, nous devons être là-bas quand on le ramènera. Tous les autres y seront déjà...

Je m'approchai, m'agenouillai devant elle, pris ses mains de celles de la femme noire, qui caressa les cheveux de Lucy et sortit du bureau.

– Lucy, écoute-moi, dis-je. Nous n'irons pas à Washington. Il n'y aura pas de marche. Ce n'était pas un complot ségrégationniste, cela n'avait rien à voir avec les droits civiques. J'ai entendu à la radio en venant ici qu'on a arrêté le type. On pense que c'est une espèce de communiste, et qu'il a agi seul.

Elle me regarda calmement.

– C'est ce qu'on veut que tu penses, bien sûr. Mais le premier crétin venu sait que c'est à cause des droits civiques. Gibby, tu peux demander à Clayborne d'arrêter tout de suite cette messe stupide ? Toutes les autres villes du pays envoient des manifestants là-bas pendant que nous restons le cul sur une chaise, à chanter !

– Je veux que tu cesses immédiatement de déconner,

Lucy, ordonnai-je, furieux et effrayé. J'ai promis à Jack de te ramener chez toi, là où est ta place, auprès de lui et de Malory, et c'est ce que je ferai. Prends tes affaires, nous partons.

Son sourire s'élargit. Elle était belle, et paraissait complètement folle.

– Je vais à Washington, Gibby. Marcher pour mon président. Tous les habitants de ce pays qui ont une conscience s'y retrouveront. Je parie que mon père y sera. Je parie qu'il y est déjà... Tu n'as jamais remarqué combien Jack Kennedy ressemblait à papa ? Ce serait incroyable, hein, de tomber sur mon père à Washington, le jour de la plus grande marche de toute l'histoire du monde ?

– *Lucy !*

– Attention, Gibby, sinon je vais vraiment devenir folle, menaça-t-elle en me coulant un regard oblique de ses yeux cernés. Tu veux que je pique vraiment une crise ? Allons-y : PAPA ! JE VEUX MON PAPA ! JE VEUX MON PAPA ! IL N'EST PAS MORT ! QUELQU'UN A TUÉ LE PRÉSIDENT !

Ses cris s'élevèrent, si perçants et sauvages qu'ils se répandirent de façon désordonnée autour de la petite pièce comme des oiseaux pris au piège puis s'égayèrent, s'enfuirent dans les couloirs et montèrent vers les étages du vieux bâtiment où ils continuèrent à résonner. Lucy semblait ne pas avoir besoin de reprendre sa respiration.

Je ramenai le bras en arrière aussi loin que je pus et la giflai de toutes mes forces. Sa tête partit de côté, rebondit sur son cou mince. Elle eut une longue inspiration sifflante, ses yeux immenses et hagards, tout en pupilles, se braquèrent sur moi, puis elle enfouit son visage dans ses mains et se mit à pleurer. Je la pris dans mes bras, l'attirai contre moi et nous restâmes ainsi, pleurant ensemble dans cette pièce minuscule et surchauffée, jusqu'à ce que la violence même de ses sanglots lui donne des haut-le-cœur.

Lucy finit par se calmer mais ne put s'arrêter de pleurer. Les larmes coulaient sans fin, glissant silencieusement sur son visage livide, ravagé, mouillant sa blouse et son pull. Dans la voiture qui nous ramenait à Buckhead, elle ne parla pas mais fuma à travers ses pleurs et écouta les voix sombres des journalistes sur le poste de radio de la Rolls jusqu'à ce que, ne pouvant plus les supporter, je tourne le bouton. Finalement, comme nous passions devant la gare de Brookwood où, des siècles plus tôt, deux enfants frêles avaient rampé sous un train s'ébranlant lentement, elle murmura :

– Je ne peux pas rentrer à la maison. Avec toi, je peux rester relativement calme, mais si je dois avoir sous les yeux ces horribles gosses et les entendre jacasser à propos de l'événement, je me remettrai à crier comme une furie, je le sais. Je ne supporterai pas non plus les analyses interminables de Jack. J'ai vraiment peur de rentrer, Gibby.

– Alors tu ne rentreras pas, déclarai-je. Tu resteras avec moi jusqu'à ce que tu te sentes mieux. J'ai dit à Jack que je te garderais peut-être.

– Il n'a pas fait de difficultés ? demanda Lucy d'une voix lointaine.

– C'était son idée.

Après un moment de silence, elle reprit :

– Je ne sais trop pourquoi, mais je ne veux pas retourner à la gloriette, Gibby. Je ne veux pas qu'elle soit plus tard associée dans mon esprit à cet affreux événement. Et je ne veux pas non plus courir le moindre risque de voir maman. Elle haïssait Kennedy. Ou, pis encore, elle faisait seulement semblant de le haïr parce que toutes ses sales copines républicaines ne peuvent le sentir. Je crois que je la tuerais si elle disait un seul mot sur lui.

– Je sais où aller, déclarai-je comme si j'avais tout prévu. Chez les Cameron. Je te parie qu'ils sont chez eux. Il y aura quelqu'un, de toute façon. Ça te va ?

– D'accord, consentit-elle d'une voix morne. N'importe où sauf la gloriette et la maison.

En définitive, Ben et Dorothy n'étaient pas chez eux mais Sarah et Charlie s'y trouvaient en compagnie de Ben Junior et Julia, Snake et Lelia, et même Tom et Freddie Goodwin arrivèrent juste après nous. D'autres suivirent. Un par un, les Buckhead Boys et leurs filles apparurent dans la maison de Muscogee Avenue, surgissant de la nuit de novembre comme pour répondre à un appel.

Ce furent de sinistres retrouvailles. Je me souviens que tous pleuraient, même ceux qui n'aimaient pas particulièrement Kennedy. Nous savions que nous avions perdu bien plus qu'un président. Notre jeunesse était morte, notre enfance commune avait pris fin. Cette journée divisait le temps, et désormais nous verrions nos vies séparées entre ce qui s'était passé avant et ce qui se passerait après. En regardant les larmes couler sans retenue sur ces visages que je connaissais littéralement depuis toujours, je songeai que, Sarah et Lucy mises à part, je n'avais jamais vu pleurer aucun d'eux et ne les reverrais probablement jamais en larmes, même pour la mort de l'un d'entre nous.

Sarah nous accueillit et nous conduisit dans le petit bureau. Elle avait un verre à la main et ne cessa de boire à petites gorgées pendant toute la soirée. Nous bûmes tous beaucoup et certains de nous se soûlèrent franchement pour la première fois de leur vie, peut-être. Je me rappelle Ben portant quasiment Julia dans l'escalier pour la conduire à son ancienne chambre, Tom Goodwin trébuchant en allant chercher un autre verre sur le plateau, près de la cheminée. Charlie parlait peu et pleurait en silence, sans s'arrêter, même en remplissant ses devoirs d'hôte, versant à boire, allumant les cigarettes, prenant ou allant chercher les manteaux. La rivière silencieuse de ses larmes ne cessait de couler derrière les verres épais de ses lunettes et de tomber sur son col.

Sarah apporta des plateaux de sandwiches et une assiette de gâteaux mais personne ne mangea. Nous bûmes en regardant à la télévision des images inimaginables : Lyndon Johnson, la stature imposante, l'air d'un loup, agitant la main dans une cabine d'avion bondée ; Jackie se tenant seule, droite comme un I, sur un quai d'embarquement de

Virginie ; des drapeaux en berne, des gens du monde entier en larmes.

Vers dix heures environ, Freddie leva sa petite tête d'oiseau en disant :

– Je me demande s'il faudra annuler les *Junior League Follies*. Je ne vois vraiment pas comment on pourrait : nous avons travaillé comme des bêtes pendant des mois. Il fallait que cela arrive maintenant...

– TA GUEULE, FREDDIE ! hurla Lucy en jaillissant toutes griffes dehors du fauteuil où elle était restée prostrée toute la soirée.

Je la retins par son pull. Elle respirait si bruyamment et si vite que je crus qu'elle allait s'évanouir, ou même mourir.

– Écoute, Lucy Bondurant... commença Freddie.

Mais Tom intervint :

– Ferme-la, Freddie. Merde pour les *Junior League Follies*. On s'en fout complètement, maintenant.

Freddie partit pour la cuisine d'un air offensé, en quêtant du regard quelque soutien, mais n'en trouva aucun. Personne ne lui prêtait attention. La plupart des autres observaient furtivement Lucy, dont la réaction avait eu la violence et la rapidité de la folie ou du désir de tuer.

Peu après minuit, Glenn Pickens arriva pour voir Ben. Son visage portait lui aussi des traces de larmes, mais je ne le vis jamais pleurer. Il s'assit un moment avec nous, l'air épuisé, but le café que Sarah lui offrit mais ne dit rien. Comme nous, il fixait le poste de télévision. Lorsqu'il se leva pour partir, Lucy remarqua sa présence, s'extirpa lourdement de son fauteuil et le suivit jusqu'à la porte. Elle tendit les bras, sans dire un mot ; il hésita un moment puis s'approcha d'elle. Ils restèrent enlacés et, de l'endroit où j'étais assis, je vis des larmes couler à nouveau des yeux clos de Lucy.

– Je sais ce qu'il était pour toi, sanglota-t-elle. Nous avons perdu... mon Dieu, nous avons tout perdu.

– Non, Lucy, tu ne sais pas ce qu'il était pour moi, répliqua-t-il d'une voix chargée de colère.

Aussitôt, il sourit – un sourire qui semblait lui faire aussi mal que des larmes.

– Mais je sais que tu as de la peine, poursuivit-il. Pauvre petite Lucy si gentille. Pauvre petite fille blanche. Je me demande si tu te rends vraiment compte de ce que nous avons perdu.

Après son départ, Lucy retourna s'asseoir et se soûla délibérément, en silence. A l'approche de l'aube, Charlie m'aida à la porter dans la Rolls et, tandis que nous glissions sur la banquette arrière son long corps d'une légèreté d'oiseau, elle me parut soudain vieillie et presque laide.

Des mois plus tard, je lus quelque part ce que Patrick Moynihan avait dit à Mary McGrory, et cette élégie concise me fit à nouveau pleurer : « Mary McGrory déclara que nous ne ririons plus jamais, et je lui répondis : "Seigneur, si, Mary, nous rirons encore. Mais nous ne serons plus jamais jeunes." »

C'était vrai. Pendant le reste de sa vie de comète, Lucy Bondurant Chastain Venable rit beaucoup mais ne fut plus jamais vraiment jeune après cette journée de novembre.

21

Avec le recul, j'en suis venu à considérer que les cinq ou six ans qui suivirent l'assassinat de Kennedy furent une période où il ne se passa rien. Naturellement, il se passa beaucoup de choses : la balle de Lee Harvey Oswald catapulta l'Amérique hors de la longue période des années 50 et la fit sombrer dans une dépression nerveuse psychédélique qui ne prit fin qu'avec la démission de Richard Nixon. Atlanta sortit de la jolie flaque de lumière où elle rêvassait depuis un siècle pour bondir dans le soleil froid de l'espace.

Oui, il se passa beaucoup de choses, mais pas pour nous – moi, Jack, Lucy et Malory Venable –, du moins à l'aune à laquelle nous mesurons ces choses. Ce que je veux dire, c'est que Lucy n'était pas alors visiblement folle. La scène du soir de la mort de Kennedy ne se répéta pas et nous étions tous habitués à ce que l'état émotionnel de Lucy rejaillisse sur nos existences.

Mais, moi le premier, j'aurais dû montrer plus de clairvoyance.

Partout dans le pays, des murailles vieilles de deux siècles s'écroulaient. La loi sur les droits civiques fut enfin adoptée ; Martin Luther King obtint le prix Nobel de la paix ; Charles Meredith fut abattu dans le Mississippi. Blancs et Noirs manifestèrent, furent battus, mordus par les chiens, et jetés en prison à Selma, Alabama. Watts, Detroit et Newark brûlèrent quand les émeutes de la colère éclatèrent au cours de dangereux étés. A un monde de distance, la jungle vietnamienne brûlait elle aussi, et la moitié au moins des manifestations et des révoltes condamnaient cette triste et regrettable guerre non avouée. Les Beatles conquirent l'Amérique, les jupes remontèrent à mi-cuisse, et les adolescents montèrent plus haut encore avec des substances dont la plupart des adultes n'avaient jamais entendu parler. Perles, clochettes, strobes et synthétiseurs supplantèrent les lanternes japonaises et *Moonglow* dans les « boums » de la jeunesse américaine. L'Amérique de ces années-là était comme une voiture au moteur emballé dépourvu de modérateur de vitesse, l'accélérateur au plancher.

A Atlanta, nous en étions presque exactement au point prévu par Ben et le Club. Le nouveau stade fut construit en un temps record de cinquante et un jours ; la ségrégation cessa dans les restaurants et les bars ; les tours élancées de nouveaux hôtels, immeubles de bureaux et d'habitation se dressèrent vers le ciel le long de Peachtree Street, dépassant les confortables immeubles d'une dizaine d'étages chers à Edward Hopper. Des parcs d'attractions s'ouvrirent à l'orée de la ville et même dans le centre ; bars, restaurants et clubs poussèrent comme des champignons après une pluie d'été. Les centres commerciaux se multiplièrent.

Ces transformations ne se firent pas sans peine. Des débuts d'émeutes bouillonnèrent pendant les journées torrides et les nuits lourdes. Ben Cameron multiplia réunions et discussions jusqu'à ce que Hub Dorsey et Dorothy le contraignent à garder la chambre et à ne plus parler pendant une semaine sous peine de perdre définitivement la voix. Au cours d'une confrontation particulièrement spectaculaire, il monta sur le toit d'une voiture au milieu d'une mer houleuse de visages noirs furieux, et les exhorta au calme avec un mégaphone emprunté. Il obtint finalement satisfaction – et eut sa photo dans les journaux de tout le pays – avant qu'on le fasse tomber et qu'il se retrouve aux urgences du Piedmont Hospital avec une cheville foulée et un trou à son pantalon. Mais Atlanta ne s'embrasa pas comme le firent

Detroit, Watts, Pittsburgh et d'autres villes, ce qui valait bien la peau des fesses d'un maire, comme Ben lui-même en fit la remarque.

A Buckhead, Sarah et Charlie eurent une autre petite fille, appelée Charlsie ; Ben Junior et Julia Cameron eurent un autre fils aux cheveux roux et Ben devint rapidement un des jeunes architectes en vogue, dont on parlait avec presque autant d'admiration que de Philip Johnson et d'I.M. Pei. Il voyageait tellement à cette époque que Julia prétendait qu'il devait avoir une autre famille quelque part car les garçons et elle ne le voyaient jamais. Mais elle le disait d'une voix pleine de fierté et quiconque les voyait ensemble ne doutait pas que Ben fût absolument fou de ses fils.

Little Lady eut la première d'une nombreuse série de comas éthyliques et fit une cure discrète à Brawner tandis que ses propres enfants étaient confiés à l'unique nurse anglaise d'Atlanta, et que Carter devenait de plus en plus riche et de plus en plus distant. Tante Willa cessa de faire semblant de gagner sa vie en travaillant chez Rich et se transforma en l'une des plus élégantes châtelaines de Buckhead. *Les Géorgiens accomplis* sortaient laborieusement de mes notes pour passer dans ma machine à écrire. Lucy quitta son travail à Damascus House pour entrer à *South*, petit magazine ultralibéral financé par une fondation et qui, selon elle, la mit mieux en contact avec la réalité.

De l'avis unanime – exception faite du sien –, ce fut une décision déplorable.

Au lieu de passer ses jours et ses nuits dans les bureaux de Damascus House, elle parcourut bientôt tout le Sud dans la petite Austin que le magazine lui avait fournie pour couvrir le Mouvement avec un photographe barbu ridiculement jeune. La lutte s'écartait alors inexorablement du chenal calme et profond que King et ses premiers partisans avaient creusé pour s'égarer vers les récifs meurtriers de la violence révolutionnaire. Nous redoutions tous pour Lucy la balle d'un tireur embusqué ou un accident dû à sa façon fantasque de conduire. Elle était alors complètement grisée par l'ampleur et le rayonnement du Mouvement, passant son temps avec les jeunes héros et guérilleros dont les noms et les visages fermés, froids, apparaissaient fréquemment sur les écrans de télévision et dans les journaux, sur une demi-douzaine de fronts : Little Rock, Selma, Birmingham, Montgomery, Oxford. Plus d'une fois elle dépassa les limites de ses fonctions ainsi que les instructions de son rédacteur en chef et finit elle aussi en prison. Jack et les garçons étaient effrayés et pleins de ressentiment, Malory terrorisée, tante Willa indignée comme on pouvait s'y attendre, et Lucy elle-même aussi exaltée qu'un ange exterminateur.

Un jour, après lui avoir une fois de plus envoyé l'argent nécessaire à sa libération sous caution, je lui exprimai ma façon de penser à son retour. Elle avait emmené Malory pour une de ses rares visites à la gloriette, et lorsque la petite courut jouer dehors près du bassin aux nénuphars, je déclarai sans préambule :

– Je suppose que tu trouverais merveilleux d'être immolée sur l'autel de ce fichu Mouvement.

– Peut-être pas immolée, répondit-elle à travers la fumée de l'inévitable cigarette. Mais j'aimerais bien recevoir des coups de matraque ou être mordue par un chien. Voire encaisser une balle, si je n'en mourais pas. Il faut que je sache ce qu'ils ressentent. Il faut que j'aille jusqu'au bout avec eux. Ce sont mes camarades. C'est mon combat. Tu devrais être avec nous, Gibby.

– Et Jack ? et Malory ? Ils ne sont rien pour toi ? répliquai-je. En plus, je *suis* avec vous. Je finance ce foutu truc en payant tes cautions et tes amendes.

– Tu es exactement comme Jack, aboya-t-elle. Vous vous coupez du mouvement le plus formidable, le plus moralement important de toute l'histoire. Tu ne comprends donc pas que je milite pour les enfants ? Je veux que Malory grandisse en sachant ce qui est important.

– Je veux que Malory grandisse avec une vraie mère, pas avec une martyre bidon.

Mais, dévorée de zèle et d'exaltation, Lucy ne m'entendit

pas et reprit la route le lundi suivant. Elle mangeait mal et dormait peu, devenait chaque jour plus maigre, plus incandescente et plus hagarde, usant ses forces en déplacements, articles, longues discussions passionnées avec les nouveaux jeunes lieutenants noirs composant maintenant l'avant-garde du Mouvement. Je ne crois qu'elle eût pour eux plus d'amour et de respect que pour King et sa garde d'honneur, mais elle les trouvait incontestablement plus exaltants.

Jack et moi serions peut-être intervenus plus énergiquement pour mettre fin à ses activités si ses absences et son obsession avaient eu un effet clairement négatif sur les enfants, mais ce n'était apparemment pas le cas. Les garçons, entrés dans l'adolescence, lui avaient au mieux témoigné de l'indifférence et étaient probablement ravis d'avoir aussi souvent leur père pour eux seuls. Et Malory, à cinq ans, était une enfant radieuse, équilibrée, ravissante, sachant charmer les adultes de son entourage et ne paraissant pas souffrir de l'absence de sa mère. Elle ne manquait d'ailleurs pas de compagnie. Partout où elle allait, elle faisait des conquêtes, avec un incroyable sens du geste ou du mot qui plairait le plus à son auditoire. Elle avait pris l'habitude de faire de petits dessins au crayon qu'elle signait ainsi : « Je t'aime. Malory B. Venable », et qu'elle distribuait aussi bien aux parents qu'aux amis et nouvelles connaissances. A cette époque, un grand nombre de réfrigérateurs de Lithonia ainsi qu'un ou deux à Buckhead étaient décorés de dessins de Malory. Le mien en était presque complètement couvert. Je n'étais pas sûr d'apprécier ni d'approuver la facilité à se faire aimer qu'elle déployait, et qui indiquait trop clairement des besoins cachés, mais comme tous ceux qui l'approchaient j'étais totalement subjugué.

On oubliait souvent qu'elle n'était qu'une enfant. Malgré son menton pointu de lutin, ses immenses yeux bleus et ses cheveux soyeux, tombant en mèches mal coupées autour de son visage en forme de cœur, Malory avait le comportement et les attentions d'une adulte. Les absences de Lucy lui avaient attribué de bonne heure le rôle de maîtresse de maison. Elle apportait à Jack ses pantoufles, ses journaux, rendait de menus services aux garçons quand ils voulaient bien la laisser faire. Lorsqu'elle venait chez moi, elle parcourait la gloriette en trottinant pour faire du rangement et m'apportait d'étonnants en-cas préparés avec le contenu de mon réfrigérateur. J'appris rapidement à les accepter sans faire d'histoires. Si vous la félicitiez pour un service rendu, elle s'échinait à en trouver d'autres à vous rendre.

Peut-être ne souffrait-elle pas de l'absence de sa mère parce que sa présence, quand elle était là, avait une intensité particulière. La symbiose existait toujours ; un arc d'attention totale crépitait entre elles lorsqu'elles étaient ensemble. J'avais vu Lucy se taire soudain en présence de visiteurs et peu après Malory apparaissait, se dirigeait droit vers sa mère avec une expression interrogatrice. Je détestais ce genre de numéro de music-hall mais c'était indéniablement impressionnant. Lorsque Malory fut plus âgée, elle cessa de répondre automatiquement, refusant avec une dignité touchante d'être ainsi utilisée, mais elle entendait encore les appels de sa mère et continua à le faire, je le sais, jusqu'à la mort de Lucy.

Lorsqu'elle se trouvait à Atlanta, Lucy n'était jamais loin de sa fille. Elle la prenait dans son lit le matin et le soir, l'emmenait au bureau ou en reportage, lui permettait de veiller tard avec les Blancs et les Noirs du Mouvement qui venaient à la ferme pour manger, se reposer, parler, et qui y passaient souvent la nuit, ou la semaine.

– Sois courageuse comme eux, Malory, répétait Lucy. Sois toujours courageuse.

Et Malory approuvait de la tête, avec tout son cœur d'enfant dans les yeux.

Si je détestais cette absence d'enfance que connaissait Malory, je comprenais sa fascination pour sa mère. J'essayais de voir Lucy avec ses yeux et la vision que j'avais était irrésistible : une mère belle et rayonnante, pleine de vie, rarement présente mais constamment sentie, entrant et sortant de sa petite existence comme une tornade, traînant dans son sillage la passion, la gloire, et des cohortes de personnages captivants. Pas étonnant que son père parût terne en comparaison. Je sais que c'était ce qu'elle pensait de lui. Comment pouvait-il en être autrement ? Sombrant dans une passivité qui durerait toute sa vie, vautré dans son fauteuil, embourbé dans les effets calmants du scotch et de la télévision, autoritaire à son corps défendant, ce père sans éclat qui était toujours là n'eut jamais aucune chance avec Malory. Elle l'aimait, je le sais, mais comme on aime un grand chien affectueux ou un lit familier. En revanche, Lucy scintillait comme Vénus par une nuit d'hiver.

– Jack est un mollasson, me dit Malory un jour dans la gloriette. Il dort tout le temps et il a une drôle d'odeur.

Elle me rendait souvent visite à cette époque, quand Jack travaillait le week-end ou qu'elle devait faire des emplettes ou aller au cinéma avec sa grand-mère. Nous aimions tous deux ces moments, moi parce que je l'aimais alors avec toute la passion que je ne pouvais déverser sur Sarah, Lucy ou ma mère, elle – je suppose – parce que je l'intéressais. Elle semblait ne pas trouver étrange que son oncle – ou son cousin, ou quelque autre personnage familial que j'étais pour elle – s'enfermât dans une gloriette derrière la grande maison où il était né et ne vît presque personne. Nous avions de longues conversations sur une étonnante variété de sujets, des discussions bondissantes et étincelantes qui m'enchantaient. C'était moi qui lui lisais Kipling ou Malory, et elle les aimait autant que sa mère avant elle. Lucy lui avait parlé de ces deux livres, ces icônes magiques qui avaient illuminé notre enfance, et lorsqu'elle s'écriait avec Mowgli : « Suis ma pi-i-iste ! » et : « Nous sommes un même sang, toi et moi », il m'était presque impossible de distinguer leurs voix. Toutes deux résonnaient et se mêlaient dans mon cœur. Ces mots ne manquaient jamais de me nouer la gorge : Malory était après tout de mon sang, d'une manière ou d'une autre. J'aime à penser que c'est avec moi, en partie, qu'elle apprit à réfléchir de manière abstraite, et que c'est auprès d'elle que je réappris à rêver et à jouer. Il y avait peu de choses qu'elle ne me confiât pas et il était vraiment difficile de se rappeler qu'elle n'avait que cinq ans.

– Ce n'est pas un mollasson, lui répondis-je le jour où elle parla ainsi de Jack. Il travaille dur toute la journée, il est fatigué quand il rentre à la maison. S'il ne se reposait pas, il ne pourrait pas aller au travail et s'occuper de toi.

– Pfff, c'est pas la peine. Toi, tu le ferais, répondit-elle. Maman me l'a dit.

– Je m'occuperais de toi si ton père ne pouvait plus le faire pour une raison quelconque, dis-je, maudissant Lucy de ce dénigrement tacite de Jack. Mais il peut le faire. C'est son rôle. C'est ce que font les pères. Il vous aime, ta maman et toi.

– Tu aimes ma maman aussi, hein ?

– Bien sûr, répondis-je, pas du tout content du tour que prenait la conversation. Mais d'une manière différente.

– Ben, je pense que ta manière est meilleure que celle de Jack. C'est vraiment un mollasson. Un tas de molécules tamponneuses.

Reconnaissant la patte de Lucy dans cette dernière expression, je dis d'un ton sévère :

– Je ne veux plus t'entendre parler ainsi de ton père, Malory. C'est un type bien. Tu serais dans de beaux draps s'il n'était pas là pour s'occuper de toi.

– Peut-être, fit-elle d'une voix neutre. Mais je pourrais probablement me débrouiller toute seule. Je n'aurais pas peur.

Je savais que c'était vrai : elle n'avait peur de presque rien. Presque, car il y avait une chose qui la terrifiait au point de provoquer chez elle des crises d'hystérie comme je n'en avais pas vu depuis l'enfance de Lucy. Quand elle était toute petite, nous n'avions pu déterminer la nature de ces crises, qui semblaient éclater au hasard – une ou deux fois dans la maison de Peachtree Road, plus souvent à la ferme. Elle ne pouvait que sangloter et hoqueter quelque chose comme « cieux sossu ».

Finalement, nous identifiâmes ce qui la faisait pousser ces

cris affreux : des photographies encadrées de son grand-père James Bondurant, le père de Lucy. Sur chacune de ces photos, prises le même jour, il portait des chaussures noir et blanc, et ce fut seulement lorsqu'elle fut assez âgée pour former des phrases que nous comprîmes pourquoi ce « monsieur aux chaussures » la terrorisait à ce point : elle avait peur qu'il vienne et qu'il emporte sa mère. Avant qu'elle eût huit ou neuf ans, nous ne parvînmes pas à chasser cette idée de sa tête.

– C'est toi qui lui as parlé de ça ? demandai-je à Lucy, le jour où nous élucidâmes la raison de sa frayeur.

– Bien sûr que non, répondit-elle, indignée.

– Qui d'autre pourrait lui avoir mis cette idée en tête ?

– Gibby, pour l'amour du ciel ! J'ai peut-être dit qu'il viendrait me chercher un jour, mais rien qui puisse la mettre dans un état pareil.

– Lucy, je pense parfois que tu es complètement folle.

Je devais me rappeler ces mots.

La première des véritables crises de Lucy survint, comme nous aurions dû le prévoir, lors de l'assassinat de Martin Luther King à Memphis. Elle se rendait à Pascagoula, Mississippi, avec l'Austin quand la nouvelle fut annoncée à la radio, et le jeune photographe qui l'accompagnait raconta qu'elle avait lâché le volant en se mettant à hurler. S'il ne l'avait aussitôt saisi, la voiture aurait quitté la route et ils auraient été tués. Lucy avait continué à pousser des cris aigus jusqu'à ce qu'il la conduise aux urgences de l'hôpital le plus proche, où il avait fallu lui administrer un sédatif, et où elle resta sous calmants jusqu'à ce que Jack, Shem Cater et une infirmière que j'avais engagée vinssent la chercher avec la Rolls pour la ramener à Atlanta.

Nous l'emmenâmes directement à Ridgecrest. Les médecins durent attendre deux jours qu'elle retrouve une certaine cohérence pour formuler un diagnostic, qui, même alors, ne fut pas unanime. Un psychiatre déclara carrément que c'était un cas de schizophrénie, et grave en plus ; un second opta pour une psychose maniaco-dépressive ; un troisième invoqua la fatigue, le choc et un déséquilibre hormonal ; deux autres haussèrent simplement les épaules.

Lucy avait alors recommencé à parler et je présume que ses propos ne lui avaient pas valu que des amis. Entre les jurons et les insultes, les cris perçants, elle se montrait obsédée par deux idées bizarres : son père serait aux funérailles de King et la chercherait ; Jacqueline Kennedy était à Atlanta dans le seul but de faire disparaître le corps de M.L.K. Difficile de dire laquelle l'agitait le plus. Elle se débattait, essayait d'échapper aux personnes qui la soignaient afin de se lever et de se rendre à l'église baptiste Ebenezer, pour les funérailles, dans l'intention de retrouver son père fantomatique et de confronter Jackie la traîtresse – jusqu'à ce que finalement on dût l'isoler.

– Vous ne les entendez pas, bande de cons ? hurlait-elle. Vous ne les entendez pas crier ? Vous allez rester ici et la laisser prendre le corps pour le jeter dans l'océan à Hyannis Port ?

Et comme on ne la laissait pas partir, elle finissait par éclater en sanglots, puis elle sombrait dans un mutisme qui, comme après la naissance de Malory, tenait de la catatonie.

Elle refit surface dans les jours qui suivirent l'enterrement mais demeura dans une sorte de léthargie, ne se souciant plus d'être propre, et il fallut la laver et la nourrir. Épuisé par ses allées et venues continuelles entre son bureau, l'hôpital et la maison, Jack dut se résoudre à envoyer les garçons chez leur tante de Nashville – qui les expédia promptement passer l'été à l'École militaire de Castle Heights –, et consentit finalement à nous confier Malory.

Lucy commença à se rétablir lentement grâce à de puissants tranquillisants et à l'un des nouveaux antidépresseurs tricycliques. Elle implora avec tant d'insistance la permission de voir Malory que les médecins décidèrent finalement qu'une visite de sa fille pouvait avoir un effet thérapeutique. Un après-midi de juin, j'emmenai donc Malory et Jack dans la Rolls pour les conduire là-bas. Je n'avais pas vu Lucy depuis son admission mais, d'après le peu que Jack m'avait dit de sa condition et de son apparence, je nourrissais les plus grandes appréhensions quant à l'autorisation accordée à Malory de voir sa mère. Pendant son séjour chez nous, l'enfant avait montré une étrange absence d'inquiétude devant la maladie de Lucy. Lorsque j'avais abordé le sujet, elle avait déclaré : « Maman va bien. Elle me le dit. »

Mais Lucy n'allait pas bien, et la voir dans la lumière implacable du foyer de l'hôpital au mobilier de plastique plongea Malory dans le silence. Je ressentis une vive colère contre tout le monde – les docteurs, Jack, Lucy elle-même –, mais il était trop tard pour faire quoi que ce soit. Malory s'approcha du sofa de vinyle vert sur lequel sa mère était assise, une aide soignante derrière elle, et s'installa à côté d'elle sans dire un mot. Pendant ce qui me parut une éternité, elle fixa sa mère.

Lucy était dans un de ses mauvais jours, nous expliqua-t-on plus tard. Le regard morne, les mains croisées dans son giron, elle était manifestement sous calmants. Son pantalon et sa blouse étaient maculés de nourriture, percés de minuscules brûlures de cigarette ; sa lourde chevelure soyeuse avait été coupée très court et l'on voyait des entailles dans le blanc du cuir chevelu derrière les oreilles. A l'évidence, on l'avait traitée aux électrochocs car les marques rouges des électrodes déparaient encore ses tempes translucides. Elle était couverte de bleus et d'égratignures à force de se débattre, et ne sentait pas bon. D'abord elle ne dit rien, scruta nos visages de ses yeux opaques, puis tendit la main, toucha Malory et lança d'une voix étonnamment gaie :

– Bonjour, ma chérie. Embrasse ta maman.

Malory enlaça sa mère, ferma les yeux et murmura à la chevelure massacrée de Lucy :

– Maman, je veux que tu reviennes à la maison. Je serai sage si tu reviens. Je m'occuperai de toi tout le temps. Je serai la maman et tu seras la petite fille.

– C'est ça, dit Lucy avec un sourire de bonheur en berçant Malory contre elle. Tu seras la maman et je serai la petite fille.

Par-dessus le vent d'indignation et de rage qui soufflait dans ma tête, je me demandai combien de fois Malory avait entendu ces mots et à quel point elle était convaincue que la maladie et l'internement de sa mère étaient sa faute. Je crus entendre, à des années de distancc, une petite Lucy Bondurant implorant mon propre père de s'occuper d'elle et promettant en échange d'être sage. Près de moi, Jack Venable jura d'un ton morne et découragé.

Lucy parut alors découvrir notre présence et son sourire s'élargit jusqu'à menacer de fendre son visage desséché et sale. Je grimaçai. Sa peau de porcelaine semblait s'être transformée en un cuir délicat, fendillé aux coins des yeux et de la bouche. Elle avait des plaies autour des lèvres et sous les narines, là où la peau s'était crevassée, avait saigné, guéri, puis s'était à nouveau crevassée. Ses mains étaient sèches et rugueuses comme celles d'une vieille femme. Elle les tendit vers nous, Jack les prit dans les siennes ; je m'assis de l'autre côté de Lucy et passai un bras autour de ses épaules.

– Bonjour, trésor, dit Jack.

– Qu'est-ce qu'il se passe, Lucy ? demandai-je, sentant le ridicule de la question au moment où je la prononçais.

– Jack ! Gibby ! s'écria-t-elle. Fourrez-le-vous dans l'oreille !

Nous la regardâmes éclater de rire.

– Fourrez-le-vous dans l'oreille, mes salauds, chantonna-t-elle. Dans l'oreille !

Elle dégagea sa main de celles de Jack, se mit un doigt dans l'oreille.

– Je crois qu'elle a pris ça d'un autre... pensionnaire, dit l'aide soignante. Nous ne pensons pas que ça veuille dire quelque chose mais elle adore ça. Parfois, le seul moyen de lui faire prendre un médicament ou aller au lit, c'est de jouer au doigt dans l'oreille avec elle. Ça marche à tous les coups, alors nous la laissons faire.

– Oui, approuva Jack. Si c'est ce qu'il faut faire, je me baladerai le reste de ma vie avec le doigt dans l'oreille.

Le visage livide, il avait vieilli de plusieurs années depuis l'internement de Lucy, mais le regard qu'il posa sur elle était encore imprégné de son amour ébloui des premiers jours.

– Fourre-le-toi dans l'oreille, Jack ! scanda Lucy.

Il se mit l'index dans l'oreille, sourit, et Lucy éclata de rire en battant des mains. Son rire parut dissiper le brouillard des calmants et elle secoua légèrement la tête. Le rictus dément redevint le sourire familier. Malory se rapprocha de sa mère, qui la serra contre elle, puis m'embrassa sur la joue et nous dévisagea l'un après l'autre.

– J'ai été partie longtemps, dit-elle. Maintenant, j'aimerais vraiment rentrer à la maison.

Après cela, son état s'améliora rapidement. Son psychiatre la fit rester à Ridgecrest jusqu'à ce que l'antidépresseur ait eu le temps de faire son effet, mais les deux semaines qui suivirent se déroulèrent sans incident. Lucy se plia à la routine de l'hôpital, participa aux séances de thérapie de groupe et aux classes d'artisanat. Une fois par jour, on laissait les malades se promener dans les allées du jardin, et, avec leur pantalon de toile ou leur short, ils avaient l'air de vacanciers, quoique pâles et mal coiffés, dans quelque station populaire.

– C'est comme un camp pour adultes, me dit-elle un jour lors d'une de mes visites cet été-là. Pas aussi chic que Greystone mais beaucoup plus drôle.

Nous étions assis dans le foyer et elle m'avait présenté presque tous les malades adultes de l'hôpital, qui s'approchaient un par un, comme attirés par un champ magnétique. Cela me rappela la lumière et l'énergie irrésistibles qui émanaient d'elle dans sa jeunesse. Elle semblait étrangement heureuse à l'hôpital – en sécurité et libre, d'une certaine façon –, et le bonheur l'avait toujours rendue irrésistible.

Son aspect s'améliorait aussi : la terrible coupe de cheveux commençait à s'atténuer et sa peau avait retrouvé son élasticité et sa douceur sous la crème hydratante que je lui avais apportée. Si l'on exceptait les hématomes safran et les marques rouges aux tempes, elle n'était pas très différente de ce qu'elle avait été dans les mois précédant son internement. Elle avait même pris un peu de poids.

Lucy était fort appréciée des autres malades. Les uns s'inclinaient devant elle comme devant un chef naturel ; les autres se montraient taquins et protecteurs. Sur le visage des femmes qui gravitaient autour d'elle, je ne vis rien de la méfiance et de l'inquiétude que Lucy suscitait chez ses compagnes depuis l'enfance. Je présumai que, dans cet endroit protégé où l'aberration était la norme, la différence fondamentale de Lucy ne comptait pas. Elle était parfaitement intégrée à son groupe, comme elle l'exprima elle-même :

– Je me sens plus proche des gens de cette maison de dingues que je ne l'ai jamais été de quiconque, mis à part toi, Jack et Malory. Ça devait être comme ça en Angleterre pendant les bombardements.

Les hommes l'adoraient et, de son côté, elle les dorlotait comme si on l'avait embauchée pour le faire. Chaque fois que je lui rendais visite, elle passait son temps à apporter café, cigarettes, gâteaux aux autres pensionnaires masculins et à leurs visiteurs.

– Pourquoi fais-tu cela, Lucy ? lui demandai-je un jour. Tu ne t'es jamais démenée autant pour moi – ni pour quiconque d'autre, d'ailleurs.

– Non, reconnut-elle. C'est curieux. Je ne sais pas pourquoi. C'est venu comme ça, quand j'ai commencé à me sentir mieux. J'ai tout à coup éprouvé le besoin de servir ces crétins comme une bonniche. Je crois que c'est atavique. C'est ce que nous ressentons au fond de nous, nous les femmes du Sud. Cela me donne l'impression d'être... à ma place, d'une manière profonde. C'est réconfortant. Cela n'a rien à voir avec ce que je crois dans ma tête. Parfois, on a besoin de réconfort plus que de toute autre chose.

– Pas étonnant qu'il y en ait tant parmi vous qui deviennent cinglées, fis-je observer. Vous devez fournir d'immenses efforts pour vous occuper des autres et satisfaire en même temps vos propres besoins.

Lucy pressa ma main.

– Une des raisons pour lesquelles je t'aime, c'est que tu es le seul homme que je connaisse qui ait compris ça, dit-elle.

Elle retourna chez elle fin juin et passa son temps à lire, jardiner, regarder la télévision et dormir, sereine, sous la protection des tranquillisants et du nouvel antidépresseur. *South* lui accorda un congé avec la moitié de son salaire, ce qui n'était qu'une goutte d'eau dans la mer compte tenu des dettes énormes accumulées depuis le début de sa maladie, mais cela lui donna l'impression de contribuer en partie aux frais de la maison.

Très peu de choses parvenaient à entamer l'effet des médicaments et des longues et lentes journées d'été à la ferme en compagnie de la merveilleuse Malory. Pour la première et la dernière fois de sa vie, l'enfant avait sa mère totalement à elle, et je crois qu'elle en était aussi heureuse que peut l'être une petite fille. Lorsqu'elles venaient me voir dans la gloriette ou, plus rarement, quand je sortais la Rolls dans la fraîcheur de la fin d'après-midi, je remarquais chez Malory la même incandescence obscure, à peine entrevue, qui avait illuminé l'enfance de Lucy. Cela faisait d'elle un être magique, enchanté, dont la vision éveillait cependant en moi un certain malaise. Ce feu sombre n'avait pas réchauffé sa mère, il l'avait dévorée.

Ce qui me préoccupait le plus, en cet été 1968, ce n'était toutefois ni Malory ni Lucy, mais Jack. Je savais que les soucis d'argent et l'état de Lucy le menaient au bord de la dépression, mais il ne voulait parler ni des uns ni de l'autre et refusa mon offre de prêt si sèchement que je ne la renouvelai pas. Il prit un second emploi de professeur de comptabilité et enseigna trois soirs par semaine dans l'un de nos médiocres collèges locaux. Lucy s'en montra curieusement réjouie. Plus d'une fois je fus sur le point de la rembarrer quand elle déclarait d'un air moqueur qu'il passait si peu de temps à la maison qu'il devait avoir une autre femme dans sa vie. Puis je me rappelais la force des médicaments qui coulaient dans ses veines et je me taisais.

Lucy était alors bien loin d'être redevenue elle-même, bien qu'elle parût heureuse.

Je pensais quelquefois que son esprit avait perdu son tranchant, que quelque zone de lucidité et de profondeur avait été détruite. Elle prenait également de l'Antabuse, à présent, parce que les médicaments de son traitement étaient dangereux mélangés à de l'alcool, et je me dis que ce sevrage après un long abus devait avoir un effet temporairement néfaste.

Je gardais donc le silence, et Lucy poursuivait son pas de deux extasié avec sa fille tandis que Jack Venable continuait à se tuer au travail. C'était lui qui buvait à présent tous les soirs et parfois jusqu'au lendemain matin.

En octobre, je me faisais tellement de souci pour lui que je le harcelai jusqu'à ce qu'il demande quelques jours de congé à sa société, et je l'emmenai passer un long week-end à Tate avec Lucy et Malory. Par le passé, j'avais prêté plusieurs fois le chalet à Lucy, qui en raffolait toujours, mais cela faisait plus de dix ans que je n'y étais pas allé, et lorsque la Rolls gravit en ronronnant la première des collines abruptes du comté de Pickens, le poids qui m'oppressait depuis longtemps sans que j'en aie conscience disparut et mon cœur s'éleva droit dans le ciel cobalt au-dessus de Burnt Mountain. Le jeudi soir, lorsque nous arrivâmes, les vieilles et grandes maisons perchées à flanc de colline dominant la prairie et le lac étaient obscures. J'avais téléphoné quelques jours plus tôt pour demander à Rafer Spruil, gardien du lieu, de nettoyer le chalet, de l'aérer, d'y allumer un feu. Lorsque nous pénétrâmes dans la grande salle dont la baie encadrait les bois sombres s'étendant au-delà du lac, une odeur de détergent, de bûches fraîchement coupées et de terre argileuse emplit mes narines. J'allumai les lampes et me retrouvai chez moi, dans une enfance que mon souvenir séduisant et trompeur rendait aussi idyllique que n'importe quel livre que Lucy et moi avions aimé enfants.

Malory fut enchantée.

– Oh ! Shep, j'adore cet endroit ! s'exclama-t-elle. Il est à nous ? Il est à moi ?

– Bien sûr que non, fit Jack avec importance. Ta maison, tu sais où elle est, Mal.

– Bien sûr que si, le contredit Lucy avec gaieté. C'est à Gibby, donc c'est comme si c'était à toi, n'est-ce pas, Gibby ?

– Le chalet est à toi pour aussi longtemps que tu voudras, acquiesçai-je. Et j'espère qu'il te plaît parce que je n'y viens plus jamais. C'est dommage de le laisser s'abîmer.

– Il ne te plaît pas à toi, Shep ? me lança Malory, tournoyant sur un pied au milieu de la pièce. Il est hanté ?

– D'une certaine façon, oui, répondis-je en riant. Mais pas par des fantômes. Cet endroit est hanté par de vraies personnes. C'est moi seulement qu'elles hantent, pas toi ni personne d'autre, ajoutai-je car elle avait l'air alarmé. Pour toi, ça devrait être idéal.

– Oh ! ça l'est ! s'écria-t-elle. Je crois que je veux venir vivre ici.

– Sans moi ? demanda Lucy.

Le ton était badin mais ses yeux fixaient Malory. L'enfant sentit le regard, tourna ses yeux bleus vers sa mère.

– Ben... non. Pas sans toi, maman. Mais quand tu pourras venir toi aussi. Et Jack. On se nourrira de baies, de glands et de miel, comme les ours des montagnes, et on se fera plus de souci pour l'argent.

– Personne ne s'en fait plus pour l'argent, chérie, assura Jack.

Elle ne répondit pas mais son regard lui renvoya le mensonge qu'il venait de faire. Il détourna les yeux.

– Je veux un Martini à faire oublier tous les Martini, proclama-t-il. Ensuite, je ferai griller les steaks, je mangerai le mien devant le feu puis je monterai dormir trente-six heures d'affilée. Vous pourrez aller saluer l'aube aux doigts de rose au-dessus de ce foutu barrage de castors si ça vous chante. Moi, je m'occupe des priorités.

Lucy s'esclaffa, l'embrassa, prépara un Martini assassin

qu'elle lui apporta dans le vieux fauteuil à oreillettes, près de la cheminée de pierre. Malory se lova au creux de son bras et il s'endormit longtemps avant que les braises du gril soient prêtes pour les steaks. Malgré ses protestations, Lucy le fit monter à la grande chambre qui avait été celle de mes parents (bien qu'ils l'aient occupée peu souvent) et nous ne le revîmes pas avant le lendemain midi. Il paraissait avoir dix ans de moins et semblait presque débarrassé de ses soucis lorsqu'il descendit l'escalier en bâillant, et je me rappelle avoir pensé que je devrais vraiment leur faire don du chalet. Quelque chose dans l'air bleu et clair l'avait revigoré pendant la nuit. Peut-être que, s'il y avait eu librement accès assez tôt, la montagne de Tate aurait guéri Jack Venable, comme elle l'avait fait pour d'autres blessés d'Atlanta.

Ce fut, par le plus grand des hasards, un week-end parfait. Le vendredi, Charlie, Sarah et les enfants, Ben, Julia Cameron et leurs deux petits garçons arrivèrent et rouvrirent le grand chalet des Cameron, et ce que nous avions envisagé comme une retraite solitaire se transforma en *house party* impromptue. Tate était ce genre d'endroit : des gens qui, en ville, n'auraient pas l'idée de se rendre visite sans s'annoncer entraient et sortaient de la maison du voisin comme si c'était la leur, partageaient repas, promenades, parties de volley-ball, baignades et enfants, et restaient même parfois dormir quand l'heure et le nombre de verres rendaient problématique un retour dans le noir par des sentiers escarpés.

Il en fut ainsi cette fois-là. Le samedi matin, ils apparurent tous les quatre à la porte de derrière, les enfants dans leur sillage avec des couvertures, des paniers, une thermos de Bloody Mary, et annoncèrent un pique-nique, Ben me criant de prendre ma clarinette. Au début de l'après-midi, nous étions vautrés dans l'herbe dorée de la longue prairie dominant le lac, haletants d'avoir joué au volley-ball, pourchassé chiens et enfants, buvant des Bloody Mary et riant sous un soleil couleur miel réchauffant nos têtes et nos épaules. Même moi, pour qui d'ordinaire la vue d'un autre être humain équivalait presque à une intrusion, je me sentais baigné et nourri par un climat de vieille camaraderie sans façons ; même Jack, qui n'avait jamais apprécié les amis d'enfance de Lucy et gardait ses distances avec eux, riait avec Ben et Charlie, taquinait Julia, à nouveau enceinte, et s'épanouissait comme une fleur à la chaleur du charme de Sarah.

J'ignore pourquoi toutes les règles semblaient suspendues ce week-end-là. A cause de la magie de Tate, je suppose, que je n'avais jamais ressentie aussi fort et aussi clairement, peut-être parce que mes parents m'y emmenaient si rarement. Dans cette haute prairie, je pouvais contempler la beauté souple et menue de Sarah courant dans l'herbe dorée avec ses filles et n'éprouver aucune souffance. Je pouvais faire le tour du lac avec Charlie par la route de terre battue tachetée de soleil sans sentir entre nous autre chose qu'une affection ancienne et décontractée. Je pouvais m'étendre sur le dos à côté de Ben, ma clarinette répondant à la sienne, et voir non l'homme maigre, fébrile et hanté qu'il était devenu mais le jeune Pan doré de notre enfance. Je pouvais regarder Lucy qui, en cet après-midi enchanté, semblait s'emplir de lumière comme une carafe de cristal s'emplit d'eau, et voir jusqu'au fond de son âme comme je le faisais lorsque nous étions jeunes, et entendre résonner dans l'air entre nous son : « Nous sommes un même sang, toi et moi... »

Le soir, après avoir mis les enfants au lit dans les chambres du chalet des Cameron, après être restés longtemps assis dans la vaste cuisine autour de la vieille table à tréteaux devant les vestiges des lasagnes de Sarah et Julia, nous passâmes enfin dans le séjour et Charlie alluma le feu. Nous nous affalâmes dans les fauteuils et canapés déformés par un demi-siècle de postérieurs Cameron et, sans avoir consciemment prévu de le faire, nous rejouâmes notre enfance.

A la lueur du feu de bois, les invincibles Buckhead Boys cinglèrent à nouveau le long de Peachtree Road sur leurs vélos portés par le vent, Lucy Bondurant à leur tête, telle une mince Walkyrie brune. Nous rampâmes sous un monstrueux train noir à la gare de Brookwood, nous dansâmes au cours de Margaret Bryan, déferlâmes en bande vers le cinéma, criâmes à en devenir aphones dans le stade du lycée. Nous tournoyâmes à nouveau sur la piste de danse du Brookhaven et du Capital City Club, une odeur de mimosa dans les narines et *Moonglow* dans les oreilles. A nouveau nous nous tînmes, Charlie et moi, dans le vent de novembre, au coin d'East Paces Ferry Street, pour voir la Mercury de Boo Cutler descendre en hurlant Peachtree Road, traînant derrière elle une légende immortelle et une voiture de police du comté de DeKalb. A nouveau nous pédalâmes, lui et moi, totalement désespérés, vers l'épicerie où nous devions baiser Frances Spurling. A nouveau nous connûmes tous – moi, Snake, Ben, Tom, Charlie et A.J. Kemp – cinq années de testicules douloureux et de pouls galopants que nous appelions amour.

Je crois qu'encore aujourd'hui nous nous souvenons tous de cette soirée. Sarah, la tête renversée en arrière sur la colonne brune, mince et forte, de son cou, rit à s'en étrangler. Julia, bien qu'enceinte, fit une cruelle imitation d'une Rose de Washington Seminary tentant d'apprendre à danser le bop. Charlie et moi engloutîmes une bouteille entière de Courvoisier et interprétâmes des chansons de North Fulton en nous appuyant l'un à l'autre pour ne pas tomber. Lucy, emmitouflée dans un de mes vieux pulls, pelotonnée sur le sofa, littéralement incandescente, nous encourageait de la voix :

– Oh ! encore une chanson ! Une autre histoire de Freddie Slaton ! Celle d'A.J. et du pont de Sope Creek ! Raconte ce que Snake a dit à Flossie Mae ce soir-là à la fac. Raconte... raconte... raconte...

On eût dit que ces anecdotes composaient un rosaire et que chacune d'elles la rapprochait de la délivrance et de la rédemption. C'était merveilleux de retrouver son visage flamboyant et son rire paillard.

Seuls Ben et Jack ne se joignirent pas à notre récitation. Jack souriait et écoutait, éclatait parfois de rire ; Ben buvait du cognac en silence, le regard dans le vague, les mains et les pieds s'agitant nerveusement. Vers la fin de la soirée, il se souvint d'un coup de téléphone à donner à un client de Philadelphie et sortit dans le clair de lune cristallin pour monter dans la petite Jaguar XKE avec laquelle il était venu, suivant le break de Julia et des enfants. Nous entendîmes le moteur démarrer en rugissant et bientôt il dévala la route de gravier en direction du pavillon du garde, où se trouvait le seul téléphone de Tate.

– Je souhaite parfois qu'il laisse tout tomber pour devenir entrepreneur, soupira Julia en regardant s'éloigner dans la nuit les feux de la Jaguar. Il se tue au travail, il ne peut même plus se reposer pendant le week-end. On lui téléphone à n'importe quelle heure et le voilà parti réconforter quelque crétin de client. A croire que c'est le seul architecte du pays...

– Il n'a jamais tenu en place, fit observer Charlie. Je ne crois pas que tu arriveras à le changer, c'est trop tard.

– Je ne le voudrais pas si je le pouvais, dit Julia avec tendresse. Au moins, je sais qu'il est heureux. C'est un génie, on ne peut pas le mettre en cage. Je sais qu'il travaillerait moins si je le lui demandais, mais il ne serait pas heureux. Vous le connaissez, il est persuadé qu'il peut tout avoir. Et je crois qu'il y parvient, finalement.

Pour une raison quelconque, je regardai Sarah et en eus le souffle coupé. Son visage exprimait une telle frayeur contenue que je me demandai pourquoi les autres n'en sentaient pas la force. Mais personne, hormis moi, ne la regardait. Elle tourna la tête, ses yeux croisèrent les miens, et j'y lus un appel à l'aide si désespéré que je me levai à demi de mon siège. Puis elle baissa les yeux, tendit la main vers son cognac, et son expression de peur disparut. Elle se montra plus insouciante et railleuse que jamais pendant le reste de la soirée, et j'en vins à penser que j'avais été abusé par la lueur du feu et mes propres nerfs, exacerbés par la solitude.

Ben revint, les joues rougies par le froid de la nuit, l'air radieux. Il nous régala d'histoires absurdes et obscènes si drôles que nous essuyâmes les larmes coulant sur nos visages en demandant grâce.

Nous repartîmes le lendemain après-midi pour Atlanta, Lucy, Jack, Malory et moi. En passant devant chez les Cameron, je jetai un coup d'œil pour voir si les voitures étaient encore là mais il n'y avait plus personne. Le chalet était obscur.

Une semaine plus tard, un soir de pluie et de vent, Charlie Gentry me téléphona pour me dire qu'ils venaient d'apprendre que Ben s'était tué dans une chambre d'hôtel de Cleveland. Il avait laissé une lettre adressée à Julia dans laquelle il expliquait qu'il se suicidait par amour, manifestement sans espoir, d'un homme beaucoup plus jeune que lui.

22

– Vous étiez au courant ?

Dans les heures indicibles qui suivirent la nouvelle de la mort de Ben Junior, Dorothy Cameron ne dit guère autre chose. Assise dans son fauteuil habituel du petit bureau, droite et vêtue avec soin, ravagée, elle répétait la question à ceux d'entre nous qui passaient avec elle cette première veillée : « Vous étiez au courant ? Vous saviez, pour Ben ? »

Et tous – Ben Senior, Sarah, Charlie, moi-même – nous secouions la tête. Non, nous ne savions pas.

Les Cameron connaissaient maintenant le contenu complet de la lettre, que le père de Julia, le visage cendreux, avait apportée et laissée dans les mains tremblantes du vieux Leroy Pickens. Ben avait écrit à sa femme qu'il avait dû finalement reconnaître qu'il était et serait toujours homosexuel, qu'il aimait profondément un jeune homme de sa firme avec lequel, naturellement, il n'y avait pas d'avenir possible, et que le suicide lui paraissait la seule solution pour tout le monde. Le père de Julia avait ajouté de sa main que sa fille avait découvert la liaison de son mari pendant qu'il était à Cleveland avec le jeune homme. Elle avait menacé par téléphone de le traîner devant le tribunal, de divorcer en provoquant un scandale s'il ne mettait pas fin à cette liaison, et Ben avait pris conscience qu'il en était incapable.

« Julia a perdu le bébé il y a une heure au Piedmont Hospital, concluait-il. Je vous en prie, ne venez pas, n'essayez pas de la joindre, ni elle ni les enfants. Nous les emmènerons dès qu'elle pourra voyager. Je vous tiendrai au courant. »

Jusqu'au matin, nous demeurâmes dans la petite pièce où le feu brûlait doucement, alimenté par Charlie ou Ben, qui avaient tous deux des mouvements de vieillard. Sarah pleurait en silence sur le sofa, enveloppée dans le châle que sa grand-mère Milliment avait tricoté ; Dorothy se tenait droite comme une reine dans le fauteuil à oreillettes, en face d'elle. Moi, j'étais assis sur le siège qui avait été celui de Ben Junior. Personne n'avait voulu le prendre et je ne pouvais supporter de le voir vide, brèche éternelle dans le cercle entourant l'âtre de la maison de Muscogee Avenue. La pluie rabattue par la première bise de l'automne crépitait, monotone, sur les fenêtres à meneaux. Leroy Pickens apporta du café chaud et des sandwiches mais personne n'y toucha. Son vieux visage était si gris, si défait que Dorothy s'approcha de lui, le serra contre elle et l'envoya se coucher.

– Ben était autant son fils que l'est Glenn, dit-elle sans s'adresser à personne en particulier. Il s'assiéra avec la famille, pour l'enterrement. Il n'y aura pas de discussion à ce sujet.

Elle pleurait silencieusement et sans interruption depuis mon arrivée, mais son joli visage n'avait pas changé, si ce n'est pour prendre une pâleur mortelle, et sa voix, ses mains demeuraient fermes. Beaucoup de gens d'Atlanta trouvent Dorothy insensible mais c'est parce qu'ils ne l'ont jamais comprise. Au cœur de son code d'honneur, qui était aussi celui de Ben, elle a placé la fermeté et le soutien aux autres. Ces larmes étaient la première fissure que j'y eusse jamais vue.

En entendant Dorothy parler de la place de Leroy au sein de la famille, Ben se couvrit les yeux de la main et prit une profonde inspiration frissonnante. Je devinai qu'il voyait, comme moi, le terrible, l'inimaginable matin si proche où, à la cathédrale Saint-Philip et plus tard au cimetière d'Oakland, il mettrait en terre son premier-né.

– Il n'a pas construit sa maison, murmura-t-il, la main masquant toujours ses yeux. Tu te rappelles, Dottie, il avait failli commencer l'année dernière, et puis ce travail à Houston l'en a empêché. Je voudrais tant qu'il ait construit sa maison.

– Oh ! mon chéri, dit Dorothy.

Elle alla près de lui, l'enlaça de ses bras minces. A l'autre bout de la pièce, les sanglots de Sarah montèrent et me percèrent le cœur. Charlie, le visage vide et presque comique d'émotion, l'attira contre lui. Je me levai pour partir mais Dorothy me fit signe de me rasseoir.

– Reste, Shep, s'il te plaît. Tu veux bien ? Nous avons besoin parmi nous d'une tête et d'un cœur qui ne soient pas... si irrévocablement Cameron.

Sarah tourna vers moi son visage dévasté.

– Oui, Shep, je t'en prie.

J'eus envie de me ruer vers elle, d'écarter Charlie et de la serrer violemment contre moi pour chasser d'elle toute souffrance, tout sentiment de perte. J'en eus si fortement envie que mes jointures blanchirent.

Je me rassis dans le fauteuil de Ben Junior.

Je m'aperçus que, dans mon for intérieur, je n'étais pas surpris par son suicide. Bouleversé, affligé, indigné, mais pas surpris. « Vous étiez au courant ? » avait demandé Dorothy en pleurant, et nous avions répondu non, mais je pense que, pour ma part, c'était un mensonge. Je ne connaissais pas son homosexualité en tant que telle, mais je savais qu'il y avait en Ben une forteresse inexpugnable d'ombre et de souffrance, car je sentais la même en moi.

Je crois que Sarah aussi savait. Je me souviens de son expression à Tate, la semaine d'avant, et de l'appel à l'aide de ses grands yeux marron. Nous avions toujours connu cette étrangeté fondamentale de Ben. Je songeai à ce qu'il avait dû ressentir la première fois qu'il en avait pris conscience, aux années désespérées qu'il avait ensuite traversées. Atlanta était une ville où il ne faisait pas bon être homosexuel quand Ben Cameron avait dû avoir la révélation de cette terrifiante vérité sur sa nature. Non seulement les crétins hargneux comme Boo Cutler mais aussi les autres, les meilleurs d'entre nous, les Buckhead Boys, les propres pairs de Ben, méprisaient et harcelaient les homosexuels, se moquaient d'eux, les efféminés, les déviants, les pédés, les lopes, les tapettes. Sous tout cela, un unique tabou : la différence. Nous sommes à présent une sorte de Mecque nationale des homos, paraît-il, mais ce changement ne se produisit pas à temps pour sauver Ben. Le Rubicon qu'il franchit prenait sa source dans une époque aussi lointaine, d'un point de vue éthique, que le haut Moyen Age. Oh ! Ben, pensai-je. Mon bel et merveilleux ami. Mon frère différent.

Ce fut pour Ben et Dorothy une tragédie d'autant plus insupportable qu'elle ne pouvait être partagée. Le code avec lequel ils avaient toujours dirigé leur vie et tenté de guider celle de leurs enfants ne pouvait admettre l'aberration homosexuelle. Je savais qu'ils n'en parleraient jamais. On enterrerait Ben Cameron Junior comme un suicidé mais peu de gens en dehors de Merrivale House sauraient pourquoi il s'était donné la mort. Julia garderait le silence elle aussi ; les fils de Ben sauraient sans doute seulement que leur père avait choisi de les quitter de la manière la plus radicale et la plus irrévocable qui soit, mais ignoreraient pourquoi. Une grande colère lasse et molle tomba sur ma douleur.

C'est la première vraie victime de notre mode de vie, pensai-je. Celui de Buckhead, celui du Sud. Je savais qu'il y en aurait d'autres. Sa simplicité, sa rigidité absolues étaient sans conteste les assassins de la complexité, de la délicatesse et de la nuance, ces richesses douteuses que de rares enfants comme Ben, Lucy et moi possédaient en abondance. Je savais que ce n'était pas la faute morale implicite qui choquait tellement les Cameron sous leur immense chagrin, mais la déviance par rapport à la norme établie, le manque de droiture, de santé et de lumière.

Ils l'avaient aimé d'un amour meurtrier, littéralement. L'amour l'avait tué. L'amour dont il n'avait pas su être digne. L'amour qu'il n'avait pu rendre. L'amour qu'il n'avait pu avoir. Illogiquement, c'était pour Ben que je me sentais le plus triste. Pour le défunt Ben Cameron qui devait être à l'abri de toute souffrance. Je savais Julia, Ben Senior et Dorothy solides ; ils conservaient intact leur code d'honneur et finiraient par s'en remettre. Triste pour Ben et pour la pauvre Sarah désemparée à qui on avait appris que la volonté, la bonté et la gentillesse suffisaient pour écarter les démons, la monstruosité et le deuil.

A l'aube, après que Charlie et elle eurent finalement persuadé Ben et Dorothy de monter dans la grande chambre claire qu'ils partageaient depuis toujours, que Charlie fut parti s'occuper de la terrible corvée des coups de téléphone à donner et des dispositions à prendre, Sarah vint vers moi et grimpa sur mes genoux, aussi simplement et naturellement qu'un enfant fatigué. Je ne crois même pas qu'elle se rendit compte de ce qu'elle faisait. Elle blottit instinctivement sa tête à son ancienne place, sous mon menton, et je demeurai ainsi, tenant contre moi le fardeau blessé de son corps, sans parler, en la berçant doucement. Elle avait cessé de pleurer mais sa voix était comme éteinte, comme si elle avait été meurtrie physiquement.

– Je ne lui avais jamais demandé ce qui n'allait pas, murmura-t-elle. Je savais qu'il y avait quelque chose mais... je ne le lui ai pas demandé. Je crois que je ne voulais pas qu'il se confie à moi. Il n'avait personne, Shep. Personne pour le consoler, le soutenir, ou lui dire simplement qu'il n'était pas... un monstre. C'était mon frère, et je l'aimais, et je l'ai abandonné. Il est mort sans que personne sache qui il était. Il pensait qu'il ne pouvait pas nous en parler, que c'était trop épouvantable. Il est mort à cause de cela. C'est ce que je ne pourrai jamais supporter – qu'il n'y ait eu personne qui sût qui il était et qui l'aimât quand même.

– Si, répondis-je aux épaisses boucles élastiques. Quelqu'un savait... et l'aimait. Il n'est pas mort sans amour.

Lorsque Sarah comprit que je parlais du jeune homme de la firme de Ben, elle frotta sa tête contre mon cou.

– Alors pourquoi ne l'a-t-il pas sauvé, ce petit salaud ?

explosa-t-elle en se remettant à pleurer. Pourquoi ne lui a-t-il pas offert un amour qui donne envie de vivre ? Personne ne devrait être réduit à mourir d'amour !

J'aurais pu lui répondre que Ben lui-même avait choisi sa mort, mais, dans ce matin morne battu par la pluie, l'argument ne tenait pas. Elle avait raison. Personne ne devrait être réduit à mourir d'amour.

Nous enterrâmes Ben à Oakland dans la concession familiale des Cameron, située un peu plus bas que celle des Bondurant. L'endroit était ombragé par un érable japonais qui resplendissait tellement à la lumière automnale qu'on eût dit un phare allumé pour Ben. Un bras autour des épaules de Lucy, je me tenais derrière la rangée silencieuse des Cameron, avec les Buckhead Boys et leurs femmes, et m'efforçai de dire au revoir à Ben. J'en étais incapable. La mort était encore pour moi quelque chose d'abstrait, le domaine des vieillards et des gens usés, et je ne pouvais lui donner substance pour y inclure cet ami de ma jeunesse, cet homme jeune si pareil à moi. Il aurait pu y avoir n'importe qui – homme, femme, ou même animal – dans le cercueil attendant sur son socle de descendre dans la terre. Pour notre bande, pour les Buckhead Boys, pour Ben et pour moi, Oakland, c'était la rigolade, les plaisanteries, les pique-niques, les soûleries et les séances de pelotage ; nous n'y venions pas pour enterrer les nôtres.

Je sentis Lucy trembler contre moi. La mort de Ben la bouleversait et j'en étais un peu étonné car ils n'avaient jamais été particulièrement proches. Une partie de chacun d'eux avait toujours paru prendre la mesure de l'autre et s'en méfier. Sa réaction avait pris la forme d'une détresse frôlant la terreur pure et simple et je ne la comprenais pas. Pendant le trajet de Saint-Philip au cimetière, j'avais tenté de dissiper en partie sa peur. Craignant de la voir craquer, j'avais suggéré :

– Tu n'es pas obligée de nous accompagner jusqu'à la tombe, tu sais. Personne ne dira quoi que ce soit si tu restes dans la voiture. Jack demeurera avec toi. Tu es venue à l'église, ça suffit.

– Non, il faut que j'y aille, avait-elle répondu d'une petite voix tendue, apeurée. Je dois voir la mise en terre, sinon je ne serais jamais sûre qu'il est bien parti.

– Lucy... commençai-je, mais elle m'interrompit.

– Je fais d'affreux cauchemars depuis qu'il est mort, Gibby. Je me réveille en larmes, toute tremblante, et je n'arrive pas à me rendormir. Jack est furieux, je le réveille toutes les nuits. C'est toujours le même rêve : Ben est dans la chambre avec moi, il a mis le revolver dans un sac en papier ou une boîte, et il essaie de me le donner. Mais il ne peut pas s'approcher suffisamment pour le faire, et moi je recule, jusqu'à ce que je sois coincée par la tête du lit, mais je sais qu'il finira par être assez près pour poser le sac sur mes genoux, et il sera trop tard. Il tient vraiment à ce que je le prenne. Une fois, il m'a dit : « Allez, Lucy, je ne peux pas attendre ici éternellement. » Mon Dieu, je ne veux pas de ce revolver !

– Chérie, c'est juste un cauchemar, arguai-je, profondément troublé. Que veux-tu qu'il t'arrive, même s'il réussit à te donner le sac ?

– Alors, ce sera mon tour. Le revolver est pour moi. S'il a été capable de se tuer, pourquoi est-ce que je ne le ferais pas aussi un jour ? J'ai en moi... la même zone d'ombre, la même folie. Je l'ai toujours su, et toi aussi. Son suicide rend le mien... possible, tu ne comprends pas ? J'ai peur de la mort plus que de toute autre chose. Je ferais n'importe quoi... *n'importe quoi* pour ne pas mourir !

Elle avait élevé la voix et je me souviens de ce jour lointain dans la salle de séjour de la maison de Peachtree Road, où nous nous étions glissés pour regarder des diapositives de Rome, et où elle avait eu la première de ses terribles crises d'hystérie en voyant les tombes et les mausolées du cimetière américain de la ville. « J'ai peur de mourir ! J'ai si peur de mourir ! » avait-elle crié.

– Tu ne mourras pas, ma biche, intervint Jack Venable

d'une voix profondément lasse. C'est juste les nerfs. Tu es toute remuée, tu as été malade. Ce n'est vraiment pas la peine que tu ailles jusqu'à la tombe. Je resterai dans la voiture avec toi.

– Non, répondit Lucy. Je veux voir la mise en terre.

Elle la vit et garda finalement son calme, comme si sa terrible frayeur avait été enfouie avec Ben Cameron sous la terre rouge d'Oakland.

Lucy avait raison, pourtant : la mort de Ben avait pour nous tous quelque chose d'effrayant. Pour reprendre ses termes, elle avait rendu l'impossible possible. Il y avait eu trop de morts en cette terrible année 1968 : la mort de Ben amenait l'horreur de l'assassinat de Martin Luther King puis de celui de Bobby Kennedy jusque sur les perrons de notre Buckhead. En regardant Lucy et Jack s'éloigner dans leur Ford cabossée, je pensai que ce que j'éprouvais – ce que nous éprouvions certainement tous, nous les privilégiés de toute une génération, c'était, en même temps que le chagrin et l'horreur, une sorte de morosité, le début d'un cynisme rassis et subtil, l'affreuse certitude que les lois de l'univers n'étaient pas immuables.

Pendant le reste de l'automne et l'hiver, Lucy continua à se remettre lentement. Elle vit un nouveau psychanalyste une fois par semaine et poursuivit son traitement à base d'Antabuse et d'antidépresseurs. Elle retrouva en grande partie son éclat irrésistible, sa vitalité et sa beauté. Lorsque le docteur supprima les tranquillisants, son énergie, sa gaieté revinrent peu à peu, et lorsque les premières pousses timides de forsythia apparurent, en février, elle était redevenue aussi nerveuse qu'avant, buvant des litres de café et donnant d'interminables coups de téléphone.

– Je vais devenir dingue si je ne quitte pas ce trou pour faire à nouveau quelque chose d'utile, me dit-elle un jour d'un ton exaspéré pendant l'une de ces conversations. Je finirai par assassiner Jack à coups de houe et par foutre le feu à ce taudis. J'en ai marre de lire, je déteste la télé, je ne veux pas m'occuper de cette connerie de jardin et Estelle me rend folle. Elle donne aux Noirs mauvaise réputation avec son Q.I. de balai. J'ai envie de retravailler, Gibby, mais Jack ne veut pas en entendre parler. Il dit que je suis encore trop fragile. Tu me trouves fragile, toi ? Je ne suis pas trop fragile pour faire la cuisine et le ménage, laver ses chemises, bêcher son foutu jardin et lui apporter à boire pendant qu'il regarde la télé, tous les soirs de la semaine.

– Est-ce bien la fille qui mourait d'envie de vivre à la campagne, dans une vieille ferme, et de plonger les mains dans la bonne terre ? demandai-je. Laisse Jack tranquille, Luce. Il travaille comme un forçat. Il mérite largement un repas chaud et un verre ou deux quand il rentre. Tu sais parfaitement que c'est à ton bien qu'il pense, et il a probablement raison. Tu n'es pas capable de travailler normalement ; il faut que tu te tues au boulot jusqu'à ce qu'on doive t'emmener à l'hôpital.

Elle garda un moment le silence, tira sur sa cigarette puis convint :

– Oh ! je le sais. Il a raison. Il a toujours raison. Il s'inquiète pour moi. Quelquefois, je me demande pourquoi il prend cette peine. Je suis vraiment garce avec lui, parfois. Mais il est devenu... si vieux.

– D'accord, il n'est pas spécialement jeune, répliquai-je, au bord de l'exaspération. Il était beaucoup plus âgé que toi quand tu l'as épousé et il l'est encore. J'espère que tu ne pensais pas que ça changerait. Et il travaille quatorze heures par jour. A quoi tu t'attendais ?

– Je ne sais pas. Pas à ça.

– Et Malory ? Ce n'est pas une compagnie ?

– Malory est un amour, mais elle passe une grande partie de la journée à la crèche, et puis dans l'après-midi elle joue avec les petits attardés du coin – c'est Jack qui l'y oblige, elle a horreur de ça. Quand elle rentre, elle se transforme en Mary Poppins, apporte le journal, sert à boire, etc., jusqu'à ce qu'on ait envie de lui faire un croc-en-jambe. Et je te rappelle qu'elle a six ans. Les enfants de cet âge ne sont pas encore maîtres dans l'art de la conversation, tu sais.

– Je le sais, rétorquai-je. Et toi, tu l'ignorais ? C'est une découverte récente ? Tu devrais l'envoyer à Dale Carnegie. Ou c'est moi qui devrais y aller : je trouve que Malory est une compagnie formidable.

– Oh ! tu es impossible ! explosa Lucy.

Elle raccrocha mais rappela un moment plus tard.

– C'est moi qui suis impossible, reconnut-elle. Je suis désolée, Gibby. Je suis devenue une emmerdeuse de première classe. Ce soir, je parlerai à nouveau à Jack de reprendre un travail. Il a dû remarquer à quel point je me sens mal, et Dieu sait que nous avons besoin d'argent. Cette fois, je trouverai un emploi dans lequel on ne peut pas s'impliquer : classer, taper à la machine, répondre au téléphone.

– J'ignorais que tu savais taper à la machine, et je ne te laisserais *jamais* décrocher mon téléphone, même s'il sonnait à me crever les tympans. Le tam-tam me semble plus dans tes cordes.

Elle éclata de son rire d'antan, profond et rauque.

– Pourquoi est-ce que je n'aime que des saligauds ? dit-elle. Je suis prête à faire n'importe quoi pour sortir du petit arpent du Bon Dieu*. Tu verras de quoi je suis capable, cette fois, ce sera différent. Tu me soutiendras si Jack fait des difficultés ?

J'acquiesçai mais ce ne fut finalement pas nécessaire. Elle dut le convaincre ce soir-là qu'elle pouvait travailler sans se laisser dévorer, car le lendemain elle se mit à téléphoner à ses relations. Elle persuada *South* de la reprendre, cette fois comme réceptionniste, de dix heures à seize heures, et elle vogua bientôt de nouveau sur les flots du Mouvement pour les Droits Civiques – ou plutôt elle pagaya dans l'eau lente et peu profonde à sa périphérie. Pendant quelques mois, elle parut se satisfaire de discuter au téléphone avec les voix désincarnées des militants de base – les simples soldats au lieu des lieutenants – mais, tandis que le printemps cédait la

* Allusion à un roman d'Erskine Caldwell. (N.d.t.)

place à un été précocement torride, je me demandai souvent combien de temps durerait ce désengagement.

Je crois qu'elle aurait finalement réussi le difficile passage du statut de militant à celui d'observateur si le Mouvement lui-même ne l'avait pas laissé tomber. Si ce grand courant d'héroïsme et d'intégrité ne s'était pas tari, je crois qu'elle aurait éprouvé un intérêt, une exaltation – qui sait ? – suffisants en pataugeant simplement près de la rive. Lucy avait besoin de côtoyer héros et légendes ; le Mouvement lui en fournit par centaines pendant des années.

Mais en 1969, année terne, Richard Nixon devint le trente-septième président d'un pays meurtri, chancelant, et un Ben Cameron épuisé annonça qu'il ne briguerait pas un troisième mandat de maire. Ralph McGill, que Lucy idolâtrait, mourut d'une crise cardiaque dans la maison d'un ami noir, et le puissant Mouvement pour les Droits Civiques se divisa autour des énormes rochers du Viêt-nam, du mouvement des jeunes, de la *drug culture*, et ne se reforma jamais. C'étaient à présent de très jeunes gens qui déferlaient dans les rues, défilant, chantant, fumant, scandant des slogans contre la guerre et leurs parents. Les jeunes Noirs courant dans les rues du Sud le faisaient généralement avec de jeunes Blancs hirsutes, portant perles et clochettes, qui se défonçaient pour accéder au nirvana.

Ma cousine, en son âme embrasée, n'avait cure du Viêt-nam et des hippies. A ses yeux de visionnaire, il n'y avait pas de héros parmi eux. Elle se moquait même du mouvement féministe naissant, car elle ne trouvait pas plus d'héroïnes dans les bandes stridentes de brûleuses de soutien-gorge que de héros parmi la jeunesse indolente et défoncée. Je ne sais pourquoi je ne prévis pas que, manquant de héros autour d'elle, Lucy finirait par aller en chercher ailleurs. Il est plus facile de comprendre pourquoi Jack Venable ne le prévit pas non plus : il était alors dans un tel état d'épuisement qu'il aurait simplement détourné les yeux si elle avait revêtu une armure et amené un cheval blanc à sa porte.

Mais moi qui avais été témoin de ses quêtes et avais même de temps à autre chevauché à ses côtés ; moi qui, lorsqu'elle ne trouvait pas de héros, tentais d'en devenir un : moi qui ressentais autrefois ses faims et ses soifs aussi vivement que les miennes, j'aurais dû voir. J'aurais dû savoir.

Lucy fit la connaissance de Beau Longshore lorsqu'il entra d'un pas traînant dans les bureaux de *South* en quête de fonds pour sa mission du Mississippi, et il n'était probablement déjà plus possible de sauver Lucy lorsqu'il lui eut exposé ce qu'il voulait. Finalement, elle l'emmena passer la nuit à la ferme puisqu'il n'avait ni argent ni connaissances à Atlanta. En chemin, elle s'arrêta à la gloriette pour me le présenter, quémander un sandwich, un verre et une contribution. J'eus l'impression étrange de serrer la main du jumeau de Lucy : même éclat intense des yeux enfoncés, même fièvre, même démence voilée. A la fin du repas improvisé, j'étais presque aussi fasciné qu'elle par le personnage, mais en même temps profondément alarmé par leur rencontre. Je songeai à téléphoner à Jack pour lui dire de mettre fin à tout prix à leur association mais n'en fis rien finalement, peut-être parce que je savais, à un certain niveau de conscience, qu'il était déjà trop tard.

Même alors les détracteurs de Beau auraient peuplé un petit comté de la Géorgie profonde, mais il était pratiquement irrésistible. Plus tard, lorsqu'il atteignit à la renommée nationale, l'adhésion à ses idées prit quasiment la forme d'un culte religieux, et ses adversaires le redoutèrent autant qu'ils le haïrent. Il était très grand, d'une maigreur confinant à l'émaciation, et, comme Jack Venable, prématurément blanchi. Ses yeux marron brûlaient dans des orbites si profondes qu'elles ressemblaient à des fosses de tourbières où rougeoyaient des charbons ardents. Le soleil implacable de la côte du Mississippi l'avait fortement bronzé, ce qui, avec sa silhouette longue et gracieuse, son visage bien dessiné, lui donnait un air étrangement aristocratique. Vêtu d'un pantalon de toile blanche et d'une chemise bleue délavée, il avait l'air de débarquer du yacht familial.

En fait, ce pantalon était celui de la clinique africaine où il avait été missionnaire-médecin, et la chemise provenait du stock de vêtements collectés avec lesquels il habillait ses patients des marais proches de Pass Christian. Mais l'allure aristocratique était authentique puisque, comme Lucy me l'apprit par la suite, il était aussi F.F.V.* que possible : ses ancêtres avaient du sang des Custis et des Lee ; lui-même avait obtenu son diplôme de théologie à Sewanee et celui de médecine à John Hopkins. Beau ne profitait pas de l'influence de sa famille de Richmond, qui, de son côté, le désavouait. La brèche s'était ouverte lorsqu'il avait renoncé à la chaire de la vieille église épiscopalienne en pierre grise de Richmond afin de partir pour le Gabon, et s'était transformée en abysse quand il était revenu avec une épouse d'un noir éclatant ayant fait ses études à Oxford. Rapidement désenchantée d'être la femme d'un missionnaire, elle était repartie chez les siens, à Bandundu, et il ne l'avait plus revue.

– Je suis sûr que nous sommes divorcés, à ses yeux, dit-il un jour à Lucy. Je crois qu'ils font ça là-bas en dansant autour d'un poulet, ou quelque chose de ce genre. Quant aux yeux de Dieu, ils clignent beaucoup en Afrique.

En Afrique, Beau avait constaté que c'était la maladie, la passivité, et non l'impiété, qui étaient l'ennemi. Il était donc rentré aux États-Unis et avait entamé des études médicales avec une bourse de l'Église et trois ou quatre petits boulots. Il était inévitable qu'il s'intéressât à la drogue. Toute une génération marchait à l'exaltation chimique, et Beau découvrit que les drogues qu'il se procurait facilement lui donnaient la force de poursuivre ses études. Nombre d'étudiants en médecine de l'*Age of Aquarius*** prenaient régulièrement des stimulants, des calmants, du Percodan et du Demerol. Beau Longshore plana et ne redescendit jamais. Il grimpa

* *First Families of Virginia* : les plus anciennes familles de Virginie. (N.d.t.)

** L'ère du Verseau, la génération hippie, ainsi appelée dans une chanson de *Hair*. (N.d.t.)

jusqu'à la cocaïne, flirta avec le L.S.D. et but de l'alcool entre deux.

Pendant de nombreuses années, ce cocktail chimique ne parut pas l'affecter physiquement. L'énergie et l'exaltation qui bouillonnaient dans ses veines étaient compensées par son allure nonchalante, sa constitution robuste. Et au cours de la dizaine d'années écoulées depuis la fin de ses études, il avait fait beaucoup de bien autour de lui avec très peu d'argent. Mais il se trouvait maintenant à court de fonds et d'élan physique. Ses méthodes théologiques et médicales lui ayant aliéné l'Église et les médecins, il avait cherché de l'aide, pour la première fois.

Et il avait trouvé Lucy Venable.

– Personne ne connaît le travail qu'il fait, Gibby, m'expliqua Lucy le lendemain au téléphone, après que Beau fut reparti pour le Mississippi. Il ne cherche pas la publicité et personne là-bas ne se préoccupe des pauvres Noirs de la côte. Beau n'est pas un saint, Dieu merci, il parle d'eux de manière très réaliste et très drôle. Cynique, pourrait-on dire. Il affirme qu'il n'a jamais rencontré de noble sauvage, mais un sacré tas de pitoyables créatures, et c'est la même chose pour les Noirs de la côte. Il dit qu'ils n'essaient même pas de s'aider eux-mêmes, qu'ils ne le feraient probablement pas s'ils avaient un million de dollars chacun, et que ce qu'il faut, avant l'argent, avant la nourriture et le droit de vote, c'est se sentir bien. Se sentir mal, c'est la racine de toute oppression raciale. L'homme qui a faim, qui est malade, anémié, fatigué en permanence ne se dresse pas pour revendiquer ses droits. Ben dit qu'ils ont autant besoin d'énergie que d'une nouvelle législation, alors il leur donne des produits dopants.

– Nom de Dieu ! Lucy, m'exclamai-je. Il ne manquait plus que ça ! Un saint qui distribue de la drogue aux pauvres et aux opprimés. Tu sais que ce qu'il fait est illégal, naturellement.

– Non, répondit-elle avec humeur. Il est médecin en même temps que prêtre. Il leur prescrit les drogues qu'il leur donne, avec une ordonnance. Et il fait des tas d'autres choses. Il prêche dans leur petite église une fois par mois, il les marie, les baptise et les enterre, il les incite à s'inscrire sur les listes électorales, les emmène se faire soigner les dents, collecte des vêtements, de la nourriture et de l'argent pour eux et fait même la classe aux plus petits ainsi qu'à ceux qui ne savent pas lire. C'est-à-dire la plupart d'entre eux. Il n'y a pas d'école à des kilomètres à la ronde. Bien entendu, il a créé une clinique gratuite. Personne n'a idée de ce qu'il fait là-bas – je ne sais même pas si ce misérable bled a un nom. Les grandes villes les plus proches sont La Nouvelle-Orléans et Mobile, mais elles se trouvent à des centaines de kilomètres, et on n'y a jamais entendu parler de lui. Son Église et les médecins qu'il connaît refusent de continuer à l'aider à cause des médicaments qu'il donne. Ce dont il a le plus besoin, c'est de publicité, et je vais lui en faire. J'ai parlé à Chip Turner, de *Newsweek*, il aimerait beaucoup avoir un article sur lui. Je vais essayer de convaincre *South* de m'envoyer là-bas pour l'écrire, puis Chip pourra le reprendre. Naturellement, je donnerai à Beau ce que Chip me versera. En attendant, je veux que tu lui fasses un gros chèque. Il n'a même pas de quoi retourner là-bas. Il est venu en stop.

– Tu délires si tu t'imagines que je vais payer la drogue d'une bande de camés noirs de Pétaouchnock, Mississippi, déclarai-je. J'enverrai un camion de vivres, de vêtements et autres choses dont ils ont besoin là-bas, mais je ne lui donnerai pas d'argent pour acheter de la drogue. La distribution de marijuana aux masses n'est pas pour moi le remède à la pauvreté et à l'oppression.

– Il ne leur prescrit que des stimulants, argua Lucy d'un ton raisonnable. Des amphétamines. C'est ce qu'il y a dans les pilules pour maigrir, ça ne fait de mal à personne. Il donne peut-être des tranquillisants à ceux qui ont des angoisses, qui n'arrivent pas à dormir. Et des analgésiques pour ceux qui en ont besoin. Jamais des trucs très forts. La même chose que ce que prescrirait n'importe quel autre docteur.

– La plupart des docteurs ne font pas de la drogue le fondement du changement social, dis-je. Je parie qu'il en prend lui aussi : il a l'air d'un camé.

– Il a l'air d'un type formidable, riposta Lucy. Il *est* formidable. C'est un vrai héros dans une époque d'anti-héros, et je vais pondre un papier sensationnel sur lui. Seigneur ! tu ressembles un peu plus à Jack chaque jour. Si vous connaissez toutes les réponses, pourquoi n'aidez-vous pas les gens dans le besoin au lieu de rester plantés devant un poste de télévision ou dans une maison de poupée géante ?

Je ravalai une repartie furibonde, en grande partie parce que l'argument de Lucy était fondé. Je ne me sentais pas particulièrement fier de mon absence d'engagement dans les grandes questions sociales agitant le monde autour de moi, mais je n'étais apparemment pas capable de combattre l'entropie qui me maintenait rivé à la gloriette. Je parvenais à me convaincre que mon travail sur *Les Géorgiens accomplis* aurait à long terme plus d'importance que n'importe quelle tentative sporadique et pavlovienne de militantisme, mais je savais pertinemment, au plus profond de moi-même, que l'unique mérite de ma grande œuvre serait peut-être d'avoir servi de refuge et de réconfort à un Peter Pan vieillissant, effrayé d'affronter le monde.

– Je présume que Jack n'est pas tout à fait emballé par le Dr Longshore, dis-je.

– Jack s'est montré affreusement grossier avec lui pendant tout le temps qu'il a passé à la ferme et a refusé de me laisser réveiller Malory pour le lui présenter. En plus, il m'a obligée à conduire Beau à l'autobus de très bonne heure le lendemain matin, sans le laisser dormir tard et prendre le petit déjeuner, alors que le pauvre homme était à l'évidence à demi mort de manque de sommeil, et sous-alimenté par-dessus le marché. J'étais si furieuse que je l'aurais tué, Gibby. Et Beau, lui, s'est comporté en vrai gentleman. Une distinction, un humour... Il a même réussi à faire rire Jack au moment même où celui-ci lui montrait la porte.

– Qu'est-ce qu'il lui a dit pour le faire rire ?

– Qu'il le comprenait. Que la seule chose qui soit plus insupportable qu'un bon Samaritain professionnel, c'est un bon Samaritain professionnel défoncé qui collecte de l'argent. Et il a ajouté que, à la place de Jack, il se mettrait à la porte aussi.

Je m'esclaffai, séduit malgré moi par le personnage plus encore que la veille.

– Il a du charisme, ce saligaud, il faut le reconnaître, convins-je. Ne te tracasse pas pour lui, Luce. J'ai la nette impression qu'il sait se débrouiller seul. Laisse Chip Turner aller là-bas lui-même et écrire l'article. Tu nous as promis de ne pas en faire trop.

– C'est en faire trop que passer un week-end de printemps sur une plage tropicale ? lança gaiement Lucy. Avec un missionnaire-médecin à proximité ? Ça ressemble plus à une retraite qu'à un reportage. D'ailleurs, j'envisage d'emmener Malory.

– NON !

Le cri avait jailli de mes viscères sans que j'aie même réfléchi.

– Je suis sérieux, Lucy ! Tu peux courir derrière ce joueur de flûte si cela te chante, personne ne peut t'en empêcher. Mais tu n'emmèneras pas Malory. Je te l'interdis.

Il y eut un long silence puis Lucy ricana doucement.

– Tu me l'interdis, Gibby ? Tu m'interdis d'emmener ma propre fille en week-end à la mer ? Qui crois-tu être ?

– Tu sais qui je suis, répliquai-je avec rage. Si Jack ne t'en empêche pas, moi je le ferai. Je te le garantis.

Après un nouveau silence, Lucy reprit d'un ton conciliant :

– Oh ! calme-toi. Je ne l'emmènerai pas, finalement. J'ai juste dit que je l'envisageais. Seigneur ! c'est à croire que je veux la conduire dans l'antre du roi de la traite des Blanches, à la façon dont vous réagissez, Jack et toi. Il a menacé de l'envoyer vivre avec maman et toi si je m'obstine à l'emmener. Ce sera de votre faute si, plus tard, Malory a peur de prendre des risques ou de rencontrer des gens.

Excellent, pensai-je. J'espère qu'elle ne prendra jamais les risques que tu cours et qu'elle ne rencontrera pas le genre de gens que tu fréquentes. Mais je m'abstins de le dire : je décelais dans la voix de Lucy une gaieté fébrile pouvant facilement dégénérer en témérité ou pire encore.

– Alors quand pars-tu ? demandai-je.

– Demain matin. Le temps de toucher un chèque, de faire un sac et de louer une voiture. Chip ne peut me donner une avance, mais il paie la location de la voiture pour le week-end. Je prendrai une décapotable s'il y en a. Le temps doit être magnifique sur la côte.

– Sois prudente.

– Promis. Je te verrai au début de la semaine prochaine et je te raconterai tout. Désolée d'avoir été désagréable avec toi. Je ne pensais pas ce que j'ai dit au sujet de la gloriette. Je t'aime, Gibby. Je t'en prie, ne me laisse jamais tomber, même si je le mérite.

– Je ne peux plus. J'ai trop investi en toi.

– C'est bien là-dessus que je compte. Au revoir, Gibby.

– Au revoir, Luce.

Sans vraiment savoir pourquoi, j'ajoutai :

– Fourre-le-toi dans l'oreille !

J'entendis dans l'appareil un long rire ravi puis elle raccrocha.

A la fin du week-end, Lucy n'était pas rentrée, et, lorsque Jack téléphona à *Newsweek*, Chip Turner l'informa qu'elle avait appelé pour demander de garder la voiture quelques jours de plus : l'article prendrait plus longtemps que prévu mais promettait d'être formidable. Turner était surpris qu'elle n'ait pas aussi téléphoné chez elle.

– Mais je ne m'inquiète plus maintenant que je sais qu'elle a appelé, me dit Jack quand je vins aux nouvelles. Je ne m'attendais pas vraiment à la revoir au bout de deux jours. Tu connais Lucy. Elle est tellement captivée par ce qui l'intéresse qu'elle en oublie même de manger. J'espère seulement que ce couillon en vaut la peine. Malory prend vraiment mal la chose, cette fois. Elle fait des histoires et elle pleure depuis le départ de sa mère. Elle n'avait jamais réagi comme ça.

– Tu peux me la passer ? demandai-je en sentant la nervosité monter en moi comme le mercure d'un thermomètre.

– Salut, Shep, fit Malory au bout du fil d'un ton morne.

– Ton père me dit que tu fais des histoires parce que ta maman est partie. Ça ne ressemble pas à ma grande fille.

– Je ne l'entends pas, murmura-t-elle comme si elle craignait de prononcer ces mots à voix haute. Je l'appelle, je l'appelle, mais elle ne répond pas. Elle répond toujours, d'habitude. Tu crois qu'elle est partie pour de bon, ou qu'elle est morte ?

– Bien sûr que non, mon lapin. Elle s'amuse tellement qu'elle n'a pas... branché sa radio.

– Elle répond toujours, répéta Malory, et je l'entendis se mettre à pleurer. Toujours.

– Elle va bien, tu verras...

Jack reprit alors l'appareil et me demanda :

– Tu me préviens si elle t'appelle ? Elle a dit à Chip qu'on ne peut pas lui téléphoner mais qu'elle appellera.

Lucy n'appela pas et ne rentra pas. Au bout de cinq jours, Jack téléphona à Turner et cette fois, après un long silence, le journaliste grommela :

– Bon Dieu, je pensais que vous auriez eu des nouvelles. Elle... elle avait l'air complètement perdu quand elle a téléphoné pour réclamer plus de temps. Et puis notre correspondant local nous a avertis qu'on l'avait vue dans plusieurs petites boîtes pourries du coin. Elle... elle était en piteux état. Finalement, nous lui avons retiré le reportage il y a deux jours. Elle avait promis de rentrer et demandé qu'on ne vous téléphone pas, qu'elle s'en chargerait. Mais j'aurais dû... Qu'est-ce que je peux faire pour vous aider ?

– Dites-moi simplement comment la trouver, répondit

Jack. Et faites le moins de bruit possible autour de cette histoire, d'accord ?

– Bien sûr. Écoutez, vous voulez que quelqu'un de chez nous vous accompagne ?

– Non, dit Jack. J'ai déjà quelqu'un.

Il passa prendre Malory à l'école à midi et la conduisit chez nous avec son pyjama et sa brosse à dents pour la confier à tante Willa. A une heure, nous filions vers la côte du Mississippi dans la Rolls, dévorant en silence les kilomètres d'une route étroite. Nous atteignîmes Pass Christian à la tombée de la nuit, mais il était presque minuit lorsque nous trouvâmes la mission et le dispensaire du Dr Beau Longshore au bout d'une route sablonneuse et envahie d'herbe qui semblait faire partie de la forêt inextricable qu'elle traversait. Nous passâmes en effet plusieurs heures à chercher, téléphoner, nous arrêter pour demander notre chemin dans des épiceries ou des magasins d'articles de pêche délabrés, à nous perdre dans de sombres tunnels festonnés de mousse d'Espagne, à tenter de faire faire demi-tour à la Rolls dans le sable où elle s'enlisait, à écraser des moustiques féroces, à jurer en tentant de lire la carte, à respirer de plus en plus difficilement avec la montée de la peur, jusqu'à ce moment, parfait dans son caractère épouvantable, où nous nous arrêtâmes dans une dernière clairière et vîmes un bâtiment en bois, incliné et soutenu par des étais, avec une pancarte grossière indiquant : MISSION ET CLINIQUE DE LA CÔTE, BIENVENUE À TOUS. FRAPPEZ OU KLAXONNEZ. BEAU LONGSHORE, DOCTEUR EN MÉDECINE.

La lune blanche baignait d'une lumière quasi palpable la maison et quatre ou cinq voitures d'aspect peu engageant, ainsi qu'une Ford Mustang décapotable neuve de chez Hertz. La mousse des chênes verts et des hauts pins noirs était d'un gris argent et les ombres d'un noir d'encre, comme sur un négatif. Le mimosa et le chèvrefeuille sauvages dégagaient une odeur si puissante qu'on eût dit l'haleine d'un dieu ou d'un esprit. En descendant de la Rolls, nous ne remarquâmes aucun signe de vie excepté une faible lumière jaune, celle d'une lampe à pétrole brûlant devant une fenêtre de derrière, et la lueur bleuâtre, tremblotante d'un poste de télévision.

Nous nous avançâmes silencieusement jusqu'à la véranda, frappâmes à la porte. Pas de réponse. Comme je prenais ma respiration pour appeler, Jack me saisit vivement le bras.

– Non, murmura-t-il. Laisse-moi entrer.

– Pas tout seul.

– Reste ici, Shep, gronda-t-il à voix basse. Je ne veux pas de toi.

– Tu ne peux pas m'empêcher de venir, répliquai-je.

Il me lança un regard furieux puis haussa les épaules et nous pénétrâmes ensemble dans la clinique de Beau Longshore.

La principale pièce de la cabane était d'une saleté incroyable. Elle empestait la sueur, la nourriture avariée et quelque chose d'autre aussi, à l'odeur suave et forte – de la marijuana, supposai-je, mélangée à quelque alcool de fabrication maison. Aucune lampe n'était allumée mais, sur l'écran clignotant d'un poste de télévision, Johnny Carson gesticulait silencieusement en interviewant un Noir barbu aux cheveux hirsutes et à l'expression farouche, muet lui aussi – le type interchangeable du jeune Noir pour les médias. C'eût pu être une vedette de rock, un militant, un évangéliste ou un repris de justice. Devant le poste, plusieurs jeunes hommes et jeunes femmes noirs étaient vautrés sur des paillasses souillées, abrutis de drogue ou d'alcool.

Personne ne nous parla ni ne sembla même nous remarquer. Certains couples avaient les vêtements en désordre, comme s'ils avaient fait l'amour. Des bouteilles, des gobelets, des cendriers et des assiettes en carton encore à demi pleines d'une nourriture luisante de graisse qui commençait à tourner dans la chaleur épaisse jonchaient le sol entre les matelas. Dans un coin, penchée sur un réchaud, une jeune Noire silencieuse et plutôt belle remuait lentement le contenu d'une casserole cabossée. Elle leva une tête de Circé boudeuse au regard mort, nous regarda, sans un mot, sans un geste, puis rebaissa les yeux. Elle portait sur son corps noir épanoui une sorte de tablier d'enfant d'organdi translucide, beaucoup trop petit, et rien d'autre. Nous passâmes devant les corps allongés pour entrer dans la petite pièce de derrière et là, à la lumière de ce qui était effectivement une lampe à pétrole, nous découvrîmes Lucy et Beau Longshore.

Ils étaient nus et enlacés sur un matelas posé par terre, sous des rectangles blancs encadrés de noir qui devaient être les diplômes de Beau à Sewanee et John Hopkins. A côté d'eux, des assiettes contenant le même ragoût que nous avions vu dans l'autre pièce, et des bouteilles vides. Je n'en distinguai pas les étiquettes mais à la forme, à l'odeur je sus que c'était du scotch, et coûteux en plus. Celui de Lucy : Haig & Haig, ou Cutty Stark peut-être. Je me demandai si elle les avait apportées ou si un don accordé de mauvaise grâce à Beau Longshore avait permis de les acheter. Le médecin était inconscient mais Lucy était éveillée, et, dans ses yeux bleu clair cernés de cercles noir et safran, je vis l'ancienne flamme glacée de l'alcool et de la folie, avec par-dessus une nouvelle lueur que j'attribuai aux drogues libératrices du docteur visionnaire. Je crus n'éprouver qu'une infinie contrariété mais sentis dans ma bouche le goût salé de mes larmes.

– Oh ! merde, Lucy, murmurai-je.

– Salut, Gibby, chantonna Lucy Bondurant Chastain Venable. Salut, Jack. Fourre-le-toi dans l'oreille !

Cette fois, elle alla à Park Forest, nouvelle clinique psychiatrique spécialisée dans l'éthylisme et la toxicomanie. Un Chip Turner consterné insista pour que *Newsweek* prenne tous les frais à sa charge bien que le magazine n'eût aucune responsabilité envers elle, et Jack accepta avec reconnaissance. Il était alors complètement à court d'argent et refusait d'accepter le mien. Sans l'offre de Chip, Lucy aurait été envoyée à l'hôpital de Decatur, l'établissement régional traitant les alcooliques, et je ne crois pas qu'elle en serait ressortie. Mais Park Forest était une clinique d'avant-garde disposant d'une série de thérapies et de médicaments nouveaux et, avec l'aplomb que lui donnait sa nouveauté, n'admettait pas l'échec. Jack et moi acceptâmes de ne pas venir voir Lucy et de ne pas lui téléphoner pendant les deux semaines exigées. Puis nous signâmes les papiers, embrassâmes ses maigres joues mouillées, fermâmes nos oreilles à ses cris, à ses supplications, et rentrâmes voir ce que nous pouvions faire pour l'autre petite victime de l'odyssée de Beau Longshore.

Malory se montra docile quand Jack vint la prendre à la maison de Peachtree Road et le suivit sans histoires après nous avoir embrassés, sa grand-mère et moi, mais le lendemain après-midi, Jack me téléphona, affolé, et me demanda si j'avais des nouvelles de l'enfant : il venait d'apprendre par Estelle, qui le tenait de l'institutrice de Malory, que la petite n'était pas descendue de l'autocar scolaire ce matin-là. Je m'apprêtais à monter dans la Rolls que Shem avait amenée devant la porte quand un taxi s'arrêta devant le portique ; Malory Venable en descendit, s'approcha d'un pas hésitant et se coula dans mes bras.

Elle avait attendu que Jack ait quitté l'arrêt de l'autocar scolaire, avait marché jusqu'au centre de Lithonia, pris l'autobus pour la gare routière d'Atlanta avec l'argent de son déjeuner puis était montée dans le premier taxi venu, qui l'avait conduite chez nous. Je réglai le chauffeur, emmenai Malory à la gloriette tandis que Martha Cater téléphonait à Jack. Ne tenant pas à ce que Willa tourne autour de moi en se tordant les mains, je ne l'avais pas prévenue de la disparition de Malory et elle devait continuer à faire la sieste dans sa chambre. Toutefois, afin de ne prendre aucun risque, j'installai Malory sur le sofa de la gloriette devant une tasse de chocolat chaud et la regardai en me demandant si je devais la gronder ou la câliner, ou me mettre à pleurer moi aussi au diapason des grosses larmes qui commençaient seulement à couler le long de ses joues.

– Tu nous as fait peur, tu sais, coassai-je, la gorge nouée. Nous ne savions pas ce qu'il t'était arrivé.

– Je ne veux plus vivre là-bas, dit-elle, avec de gros efforts pour refouler ses larmes et ne pas laisser son petit visage se décomposer. J'avais très peur parce que je ne pouvais pas entendre ma mère, et Jack ne faisait que dormir. Personne ne s'occupait de moi. Maman m'a dit que tu le ferais si les autres me laissaient toute seule, alors... je suis venue. Si tu me renvoies, je reviendrai.

Je la pris dans mes bras et la serrai fort contre moi dans le jour finissant, sentis naître, s'enfler et s'apaiser dans l'hébétude ses tremblements et ses sanglots de soulagement, de libération. Regardant les lumières de la grande maison s'allumer dans le crépuscule lavande, je maudis avec colère et souffrance le monde exigeant et malveillant qui condamnait un petit être plein de vie et, des années plus tard, sa fille à la même fuite éperdue.

23

Malory fit tant de fugues au cours des dix années qui suivirent que lorsque Willie Nelson enregistra *On the Road Again**, alors qu'elle était adolescente, je lui offris la breloque en or du disque, qu'elle attacha à son bracelet en souriant.

– Il aurait pu me le dédier, non ? fit-elle tristement. Je parcours les routes autant que lui, j'ai l'impression. Tu en as assez de moi ?

– Oh ! pas encore, répondis-je d'un ton léger. Tu ajoutes une note de distinction à ce taudis.

Car c'était vers moi qu'elle venait quand les sombres fardeaux de la ferme devenaient trop lourds pour ses frêles épaules, d'abord en autobus et en taxi, puis en auto-stop, à la manière de sa génération. Jack et Lucy prirent l'habitude de commencer par la chercher chez moi, et elle y était presque toujours, lovée sur le canapé, lisant ou écoutant de la musique tandis que j'enluminais l'arbre généalogique de Sarah Gentry. Parfois, elle demandait de passer la nuit dans la grande maison avec sa grand-mère Willa, qui l'adorait. Elle restait souvent deux ou trois jours avec nous, mais nous finissions toujours par recevoir un coup de téléphone de Lucy disant qu'elle avait besoin de Malory et nous priant de la faire ramener par Shem.

* De nouveau sur la route. (N.d.t.)

Et Malory rentrait docilement, sans protester, car pour elle le mot magique était et serait toujours « besoin ». Pendant le premier tiers de sa vie, chaque fois que sa mère annonçait au téléphone qu'elle avait besoin d'elle, Malory délaissait ce qu'elle faisait et, enfant sage qu'ellc était, retournait à la maison. La certitude qu'elle accourrait aussitôt était, je crois, l'une des rares étoiles fixes au firmament tourbillonnant de Lucy.

Ma cousine connaissait alors une sorte de chute libre qui n'avait rien d'horrible à voir, une descente en spirale, une dérive rêveuse comme celle dont les parachutistes font l'expérience avant de tirer sur le cordon de lcur parachute. J'ai entendu dire que, pour ces hommes volants, cette chute libre est plus dangereuse que le moment du contact avec le sol car elle est si hypnotique, procure une telle ivresse, une telle sensation de liberté que la tentation est grande de la prolonger jusqu'à ce qu'il soit trop tard. Je pense que Lucy éprouvait peut-êtrc quelque chose de cette liberté et de cette griserie dans sa longue chute puisqu'elle s'y réfugiait lorsque le monde la blessait trop durement. Je n'ai jamais cru qu'elle recherchât la folie, la déchéance, mais plutôt qu'elle ne faisait pas beaucoup d'efforts pour l'éviter.

Rien qu'à entendre sa voix au téléphone, je savais dans quel état elle était. Lorsqu'elle se trouvait dans une de ses phases d'eau pure, elle avait une voix lente et profonde, rendue rauque par ses éternelles cigarettes, et son « Gibby ? C'est Lucy » promettait du rire et de l'ironie. Quand elle avait commencé à boire – car c'était l'alcool désormais qui la précipitait dans ces longues et lentes spirales –, sa voix était aiguë, éclatante comme du verre brisé, bourdonnante de jubilation secrète.

– Gibby chéri, chantonnait-elle de sa voix de cristal, juste avant une longue bouffée de cigarette. Tu es là, mon cœur ? C'est Lucy.

Je haïssais cette voix, je haïssais ces coups de téléphone. Au bout d'un moment, je cessais même de me demander ce qui avait déclenché la crise et me préparais simplement à la litanie de colère et de terreur qui suivrait inévitablement. Car après l'épisode Beau Longshore, sa folie prit une voie différente de l'hystérie suivie d'une dépression presque catatonique, et elle devint obsédée par la peur et la rage terrible que Jack suscitait en elle.

Quand l'alcool ouvrait la porte à sa démence, elle croyait qu'il manigançait de la faire interner avec la complicité de tante Willa et de la pauvre Little Lady. Avec le ton terrorisé d'une enfant frêle, qui eût été poignant si je ne l'avais entendu si souvent, elle prétendait qu'il la maltraitait, mentalement et physiquement, qu'il la giflait, la rouait de coups, et qu'elle craignait qu'il ne la tue avec un revolver. Je ne pouvais chasser ces idées de son esprit quand elle était dans cet état. Rien, ni mon insistance pour qu'elle réveille Jack et qu'elle lui passe le téléphone afin que je lui parle, ni les maintes fois où je lui faisais remarquer qu'elle n'avait aucune trace de coup sur le corps, rien n'endiguait cette vague de hargne et de frayeur, ces récitals nocturnes sur la monstruosité de Jack.

– Lucy, il n'a même pas de revolver, arguai-je un jour, dans les premiers temps, lorsque j'essayais encore de la raisonner. Il m'a dit qu'il détestait les armes, qu'il aimait mieux se faire tuer par un cambrioleur plutôt que garder un revolver à la maison avec les enfants.

– Oh ! il en a un, seulement tu ne le verras jamais. Moi, je le vois tout le temps. C'est celui qu'il a pris à sa première femme avant qu'elle parte. La pauvre, je comprends maintenant pourquoi elle l'a quitté. Je l'ai terriblement mal jugée, Gibby. Terriblement. J'en suis punie, maintenant.

Plus tard dans cette décennie, elle commença à me téléphoner d'ailleurs. Trois ou quatre fois par an, le silence à l'autre bout du fil m'alertait avant même qu'une Lucy rieuse m'annonçât d'une voix chantante qu'elle se trouvait dans l'un ou l'autre des motels pour voyageurs de commerce entourant la ville aux sorties d'autoroute, avec un homme qu'elle avait levé dans le piano-bar voisin.

On eût dit que la première coucherie adultérine avec Beau

Longshore lui avait ôté quelque modérateur essentiel. Dans les périodes où elle était relativement saine d'esprit, Lucy demeurait aussi fidèle à Jack Venable qu'une fermière du XIXe siècle. Quand l'obscurité tombait sur elle, les ténèbres menaient Lucy aux draps rêches et aux matelas trop minces des *Holiday Inn* et des *Howard Johnson* de tout le comté de North Fulton. Au début, Jack alla la chercher, silencieux et maussade, mais elle finit par devenir si grossière, si braillarde lorsqu'il apparaissait pour la ramener qu'il cessa tout bonnement de répondre à son appel, se contentant de se tourner sur le côté et de se rendormir. Il savait qu'elle me téléphonerait ensuite et que j'irais la chercher.

Je ne sais vraiment pas pourquoi je me livrais à ces expéditions nocturnes désespérées, ni pourquoi je continuais à écouter lorsque j'entendais son « Gibby chéri ? C'est Lucy », suivi de l'inévitable thrène de folie, de violence, de terreur et de souffrance. Nous sommes deux fantômes, pensais-je souvent, condamnés à hanter un monde que nous ne fréquentons plus guère, nous parlant dans la nuit dévorante à l'aide de téléphones spectraux. Mais j'écoutais, avec une certaine patience, quels que fussent la fréquence de ses appels ou le ridicule de ses accusations. En partie parce qu'elle dépendait tellement de moi, parce qu'elle m'était, dans sa folie, si attachée. Et cet attachement, tout rusé et tortueux qu'il fût, réchauffait et illuminait l'exil que je m'imposais.

Mais surtout j'écoutais les litanies blessées de Lucy Venable parce que je savais que cela la calmait et protégeait un peu plus longtemps Malory de la folie de sa mère.

Car Malory souffrait. Devenue une fillette d'une beauté sereine avec les cheveux de satin noir, les yeux bleus incandescents de Lucy et le profil aquilin des Bondurant, elle avait apparemment sauté par-dessus son enfance. Lorsque les ténèbres s'épaissirent autour de sa mère, elle perdit presque totalement son sens du jeu et du plaisir. Son rire profond, si semblable à celui de Lucy, ne résonna plus que rarement. Elle avait de l'esprit mais n'était plus jamais gaie ou drôle.

A l'âge où elle aurait dû courir en bande joyeuse après l'école, folâtrer dans la douceur du printemps, l'or de l'été et de l'automne, elle demeurait enfermée dans la ferme en ruine, en la compagnie affectueuse mais limitée d'une vieille Noire. Elle lisait, regardait la télévision, veillait sur sa mère, servait son père amer et silencieux quand il rentrait du travail pour s'affaler devant la télé avec le journal. Elle lui apportait à boire, réchauffait le dîner farineux que la vieille Estelle leur avait préparé, restait à côté de lui et regardait l'écran tremblotant jusqu'à ce qu'il sombre dans un sommeil imbibé de scotch. Alors seulement elle le couvrait du châle en tricot, se brossait les dents, se mettait au lit et s'endormait enfin d'un sommeil léger de vieille femme.

Parce que Malory elle-même avait choisi cette existence médiocre, je ne pensais pas que Jack négligeât vraiment l'adorable petit spectre silencieux de son foyer. Mais, pour une raison quelconque, il ne parvenait pas à l'atteindre. Peut-être ressemblait-elle trop à la belle épouse qui lui échappait ; peut-être toute passion réelle s'était-elle flétrie en lui dans l'une des trop nombreuses chambres de motel anonymes où il était allé chercher Lucy. En tout cas, Malory demeurait essentiellement seule dans la maison de son père.

A ma connaissance, Jack ne songea jamais à quitter Lucy et ne commit aucun des actes monstrueux dont elle l'accusa. En fait, pendant ses longues périodes de normalité, elle l'adorait et dépendait de lui autant qu'avant. La seule carence envers sa femme et sa fille que je lui connus fut peut-être son incapacité à apporter à l'une ou à l'autre quelque chose d'enrichissant.

Et Malory fuguait. Je ne la réprimandais jamais pour cela. C'était peut-être la chose la plus sage qu'elle pût faire étant donné les circonstances.

Au cours des premières années de la descente précipitée de Lucy dans la folie, je m'inquiétai souvent de l'existence que Malory menait à la ferme. Même pendant les « bonnes » périodes de Lucy, lorsqu'elle était rentrée de l'hôpital où son psychiatre du moment l'avait placée et qu'elle faisait semblant d'être journaliste pigiste, c'était un foyer déséquilibré et malsain. Dans ses phases de crise, quand elle s'enlisait dans un nouveau marécage d'alcool, de promiscuité et de paranoïa, la ferme devait être une sorte de charnier mental. Lorsque Malory était avec moi, je cherchais attentivement en elle des signes de lésion, de blessure, mais n'en décelais aucun, hormis ses fugues quasi pragmatiques. Je ne la grondais jamais. Son habitude naissante de disparaître chaque fois que quelque chose la bouleversait ou lui déplaisait, sa façon polie de menacer de le faire quand tante Willa ou Jack tentaient de lui imposer quelque chose dont elle ne voulait pas me semblaient tout à fait raisonnables et même charmantes.

Il fallut Dorothy Cameron pour m'ouvrir les yeux.

J'avais pris le pli de lui rendre visite plus fréquemment depuis un an parce que Ben glissait lentement dans un brouillard de démence qui s'était apparemment levé avec la mort de Ben Junior pour s'épaissir quand son dernier mandat de maire avait pris fin, et qui porterait plus tard le nom de maladie d'Alzheimer. Dorothy était quasiment rivée à la maison puisqu'elle ne le laissait pas souvent seul avec Leroy Pickens ou Minnie, leur cuisinière. Ben n'était pas encore constamment égaré ou agressif ; il avait de longues périodes de lucidité et de bien-être relatifs, quand le spectre de l'homme qu'il avait été refaisait surface.

Mais il pouvait soudain perdre conscience de ses actes, ce qui l'effrayait beaucoup. Plus d'une fois, il était sorti de la maison, il était même monté dans sa chère Lincoln. Un jour, il avait mis le feu au bois situé derrière la maison en brûlant des ordures et s'était tranquillement éloigné du brasier. J'éprouvais de la peine et de la colère à voir le visage engageant et le corps souple de cet homme que j'aimais plus que tout autre, gouvernés par une intelligence défaillante, mais je savais que cela devait être terrible pour Dorothy, et elle accueillait volontiers mes visites, en grande partie parce que Ben réagissait encore presque normalement à mon égard. J'allais donc souvent chez eux, et j'emmenais parfois

Malory. Elle adorait Dorothy et Ben, qui la prenait souvent pour Lucy mais se souvenait toujours d'elle, et ils lui prodiguaient presque la même affection qu'à la petite Livvy Gentry. Ils ne voyaient pas souvent les garçons du jeune Ben : Julia ne pouvait pardonner, même à ceux qui n'étaient pas coupables. Je savais que cela devait être pour eux une blessure inguérissable, et c'était pour moi une raison supplémentaire de leur amener Malory.

Un après-midi que nous prenions le thé dans la petite bibliothèque tandis que Ben faisait la sieste en haut, Dorothy demanda à Malory, qui avait alors dix ans, quels étaient ses projets pour le reste de la semaine, qu'elle passait chez nous. Lucy se trouvait alors à la clinique Brawner, où elle s'efforçait de sortir du brouillard qui s'était abattu sur elle dans le lit d'un représentant en ordinateurs de Spartanburg, et ne retournerait pas à la ferme avant une semaine ou deux.

– J'ai oublié, répondit Malory.

Elle sourit à Dorothy, m'adressa un regard moqueur.

– Tu dois aller chez le dentiste demain après-midi, rappelai-je. Et vendredi, ta grand-mère...

– Non, dit-elle.

Dorothy haussa un sourcil brun.

– Non quoi ? fis-je.

– Pas de dentiste. Je n'irai pas.

– Mais si, dis-je. Il te reste une carie à soigner. Tu le sais, tu as pris le rendez-vous la dernière fois que tu y es allée.

– Non, je n'irai pas, répéta Malory d'une voix douce et plaisante, ses yeux bleus fixant les miens. Si tu essaies de me forcer à y aller, je me sauverai. Tu sais que je le ferai, Shep.

Je haussai les épaules, conscient qu'elle en était capable. D'un autre côté, elle pouvait aussi bien oublier sa menace d'ici demain et se laisser conduire chez le dentiste en Rolls par Shem Cater sans faire d'histoires. Cela ne me semblait pas important.

– Malory, intervint Dorothy, Pickles a eu une nouvelle portée dans le garage. Tu veux aller voir les petits ? Je crois qu'ils doivent avoir les yeux ouverts, maintenant.

– Avec plaisir, Mrs. Cameron, répondit Malory en se levant. Un quart d'heure, ce sera suffisant ?

– Tout à fait, acquiesça Dorothy en retenant un rire.

Mais lorsque son regard revint sur moi, elle ne souriait pas.

– Elle est presque aussi effrayante que charmante, fit-elle observer. Ce qui n'est pas peu dire. Écoute, tu penseras peut-être que ça ne me concerne pas, mais il n'y a personne d'autre pour t'en parler. Il est temps que tu lui serres la vis, sinon elle souffrira plus tard.

– Lui serrer la vis ? fis-je, trouvant l'expression étrange et dure dans ma bouche. Pour quelle raison ? Elle se tient aussi bien qu'une petite adulte...

– Et elle est aussi entêtée et volontaire que la plupart d'entre eux, enchaîna Dorothy. D'après ce que tu m'as raconté, personne n'élève cette enfant. Son père est soit au travail, soit effondré devant la télé ; quant à sa mère... bon. Reste toi. Tu ne t'en rends peut-être pas compte, mais tu es celui sur qui repose principalement son éducation. Tu ne peux pas te contenter de la gâter. Cette habitude de menacer de faire une fugue chaque fois qu'elle n'est pas contente, c'est grave. Il faut que tu y mettes un terme, et apparemment tu es le seul qui en soit capable.

– Bon Dieu, Dorothy, je n'ai jamais demandé à m'occuper de son éducation, gémis-je.

– Tu crois ? Tu as voulu qu'elle te considère comme son refuge. Cela va de pair avec la sévérité.

– Comment pourrais-je devenir sévère avec elle ? Elle a trop souffert, elle souffre encore. Elle a l'air sûre d'elle, mais elle est sûrement fragile, probablement déjà meurtrie. Je ne veux pas qu'elle le soit davantage...

– Alors tu lui donneras sur toi le même terrible pouvoir que sa mère, prédit Dorothy. Le pouvoir du faible sur le fort. Elle a déjà appris à s'en servir – devine auprès de qui. Il faut que tu réagisses parce qu'il n'y a personne d'autre pour le faire. Ou veux-tu lui faire jouer ce rôle ?

– Non, répondis-je en fermant les yeux. Non.

Ce fut un mauvais après-midi que celui où j'abordai le sujet avec Malory. Je le fis mal, elle le prit mal. Elle pleura, tempêta, cria comme je ne l'avais jamais vue faire, puis sortit en courant de la gloriette et hurla entre deux sanglots qu'elle se sauverait, que personne ne la reverrait jamais, et seule la main apaisante de Dorothy sur mon épaule me retint de me ruer derrière elle. Elle ne réapparut pas pour dîner avec sa grand-mère et j'étais sur le point de commencer à fouiller les bois à sa recherche avec Shem – en une expédition reflétant celles que sa mère avait provoquées des années plus tôt – quand elle entra dans la gloriette, les yeux rougis d'avoir pleuré, jeta ses bras frêles autour de moi et dit :

– Je m'excuse. J'ai été idiote, tu essayais seulement de t'occuper de moi. Je ne le referai plus, Shep.

– Plus de fugues ? demandai-je en la serrant contre moi.

Après un long silence, elle répondit, toujours blottie au creux de mon épaule :

– Je ne peux pas te faire cette promesse. Je devrai peut-être encore me réfugier ici. Mais je te jure que je ne menacerai pas de le faire si je n'en ai pas vraiment l'intention.

– Ça va, approuvai-je.

Malory avait près de douze ans lorsque mon autre crainte, spectre plus sournois et plus dangereux, se manifesta. Depuis quelques années, j'observais la fillette avec appréhension : se pouvait-il qu'elle ne fût pas touchée d'une manière ou d'une autre, étant donné la force de la folie de sa mère ? Pourtant je n'avais rien remarqué.

Et puis, la semaine après Noël, juste avant ses douze ans, elle me lança, du tapis où elle écoutait Jimi Hendrix avec son casque, tandis que je lisais Walker Percy :

– Pourquoi maman va tout le temps dans ces motels ?

Elle ne leva pas la tête vers moi en posant la question, et bien que sa voix fût la même que d'habitude, je remarquai la rougeur montant le long de sa nuque.

Seigneur, aidez-moi, pensai-je, pris de panique devant l'ennemi si longtemps attendu.

Lucy n'avait pas eu de période de crise depuis près d'un an. Nous placions de grands espoirs dans son nouveau psychiatre, une femme à la voix chaleureuse qui avait voulu essayer sur elle le lithium et une nouvelle thérapie dite cognitive. Elle pensait que le trouble originel de Lucy était peut-être une névrose maniaco-dépressive non diagnostiquée, longtemps cachée sous l'abus d'alcool, mais estimait aussi que l'angoisse de Lucy et la rage qui en découlait pouvaient provenir d'une vision négative de la vie. Le lithium l'aiderait à surmonter sa névrose et le besoin d'alcool qui en résultait, tandis que la thérapie cognitive soignerait son nihilisme fondamental.

Lucy aimait beaucoup ce médecin et le traitement lui avait si bien réussi qu'elle parlait même de reprendre son travail pour *South* au début de l'année. Nous commencions à oser espérer qu'elle avait laissé les ténèbres derrière elle et qu'elle se rapprochait de la lumière. La voix et le pas de Jack étaient plus légers qu'ils ne l'avaient été en quatre ou cinq ans de docteurs et d'hôpitaux ; Malory s'était remise à rire et n'avait pas fait de fugue depuis janvier.

Je demeurais seul sceptique. Il était évident pour moi que les ténèbres de Lucy étaient affaire de sang, qu'elles venaient non seulement d'elle mais de bien plus loin encore, et donc hors de portée des médicaments et des conceptions positives du monde. Mais je ne révélai mes doutes à personne. Je n'étais pas le plus clairvoyant des observateurs quand il s'agissait de Lucy Bondurant, et le fait demeurait qu'elle n'avait pas pris un verre ni un homme depuis onze mois.

Mais elle perdit tout à coup ce qui la soutenait, quoi que ce fût. A l'approche de Noël – période que, pour une raison quelconque, elle avait appris à détester et à craindre –, elle devint de plus en plus tendue, la voix aiguë et cristalline, et même si nous nous efforcions de ne rien remarquer, aucun de nous ne fut surpris lorsque l'appel à l'aide me parvint, le 17 décembre vers minuit. Partie faire des courses dans un centre commercial de banlieue, elle avait atterri dans un motel pour routiers proche de Duluth, et lorsque son rire dément résonna dans le téléphone, les rires de plusieurs hommes lui firent écho. Je me rendis au motel, trouvai sa chambre, et, quand j'ouvris la porte non fermée à clé, l'un d'eux la chevauchait comme une jument, un autre, agenouillé, pressait sa braguette ouverte contre son visage, un troisième regardait la télévision sur l'autre lit et se préparait par une masturbation énergique. A mon arrivée, ils avaient déguerpi en rajustant leurs vêtements, et Lucy m'avait lancé à la tête un rire aigu de défi pendant tout le trajet jusqu'à l'hôpital – pas à la clinique Brawner, cette fois, car ils ne tenaient pas tellement à la revoir – où son psychiatre exerçait. Elle y était depuis ce jour.

Nous n'avions révélé aucun détail à Malory, naturellement – nous ne l'avions jamais fait. Cette fois comme toutes les autres, nous lui dîmes simplement que sa mère était malade, qu'elle se remettait à l'hôpital et rentrerait bientôt. Mais Malory, bientôt adolescente, était à des années-lumière de la bêtise et aurait pu découvrir de maintes façons la forme précise que prenait la folie de sa mère. Comme je l'ai dit, je l'observais, en quête de traces que ces ténèbres auraient laissées sur elle : intérêt précoce, lascivité même – n'importe quel signe que la même fièvre bouillonnait dans son sang.

Mais Malory demeurait aussi chaste et asexuée qu'un page médiéval ou une jeune sainte nimbée de lumière. Elle avait quelques camarades seulement des filles, aucune véritable amie. Les fils de Jack avaient depuis longtemps opté pour l'hospitalité sans surprise, quoique tiède, de la tante de Nashville et ne venaient plus que rarement à la ferme. Elle ne se montrait pas mal à l'aise en présence des garçons de son âge que je voyais avec elle – les trois enfants de Snake et Lelia, le beau et stupide fils de Freddie et Tom, et, plus rarement, la paire de rouquins folâtres de Ben. Mais elle ne demeurait pas longtemps en leur présence et disparaissait silencieusement au bout d'un moment. Je m'étais souvent demandé si elle avait peur des garçons et avais même espéré – étant donné son ascendance – que c'était le cas. Je l'examinai ce soir-là à la lueur de feu de bois : avec son jean délavé, sa veste et ses bottes à franges, elle avait l'air d'un portrait androgyne de Remington. Mis à part le bourgeonnement de ses seins pointus et l'éclat de la peau, elle aurait pu être un jeune garçon.

– Je crois que c'est à ton papa que tu devrais poser la question, répondis-je enfin en m'efforçant de garder un ton détaché. Il préférerait probablement que ce soit lui et non moi qui t'en parle.

– J'ai déjà demandé à Jack, marmonna Malory sans relever la tête. Il dit que je ne dois pas m'inquiéter pour ça, que c'est le problème de maman, pas le mien. Mais c'est *mon* problème, et c'est le sien aussi, sauf qu'il fait comme si ça ne l'était pas. Alors, je te pose la question.

– Eh bien, soupirai-je, c'est quelque chose que l'alcool et la maladie lui font faire. Quelque chose qu'elle ne ferait pas quand elle est bien...

– Oui, mais qu'est-ce qu'elle *fait* là-bas ? insista-t-elle.

Bien que ses yeux fussent voilés par ses longs cils, je la savais au bord des larmes.

– Malory, ce n'est pas quelque chose de mal, c'est juste... Je ne...

– Oh ! Shep, je sais qu'elle baise avec des types, me lança-t-elle, furieuse, en se tournant enfin vers moi. Je sais qu'elle s'envoie des hommes qu'elle n'a jamais vus avant. Comme Jack ne voulait pas me répondre, je me suis adressée à la psy, et elle m'a expliqué. Ce que je veux savoir, c'est pourquoi. Pourquoi il faut qu'elle fasse ça. Est-ce que Jack ne lui suffit pas ? Est-ce que je ne lui suffis pas ?

Les larmes se mirent à couler, lente traînée silencieuse sur son visage, mais elle ne parut pas s'en apercevoir. Elle me fixait comme si sa vie dépendait de ma réponse.

– Elle n'est pas elle-même quand elle fait ça, commençai-je. Elle n'a même pas conscience de le faire, je crois. C'est peut-être un comportement lié à la chimie du cerveau et sur lequel elle ne peut rien. Ou plus probablement, c'est une façon de fuir quelque chose qui la torture...

– Moi, tu veux dire ? bredouilla Malory d'une voix tremblant pitoyablement.

– Non, chérie, pas toi, certainement pas. Ta mère t'aime plus que tout au monde, tu le sais, n'est-ce pas ? Non, tout a sans doute commencé quand elle était enfant, avant même qu'elle vienne vivre ici. Et puis quelque chose, peut-être ces réactions chimiques du cerveau, a servi de... de détonateur.

– Maman m'a raconté qu'elle avait eu sa première crise juste après ma naissance, fit-elle d'une voix neutre.

Par-dessus le rugissement emplissant mes oreilles, je ne pus que penser : « J'aimerais te tuer pour ça, Lucy. »

– Eh bien, elle se trompe, affirmai-je clairement. Elle a eu de nombreuses petites... crises, comme tu dis, quand elle était étudiante. Alors, ce n'est pas toi qui les as provoquées.

– Le Dr Farr dit que c'est une façon de chercher son père. Mon grand-père.

Les larmes coulaient toujours mais ses épaules avaient perdu leur terrible raideur et elle se laissa aller contre mes genoux.

– Je crois qu'elle a raison.

– Ben, alors... ce que je voudrais savoir, c'est... si elle a envie de faire ça avec son père. Est-ce que... c'est normal de vouloir... tu vois... avec son père ? Ou est-ce que ça rend fou ?

– Elle t'a parlé de ça ? demandai-je, imaginant avec un plaisir rageur la gorge mince de Lucy sous mes mains.

– Oh ! non. Non, je me demandais simplement. Parce que, si c'est son père qu'elle cherche à travers tous ces hommes, et si elle fait ça avec eux, c'est qu'elle a toujours eu envie de le faire avec lui, non ?

– Je ne sais pas, répondis-je dans un long soupir. Vraiment pas. Et je doute que ta mère le sache.

Elle demeura longtemps appuyée contre mes jambes puis posa le front sur mes genoux et remua lentement la tête, comme pour en déloger la connaissance qui s'y trouvait.

– C'est réellement affreux, n'est-ce pas ? Le sexe ?

– Ça peut l'être, convins-je. Mais cela peut être merveilleux aussi. Cela dépend de beaucoup de choses. De la personne avec qui on fait l'amour, principalement.

– C'est affreux, pour toi ? C'est pour ça que tu... que tu n'as pas de femme ni de petite amie ?

– Moi ? Non, fis-je, surpris et profondément mal à l'aise. Ça n'est pas affreux, ça ne l'a jamais été. C'était... plutôt formidable. Simplement, il n'y a personne avec qui j'ai vraiment envie de le faire ces temps-ci.

– Et avant ?

– Avant, oui.

– Mais plus maintenant.

– Non. Plus maintenant.

– Elle est partie ? Elle est morte ?

– Malory, je t'aime beaucoup et je ne te mentirai jamais, mais il y a des choses pour lesquelles je me réserve le droit de ne pas te répondre. Quand cela te concerne, je ne te cache rien. Mais ceci ne te concerne pas. C'est une affaire d'adultes. Tu as onze ans...

– Presque douze. Douze dans trois semaines et quatre jours. Il faut que j'aie quel âge pour que tu m'en parles ?

Elle sourit, et je sus que nous nous étions éloignés du bord de la falaise.

– Trente-sept ans. Ou même quarante. Maintenant, lève-toi, je t'emmène chez les Cameron. Dorothy fait des gâteaux secs cet après-midi.

– Je crois quand même que le sexe, c'est affreux, conclut Malory en se mettant debout dans un mouvement fluide. Je ne ferai jamais l'amour. Jamais. Pouah !

– Tu sais, ce genre de paroles définitives...

– Non, fit-elle en se tournant vers moi. (Le rire et l'enfant de onze ans avaient disparu de ses yeux bleus.) Je parle sérieusement. J'aime mieux mourir qu'aller dans une chambre et... faire ça avec un homme.

J'espère qu'un jour tu devras aussi rendre des comptes pour cela, Lucy, pensai-je en courant avec sa fille le long de Peachtree Road.

Lucy demeura dans le nouvel hôpital près d'un an et demi,

avec des visites régulières à la ferme. Sur l'insistance de Faith Farr, sa psychiatre, Malory n'alla pas la voir là-bas mais lui parla presque chaque jour au téléphone et, je le suppose, au moyen de leur vieux système de télépathie silencieuse. Elle nous rendit fréquemment visite dans la journée, mais depuis que ses demi-frères étaient partis, elle répugnait à laisser Jack trop longtemps seul.

Il continuait à exercer deux emplois, à boire et à sommeiller dans un fauteuil dès qu'il était rentré. Le temps qu'il passait éveillé avec Malory avait dû se réduire à une heure par jour ou même moins, mais elle ne semblait pas souffrir de ses longues plages de solitude. La vieille Estelle continuait à venir à midi, restait jusqu'à ce qu'elle ait préparé le dîner, et Malory avait découvert de bonne heure le refuge qui avait été le mien et celui de sa mère : les livres. J'aurais trouvé le moyen de lui faire quitter la ferme pour de bon si j'avais décelé des signes indiquant qu'elle se sentait seule, délaissée, mais je n'en remarquai aucun. Malory était pleinement satisfaite quand elle avait quelqu'un dont elle devait s'occuper, et je laissai donc les choses en l'état pour le moment. Faith Farr, qui assumait maintenant le rôle de conseillère et de confidente de la famille en même temps que celui de thérapeute de Lucy, estimait que Malory vivait relativement bien sa situation de gouvernante et de dame de compagnie de Jack.

– Ne faisons pas de plans pour son avenir maintenant, me répondit-elle plus d'une fois quand je la harcelais avec une autre de mes crises d'angoisse au sujet de Malory. Si nous avons vraiment trouvé cette fois-ci un moyen de nous attaquer au problème de Lucy, les choses se régleront peut-être au mieux. Sa dépendance à l'égard de sa fille se brisera peut-être d'elle-même, et ce serait la meilleure solution, de loin. Si elle n'est pas brisée, n'essayons pas d'y toucher.

– Comment pouvez-vous savoir si elle l'est ou pas ?

– Cette dépendance existe peut-être encore maintenant, mais ça ne veut pas dire qu'elle existera toujours. Elle fait partie de la dépendance générale que Lucy traîne avec elle, je pense. Brisez un de ces liens de dépendance, ou trouvez-en la cause, et le reste suivra. Du moins je le pense.

– Vous le *pensez* ? Bon Dieu, Faith, si vous ne le *savez* pas maintenant, quand le saurez-vous ?

– Probablement jamais, répondit-elle en m'observant attentivement à travers la fumée de sa Belair. Aucun thérapeute ne sait. Nous supposons, voilà ce que nous faisons. Et je suppose mieux que la plupart de mes confrères.

Je dus me contenter de cela. Mais, au bout de quelques mois, je me vis contraint de reconnaître qu'elle semblait effectivement avoir trouvé la manette du monstrueux moteur tournant à l'intérieur de Lucy. Celle-ci n'avait pas eu de crise depuis des mois et avait réalisé ce que les médecins qualifiaient d'importants progrès dans son groupe de thérapie. Elle se sentait si bien et avait si parfaitement réussi son transfert que Faith assurait que leurs séances étaient souvent un vrai plaisir.

– C'est un des êtres les plus charismatiques que j'aie rencontrés, nous dit-elle un jour, à Jack et à moi. Impossible de ne pas l'aimer. Son charme est immense et, autant que je puisse en juger, il est entièrement naturel à présent.

– Tout en elle est entièrement naturel, renchéris-je. Pas de tromperie sur la marchandise, qu'elle soit épanouie ou en plein délire.

La psychiatre me dévisagea.

– Lucy a plus d'artifice que n'importe qui que je connaisse, déclara-t-elle. Le fait que vous ne vous en soyez jamais aperçu témoigne de son habileté.

– Je n'arrive pas à y croire, marmonnai-je, interdit.

Un mois environ avant la date prévue pour la sortie de Lucy, je coinçai Faith à la cafétéria de l'hôpital, lui demandai une estimation générale de l'état de Lucy et un pronostic. Elle ne voulut d'abord pas me répondre mais finit par le faire.

– Comprenez que je vous parle uniquement dans l'intérêt de Malory et pour nulle autre raison, Shep, me prévint-elle avant de souffler sur son café fumant. Vous n'avez aucun droit de savoir quoi que ce soit sur Lucy. C'est son affaire, celle de Jack et de Malory, pas la vôtre. Je pense que l'interdépendance entre Lucy et vous est très malsaine, et c'est une des choses que j'espère l'aider à briser. Ce n'est pas bon pour vous, c'est dangereux pour elle. J'irai même jusqu'à dire que cela a contribué à la faire tomber malade et à le rester.

– Dieu du ciel, Faith, il y a eu des jours où j'étais littéralement tout ce qu'elle avait, explosai-je. Qu'aurais-je dû faire ? M'en aller ? Et d'ailleurs, je ne suis pas dépendant d'elle.

– Vous croyez ça ? Quant à vous en aller, c'est exactement ce que vous auriez dû faire. Il n'est pas vrai qu'elle n'avait que vous – elle avait elle-même. Mais elle n'avait pas appris à en faire usage. C'est ce sur quoi nous travaillons depuis un an et demi, comme deux mules dans une plantation de canne à sucre. Elle fait des progrès. Elle s'en tirerait peut-être si vous la laissiez marcher seule. Vous, Jack, et même la petite Malory. Je leur en parlerai avant le retour de Lucy à la maison.

Je gardai le silence si longtemps qu'elle tendit le bras et me toucha la main.

– Ne le prenez pas mal, dit-elle. Vous pensiez faire ce qu'il fallait. Comme tous ceux qui la recueillent et la réconfortent. C'est son don en même temps que sa maladie, cette capacité à faire croire ça. L'artifice est presque impossible à déceler. Elle m'a même abusée au début. Mais n'essayez plus de la tirer d'affaire. Si vous devez absolument aider quelqu'un, occupez-vous de Malory. Bien qu'elle l'adore et qu'elle la gâte, Lucy en est incapable, et Jack... le pauvre, il ne sait même pas s'occuper de lui-même. Il est autant victime de Lucy qu'elle l'est d'elle-même, peut-être davantage. En tout cas, il n'y a que vous et votre tante pour assurer l'éducation de Malory.

Je grimaçai en imaginant la fillette entre les mains manucurées de Willa Slagle Bondurant.

– Avez-vous remarqué des signes inquiétants ? Cela me préoccupe qu'elle ait si peu d'amis et qu'elle soit toujours à la ferme, attendant le retour de Jack ou de Lucy. Je m'inquiète aussi de son attitude à l'égard de l'amour physique. Elle en a réellement peur. La seule idée de sexe lui fait horreur.

– Il est trop tôt pour dire si c'est grave. C'est peut-être dû en partie à son âge : certaines filles de treize ans n'ont pas encore dépassé ce cap. Et puis on peut comprendre sa réaction, avec sa mère qui traîne dans tous les lits.

– Malory est terriblement perspicace. Elle a déjà saisi que Lucy, d'une manière totalement inconsciente, essayait de faire l'amour avec son père. La seule chose qu'elle ne comprend pas, c'est pourquoi. Je dois reconnaître que moi non plus.

– Un homme bien baisé n'est pas pressé de partir, fit observer Faith avec un sourire grimaçant. C'est toute l'histoire de Lucy, bien sûr. Perdre, et avoir peur de perdre. Pour elle, toutes les pertes répètent la première, la plus terrible : celle de son père. Elle en a conscience, maintenant, mais les tripes se moquent de la connaissance intellectuelle. Changer sa réaction face à la perte et à la peur de la perte, ce sera extrêmement long.

– La perte, murmurai-je, tandis que de vieilles images défilaient dans mon esprit. La perte...

– Rappelez-vous. Chaque fois qu'elle a perdu ou cru perdre quelque chose de précieux pour elle, elle a eu une de ses crises. L'alcool, c'est le bouton d'allumage mais pas le moteur. Boire la mène seulement là où le sentiment de perte est moins douloureux. La première fois, après la naissance de Malory ? Elle a perdu son statut d'enfant dont on doit s'occuper au profit de sa propre fille. Vous vous souvenez de ce qu'elle disait ? « Je suis l'enfant et elle est la mère maintenant. » Et à la mort de Kennedy et de Martin Luther King, elle a perdu deux figures paternelles classiques. Peu de temps avant de filer au Mississippi avec ce prédicateur ou je ne sais quoi, elle a perdu le Mouvement pour les Droits

Civiques, qui avait donné intérêt et stabilité à sa vie, ainsi que les héros-pères qui y militaient.

– Et toutes les autres fois, quand il n'y avait apparemment rien pour déclencher la crise ? demandai-je.

– Toujours la perte. Jack, l'homme plus âgé et stable, autre figure du père, se transformant sous ses yeux en enfant agressif et passif, répugnant même à venir la tirer des lits d'hôtels où elle se fourrait. C'est vous qui vous en chargiez. Sans arrêt elle tentait de l'amener à s'occuper d'elle en le provoquant avec ses soûleries et ses coucheries. Quand il s'y refusait, la perte était de nouveau évidente. Je crois qu'une des raisons pour lesquelles elle se comporte si bien à l'hôpital, c'est qu'elle se sent en sécurité dans ses structures et sous notre autorité. C'est pourquoi je l'y ai laissée si longtemps cette fois : pour lui donner le temps de trouver les armes qui lui permettront de se débrouiller seule et de ne pas recommencer à chercher un soutien quand elle en sortira. Et aussi pour donner à Malory le temps de grandir un peu.

– Vous pensez que ce sera encore dur pour Malory.

– Je pense que Lucy tentera à nouveau de s'appuyer sur elle. L'étrange télépathie qui les lie est née d'un profond besoin et de la réponse donnée à ce besoin par une enfant hyper-réceptive. Ce besoin existe toujours.

– Pourquoi aurait-elle eu besoin de s'appuyer sur son propre enfant, qui n'était qu'un bébé ? Il y avait moi, il y avait Jack...

La psychiatre eut un sourire triste.

– Lucy n'a jamais vraiment eu de mère, n'est-ce pas ? Ni de figure féminine n'appartenant qu'à elle. C'est l'explication, je crois. Et c'est ce qui me préoccupe. C'est un lien pulsionnel, qui s'enracine profondément en chacune d'elles. Regardez Malory : c'est le type même de l'enfant d'alcoolique. La parfaite petite ménagère, la petite maman. Un grand nombre de ces gosses ne s'en remettent jamais. Cela peut détruire une vie. Voilà pourquoi je vous en parle. Nous n'en viendrons peut-être jamais là, mais observez-la attentivement et prenez soin d'elle. Si cela devient trop bizarre, éloignez-la de la ferme. Je ne serai pas toujours là – il faudra que j'en finisse un jour avec Lucy, dans notre intérêt à toutes deux. Mais vous, vous serez là, je présume.

– Soyez-en sûre.

– Prenez aussi soin de vous, ajouta-t-elle. Vous êtes presque aussi vulnérable que Malory. Et je ne m'occupe pas des ermites traumatisés.

Je ris, l'embrassai sur la joue et retournai à la gloriette, mais, le lendemain soir, je téléphonai à Malory pour lui demander d'un ton détaché si elle aimerait quitter Lithonia pour faire des études ailleurs.

– Je suis prêt à t'envoyer où tu veux, déclarai-je. La danse, le cheval... (C'étaient ses deux grandes passions.) Ou la montagne. Choisis.

– Je ne veux pas, Shep, dit-elle d'une voix raisonnable d'adulte qui me fit mal aux oreilles. Merci mille fois, tu es un amour, mais c'est hors de question. Il n'y aurait personne pour s'occuper de Jack, et maman rentre dans deux semaines. Je ne peux pas la laisser.

– Malory, tu n'as que treize ans, plaidai-je désespérément. Autant que je sache, tu ne t'es jamais vraiment amusée une fois dans ta vie.

– Ma vie me convient parfaitement, répondit-elle, surprise. Maman est plus drôle que n'importe quelle fille de mon âge quand elle est... quand elle va bien. Et je sais qu'elle ira bien, cette fois. En plus, l'école n'est pas faite pour s'amuser, non ?

– Si, affirmai-je, pensant au lycée de North Fulton quand les Roses et les Gods étaient en fleurs.

– Excuse-moi mais je crois entendre la voiture de Jack, dit-elle poliment avant de raccrocher.

Le lendemain, j'appelai Charlie Gentry pour le prier de passer me voir au sujet d'une question financière et finis par accepter son offre insistante de venir plutôt dîner avec lui et Sarah. Le jeudi soir, je me rendis donc chez les Gentry pour la première fois depuis plus de dix ans.

Ils n'avaient pas quitté leur petite maison de Collier Hills comme la plupart des membres de notre bande l'avaient fait depuis longtemps. Charlie, devenu administrateur de l'un des plus importants réseaux de fondations philanthropiques du pays et, comme il le reconnaissait lui-même, « une sorte de messager des dieux », n'était pas riche. Il aurait probablement gagné beaucoup plus d'argent dans un cabinet juridique, et tous ceux qui avaient été fondés par les pères de nos amis de Buckhead – et qui étaient à présent la plupart du temps dirigés par ces amis eux-mêmes – l'auraient volontiers accueilli. Charlie excellait dans sa partie. Son cœur d'or avait trouvé sa place dans le monde anonyme de la philanthropie privée, mais il avait gardé intacte sa vieille affinité avec le droit, et, s'il avait choisi de quitter la fondation, il eût décroché aussitôt un emploi lucratif et prestigieux en donnant tout au plus trois coups de téléphone.

Non, l'argent n'avait jamais été pour Charlie la carotte qu'elle était pour nombre d'entre nous, et il avait trouvé en Sarah la femme parfaite à cet égard. Je savais qu'elle entrerait un jour en possession du patrimoine Cameron mais je savais aussi qu'à présent il se réduisait pratiquement à la propriété de Muscogee Avenue. La maladie de Ben avait été longue et durerait encore longtemps ; elle ne laisserait guère d'argent à Dorothy puis à Sarah. Celle-ci s'en moquait.

Les Gentry avaient au fil des ans agrandi leur domaine, qui s'étendait à présent sur un terrain boisé montant puis redescendant jusqu'à une petite rivière qui coulait au fond d'une ravine. La maison avait besoin d'un coup de peinture et quelques tuiles manquaient au toit en pente, mais la pelouse était verte, épaisse, et des fleurs dressaient la tête un peu partout dans la chaleur ondulante de l'été. Toute la maison aurait tenu dans le salon de Little Lady et Carter Rawson, pensai-je, voire dans celui des résidences que certains membres de notre génération occupaient déjà ou hériteraient, Merrivale House comprise.

Je me demandai si Sarah ne regrettait jamais l'espace et la splendeur de sa première maison. Je ne le croyais pas. Après tout, elle était prête à vivre avec moi dans l'appartement du

Lower West Side, à New York. Lorsque Charlie et elle sortirent pour m'accueillir sur le perron, dans la chaleur du crépuscule, je fus frappé de découvrir combien ils se ressemblaient à présent et paraissaient tout à fait à leur place. J'éprouvai un serrement de cœur auquel je ne m'attendais pas en voyant Sarah, le bras de Charlie autour de sa taille, qui me regardait du haut de la forteresse inexpugnable qu'ils formaient, et songeai que cette soirée était peut-être une erreur.

Ce n'en était pas une. Ce dîner, le deuxième seulement que je prenais chez eux, aurait aussi bien pu être le deux centième. Sarah, en short et T-shirt de son collège, son beau corps menu aussi souple et bronzé que dans sa prime jeunesse, semblait avoir à nouveau dix-huit ans et non presque quarante. Charlie, en revanche, faisait son âge et même plus. Il était rebondi comme un bon vieux fauteuil et le twill de son pantalon se tendait à craquer sur le confortable renflement de son ventre. Les verres de ses lunettes étaient plus épais, la tonsure de sa chevelure grisonnante étendue.

Mais, derrière les lunettes, les yeux demeuraient ceux du gentil garçon au cœur d'or avec qui j'avais arpenté les champs de bataille d'Atlanta, et son sourire était resté le même : franc, ravi, innocent. Nous mangeâmes d'excellentes pâtes, bûmes du mauvais vin, rîmes en évoquant tout ce qu'il y avait eu de bon, de gai entre nous, sans parler du reste. A ma surprise, je m'aperçus que j'aimais cette soirée et ce couple – Sarah et Charlie *ensemble*, non séparément comme auparavant. Lorsque nous quittâmes enfin la table ronde en bois d'érable, je résolus de les voir plus souvent.

Sarah lut dans mes pensées, comme elle l'avait fait si souvent autrefois.

– C'est le premier dîner d'une longue série, déclara-t-elle en tournant vers moi ses grands yeux d'ambre. Tu nous inviteras quelque part régulièrement après trois dîners ici. Tu n'imagines pas à quel point tu nous as manqué, Shep. Charlie se languissait de toi depuis des années sans le savoir.

– La prochaine fois, c'est moi qui vous invite. Où vous voudrez. Je ne crois pas être allé au restaurant depuis que *Hart's* a fermé.

– Sur cette remarque éminemment regrettable, je m'éclipse pour vous laisser parler affaires, dit Sarah.

– Inutile que tu t'en ailles, fis-je. Je veux juste voir avec Charlie comment établir un trust pour Malory, quelque chose qui n'appartiendra qu'à elle : pas de conditions, aucun risque que quelqu'un d'autre mette la main dessus. En fait, j'aimerais aussi avoir ton avis.

– Je regrette de n'avoir jamais eu l'occasion de te dire que c'est formidable ce que tu fais pour cette petite, intervint Charlie. Tu es plus son père que Jack Venable.

Sarah brisa le long silence qui suivit en annonçant d'un ton énergique :

– Bon, je débarrasse et je fais la vaisselle. Descendez, vous deux, je vous rejoindrai quand j'aurai fini. Charlie, montre à Shep la nouvelle fournée d'obus que vient de t'envoyer ce type de Louisiane.

En la bénissant, je suivis Charlie dans le bureau exigu, lambrissé de pin, qu'il s'était installé au sous-sol. Lorsqu'il alluma l'ampoule du plafonnier, j'éclatai de rire.

– Je sais, je sais, marmonna-t-il en souriant. Sarah prétend que ça ressemble à un magasin de jouets pour grandes personnes.

C'était pire. Chaque surface de la pièce était couverte de ces reliques de la guerre de Sécession qui passionnaient Charlie depuis le jour lointain où il avait découvert, dans le grenier de la maison d'Andrews Drive, l'uniforme de son arrière-grand-père. Des soldats défilaient en rangs précis sur des étagères et des tables, dans des vitrines accrochées aux murs. Obus, balles Minié, boucles de ceinturon, gourdes, éperons, armes légères, médailles, étriers, tout brillait d'avoir été astiqué avec amour. Une vitrine couvrant tout un mur abritait une collection de pièces fragiles : uniformes complets, drapeaux, fanions, gants, chapeaux, fourreaux, bottes, larges ceintures de tissu...

– Il ne te manque que les bonshommes, fis-je remarquer. Je n'oserais pas creuser dans ton jardin de peur d'y trouver quelqu'un.

– Ça se pourrait bien, dit Charlie. La bataille de Peachtree Creek s'est déroulée à moins de trois cents mètres de la maison. C'est une des raisons pour lesquelles je n'ai jamais voulu déménager. Sarah t'a dit que nous allions peut-être le faire ?

– Non. Pour aller où ?

– Dans la propriété de ses parents. Dorothy ne peut plus s'occuper de Ben, même avec de l'aide. C'est trop grand, il y a trop d'endroits dangereux pour lui. Et les impôts fonciers grèvent leur budget. Elle veut s'installer dans cette grande propriété hideuse de Peachtree Road, cette espèce de résidence chic pour personnes âgées. Il y a une infirmerie, des femmes de chambre et toutes sortes de services dont Ben aura besoin avant longtemps. D'après Dorothy, l'intérieur est luxueux. Restaurants, cinémas, bibliothèques, vastes appartements. Elle a donc l'intention de nous laisser Merrivale House.

– Prenez-la, conseillai-je. C'est la plus belle maison d'Atlanta. Tu le sais. Sarah aimerait retourner là-bas ?

– Je crois que oui, répondit Charlie. Et c'est probablement ce que nous ferons, ajouta-t-il sans enthousiasme.

– Qu'est-ce qu'il y a ?

– C'est juste que... cette maison est tellement *Cameron.* Tout y est Cameron : plus grand que nature. Chaque fois que j'y suis, j'ai l'impression que de petits fragments de moi se détachent et s'éloignent en flottant à la dérive. Si je vis là-bas, je deviendrai un Cameron moi-même en moins d'un an. Sarah ne peut le comprendre, évidemment. J'aime les Cameron, j'aime Sarah plus que ma vie, mais je veux avoir autour de moi quelque chose qui soit Gentry.

– Alors reste ici et vends Merrivale House, suggérai-je. Dorothy s'en ficherait, elle n'a jamais été sentimentale. Et Sarah serait heureuse n'importe où avec toi.

– Probablement. Et si elle ne l'était pas, elle ne me le

montrerait jamais. Mais je sais qu'elle adore Merrivale. Elle... on dirait qu'elle s'épanouit quand elle est à la maison. Tu vois ? Je plonge déjà. La maison, c'est *ici*. Oh ! et puis quelle importance ? C'est un endroit formidable et nous serons sans doute voisins l'automne prochain. Ça au moins, ça nous plairait beaucoup, à Sarah et à moi.

– A moi aussi, assurai-je. (Je pensais le contraire : trop proche, trop intime...) Qu'y a-t-il dans cette caisse ?

D'un pied chaussé d'un mocassin, il poussa au milieu de la pièce une grosse caisse en bois.

– Des trucs que j'ai achetés sans les voir à un collectionneur de Louisiane. Je le connais de réputation, cependant. Il y a surtout des obus, je pense. Des obus de mortier de quarante millimètres qui furent utilisés dans une des grandes batailles. Vickburg, probablement. Tu sais que le mortier a été inventé pendant la guerre de Sécession ?

– Non, fis-je en lorgnant la caisse. Ils sont désamorcés ?

– Bien sûr, s'esclaffa Charlie. Les collectionneurs sont intransigeants sur ce point. Viens t'asseoir, ça n'explosera pas. Nous ouvrirons la caisse après avoir discuté de ton projet. Un trust pour Malory, disais-tu ?

Je lui expliquai ce que je voulais et il écouta, hochant pensivement la tête et prenant des notes.

– C'est faisable, déclara-t-il. Mais pourquoi t'adresser à moi ? Ne vaudrait-il pas mieux que Tom Carmichael et tes types, à la banque, s'en occupent ?

– Je désire que ce soit tout à fait séparé des autres affaires Bondurant. Et que personne ne soit au courant. Tu peux faire ça, n'est-ce pas ? Je sais que tu le peux. Tu distribues des millions chaque jour, tu sais comment ça marche.

– Bien sûr. Je m'y mettrai ce week-end et tu pourras signer lundi, si tu veux... Sarah nous rejoindra dans une minute avec du café. Ou du cognac, si tu préfères. Reste encore un peu, on regardera mes nouveaux jouets.

Je l'examinai à la lumière de la lampe : solide, un peu voûté, la tête tournée pour écouter ce que faisait Sarah, sa femme, son amour, sa vie. Je savais que je ne resterais pas.

Ils me raccompagnèrent jusqu'à la porte, m'adressèrent des signes de la main puis éteignirent la lumière de l'entrée. Ce fut la dernière fois que je vis Charlie Gentry. Plus tard, je me rappelai avoir eu envie de le prendre dans mes bras, dans l'affreux bureau souterrain de sa drôle de petite maison de Collier Hills, et c'est une des choses que je regrette le plus de ne pas avoir fait.

Avant même que je parvienne à Peachtree Road, Charlie ouvrit la caisse envoyée par le collectionneur de Louisiane, souleva un obus désamorcé qui en fait ne l'était pas. Dans une fraction de seconde d'une blancheur aveuglante, tout ce qui était Charlie Gentry – lunettes et calvitie, bedaine et regard sombre plein de douceur, cœur immense – se volatilisa dans l'air de la demeure où il avait vécu avec Sarah et qu'il n'avait pas voulu quitter.

24

« Désormais, nous nous rencontrerons surtout aux enterrements », dit quelqu'un – Freddie Goodwin, je crois – à la réunion silencieuse qui se tint à Merrivale House après les funérailles de Charlie. La coutume eût voulu que nous retournions à la petite maison de Collier Hills mais il n'en était naturellement pas question avec les dégâts causés par l'explosion. En outre, à Buckhead, nous nous rassemblions toujours après une mort naturelle – une mort classique, si l'on veut – mais généralement pas après un décès provoquant choc ou indignation. Nous ne l'avions pas fait après que le frère de Sarah eut choisi pour lui-même une fin terrible ; nous ne le faisions pas maintenant que son mari l'avait suivi, quoique par inadvertance. Pas entre les murs encore imprégnés de la puanteur de sa mort. Mais Merrivale House – ah ! c'était différent. Merrivale, massive, belle et digne dans Muscogee Avenue.

Les propos de Freddie me répugnaient. Ils dégouttaient de cynisme gratuit et déplacé – du pur Freddie. Ce fut une journée atroce. A la différence des jours qui suivirent le suicide de Ben Junior, Sarah ne pleura pas. Elle parcourait la maison de son père d'un pas raide de robot, avec des joues enflammées de clown, des yeux qui brillaient comme du Coca-Cola gelé, des lèvres blanches étirées en un sourire suppliant. J'étais incapable de regarder longtemps son visage, de lui parler. Son éclat aride prévenait les mots, qui auraient rebondi sur elle comme de la chevrotine sur une nappe de glace. Nous vînmes l'un après l'autre, membres du Vieux Buckhead, Roses et Gods, ricocher désespérément sur la carapace de la veuve de Charlie Gentry.

Les deux petites filles – je dis bien « petites » : elles avaient l'âge de Malory, ou un peu plus, mais étaient toutes deux très menues – ne pleuraient pas non plus, pas dans la maison de leurs grands-parents, mais elles avaient sangloté auparavant, silencieusement et presque poliment, à l'église et au cimetière. Elles étaient restées collées à leur mère comme de petits animaux hébétés au silence pathétique, de jeunes singes exubérants soudain figés par l'énormité de leur souffrance, dans le salon de Merrivale House. Plus tard, elle s'étaient assises de chaque côté de Dorothy, toutes petites dans leurs austères robes de coton blanc – car Sarah n'avait pas voulu du noir écrasant du deuil sur les frêles épaules –, avaient serré des mains, murmuré des « merci » et subi avec la grâce de leur mère les embrassades larmoyantes des vieux amis de leur père.

Je suis sûr que tous ceux qui vinrent à Merrivale House ce jour-là furent émus par le comportement de ces fillettes et leur dirent que Charlie aurait été fier d'elles. C'est vrai, il l'aurait été. Moi, j'aurais préféré des larmes, des hurlements de rage ou de désespoir – n'importe quoi à la place de la carapace de Sarah, de la dignité aristocratique des enfants et du calme de Dorothy.

Il y eut cependant des larmes versées pour Charlie, et elles furent finalement plus terribles encore parce qu'elles tombèrent des yeux gris égarés de Ben Cameron. Il ne s'était rendu ni à l'église ni à Oakland – il n'était plus en état de se mêler à une foule –, et je me demandai qui était resté auprès de lui tandis que nous enterrions son gendre. Leroy Pickens, le visage plissé de chagrin comme une pomme oubliée au pied d'un arbre, avait conduit Sarah, Dorothy et les enfants avec la Lincoln. Mais peu après que nous étions tous revenus à la maison de Muscogee Avenue, Ben Cameron, vêtu d'un costume d'été gris argent s'accordant merveilleusement à sa crinière gris-roux et à sa silhouette mince, encore parfaitement droite, descendit le magnifique escalier menant au salon au bras de Glenn Pickens. Tous se turent, le regardèrent, et je sais que chacun de nous pensait et ressentait la même chose que moi : il était révoltant, impossible, qu'un homme se déplaçant encore avec tant de souplesse, tenant aussi droite sa noble tête, abritât un esprit déchiré et affaibli.

Des larmes intarissables coulaient le long de ses joues hâlées. Il tourna lentement la tête comme s'il cherchait quelqu'un. C'était Dorothy. Elle se leva du fauteuil à oreillettes où elle était assise, près de la grande cheminée, rejoignit son mari et lui prit le bras. Glenn Pickens recula d'un pas, comme s'il venait de hisser un drapeau, et demeura immobile et silencieux, sans regarder personne en particulier.

– Viens t'asseoir et saluer tout le monde, chéri, fit-elle. Ils sont venus te présenter leurs respects et te dire combien ils t'aiment.

Il lui adressa un regard d'incompréhension empreint d'une telle souffrance que je détournai les yeux.

– Ben est mort, gémit-il d'un ton pitoyable. Ils te l'ont dit, Dottie ? Ils ne cessent de répéter que Ben est mort. Je ne comprends pas. Il était là à l'instant.

Pour la première et la dernière fois de cette terrible journée, je vis le visage de Dorothy se tordre de douleur et d'angoisse avant de se couler à nouveau dans les plis d'un calme austère.

– Pas Ben, chéri. C'était il y a longtemps. Nous avons perdu notre cher Charlie. Rappelle-toi, je te l'ai dit.

– Charlie ? dit Ben. (Il tourna la tête pour nous regarder l'un après l'autre, arrêta ses yeux sur Sarah qui, livide, s'était approchée de lui.) Charlie, le jeune homme qui était toujours fourré ici ? Celui qui travaille pour Bob Woodruff ? Que lui est-il arrivé ?

– Charlie était mon mari, papa. Il a eu un accident, expliqua Sarah, toujours souriante.

– C'est Shep, ton mari, corrigea Ben en fronçant ses

sourcils gris. Où est-il ? Dis-lui de venir. Je veux lui parler de ces épouvantables taudis de Pumphouse Hill...

Je m'avançai, le cœur battant, ne sachant ce que j'allais dire, désireux seulement de faire taire cette voix aimée et démente, mais Glenn Pickens s'interposa, prit Ben par le bras et lui fit remonter l'escalier en silence.

– Je sais que vous lui pardonnerez, dit Dorothy. Avant que nous partions pour l'église, il semblait tout à fait bien et voulait descendre saluer ses vieux amis, mais j'ai peur que cela n'ait été un peu trop pour lui.

Sarah tourna sur elle-même, se dirigea vers la cuisine d'une démarche raide.

La plupart d'entre nous prîmes alors congé, en silence, avec l'incomparable dignité de gens absolument sûrs de ce qu'il convient de faire, et je sais que les larmes qui se remirent à couleur sur nos joues étaient autant pour Ben Cameron que pour son beau-fils.

Je passai dans la cuisine où Sarah, le visage enfoui dans ses mains, s'appuyait contre une table. Je lui touchai l'épaule, elle leva la tête, me regarda. Ses yeux étaient secs.

– Sarah...

Elle se glissa simplement dans mes bras et je la serrai contre moi. Je ne sentais ni son cœur ni son haleine sur mon cou, mais le froid de sa chair à travers la robe de coton sombre.

– Je perds mes hommes l'un après l'autre, murmura-t-elle. Il doit y avoir quelque chose qui ne va pas en moi, parce que je n'arrête pas de perdre mes hommes.

Moi qui étais l'un de ces hommes, je songeai en l'enlaçant dans la cuisine de Merrivale House qu'elle voyait juste. La petite Sarah Cameron, qui avait eu des légions d'adorateurs à ses pieds pendant toute sa vie, qui avait vécu entourée de l'amour débordant d'un frère, d'un père, d'un compagnon et d'un mari, se retrouvait maintenant quasiment seule avec sa mère et ses filles dans le monde exclusivement féminin des veuves. A Atlanta, la plupart des hommes ne braconnent pas dans cette chaste réserve.

– Tu m'as encore, arguai-je, et la spéciosité de ma réponse me fit grimacer.

– Oh ! mon Dieu, soupira-t-elle d'une voix lasse. Toi, je t'ai perdu il y a vingt ans.

Un sentiment de culpabilité écrasant recouvrit le chagrin que j'éprouvais, comme si j'avais abandonné Sarah à la porte de l'église vingt ans plus tôt.

– J'aurais voulu être à sa place, affirmai-je.

Je découvris que je parlais sincèrement : Charlie Gentry était un être trop précieux, et je n'aurais pas laissé derrière moi un tel héritage de femmes brisées.

– Ne sois pas stupide, dit Sarah avec une pointe d'aigreur. Charlie et moi ne l'aurions pas supporté.

Peu après, en août, Dorothy et Ben s'installèrent au Carlton House, imposante résidence d'un blanc lépreux pour personnes âgées, et la maison de Muscogee Avenue demeura déserte. A ma surprise, Sarah refusa de quitter Collier Hills.

– Je ne peux pas, me dit-elle un soir.

Nous étions dans la petite salle de séjour de l'appartement de Ben et Dorothy au Carlton House, où je l'avais trouvée en leur rendant visite. Ben dormait tandis que nous buvions du sherry.

– Que ferions-nous toutes les trois dans cette grande maison ? continua-t-elle. Nous sommes... si petites. Nous serions comme des poupées au château de Versailles.

– Tu t'y sentais très bien quand tu étais beaucoup plus petite que maintenant, fit observer Dorothy avec un sourire.

– Je ne sais comment t'expliquer, maman, mais j'ai... rapetissé. Je crois que tout cet espace me ferait peur, maintenant. Il faut quelqu'un de la stature de papa, ou de la tienne, pour réduire cet endroit à nos proportions. Vous dominiez Merrivale, même lorsque vous n'y étiez que deux. Moi, j'y serais engloutie. Charlie n'a jamais vraiment voulu y vivre, tu sais. Nous avions prévu de déménager mais, au fond de lui, il aurait préféré rester à Collier Hills. C'était sa maison, notre maison. Et c'est toujours la mienne. D'une certaine façon, elle m'enveloppe et me protège à présent. Charlie s'y trouve encore.

Elle s'interrompit, eut un petit rire terrible et reprit :

– Il y est encore, littéralement. Il y a des morceaux de lui dans tout le sous-sol... Oh ! mon Dieu.

Elle se leva, se précipita dans la minuscule cuisine de l'appartement et je l'entendis se mettre à pleurer.

Je lançai à Dorothy un regard d'impuissance.

– Laisse-la pleurer, dit-elle, les larmes aux yeux elle aussi. Il y a peu de temps qu'elle en est capable. Un moment, j'ai bien cru que toutes ces larmes non versées la feraient mourir.

Quelque temps plus tard, alors que Dorothy et moi prenions le café dans le petit renfoncement discret d'un des vastes salons du Carlton House, elle me fit cette confidence :

– Cela me fend le cœur de savoir la maison vide.

Assis l'un en face de l'autre sur des causeuses de velours, nous grignotions des gâteaux secs et des canapés. Nous aurions pu être en train de prendre le thé au *Ritz* ou au *Plaza* – à ceci près qu'il n'y avait que des vieillards dans la salle.

– Les gens de Martin s'en occupent parfaitement, assurai-je. Je passe devant presque tous les soirs. Il n'y a pas une feuille morte dans l'allée.

Je lui cachai qu'en dépit des services de jardinage auxquels elle faisait appel – et qu'elle pouvait difficilement se permettre avec le coût des soins de Ben, le loyer de l'appartement exigu et les impôts fonciers pour la maison – Merrivale House avait simplement l'air de ce qu'elle était : une grande bâtisse déserte aux yeux aveugles et au cœur froid.

– Je crois que nous y serions peut-être restés, Ben et moi, malgré les frais, si j'avais su que Sarah ne changerait pas d'avis. Elle peut encore le faire, bien sûr. Sinon, je devrai vendre. Les impôts sont exorbitants, et Ben vivra encore longtemps, le pauvre chéri. En plus, ce service de jardinage me coûte une fortune. Seigneur ! c'était vraiment un mode de vie extravagant que celui qui nous faisait construire ces immenses monstruosités et engager le personnel pour s'en occuper ! Je ne connais aucune veuve de ma génération qui ne cherche un acheteur, aucune femme mariée qui ne sache, en son for intérieur, qu'elle en passera par là un jour.

– Au moins, vous devriez en tirer un sacré prix, fis-je. Quelqu'un m'a dit ce que vaut le terrain autour de Peachtree Road. C'en est presque obscène.

– Malheureusement pas dans notre secteur. Il y a une question de zonage et personne ne désire plus vivre dans ces vieilles maisons trop grandes. On veut uniquement le terrain pour y élever des bâtiments commerciaux.

– J'imagine ce que vous devez éprouver.

– Cela m'afflige, naturellement, mais je ne suis pas sentimentale, tu le sais, Shep. Je suis contente d'être ici, même si c'est un endroit affreux. Je ne connais aucune autre résidence où je pourrais placer Ben et rester avec lui. Entre ici et une clinique, je choisis ici sans hésiter. Non, même si Merrivale me manque, je ne me lamente pas sur sa perte. C'est fini. Ce chapitre de ma vie est clos. En fait, c'est surtout à Ben que la maison manque. Il ne comprend pas pourquoi nous restons aussi longtemps dans cet hôtel. Il veut rentrer chez lui.

– Je le comprends, murmurai-je.

– Naturellement. Pauvre vieux chéri. Ce ghetto gériatrique tape-à-l'œil n'est pas sa maison. Cet endroit horrible appelé Buckhead, avec ces stupides petites boutiques clinquantes, ces petits restaurants chics et ces ridicules petites voitures allemandes fonçant partout, ce n'est pas chez lui. Ce n'est même plus sa ville, celle qu'il a contribué à bâtir. Je voudrais tant qu'il puisse rentrer à la maison ! Qu'il s'endorme un soir et se réveille... chez lui. Si Sarah ne veut pas de la maison, quelqu'un finira par la démolir.

C'est probable, songeai-je. Buckhead – tout du moins celui qui bordait Peachtree Road et auquel ce nom me faisait penser – n'était plus un endroit où vivaient de vieilles familles fortunées. Qu'était-il arrivé ? A quel moment les tours, les cafés, les bars, les boîtes, les parkings, les galeries d'art et les boutiques d'antiquaires, les Mercedes, les

B.M.W. et les Jaguar avaient-ils déferlé du Southside ? Quand les murailles s'étaient-elles écroulées ? Tandis que je regardais ailleurs, la ville avait dévoré Buckhead ; tandis que je rêvassais dans la gloriette, ils avaient débarqué : Yankees et parvenus tant redoutés, Arabes, Libanais, Japonais, Allemands et Sud-Américains, directeurs régionaux venus de New York, Scranton, Pocatello, Mill Valley et Saint Paul, de toutes les villes du pays et du monde, grandes ou petites, et nous nous étions effondrés, terrassés comme les dinosaures que nous étions par les effets de ce défoliant rapide et silencieux qu'est l'argent.

Je ne sais pourquoi j'étais si bouleversé. Le changement, d'abord ruisselet puis raz de marée, s'était opéré progressivement au cours des dix années écoulées depuis que l'époque de Ben et du Club avait pris fin et que les structures politiques et économiques de la ville s'étaient transformées. Ben l'avait prédit avant même de prendre ses fonctions de maire, annonçant que son équipe et lui entreprenaient d'édifier une ville qui finirait par les évincer. Je me demandai s'il s'était aperçu du changement ou si la brume qui avait pris possession de son esprit lui avait épargné cette épreuve. Et puis je me dis que, finalement, il se serait peut-être réjoui de cette transformation. Beaucoup de gens s'en félicitaient, mais peu de membres du Vieil Atlanta parmi eux.

La ville que Ben Cameron avait laissée derrière lui dans le brouillard de son esprit malade était une cité où l'influence de l'ancienne aristocratie blanche avait considérablement diminué. Pour l'essentiel, le Vieil Atlanta demeurait riche et notre génération arrondissait encore le patrimoine amassé par nos pères et nos grands-pères. Nombre d'entre nous étaient déjà si bien lotis au départ qu'il leur eût été quasi impossible d'échouer. Mais désormais, nous n'étions certainement pas les seuls à avoir de l'argent. Il y avait des centaines de fortunes plus récentes et plus grandes dans la ville qui s'élevait sur celle de Ben Cameron, et d'autres affluaient chaque jour. Pourtant toutes ces fortunes réunies n'assuraient pas à leurs détenteurs un pouvoir politique comparable à celui que nos pères avaient possédé.

A présent, le pouvoir, l'influence politiques étaient dans les mains noires qui s'étaient tendues pour les recevoir quand le Club avait passé le flambeau. Ben avait remis les clefs de la ville au premier maire juif et au premier maire adjoint noir d'Atlanta, et depuis le premier maire noir du Sud exerçant un pouvoir réel terminait son mandat à la tête de la municipalité. Les Noirs dominaient tous les secteurs de l'administration de la ville et du comté, tandis qu'une autre génération attendait son tour en coulisse, derrière les vieux militants du Mouvement. Glenn Pickens faisait partie de cette nouvelle vague. En 1972, il avait abandonné son petit bureau d'avocat pour celui, plus vaste et plus prestigieux, dont Ben Cameron lui avait ouvert les portes d'acajou. Peu après, il avait brigué et obtenu un poste de juge du comté de Fulton, et l'on commençait à parler de lui comme d'un candidat sérieux pour la mairie quand Horace Short, malade et vieillissant, prendrait sa retraite. Lui-même ne se prononçait pas sur cette candidature – du moins, pas publiquement –, mais je l'imaginais dans le grand bureau du premier étage de l'hôtel de ville aussi clairement que je l'y avais vu une quinzaine d'années plus tôt, le jour de l'accident d'Orly. A cette différence près que, cette fois, il était assis dans le fauteuil derrière lequel il s'était tenu jadis.

Ce ne serait pas une cité unie par un même objectif, une même éthique qu'il chevaucherait. Atlanta était maintenant trop vaste, trop composite, fragmentée en factions et intérêts différents. Les fortunes, les propriétés des Blancs – et donc une grande partie de leur pouvoir – avaient quitté la ville proprement dite pour des banlieues s'étirant à une cinquantaine de *miles* au nord et à l'est ; elles s'étaient retranchées dans de vastes parcelles sans arbres qui ondoyaient en direction des contreforts des Blue Ridge comme les tentes dans la plaine d'Ilion, laissant derrière elles les traces du passage de leurs armées : centres commerciaux, fast-food, immeubles de bureaux se délabrant sous le soleil implacable avant même d'être totalement occupés, magasins de vente en gros et concessionnaires Honda.

Les Noirs demeurés dans la ville même ne parlaient pas tous d'une même voix comme l'avaient fait Ben et le Club mais s'affrontaient entre clans hostiles. Je pensais cependant que la cohésion leur viendrait, comme elle nous était venue, lorsqu'ils seraient enfin convaincus que le problème était simplement de nature économique. Atlanta était encore avant tout une ville d'affaires, quoique tumultueuse et démesurée à présent. Glenn Pickens, formé par Ben Cameron et élevé dans le saint des saints du pouvoir économique, ne pouvait manquer de le savoir.

Tout cela je le découvris à la fin des années 1970, lorsque je relevai la tête et regardai autour de moi. J'eus l'impression que moi seul, dans la gloriette, et mon père, muet et immobile dans le ridicule sérail turc de la grande maison, demeurions inchangés, fantômes sans voix dans une ville qui ne nous connaissait pas.

Pour l'essentiel, ces changements ne me concernaient pas car le microcosme que formaient la maison de Peachtree Road et la gloriette était alors une sorte de paradis. Malory Venable vint vivre avec nous quand elle eut quinze ans, et, à dater de ce jour, tous ceux qui pénétrèrent au 2500 le firent d'un cœur ct d'un pas plus légers.

Elle finit par nous rejoindre parce qu'il ne lui était plus possible de rester à la ferme. Même Lucy, qui causa son départ tout en l'assurant de son amour entre deux sanglots, s'en rendit compte. Même Jack, dont l'expression, en ce jour d'avril où il nous la confia, était celle d'un homme voyant s'éloigner le dernier navire sur la mer froide dans laquelle il se débat, était satisfait qu'elle eût trouvé un havre.

– Prenez soin d'elle pour nous, dit-il d'une voix aussi morne et grise que sa figure sous ses rares cheveux gris. Sa mère ne peut s'empêcher de la détruire, et moi je ne peux pas l'aider. Je ne sais pas ce que nous deviendrons mais je veux au moins savoir qu'elle est en sécurité.

Malory pleurait malgré elle et ses larmes coulaient sur le

beau visage jeune et sévère, si semblable à celui de Lucy et pourtant si différent. Tenant à la main une horrible vieille mallette éraflée qui avait appartenu à sa mère, elle fit aller son regard de Jack à moi. Jamais je n'avais vu quelqu'un d'aussi déchiré.

– Dis à maman que je l'aime et que je lui téléphonerai tous les jours, murmura-t-elle d'une voix brisée. Dis-lui que je peux être là-bas en une heure si elle a besoin de moi.

– Je lui dirai que tu l'aimes, promit Jack. Mais pas que tu lui téléphoneras et que tu accourras si elle te réclame. Pas de ça, Malory. Nous étions d'accord. Il est inutile de venir t'installer ici si tu restes plantée près du téléphone, prête à revenir chez nous à tire-d'aile dès qu'elle t'appellera. Si tu le fais ne serait-ce qu'une fois avant qu'elle soit beaucoup mieux qu'elle n'est maintenant, je t'envoie en pension. Ne crois pas que je ne le ferais pas. Il faut absolument que tu aies une vie à toi, et Lucy n'ira mieux que si elle arrête de te prendre comme tuteur. Tu sais ce qu'a dit Faith.

Malory ne répondit pas, détourna le visage pour cacher ses larmes.

– Nous te tiendrons au courant, dis-je à Jack. Appelle-la du bureau ou passe la voir quand tu veux. Ça ira.

– Je l'espère, marmonna-t-il. Jusqu'ici, rien n'a été.

Il monta dans sa vieille Ford, démarra et partit sans se retourner.

– On monte tes affaires là-haut, suggérai-je à Malory, on laisse ta grand-mère faire son numéro puis tu reviens prendre le thé avec moi. Ne t'étonne pas si elle a tapissé ta chambre d'organdi rose. J'ai vu le petit bonhomme de chez Rich – celui qui a mis ton grand-oncle dans un harem – monter l'escalier dans un véritable nuage rose, l'autre jour.

Elle eut un faible rire.

– Je sais que je ne peux pas vivre avec toi dans la gloriette, dit-elle. Mais je ne vois pas pourquoi je dois dormir juste en face de la chambre de grand-mère. Les mansardes où maman et toi couchiez quand vous étiez petits me conviendraient parfaitement. Je ne sais pas si je supporterai la dentelle rose.

– Essaie. Ça ne peut pas te faire de mal. Ta grand-mère désire tellement que tu te plaises ici qu'elle te laisserait probablement refaire la chambre en noir et y adorer Satan si tu le souhaitais. Et si c'est vraiment insupportable, nous verrons, pour les mansardes. Mais je te préviens, ta mère et moi trouvions que c'était souvent un endroit affreux. Il ne faisait pas bon y être en quarantaine, tu peux me croire.

Elle me regarda d'un air grave et mon cœur se serra à nouveau devant la beauté de son visage finement ciselé, de son long corps de danseuse.

– Maman s'attirait toujours des ennuis, n'est-ce pas ? Elle m'a parlé de la Grande Captivité, comme elle dit, de grand-mère qui était toujours furieuse contre elle. Ça devait quand même être de sa faute, de temps en temps. Les gens ne persécutent pas les enfants comme ça. Elle avait déjà commencé, sûrement – sa maladie, je veux dire.

– Je crois que oui, à une moindre échelle. Bien sûr, je n'y pensais pas alors en ces termes. D'ailleurs, la plupart du temps, j'étais dans le coup avec elle. Mais les germes étaient là, je crois. Lucy fut toujours une créature sauvage. Et la plus... envoûtante... que j'aie jamais connue.

– Jc sais. Ellc l'cst encore, pour moi. C'est quelqu'un d'exceptionnel. J'aimerais avoir son... son énergie, son don pour vous faire sentir que le monde est un endroit magique, et que vous êtes l'être le plus important qui y vive. Son humour, aussi... Elle est si drôle. Je n'aurai jamais la moitié de son esprit ni de sa vivacité. C'est le mot juste ? C'est tellement plus que cela...

– Dieu merci, tu ne l'auras jamais ! m'exclamai-je en portant péniblement ses bagages dans le vestibule de la grande maison. Elle a détruit pas mal d'existences, ou peu s'en faut. Ce que tu as, toi, c'est mille fois mieux, mais je ne pense pas que tu puisses t'en rendre compte avant d'avoir été séparée d'elle un moment.

– Qu'est-ce que j'ai ? demanda Malory.

Elle posa sur moi des yeux graves, curieux.

– La bonté, répondis-je, me surprenant moi-même. L'intégrité. Plus quelques millions d'autres qualités. Tu seras une femme extraordinaire, Malory, si tu t'accordes d'abord le droit d'être une adolescente.

Elle rougit, sourit timidement.

– C'est gentil, dit-elle. J'espère que j'y arriverai.

– Tu peux y compter, affirmai-je. Attention, j'entends ta grand-mère qui descend en donnant de la voix.

Malory semblait avoir compris qu'elle ne pouvait plus vivre à la ferme avec sa mère, et cette prise de conscience ne s'était pas faite facilement.

Pendant les deux années qui suivirent le dernier séjour de Lucy à l'hôpital, nous eûmes l'impression que Faith Farr avait eu raison et que sa patiente maîtrisait vraiment cette fois sa maladie et son alcoolisme. Elle prenait consciencieusement ses pilules, continuait à voir son psychiatre deux fois par semaine – la plupart du temps gratuitement car Faith connaissait alors aussi bien que moi l'état des finances des Venable – et se mit à travailler trois matinées par semaine au siège d'un petit hebdomadaire régional publié à Lithonia. D'abord, elle répondit simplement au téléphone puis fit quelques petits reportages, et fut aussi exaltée que si elle avait gagné le prix Pulitzer quand son premier article parut.

– C'est un début, Gibby, chantonna-t-elle un soir au téléphone. (Ses appels quotidiens avaient repris quand elle était rentrée de l'hôpital.) C'est un petit article et l'argent que je gagne ne paie même pas l'essence et le restaurant, mais c'est un début.

Cet emploi l'occupait et l'empêchait de déverser sa fébrilité croissante et son énergie sur Malory. En outre, il n'y avait rien dans ce petit bureau ni dans cette partie du comté qui pût la stimuler de manière excessive ou la mettre en danger. Pendant une longue période, Jack continua à travailler et à dormir, et Lucy passa ses après-midi enfermée à écrire des choses qu'elle ne voulait montrer à personne et dont elle ne voulait même pas parler. Malory, au seuil de la puberté et du lycée, rentrait de l'école pour s'occuper de la maison, préparer le dîner, servir Jack et Lucy – car Estelle était devenue trop vieille pour continuer à le faire. Je crois que l'harmonie et l'équilibre de cette période reposaient lourdement sur Malory, mais cette façon de vivre lui convenait à merveille, et tous trois semblaient avoir trouvé une stabilité et un calme relatifs.

Mais soudain, presque du jour au lendemain, l'enfant se transforma en femme ; la stabilité et le calme s'envolèrent. Lorsque sa fille eut ses premières règles, Lucy acheta une bouteille de champagne pour fêter l'événement, la but à elle seule et finit par emboutir un panneau de stop avec la Ford alors qu'elle se rendait au *Wendy* à trois heures du matin. Elle se montra tellement effondrée et dévorée de remords lorsqu'elle eut dessoûlé, pleurant et suppliant sa fille livide et son mari au teint cireux de lui pardonner lorsqu'ils vinrent la chercher au service des urgences du petit hôpital du comté, qu'ils ne prévinrent pas Faith Farr. Pendant tout le week-end, Lucy souffrit d'une terrible gueule de bois – ce qui ne lui était jamais arrivé – et fut si malade qu'elle jura de ne plus même regarder un verre d'alcool. Malory, tremblante de fatigue d'avoir passé deux jours à tenir la tête bandée de sa mère secouée de haut-le-cœur, la crut.

Mais lorsque l'adolescente, rouge de gêne et de fierté, acheta son premier soutien-gorge avec ce qu'elle avait économisé sur l'argent des courses, et revint à la maison, sa maigre poitrine en avant, Lucy rapporta une bouteille de scotch et la but dans sa chambre avant que Jack ne rentre de son travail, pendant que Malory préparait le dîner. Ils ne se rendirent compte qu'elle était ivre que lorsqu'ils entendirent la Ford démarrer dans la nuit, longtemps après que Lucy fut ostensiblement allée se coucher. Quand elle revint, le lendemain matin, elle avait cet air – qu'ils connaissaient bien désormais – épuisé et assouvi que Jack appelait « sa tête de femme qui baise trop et ne mange pas assez ».

Tout recommença. La troisième fois, elle perdit son

emploi ; la quatrième fois, Faith Farr mit fin à la psychothérapie.

– C'est l'alcool qui est son principal problème, maintenant, déclara-t-elle quand je la prévins, après avoir finalement eu vent de la rechute de Lucy.

Jack et Malory ne m'avaient rien dit. C'était Lucy elle-même qui m'avait alerté en me téléphonant tard le soir d'un motel situé à la sortie d'Athens.

– Elle refuse d'aller aux Alcooliques anonymes, poursuivit Faith. Elle refuse de prendre son Antabuse et je ne peux rien faire pour elle tant qu'elle ne le prend pas. L'alcool finit toujours par devenir le problème essentiel. Je ne m'occupe pas d'alcooliques, Shep. C'est trop ingrat. Et je ne laisserai pas Lucy se payer ma tête.

– Alors qui l'aidera ? fis-je, envahi d'un désespoir rageur en pensant au jeune visage angoissé de Malory. Jack ne peut pas, Malory non plus, malgré tout le mal qu'elle se donne. En outre, ils n'ont plus un sou, ils doivent de l'argent à tout le monde dans le comté. Lucy devra aller à Central State si vous ne l'aidez pas. Ils n'ont pas les moyens de l'envoyer ailleurs et Jack ne veut pas que je paie pour son hospitalisation.

– Tant mieux, approuva la psychiatre. Alors, ce sera Central State, et je suppose qu'on devra l'y envoyer de force, parce qu'elle ne se laissera pas faire. Je vous promets du plaisir... Désolé, Shep, je sais que vous ne me croyez pas mais j'aime beaucoup Lucy, réellement. Je l'aime assez pour l'envoyer à Central State, si vous voulez. Pouvez-vous en dire autant ?

J'en étais incapable. Et je savais que Jack ne le pouvait pas non plus. Quant à Malory, le seul nom de cet hôpital la mettait dans tous ses états. Elle menaça de s'enfuir pour de bon si nous mettions sa mère à Central State, et je ne doutais pas qu'elle l'eût fait cette fois. Après avoir été chercher Lucy une troisième fois dans un motel, je demandai à sa fille pourquoi elle s'opposait si violemment à Central State.

– C'est juste un hôpital, comme ceux où elle est déjà allée, arguai-je. Pas aussi coté, mais fondamentalement c'est la même chose.

– On lui fera une lobotomie, là-bas, sanglota-t-elle. Peu de gens le savent mais c'est ce qu'ils font à leurs malades alcooliques. Maman me l'a dit. Tu l'imagines après une lobotomie, Shep ? J'aimerais mieux la voir morte. J'aimerais mieux mourir moi-même plutôt que vous laisser l'emmener là-bas. Je lui ai promis que...

Elle s'interrompit mais sa gaffe m'avait révélé ce que j'aurais dû savoir : la description sinistre que Lucy avait faite de Central State avait eu sur sa fille l'effet escompté. Elle ne risquait plus d'y être internée. Elle savait que ni Jack ni moi ne ferions quoi que ce soit qui pût faire souffrir Malory.

– Et quelle était la perte, cette fois ? demandai-je à la psychiatre.

– Malory, bien sûr. Malory qui grandit et s'éloigne d'elle, qui commence à sortir avec des garçons, qui rencontre quelqu'un qu'elle a envie d'épouser... Les premières règles et le soutien-gorge, c'était tout ça. Je m'en veux terriblement de ne pas l'avoir prévu. J'aurais au moins pu prévenir Jack et Malory.

– Cela n'aurait rien changé, dis-je.

– Non. Cela n'aurait rien changé, répéta-t-elle tristement.

Mais le jour vint, fatalement, où Lucy outrepassa les bornes et perdit sa fille pour de bon, du moins temporairement. Auparavant, elle avait toujours bu et levé des hommes loin de la ferme. La seule fois où elle dérogea à cette règle – lorsqu'elle ramena chez elle et dans la chambre conjugale un routier titubant, à midi –, Malory avait invité une de ses rares camarades, une fille de la campagne timide et collet monté, à boire un Coca à la ferme en attendant l'autocar.

Ce fut le lendemain que Jack conduisit Malory chez nous. Lucy usa ses forces et sa voix en supplications, en sanglots hystériques, mais cette fois, ni Jack ni moi au téléphone ne cédâmes. Et Malory elle-même, épuisée, désespérée, se cantonna dans un silence inflexible. Ce fut seulement quand Jack repartit en nous la laissant qu'elle commença à chanceler, mais alors un attelage de percherons n'aurait pas réussi à l'arracher à mon étreinte. Malory était enfin dans la maison de Peachtree Road, et nos deux vies s'entrelaçaient plus étroitement que je n'avais jamais osé l'espérer.

Je crois qu'elle était heureuse – ou plutôt, je sais qu'elle l'était. Quant à moi, je fredonnais en tapant sur la vieille machine à écrire qui suivait laborieusement la piste des *Géorgiens accomplis,* je chantais à tue-tête en chipant à une Martha Cater souriante des gâteaux, du lait et du thé glacé pour mon rendez-vous de l'après-midi avec Malory dans la gloriette. Pour la première et la dernière fois de ma vie adulte, je m'habillai avec soin afin de dîner dans la magnifique salle à manger en compagnie de Malory et de tante Willa. Voulant, je suppose, rattraper le temps perdu en gâtant son insaisissable petite-fille, Willa insistait sur le cérémonial, avec chandeliers, nappes en damas des Redwine, plats élaborés, et je dois reconnaître que je prenais plaisir à voir le visage ciselé de Malory rayonner à la lueur des bougies, à la regarder toucher avec une joie délicate les lourds couverts d'argent, le cristal et la porcelaine, à l'entendre raconter sagement sa journée.

Pour la première fois depuis que j'avais abandonné la place à ma tante, je fus plus qu'heureux de signer les chèques avec lesquels elle réglait les dépenses de la maison puisque cet argent offrait à présent un havre sûr et luxueux à Malory. Que sa mère n'y fût désormais plus admise – car tante Willa et moi étions convenus que Lucy ne viendrait pas chez nous – ne me tourmentait guère. Au 2500 Peachtree Road, il y avait eu un temps pour Lucy ; c'était maintenant celui de Malory Bondurant Venable.

Je dois dire à son honneur que tante Willa parvint à donner à Malory tout ce que celle-ci voulut bien accepter en matière de privilèges. A la différence de sa fille récalcitrante, sa petite-fille était tout ce qu'elle pouvait souhaiter : charmante, gracieuse, obéissante, assez bien élevée, franche et promettant d'être acceptée partout. C'était Lucy sans le diable qui l'habitait, Little Lady avec de l'intelligence, une beauté attendant de s'épanouir. Et surtout, c'était la glu qui fixerait une fois pour toutes Willa Slagle Bondurant à la maison de Peachtree Road. Un seul regard à mon visage quand Malory se trouvait à proximité l'eût fait comprendre au plus idiot.

Tante Willa était dans son élément. Elle inscrivit Malory au Westminster, la fit aborder sans encombre aux ports élitaires du *Rabun Gap* et du *Junior Cotillion*. Elle donna un thé pour elle quand elle eut seize ans, lui offrit des quantités de jolis vêtements qui, je crois, plurent à Malory, même si elle resta fidèle à son jean. Elle l'emmena au concert, au théâtre, au musée, parfois au restaurant ou à la première d'un film.

Lorsque Malory eut seize ans, tante Willa entreprit de l'introduire dans le monde de ce qu'elle appelait « les jeunes gens qui lui conviennent », mais cette fois Malory ne céda pas. Elle n'aimait pas les sorties, refusait les invitations, assez nombreuses, des jeunes gens de son milieu avec un air aimablement distant qui les dissuadait de l'inviter à nouveau. Comme Lucy avant elle, elle n'accepta pas même de discuter de ses débuts dans le monde ou de son entrée à la Junior League.

Je savais qu'elle n'était pas vraiment timide mais dépourvue d'instinct grégaire : elle n'avait que celui du dévouement. A la différence des autres adolescents, Malory n'avait jamais été jeune. Je ne fus pas surpris quand elle dédaigna d'entrer dans les clubs, associations et groupes qui, à mes yeux, avaient si peu d'éclat, comparé aux excès chatoyants des Roses et des Gods. Je fus encore moins surpris quand, après que je lui eus offert une petite Toyota pour ses seize ans, elle commença à passer une grande partie de son temps libre avec un groupe de jeunes bénévoles dans un établissement accueillant des adolescents drogués ou alcooliques. A cette époque de *drug culture* florissante, quand Atlanta était La Mecque des fugueurs et des amateurs de réconfort chimique du Sud-Est, le tendre jeune visage de Malory Venable était l'un des premiers que nombre de ces pèlerins blessés découvraient en sortant de leur brume meurtrière. Et c'était le dernier qu'ils voyaient lorsqu'ils partaient retrouver leur maison, leur école ou leur emploi. Malory avait l'art de guérir et de réconforter ; elle l'avait appris précocement et de manière indélébile. Elle aimait ce travail, ne souffrait absolument pas de ne pas avoir de vie mondaine, même si cela rendait folle sa grand-mère.

– Cela ne me manque pas, Shep, me répondit-elle quand, sur l'injonction de tante Willa, je lui en fis reproche. J'adore ce travail, il me donne presque tout ce dont j'ai besoin. Et puis, je t'ai, toi.

Oui, pensai-je, en posant sur elle un regard chargé du poids de tout mon amour muet. Tu m'as, moi.

A la fin de cette décennie, Jack Venable trouva Lucy une fois de trop dans un lit anonyme et la chassa de la ferme. Elle vint donc à la gloriette, un soir de vent et de pluie printanière. Elle n'aurait pas osé se présenter à la grande maison : tante Willa s'était montrée intransigeante sur ce point.

Je lui ouvris, bien sûr. Je ne pouvais presque rien lui refuser, finalement. Elle le savait et moi aussi.

Assis sur le sofa, les mains pendant au-dessus de mes genoux croisés, je la détaillai. Elle avait l'air en piteux état, malade et vieille, le visage empâté et gris, les yeux brumeux. Elle tira longuement sur sa cigarette, la jeta dans la cheminée sans feu.

– Je suppose qu'il ne servirait à rien de te parler de ma quête désespérée du père que je n'ai jamais eu, dit-elle, s'essayant à l'ironie.

– Absolument à rien, confirmai-je. Encore une chance que tu coures après les hommes. Les femmes, je ne le supporterais pas.

– Évidemment des hommes, soupira-t-elle en frissonnant. Les hommes ont tout le pouvoir. Mon père me l'a appris.

Je me levai avec raideur, allai chercher une serviette et la lui lançai.

– Et il en a fait des choses pour toi avec ce pouvoir, hein ?

Bon Dieu, Lucy, il n'a rien fait pour toi. Il n'a joué aucun rôle dans ton éducation. C'est ça, le pouvoir ?

– Il est parti, dit-elle d'un ton neutre. C'est ce qui donne le plus grand des pouvoirs.

Elle me supplia de la garder quelque temps dans la gloriette, jusqu'à ce qu'elle « retombe sur ses pieds », et je la laissai coucher cette nuit-là sur le sofa, avec mon oreiller et ma couverture. Mais la pensée de Malory dormant sans se douter de rien dans le petit lit blanc qui avait été celui de sa mère m'interdisait de lui accorder quoi que ce soit de plus. Lucy n'avait pas parlé de sa fille mais je savais que c'était en grande partie pour elle qu'elle était venue. Le lendemain ou le surlendemain, elles se rencontreraient ; le temps que Malory Venable dans la grande maison – et peut-être même dans le monde de la réalité et de la santé mentale – prendrait fin.

« Non, pensai-je. Pas question. »

Quand Lucy fut endormie, je retournai dans ma chambre, appelai Jack Venable et l'avertis que Lucy était chez moi.

– Ah ! merde, s'exclama-t-il après un long silence. Bon, je viens la chercher demain. Surtout, ne la laisse pas s'approcher de Malory.

– Non, ne viens pas. Il faut que ça cesse. Je m'en occupe. Ne t'en fais pas, elle ne s'approchera pas de Malory. Mais je ne veux pas non plus qu'elle retourne auprès de toi, Jack. Pas tout de suite. Laisse-moi essayer de régler les choses à ma façon. Nous verrons bien.

Il garda à nouveau le silence puis explosa :

– Bon Dieu ! Shep ! Elle m'a coûté mes garçons, elle m'a coûté ma fille. Qu'est-ce qu'elle veut de plus ?

– Elle a peur de te perdre, alors elle prend les devants, répondis-je.

Je m'aperçus que je ne croyais qu'à demi à ce que je disais et que je m'en moquais. Je ressemblais, même pour moi-même, à un mauvais disque.

– Je ne la quitterai jamais, dit-il. Pas vraiment. Comment pourrais-je la quitter ? Dans ses bons moments, elle est charmante, elle est tout ce que j'ai jamais désiré sur terre. Pourquoi, après tout ce qu'il s'est passé, pense-t-elle encore que je la quitterai ?

Tu l'as fait il y a longtemps, songeai-je en me rappelant l'homme ardent dont j'avais fait la connaissance au *Carrousel*.

– Je ne sais pas, fis-je. Je crois que c'est à cause de son père, et de Red, et de moi. C'est ce que les hommes font à Lucy. Ils la quittent...

Le lendemain matin, je demandai à Shem de sortir la Rolls et conduisis Lucy à la seule résidence que je connusse, Colonial Homes, où tant de membres de notre bande avaient commencé leur vie post-universitaire. Elle me parut banale et sans éclat sous la pluie matinale ; les gens chics et beaux qui la quittaient dans leurs voitures chic et belles pour aller au travail appartenaient à un monde qui ne me connaissait pas plus que je ne le connaissais. Je détournai les yeux, fermai mes oreilles aux cris de rage et d'indignation de Lucy, lui louai un studio, versai la caution et trois mois de loyer, la conduisis à la ferme déserte, attendis qu'elle fourre dans un sac les quelques vêtements élimés qu'elle possédait, la ramenai à Colonial Homes et l'installai dans son appartement. Je m'engageai à payer son loyer et à lui verser une petite allocation jusqu'à ce qu'elle puisse subvenir à ses besoins, mais en aucun cas elle ne devait essayer de voir Malory. Pas de visites, pas de lettres, pas de coups de téléphone.

Elle pleura. Sa peur et son désespoir étaient réels. Elle pensait que Jack l'avait abandonnée, que non seulement je faisais de même mais que je la coupais de l'enfant qui la soutenait et remplissait sa vie.

– J'ai besoin d'elle, Gibby, sanglotait-elle. Je ne peux pas rester ici toute seule, tu le sais ! Qui s'occupera de moi ? Qui me parlera ? Malory pourrait prendre le lit. Moi, je me contenterais d'un matelas, d'un fauteuil...

– Non, refusai-je froidement. Téléphone-moi si ça devient insupportable. Ou trouve-toi quelqu'un avec qui partager l'appartement. Je ne sais pas ce que tu feras, Lucy, mais en tout cas tu ficheras la paix à Malory. Tu lui laisseras une chance de grandir normalement.

– Je l'aime, Gibby, murmura-t-elle.

– Alors, laisse-la tranquille.

Elle ne répondit pas et comme il n'y avait rien à ajouter, je me levai pour partir.

– Gibby, je ne peux pas vivre ici ! glapit-elle.

– Et pourquoi, nom de Dieu ? Qu'est-ce qu'il a, ce studio ? Il vaut largement les motels infects que tu fréquentes ces temps-ci.

– C'est un immeuble pour célibataires, dit-elle. Je viens juste d'y penser.

– Alors, ça devrait te convenir parfaitement, maintenant, répondis-je.

Avec un sourire sans joie, je sortis temporairement de son existence.

Pendant quelques mois il n'y eut pas de coups de téléphone et ce fut par Sarah Gentry, qui la rencontra au Colonial Store, que j'appris que Lucy allait aux réunions des A.A., qu'elle avait trouvé du travail dans un nouvel hebdomadaire de Buckhead, qu'elle faisait de gros efforts pour mener une vie décente et rester sobre. Elle y parvint si bien qu'en automne Jack lui demanda de revenir, ce qu'elle fit avec l'empressement d'un chien abandonné retrouvant enfin le chemin de la maison. Peu de temps après, elle me téléphona et le cœur battant, je lui permis de parler à Malory. Lucy se montra si calme, si pleine de remords et surtout d'amour, que Malory retourna à la ferme et y passa le reste de sa dernière année au Westminster, aussi heureuse avec sa mère et Jack qu'elle le serait jamais.

Cet automne-là, je me sentis comme une mince couche de chair meurtrie tendue sur un abysse hurlant mais je n'intervins pas. Malory aurait dix-huit ans en janvier ; il lui appartiendrait désormais de faire ses propres choix.

En mai, elle obtint son diplôme et partit au début de l'été

pour commencer un programme d'études accéléré à Wellesley, où elle avait décroché une petite bourse en littérature anglaise. Le cœur explosant de joie, je payai sa chambre, sa pension et son inscription pour la première année puis les envoyai tous les trois, Jack, Lucy et elle, à Wellesley dans la petite Toyota ployant sous le poids d'une garde-robe neuve, d'un tas de livres et de cassettes : mes cadeaux pour l'obtention de son diplôme. Je ne songeai même pas à les accompagner. S'ils devaient jamais former une famille, c'était maintenant qu'il fallait la cimenter. Lorsqu'elle reviendrait, changée comme tous les jeunes qui quittent la maison pour la première fois, il serait trop tard.

25

En octobre de la première année de Malory à Wellesley, mon père mourut dans son repaire d'émir au premier étage de la maison de Peachtree Road, et le Vieux Buckhead se rassembla une nouvelle fois à Saint-Philip et à Oakland.

– Tu es triste ? me demanda Dorothy dans la Rolls traversant la ville en direction du vieux cimetière.

Je savais qu'il était contraire à l'usage qu'elle m'accompagnât dans la première voiture suivant le corbillard qui transportait mon père, mais Dorothy se souciait peu des usages, et, quant à moi, aussi bien les amis de mon père que les miens eussent été sidérés si j'avais montré un respect tardif pour les conventions. Shem Cater, ratatiné et farouche dans son uniforme de chauffeur, constituait notre seule concession aux convenances. Il conduisait impeccablement la masse brillante de la voiture et observait un silence plein de dignité, mais un reniflement sonore trahissait de temps à autre son émotion. Je me demandai comment le vieux rapace desséché gisant dans le corbillard pouvait encore, après toutes ces années de mutisme et d'absence au monde, susciter le chagrin de son chauffeur, puis je me rappelai que Shem avait trouvé auprès de mon père son premier emploi et que, en dépit de son agilité de vieux primate, il était légèrement plus âgé que le défunt qu'il avait servi.

Pauvre Shem, me dis-je. Il a vu changer trop de choses.

Je me tournai pour regarder Dorothy. Dans la lumière

traversant la vitre immaculée de la Rolls, elle paraissait vieille elle aussi, mais encore belle. Son petit corps avait maigri avec l'âge mais elle se tenait encore droite comme une jeune fille et sa peau avait la texture douce et molle d'un velours de soie drapé. Le réseau de rides de son visage au modelé énergique avait la finesse d'une toile d'araignée ; ses mains étaient déformées par l'arthrite et des années de jardinage mais ses yeux dorés flamboyaient de vie et son épaisse chevelure brune, à peine saupoudrée de gris, brillait avec autant de vitalité que celle de Sarah. Elle se coiffait à présent d'une manière démodée et charmante qui lui donnait l'air d'une duchesse edwardienne. Elle sourit, posa sa main menue sur la mienne et la pressa.

– Je devrais l'être mais je ne le suis pas, répondis-je. J'ai été triste quand il a eu son attaque ; j'ai eu de la peine pour lui quand maman est morte – encore que ce fût peut-être sur moi-même que je m'apitoyais, parce qu'il était impossible de savoir ce qu'il éprouvait. Mais pas maintenant. Ces vingt dernières années n'ont été rien d'autre qu'une longue agonie pour lui. Je sais qu'il a dû souhaiter mourir chaque jour de sa vie. Tante Willa était apparemment la seule dont il souhaitait la présence et je ne montais plus le voir qu'une fois par mois environ. C'est juste comme si on avait... sorti un meuble. Je dois vous paraître terriblement endurci.

– Non, dit Dorothy en regardant les tours de la ville se profilant sur le ciel. C'est ce qu'on finit par penser quand le corps est encore là mais que la personne est déjà partie. Je sais ce que c'est : un sentiment terrible, pire que la mort, d'une certaine façon.

Nous restâmes un moment silencieux à contempler les gratte-ciel prétentieux dont nous ignorions le nom.

– C'est un petit enterrement triste, non ? fit-elle enfin. Triste non pas tant à cause de ton père, mais par ce qu'il signifie. Nous étions si peu pour lui dire adieu. Et nous serons encore moins nombreux pour mon pauvre vieux Ben. C'est triste de voir ces... géants... réduits à l'état de vieillards ordinaires. Je pense parfois que la pire des choses, c'est de vivre après son temps.

– De qui est-ce le temps maintenant ? Je ne le sais même pas. Je ne suis pas précisément vieux mais tout ça, dis-je en montrant du pouce les nouvelles tours, c'est comme la face cachée de la lune pour moi. Cela n'a rien à voir avec l'Atlanta que je connais. Que je connaissais.

– C'est une autre époque, aucun doute, acquiesça Dorothy. (Elle ne paraissait pas particulièrement affligée, plutôt intéressée.) Une autre époque, et un autre monde. C'est excitant. Quand on songe à ce que nous avons vu ces cinquante dernières années... Seigneur ! J'aimerais vivre assez longtemps pour voir ce que les cinquante années à venir apporteront, mais je crains que ce ne soit réservé aux jeunes.

– Je me demande s'ils en auront envie. Tous les jeunes que je connais sont partis faire leurs études dans l'Est, dans l'Ouest ou même à l'étranger. Apparemment, personne ne fréquente plus la Tech ou Georgia. J'imagine que beaucoup d'entre eux ne reviendront pas ici.

Dorothy eut un soupire excédé.

– Tu parles comme Mathusalem, Shep. Je ne pensais pas aux enfants de Sarah ou à Malory. Je pensais à *toi.* A toi, à Sarah, à votre bande. Vous avez encore beaucoup de temps devant vous, et tant de choses à vivre...

Je savais ce qu'elle voulait dire : Sarah et moi. Tous les deux seuls à présent, sans barrière entre nous. Sarah et moi... La vieille douleur qui sommeillait sous les deux noms accolés se ranima brièvement puis retourna à son engourdissement.

Bien sûr j'y avais songé après la mort de Charlie. Mais c'était une perspective que je ne voyais pas clairement, comme si elle était enveloppée de brume, et les efforts nécessaires pour la percer excédaient mes forces. Peut-être avais-je simplement vécu trop longtemps seul, coupé de la vie et de ses passions. La plupart d'entre nous renoncent finalement à la passion, parce qu'elle suppose une grande intimité, et nous devenons trop las, trop usés pour courir ce risque. Même la passion que j'éprouvais pour Malory, même cette flamme ardente et durable menaçait continuellement de me brûler et provoquait parfois en moi un mouvement de recul.

Dorothy lut dans mes pensées comme sa fille l'avait toujours fait.

– Malory n'est pas venue à l'enterrement, fit-elle observer. Sage décision. Je craignais que Lucy ne profite de l'occasion pour la faire revenir.

Je souris.

– Rien ne vous échappe, hein ? Non, Lucy se conduit très bien ces temps-ci, mais Jack et moi avons pensé qu'il n'y avait aucune raison de faire revenir Malory en milieu de trimestre pour assister aux funérailles d'un vieillard qu'elle ne connaissait pas réellement.

Deux jours plus tôt, quand je lui avais dit au téléphone que je préférais qu'elle reste à Wellesley, Malory m'avait demandé :

– Tu ne veux vraiment pas que je vienne ? Je peux prendre l'avion dans deux heures.

– Non, je te verrai à *Thanksgiving*. Tu n'as pas le mal du pays, n'est-ce pas ?

– Non. A part toi, maman et Jack, Atlanta ne me manque pas. Tu sais ce qui me manque en revanche ? Tate. On pourrait y aller pour *Thanksgiving* ? Je n'y suis pas retournée depuis que j'étais petite et je pense souvent à cet endroit.

Je me rappelai le week-end de la petite fête impromptue, quelques jours seulement avant que Ben Cameron se suicide, et la petite Malory Venable tournoyant de plaisir sur le plancher du chalet en s'exclamant : « C'est à nous ? »

– Nous irons, déclarai-je. Nous y passerons tout le week-end s'il fait assez bon.

– J'adorerais ça. Comment... comment va maman ?

– Très bien.

– Je veux dire, *vraiment*.

– Moi aussi. Pas une larme d'alcool. Elle aime son boulot

et commence à écrire des articles drôlement bons. Tous les lundis soir, elle est à la réunion des A.A. dès que les portes s'ouvrent et il y a un jeune nouveau psy à Lithonia – tu te rends compte ? – qui lui fait suivre un autre traitement. Elle a pris un peu de poids, elle se laisse pousser les cheveux. C'est joli. Je crois que tu seras contente d'elle quand tu la verras.

– Je suis impatiente de la retrouver. Je l'entends m'appeler sans arrêt. C'est dur de ne pas répondre.

– Essaie, dis-je.

Au cimetière, j'observai la poignée de vieillards et le groupe plus restreint encore de mes propres amis rassemblés à l'ombre des vieux chênes. J'avais l'impression de les voir pour la première fois depuis des années, et pour beaucoup d'entre eux, c'était effectivement le cas. Quel long chemin nous avons parcouru ! pensai-je. Nous sommes semblables aux survivants de quelque voyage intergalactique.

Il y avait à Oakland les amis et les connaissances de mon père, du moins ce qu'il restait du légendaire Club des années 60. Des vieillards à présent, détrônés par ceux-là mêmes qu'ils avaient cherché à attirer – ainsi que par ceux dont ils n'avaient pas voulu : les hommes d'affaires du monde entier et la communauté noire d'Atlanta. Le Club avait prévu l'afflux de capitaux extérieurs, il l'avait même suscité, mais certes pas l'émergence du pouvoir noir dans la ville.

Je me souvins qu'un professeur d'histoire sociale d'une université de l'Est, peut-être la mienne, demanda un jour à Ben Cameron, alors maire d'Atlanta, si les Noirs seraient jamais membres à part entière du Club.

– Eh bien, ils seront toujours consultés, naturellement, avait-il répondu avec son fameux sourire. Mais membres à part entière...

Il avait laissé la phrase en suspens, avec un geste éloquent de la main.

Ils étaient à présent le Club, ces Noirs qui avaient dû se

couler furtivement à la nuit tombée dans une salle du Commerce Club afin d'aider le maire de leur ville à échafauder des plans pour la sauver. L'inévitable conjonction d'un afflux de capitaux extérieurs et d'une simple supériorité numérique avait renversé la situation. Le maire de la ville était maintenant Glenn Pickens, dont le père avait conduit les Lincoln de Ben Cameron et n'avait jamais possédé de voiture. Glenn avait remporté la mairie aux dernières élections, exerçait ses fonctions depuis presque deux ans et se révélait un excellent maire, coriace et efficace, visionnaire et réfléchi, bien que plutôt enclin, aux yeux des Vieux Atlantais, à faire raser les anciens immeubles et maisons pour faire place à l'inexorable armée mercenaire de tours remontant de Peachtree Road en direction du nord. C'était un maire de stature internationale pour une ville de stature internationale, une nouvelle sorte d'homme pour une nouvelle région inélégamment baptisée « Sunbelt ».

Mais les vieux membres du Club qui voyaient avec consternation s'effondrer leurs résidences et leurs bars, qui voyaient la ville gracieuse et familière de leur règne sombrer dans le béton, l'acier et les fumées de pots d'échappement, ne pouvaient s'empêcher de penser à lui, et souvent de parler de lui, comme « le fils du chauffeur de Ben Cameron ».

– C'est Ben qui a payé ses études à Morehouse, vous savez, se rappelaient-ils mutuellement. Ben l'a quasiment élevé. Je suis content qu'il ne puisse pas voir ce qu'il est devenu.

Je pensais au contraire que Ben aurait approuvé l'odyssée de Glenn Pickens. En fait, il en avait été l'instigateur et le pilote. Je me félicitais en revanche qu'il n'assistât pas au bouleversement de sa ville, qu'il ne vît pas sa chère Merrivale House obscure et délabrée dans sa solitude, qu'il ne dût pas essayer de s'accommoder des hordes de nouveaux venus. J'éprouvais une douleur quasi physique lorsque les vieux membres du Club se réunissaient pour tenter de s'opposer aux hommes jeunes venus d'ailleurs, énergiques, pragmatiques, immensément riches, qui tenaient à présent dans leurs mains les rênes de la ville.

Je tournai la tête vers mes propres amis, rassemblés en un groupe compact, épaule contre épaule, comme ils avaient tendance à le faire depuis l'enfance. Même si je n'avais pas été de l'autre côté de la tombe avec Jack, Lucy et tante Willa, ils se seraient tenus un peu à l'écart. Non pas pour me blesser : en fait, c'était moi qui, au début, avais voulu cette distance entre eux et moi. A présent, il me semblait qu'un léger voile de fumée de l'incendie de Pumphouse Hill s'accrochait encore à moi et me cachait à leur vue. Je n'en souffrais cependant pas.

Ils sont ce qui reste du Club, pensai-je, ou ce qu'il est devenu. Et ils se débrouillent fort bien. Certains sont devenus terriblement puissants à leur tour; certains se trouvent tout là-haut avec les Arabes, l'élite noire et les nouveaux venus. Carter Rawson peut maintenant s'acheter un quartier de n'importe quelle ville au monde, le raser et le reconstruire si cela lui chante. En plus de ses honoraires de médecin, Snake Cheatham possède assez de biens immobiliers pour fonder sa propre ville.

Mais nous sommes loin de valoir ceux qui nous ont précédés, me dis-je. Nous n'avons pas uni nos forces et nous n'avons pas très bien vieilli. Peut-être le sang s'éclaircit-il à la deuxième génération. Ben Cameron Junior, disparu. Tom Goodwin, coincé avec la virulente petite Freddie. Pres et Sarton Hubbard, partis pour Savannah, écœurés de ce qui se passait ici, partis pour une ville où les choses qu'on connaît restent les mêmes. A.J. et Lana Kemp, cultivant une ferme d'une cinquantaine d'hectares, et peut-être mieux lotis que n'importe lequel d'entre nous. Charlie, disparu lui aussi. Et moi, naturellement. Le reclus des Buckhead Boys.

Je n'étais toutefois pas un reclus au sens strict du terme. Je sortais de temps à autre pour me rendre au drugstore, à la quincaillerie, à la poste. Je passais beaucoup de temps à la bibliothèque, dans le centre, et aux archives de l'Historical Society, où personne ne m'importunait jamais. Je me rendais souvent au Carlton House pour voir Dorothy et regarder Ben. Je courais chaque matin à l'aube sur la piste déserte de North Fulton et faisais le soir en trottinant le tour de Buckhead. J'assistais aux inévitables enterrements mais non aux mariages, qui étaient à présent ceux des rejetons des Roses et des Gods. En fait, je ne fréquentais vraiment que Dorothy Cameron, Lucy et Jack, Malory chaque fois que je le pouvais. A intervalles très espacés, je rencontrais Sarah Cameron Gentry par hasard chez Wender & Roberts ou à l'occasion de cérémonies comme l'enterrement de mon père. La petite Sarah, toujours bronzée et pimpante, souple comme une jeune fille, avec son rire gai d'adolescente. Seuls ses grands yeux d'ambre étaient assombris par la souffrance de ceux qui doivent poursuivre seuls le chemin. Sarah, autrefois mienne, perdue à présent et me parlant depuis les brumes d'un autre pays.

L'après-midi de l'incendie de Pumphouse Hill, Ben Cameron m'avait dit que mon jour viendrait. Était-il venu et passé tandis que j'annotais la liste des Cameron défunts ? me demandai-je tout à coup. Aurais-je pu vivre dehors ? Le pouvais-je maintenant ? Non. Pas encore. Un jour, peut-être... Mais alors, que montrer pour justifier toutes ces années de réclusion ? Assez de notes pour la plus longue généalogie sudiste ?

Sur le chemin du retour, lorsque la Rolls gravit la colline située juste après Peachtree Battle Avenue, je relevai la tête comme je le faisais toujours à cet endroit pour jeter un premier coup d'œil à la douce symétrie du 2500 et ne pus rien en voir. Mis à part le pâté de maisons où se trouvait ma demeure et le petit lopin de bois intact s'étendant derrière elle, Peachtree Road était bordée de tours qui la dissimulaient. Ma maison, ce miracle de proportions, de légèreté et de grâce, ressemblait maintenant à une douairière crénelée cernée par des géants aveugles. Je pris une profonde inspiration. La beauté extraordinaire du 2500 était maintenant éclipsée par son air obstiné, son refus ridicule d'accepter l'inévitable et de se rendre aux grands Goths aveugles. Les gens à qui elle n'était pas familière devaient rire en la voyant : « Je me demande qui occupe le dernier bastion. Probablement un vieux bonhomme qui veut se faire un paquet de fric sur le dos des promoteurs. Vas-y, papy ! Arnaque-les ! »

– Au nom du ciel, quand est-ce arrivé ? m'écriai-je.

C'était une question purement rhétorique, et Dorothy et Shem le savaient. Ni l'un ni l'autre ne répondit. Je savais naturellement quand c'était arrivé : j'avais vu les bulldozers, j'avais entendu les marteaux piqueurs. J'avais vu la terre saigner là où les grands arbres et les vieilles maisons de ma jeunesse avaient été arrachés vivants à leurs racines. Je n'avais pas pu ne pas les voir, cela s'était passé sous mes yeux au cours des cinq ou dix dernières années.

Mais d'une certaine manière, je n'avais rien vu. Mes rétines avaient rejeté ces images de dévastation.

En arrivant à la gloriette, je téléphonai à Carter Rawson.

– Il me reste combien de temps avant que quelqu'un m'enlève subrepticement ma maison et construise à la place un Taco Bell de cinquante étages ? demandai-je sans préambule.

Carter émit l'aboiement de hyène qui lui tenait lieu de rire.

– Une éternité, apparemment. Tous ceux qui ont de l'argent dans ce pays et dans une dizaine d'autres ont essayé d'acheter ta maison. Moi compris. Marty Fox ne t'en a pas parlé ?

– Non. Après les premiers coups de téléphone, il y a une dizaine d'années, j'ai changé de numéro, je me suis fait mettre sur liste rouge et j'ai dit à Marty que ma réponse était non, qu'elle serait toujours non, et qu'il ne me parle même pas des autres offres qu'on lui ferait, quelles qu'elles soient.

– Quelles qu'elles soient, Sainte Mère de Dieu ! s'esclaffa Carter. A une certaine époque, tu aurais pu te payer un pays en voie de développement avec ce qu'on t'aurait donné pour cette propriété. Et j'aurais offert le double. Mais maintenant, je doute que tu puisses en obtenir grand-chose.

– Pourquoi ?

– Question de zonage. Elle reste à jamais en catégorie R1. Je ne sais combien de fois on a proposé un changement au conseil municipal, et chaque fois il a été rejeté. Sans débat, sans explication.

– Que se passe-t-il ? Qui s'y oppose ?

– Aucune idée. En tout cas, quelqu'un de diablement haut placé et qui se fiche de l'argent. Dans cette ville, je ne connais personne qui réponde à ce signalement. J'aurais cru qu'on pouvait acheter tout le conseil municipal avec une B.M.W. neuve, mais manifestement, il y a quelqu'un là-bas qui n'a pas besoin de bagnole. Ce n'est pas que les gens ne veulent pas vendre. La pauvre vieille Dorothy Cameron essaie de se débarrasser de son tas de briques depuis des années. Les Cobbs et Rhodes Bayliss aussi. Tout le monde, en fait, sauf toi. Tu n'aurais pas soudoyé le conseil municipal ?

– Je ne savais même pas qu'il s'occupait de ça, répondis-je, sincère. Alors, je ne risque rien ? La maison restera là... longtemps ? Toute ma vie ?

Et celle de Malory ? pensai-je.

– Je n'ai pas dit ça, grommela Carter. Je suis prêt à parier que nous parviendrons à modifier le zonage dans cinq où dix ans. Avant, peut-être. Nous finirons bien par savoir qui met son veto. Écoute, Shep, ma proposition tient toujours. Quand le zonage sera changé, je doublerai la meilleure offre qu'on te fera. Quelle qu'elle soit. Appelle-moi, tu ne le regretteras pas. Nous te trouverons une autre maison. Je la ferai même construire spécialement pour toi et je m'occuperai de ton déménagement. Tu n'auras pas à lever le petit doigt.

– Je ne suis pas vendeur, Carter, même si la maison changeait de zonage demain. Mais juste par curiosité, qu'est-ce que tu en ferais ? Tu la raserais, je le sais, mais pour mettre quoi à la place ?

– Un parking, répondit-il instantanément. Il n'y en a pas un seul entre la gare de Brookwood et Lenox Square. Cet endroit vaudrait de l'or. Hé, tu veux une participation ? Ça peut s'arranger...

– Je ne suis pas vendeur, répétai-je. Je ne me suis peut-être pas bien fait comprendre.

– Oh ! tu vendras. D'une façon ou d'une autre, quand le zonage sera modifié. De gré ou de force. Ce n'est généralement pas très drôle quand on est obligé de vendre. Alors, je préférerais que tu le fasses de ton plein gré. Et à moi.

– Carter, je serais ravi que tu te fasses mettre une poutrelle dans le train, déclarai-je avant de raccrocher.

Sans hésiter, je composai le numéro de l'hôtel de ville, comme si mon index avait su quelques millisecondes avant mon cerveau à qui je devais parler maintenant.

– Je me demandais quand tu m'appellerais, me dit Glenn Pickens. Tu ne comprends pas très vite, hein ?

– La rapidité n'a jamais été mon fort, reconnus-je. Explique-moi ce qui se passe avec ma maison. D'abord, pour combien de temps suis-je en sécurité. Et deuxièmement, pourquoi.

Il éclata de rire. Je ne me souvenais pas de l'avoir jamais entendu s'esclaffer, mais Lucy m'avait raconté qu'ils riaient beaucoup ensemble, Glenn et elle, lorsqu'ils étaient jeunes.

– C'est le moment idéal, de toute façon, reprit-il. La commission de zonage vient d'être saisie d'une nouvelle demande et je sais qu'elle est prête à y répondre favorablement. Ce qui signifie que je passerai à nouveau quatre ou cinq soirs et probablement un week-end à donner des coups de téléphone, marchander, faire des promesses, me démener, ce dont je commence à avoir assez. Si quelqu'un demande à voir mes cartes, je n'aurai plus qu'à partir pour Buenos Aires.

– Je ne comprends pas.

– Ben Cameron a réussi à vous protéger jusqu'à ce qu'il tombe malade. Moi, ça n'est pas mon boulot d'en faire autant. Je veux quand même que tu saches que je bloquerai cette demande. Je l'ai déjà fait cinq millions de fois et je continuerai à le faire tant que je pourrai. Jusque-là, la maison restera à toi. Mais ça ne sera probablement pas si facile désormais, parce que les gros-pleins-de-fric ne vont pas tarder à me tomber dessus. Tu seras peut-être soumis à d'intenses bombardements – rassure-toi, je dégusterai plus encore. Mais tu ne risqueras rien tant que je serai là où je suis. Je pense remplir encore quelques mandats. Je suis un bon maire. Et il y a plus de gars comme nous que de types comme vous.

Des larmes de soulagement et de gratitude me piquaient les yeux et je craignais qu'il n'entende mes pleurs dans ma voix.

– Je ne sais vraiment pas comment je pourrai te remercier, Glenn.

– Comprends-moi bien, Shep. Il ne s'agit ni de sentiments ni d'une question d'amitié. La ville a une dette envers toi. Tu t'es laissé taper dessus après l'incendie alors que tu n'y étais pas obligé. Tu as sauvé pas mal de gens comme ça, Blancs et Noirs. C'est donc une vieille dette. Mais ne me remercie pas parce que c'est Ben qu'il faut remercier.

– Ben ?

– Oui, Ben. Il a le bras long. J'ai une dette envers lui, moi aussi. Si je ne lui étais pas reconnaissant, Buckhead serait totalement hérissé de tours, maintenant. Tu crois qu'on peut comparer les impôts que tu payes avec ce que rapporterait ce secteur dans une autre zone ? Juste avant que je termine mes études secondaires, Ben m'a pris à part, m'a dit qu'il paierait mes études, qu'il s'occuperait de mon père jusqu'à la fin de ses jours et qu'il ferait de moi un jour le maire de la ville si je faisais tout ce qu'il me disait de faire, parce qu'il ne faisait aucun doute que nous finirions par avoir un maire noir, et qu'il fallait que ce soit quelqu'un comme moi. Naturellement, il voulait dire quelqu'un qu'il pourrait mettre dans sa poche, mais je m'en fichais. Tous les maires d'Amérique sont dans la poche de quelqu'un, et il y en a de bien pires que celle de Ben. En échange, je devrais protéger ce petit secteur de Buckhead où se trouvent sa maison et la tienne lorsque les promoteurs chercheraient à s'en emparer, et plus tard, après l'incendie, il insista plus encore sur la sauvegarde de ta maison. Voilà pourquoi tu seras en sécurité tant que je resterai en place. Mais probablement pas une seconde de plus.

– Merci, Glenn.

– C'est lui que tu dois remercier, corrigea-t-il. Et Lucy Bondurant. J'ai une dette envers toi, mais elle, je l'aime.

Il raccrocha et nous n'eûmes plus jamais l'occasion de nous parler.

Étendu sur le sofa de la salle de séjour, je fixais les poutres du plafond noircies par la fumée. Donc, je suis en sécurité, me dis-je. Et la maison aussi – du moins, autant que quelque chose puisse l'être dans cette ville. Mais pour qui, finalement ? Malory se mariera ; elle ne reviendra peut-être même pas du Massachusetts. Cette bâtisse est un gouffre, quand on y pense. Elle n'est rien d'autre qu'un lieu où tante Willa affiche ses prétentions révoltantes. Lucy n'a même pas le droit d'y venir et moi je passe des mois sans y mettre les pieds. Je pourrais vivre n'importe où, prendre un appartement, m'installer à Tate... Pourquoi rester ?

La réponse jaillit dans mon esprit par-dessus le visage plein de vie d'une adolescente, Malory. Si jamais Malory souhaitait revenir y vivre...

Elle revint à Noël. C'était la première fois qu'elle rentrait depuis qu'elle nous avait quittés, en juin, car elle n'était finalement pas venue pour *Thanksgiving*. Au dernier moment, elle m'avait téléphoné pour me dire qu'une nouvelle amie l'avait invitée à passer *Thanksgiving* avec sa famille à Marblehead.

– J'aimerais beaucoup y aller, Shep. La côte de la Nouvelle-Angleterre est vraiment particulière – j'en suis tombée amoureuse la première fois que je l'ai vue. Elle a quelque chose... une dureté, je crois. On a l'impression de pouvoir monter tout en haut de la terre, dans cet air pur, cette lumière vive et ce vent. Chez nous, on dirait quelquefois que le pied s'enfonce dans le sol... Tu comprends ce que je veux dire ?

– Certainement, répondis-je.

Je comprenais : le sol amorphe et collant du Sud, la succion humide et sombre des vieilles racines...

– De toute façon, ce n'est qu'un long week-end, reprit-elle. Je serai à la maison pour Noël. Ce sont des gens tellement gentils, et si drôles. Ils rient tout le temps... Tu crois que tu pourrais prévenir maman ? J'ai peur que, si je lui téléphone...

Elle laissa la phrase en suspens mais je savais ce qu'elle craignait, je le redoutais pour elle. Lucy continuait à avoir une conduite exemplaire mais Malory lui manquait énormément.

– A moins que tu penses que je devrais rentrer, dit Malory d'une voix où perçait l'ancienne angoisse.

– Non, je la préviendrai. Ne t'en fais pas. Amuse-toi bien avec ta nouvelle amie. Nous te verrons à Noël.

Après un silence, Malory rectifia à voix basse :

– En fait, c'est *un* nouvel ami. Mais je ne veux pas en parler à maman maintenant. Il n'y a rien entre nous, nous sommes amis, c'est tout.

– Compris. Je dirai *une* amie. Tu as raison. Mais tu es bien sûre qu'il n'y a rien entre vous ?

Mon ton était taquin mais mon cœur se serrait dans l'expectative.

– Absolument, répondit-elle. Ne te fais pas de souci. Ces types de l'Est parlent trop vite et sont trop brusques pour moi. Et il n'y en a pas un qui t'arrive à la cheville.

– Alors, à Noël.

Je raccrochai, fis le numéro de Lucy.

– Oh ! merde, geignit-elle quand je l'eus informée que Malory ne rentrerait pas. Bon, ça vaut peut-être mieux, ajouta-t-elle aussitôt. J'ai un long article à écrire pour le lundi d'après et je devrai travailler tout le week-end, de toute façon. Mais ce qui me fiche en rogne, c'est que c'est toi qu'elle appelle au lieu de moi. Qu'est-ce qu'elle croyait que j'aurais fait ? Piquer une crise ?

– Cette idée l'a probablement effleurée.

Lucy s'esclaffa.

– Pas de crise, dit-elle. Absolument pas de crise.

Malory revint donc illuminer nos vies à Noël, plus mince et vive que jamais, avec un vernis d'étudiante « yankee » qui était sans doute inévitable si l'on songe à la rapidité avec laquelle j'avais moi-même acquis la patine de Princeton à son âge. Son ardente juvénilité me manquait, cependant. La Malory qui revint à Atlanta cet hiver-là était une femme à part entière, et très jolie.

Ce fut un bon Noël, presque parfait comme dans les livres d'images, du moins pour moi. Nous eûmes une brève chute de neige – une jolie neige qui tint plusieurs jours –, puis le ciel redevint bleu et clair, l'air froid et vif : un vrai temps de Noël. N'ayant pas d'amis proches dans la ville, Malory passa une grande partie de son temps à la ferme avec Jack et sa mère. Elle se promena dans les bois enneigés, décora la vieille maison affaissée et prépara des repas gargantuesques que seuls elle et Jack mangeaient. Assise devant la cheminée de la gloriette, à la lueur du petit arbre de Noël que j'avais fait rien que pour elle, elle m'apprit que Lucy ne faisait que grignoter, fumait sans arrêt et la dévisageait de ses yeux bleus étranges et inquiétants. Malory passa aussi beaucoup de temps avec moi cet hiver-là et j'adorai ces longs après-midi ou soirées.

– Parfois, j'ai l'impression qu'elle s'efforce de mémoriser mes traits, continua-t-elle. Et quelquefois, elle pose simplement la main sur mon bras ou mon genou et l'y laisse. Pauvre maman ! Il n'y a plus grand-chose de drôle dans sa vie depuis que je suis partie. Jack est devenu une sorte de dormeur olympique. Et elle ne fait que travailler, travailler. Mais elle ne boit pas. Elle semble réellement aller mieux. Je me suis fait tant de souci pour elle. Je me sens parfois coupable d'être à l'université, de m'intéresser à mes cours et de passer d'aussi bons moments alors que je lui manque terriblement, je le sais.

– Bien sûr que tu lui manques. Tu nous manques à tous. Mais nous voulons que tu fasses cette expérience. Tu sais bien qu'elle ne voudrait pas que tu abandonnes tes études. Elle ne t'a rien dit à ce sujet, n'est-ce pas ?

– Oh ! non. Pas avec des mots, en tout cas. Mais nous avons un autre langage, tu le sais.

– Débranche ton récepteur pour les quatre ans qui viennent, dis-je. Lucy a peut-être envie que tu rentres mais son sentiment de culpabilité la briserait si tu quittais l'université à cause d'elle. J'en suis sûr. Et je la connais depuis plus longtemps que toi.

Malory s'étira voluptueusement, soupira.

– Tu trouves toujours ce qu'il faut dire. Les seuls mots capables de tout arranger. Parfois je voudrais que tu sois mon père.

– Pourquoi ? fis-je, le cœur palpitant dans ma gorge. Je ne suis pas un bon ami pour toi ?

– Le meilleur, assura-t-elle en me pressant la main. Mais Jack a tellement l'air absent. Comme s'il n'avait rien à faire avec moi. Comme si je n'étais pas là. Il est affreusement passif, Shep. Il s'écoule parfois un jour ou deux sans qu'il prononce une phrase entière. Je n'arrive pas à imaginer comment il était quand il a épousé maman...

– C'est un type bien, Malory, déclarai-je, et non pour la première fois. Il a connu des moments difficiles. Quand il a épousé ta mère, c'était un homme formidable, passionné comme elle, et s'il a perdu beaucoup de son ardeur... eh bien, tu peux comprendre pourquoi.

– Tu n'as pas perdu la tienne.

Oh ! si, ma chérie, pensai-je. Il ne me reste qu'une passion, mais je ne peux pas t'en parler.

– Moi, je n'ai pas vécu avec ta mère, arguai-je.

– Tu as vécu avec elle plus longtemps que lui, répliqua Malory.

– C'était différent, à cette époque. Ce qui brûle maintenant réchauffait alors.

– Oui, je vois. Pauvre Jack. Pauvre maman. Pauvre Shep.

– Nous ne sommes pas si pauvres. Nous avons la chance de t'avoir.

– C'est bien ce que je disais : toujours le mot qu'il faut, fit-elle en se levant pour m'embrasser. Je ne sais pas ce que je ferais sans toi.

– Tu n'auras jamais à le découvrir, déclarai-je.

Elle repartit pour l'université trois jours avant la rentrée afin d'aller skier à Stowe avec son ami et ses frères. Après qu'elle m'eut dit au revoir en m'embrassant, qu'elle eut couru vers la Ford toussotant dans l'allée où Jack et Lucy attendaient pour la conduire à l'aéroport, je retournai à la gloriette, fermai la porte à la lumière froide et nacrée du jour agonisant et jetai une bûche dans la cheminée. J'aurais voulu un feu rugissant jusqu'aux éclats de diamant des étoiles naissantes, un brasier défiant le solstice même, pour chasser le froid et l'obscurité quasi totale qui étaient en moi.

J'ignore pourquoi ce crépuscule fut si désespérément lugubre. Malory était splendide et pleine de vie, elle s'épanouissait à l'université comme un poulain dans l'herbe des prés. Elle était heureuse, aussi en sécurité que possible. Elle m'aimait. Je la reverrais peut-être à Pâques et à coup sûr aux grandes vacances. Lucy retrouvait peu à peu une certaine stabilité, et même Jack semblait aller mieux car le salaire de sa femme lui avait permis de quitter son emploi d'enseignant de cours du soir et l'épuisement terrible qu'il avait connu relâchait quelque peu son étreinte. *Les Géorgiens accomplis* étaient presque terminés et une petite université ayant eu vent de mes travaux m'avait écrit pour exprimer son intérêt et son désir de les publier. J'aurais dû être heureux, ou tout au moins pas malheureux.

Mais les ténèbres sans étoile qui s'étaient abattues sur moi quand Malory avait quitté la gloriette ne se dissipaient pas. Je me versai à boire, mis le disque d'Ella Fitzgerald chantant Cole Porter et m'installai devant la cheminée. L'obscurité tournoyait dans ma tête comme de la neige. Je bus en écoutant à demi la musique pendant un moment qui me parut durer des heures. Vieux, gémissait mon esprit. Vieux, vieux, vieux...

Je ne puis me rappeler un moment plus atroce de toute mon existence, à une exception près, et j'ignore encore aujourd'hui pourquoi.

Jusqu'à ce que Sarah Cameron apparût sur le seuil de la gloriette, je ne m'étais même pas rendu compte que c'était le soir du réveillon du Nouvel An.

Je la regardai en clignant stupidement des yeux, comme si je me débattais dans une eau épaisse, stagnante, pour remonter vers la lumière. Elle se tenait sur le pas de la porte, vêtue d'une robe de soirée courte en satin rouge avec de minces bretelles, chaussée de sandales argent à hauts talons. Elle avait jeté sur ses épaules, sans le fermer, un magnifique vison sombre qui était presque de la couleur de ses cheveux. Tenant dans une main une bouteille de champagne non débouchée, elle souriait, le visage si blanc que les taches rouges de ses pommettes hautes ressemblaient à du maquillage mal appliqué. Du sofa où j'étais assis, je pouvais voir ses lèvres trembler autour de son sourire.

– C'est toi, murmurai-je sottement.

– Oui. C'est moi. Bonne année, Shep.

– Qu'est-ce que tu fais ici en robe du soir ? demandai-je.

Ma conversation aurait paru terne dans un jardin d'enfants attardés.

– Je... Snake et Lelia m'ont persuadée d'aller à cette affreuse fête que le club organise chaque année, mais, une fois là-bas, je me suis aperçue que si je restais une heure de plus je devrais embrasser une vingtaine de gens ivres que je déteste. Alors j'ai chipé une bouteille de champagne sur un plateau et je suis venue te souhaiter une heureuse année... Et te séduire, ajouta-t-elle dans un trémolo d'opéra. Tu crois qu'une bouteille suffira ?

Elle gloussa et je me rendis compte qu'elle était plus qu'un peu soûle. Elle traversa la pièce, s'assit précautionneusement à l'autre bout du sofa. Je vis alors scintiller le liquide, semblable à des larmes contenues, qui voilait toujours ses grands yeux quand elle avait trop bu à l'époque lointaine où nous étions jeunes. Lointaine...

– Tu es en beauté, la complimentai-je. C'est un nouveau manteau ?

Les ténèbres pesaient si lourdement sur moi que j'avais peine à articuler. J'aurais voulu enfouir ma tête dans le giron de satin et me mettre à hurler, mais je sentais que, si je faisais un mouvement dans sa direction, Sarah filerait comme un animal pris de panique. Elle était, j'en pris conscience, tout à fait effrayée. Je ne comprenais pas pourquoi et ne savais qu'y faire.

– Non, c'est à maman. Elle me l'a donné quand ils ont déménagé, en disant qu'elle ne sortirait plus jamais quand il ferait froid. Ne serait-ce pas merveilleux, Shep ? Ne plus jamais avoir froid...

Des larmes coulèrent sur son visage ; elle tourna la tête pour les essuyer.

– Je suis désolée, s'excusa-t-elle. Je ne sais pas boire. Tu t'en souviens sûrement. Je ne suis pourtant pas venue ici pour te faire subir un déluge de larmes.

Je pris la main avec laquelle elle masquait son visage, la retournai et la contemplai. Elle était de glace, comme les miennes, et je n'en sentais pas la chair. Je remarquai sous les ongles courts, polis et nus, des demi-lunes bleu sombre – bleu de Prusse, pensai-je stupidement.

– Tu t'es remise à peindre. J'en suis très heureux. Cela m'avait fait beaucoup de peine quand tu avais arrêté.

– Je ne peins pas vraiment, dit-elle, secouant la tête comme pour s'éclaircir les idées. (Une mèche de cheveux sombres et brillants tomba sur son front.) J'enseigne la peinture. Ou plutôt je donne des cours à quelques élèves deux ou trois fois par semaine. Ils me sont envoyés par l'école des Beaux-Arts du Musée. Certains d'entre eux sont vraiment très bons. Et c'est vraiment formidable de tenir à nouveau un pinceau. Mais pas pour les ongles...

Elle partit d'un rire guindé que je ne lui connaissais pas.

– Tu as un atelier ? m'enquis-je, sur le ton de la conversation polie.

On eût dit que je ne savais pas qui était cette femme frémissante vêtue de satin chatoyant et de fourrure qui se trouvait dans ma salle de séjour. On eût dit que ne savais pas davantage qui était l'homme qui la regardait.

– J'en ai installé un au sous-sol, dit Sarah. (Elle fit la grimace.) Je sais, l'idée paraît macabre, mais c'était le seul endroit de la maison où c'était possible.

– Tu n'as pas songé à rouvrir l'atelier de Muscogee Avenue ? Pas la maison, juste l'atelier. Ce serait parfait.

– Je ne peux pas retourner là-bas. Il n'y a personne que je connaisse, fit-elle obscurément.

– Enfin, tu peins, conclus-je.

– C'est au moins ça, convint-elle. Cela m'occupe... Oh, Shep, je n'ai pas besoin de chercher à m'occuper, j'ai des tas de choses à faire. J'ai besoin d'argent, voilà pourquoi je donne des cours. Je déteste mentir. Je le fais trop souvent, ces temps-ci.

Elle se mordit la lèvre, détourna la tête.

– J'ai plus d'argent que Crésus, déclarai-je en couvrant sa main froide de la mienne. Je n'en dépense jamais. Laisse-moi t'aider, Sarah. Il me serait vraiment insupportable de savoir que tu donnes des cours de peinture dans ton sous-sol parce que tu as besoin d'argent.

Elle dégagea sa main, la porta à ses joues embrasées.

– Je ne sais vraiment pas ce que j'ai ce soir, dit-elle d'une voix qui s'était remise à trembler. Je ne suis pas venue quémander de l'argent. Maman m'en donnerait si je la laissais faire mais je ne veux pas en recevoir d'elle. Ni de toi. Je ne suis pas vraiment dans la gêne. Simplement, avec les deux filles à l'école... les cours de peinture m'apportent juste ce qui me manque. Et puis la maison de Muscogee Avenue finira par se vendre et l'argent me reviendra. Vraiment, je suis confuse d'avoir parlé de ça. Je croyais être venue ici pour te souhaiter la bonne année et échapper aux peloteurs du club. Cela m'avait paru être une bonne idée, sur le moment...

Les larmes affleuraient à nouveau sous sa voix.

– C'était une bonne idée, approuvai-je. Une merveilleuse idée. J'étais là à m'apitoyer sur moi-même, à me sentir vieux de dix siècles, sans même savoir que c'était le réveillon. J'aurais fourré la tête dans le four du réchaud à gaz si je l'avais su.

Sarah eut un petit rire tremblotant ; les larmes reculèrent.

– Il n'y a vraiment rien de pire, n'est-ce pas ? dit-elle. Tous ces coups de klaxon, ces sourires, ces cris frénétiques, ces embrassades avec des gens à qui on ne parle même pas le reste de l'année... Shep ?

– Oui ?

– Tu te souviens de ce réveillon du Nouvel An où tu es rentré de Princeton ? Nous sommes allés chez *Hart's*...

– Il neigeait. Nous nous sommes assis devant la baie vitrée donnant sur Peachtree Road et nous avons regardé les flocons tomber en buvant du Taittinger. Oui, je m'en souviens.

– C'est le dernier bon réveillon que je me rappelle.

– Moi aussi.

– Recommençons, proposa Sarah.

Elle pêcha la bouteille posée près d'elle sur le sofa, la tint en l'air. C'était du Taittinger. L'étau de glace noire emprisonnant mon cœur se desserra quelque peu.

– D'accord, acquiesçai-je.

Je rapportai de la cuisine deux verres à pied, débouchai la bouteille sous le regard de Sarah. Le bouchon partit avec un bruit joyeux, le champagne se répandit sur l'âtre. Elle eut un petit rire de jeune fille bien élevée. Les mains sur les genoux, les chevilles croisées – posture détendue et aristocratique de la Rose d'Atlanta –, Sarah me regarda verser l'or pétillant dans les verres.

Je lui en tendis un, jetai un coup d'œil à la pendule sur la cheminée. Minuit moins vingt.

– Bonne année, Sarah.

– Bonne année, Shep.

Nous bûmes. Nous bûmes encore. La pendule sonna. Elle entonna *Love for Sale* et nous bûmes à nouveau. La bouteille fut vidée en sept minutes, sans que nous ayons échangé un seul mot. Puis nous ouvrîmes tous deux la bouche au même moment pour parler, nous interrompîmes en riant, et je me rendis soudain compte que je ne sentais plus mes lèvres.

– Bon Dieu, je crois bien que je suis complètement soûl, marmonnai-je.

– Oh ! comme je suis contente. Je n'oserais jamais, sinon.

– Tu n'oserais jamais quoi ?

– Te séduire. C'est pour cela que je suis venue, rappela Sarah Cameron Gentry.

Je fermai un œil, la fixai attentivement dans l'espoir de la voir mettre fin au long tournoiement qu'elle avait entamé. Elle le fit. Le tournoiement cessa et elle redevint Sarah, belle et mûre comme une prune, les épaules nues, et complètement terrifiée.

– Tu es capable de dire cela ? demandai-je. Après toutes ces années, ce que je t'ai fait et ce que je suis devenu ? Tu en as la force, Sarah ?

– Je n'ai pas la force de ne pas le faire, dit-elle d'une toute petite voix portée par une longue expiration tremblée. Cela fait près de vingt-cinq ans que tu me manques. Et je... je vis au milieu de femmes depuis trop longtemps, Shep.

Je me levai lentement, les jambes chancelantes, le cœur battant la chamade, et tendis les bras vers elle, sans avoir la moindre idée de ce que je ferais ensuite.

– Alors, viens, Sarah Cameron, dis-je. Viens me séduire pour le Nouvel An.

Elle posa son verre et se mit debout, les yeux brillants de larmes et d'alcool.

– Une minute, fit-elle, d'une voix un rien pâteuse.

Elle vacillait aussi un peu, presque imperceptiblement, mais j'eus l'impression que, sous le tumulte protecteur du champagne, elle savait exactement ce qu'elle faisait et que c'était cela qui l'effrayait tant.

– Je veux que tu saches ce qui t'attend, ajouta-t-elle.

Sarah ôta ses sandales, fit glisser de ses épaules les bretelles de la robe de satin rouge, aussi lentement et délicatement que si elle eût été dans la lumière d'un projecteur. Elle baissa la robe jusqu'à scs hanches, s'en dégagea. Dessous, elle portait un minuscule soutien-gorge et une culotte en satin et dentelle noirs. A travers le tissu noir, son corps ferme et menu brillait, doré comme du miel frais, avec juste deux bandes blanches là où le bikini l'avait protégé des baisers de son bien-aimé soleil. Des muscles plats jouaient sous la peau de son ventre, de ses bras, de ses épaules.

– Tu peux faire l'amour avec ça ? demanda-t-elle en promenant les mains sur son corps. Ce n'est plus très jeune.

Le sang battait à mes tempes, rugissait dans mes oreilles. Je ne pouvais parler.

– Tu peux faire l'amour avec une femme mûre qui ne l'a pas fait depuis des années ? poursuivit-elle dans un murmure. Tu le peux ?

En parlant, elle dégrafa son soutien-gorge, le laissa tomber sur le sol. Ses seins dansèrent à la lueur du feu, fruits dont la lourdeur, la douceur réveillaient des souvenirs dans mes paumes et mon sexe. Le souvenir d'une nuit dans un appartement du Lower East Side de Manhattan, trente ans plus tôt, à une autre époque et dans un autre monde... Je nc pouvais toujours pas parler.

– Tu le peux, Shep ? répéta Sarah en enlevant sa culotte.

– Je ne sais pas, répondis-je d'une voix étranglée.

Je me sentais paralysé, noyé dans les ténèbres, écrasé par le poids du temps, encombré par les sédiments de la perte. Une faim aussi vieille et violente que le monde s'agitait en moi. A la lueur du feu mourant, Sarah était la plus belle femme que j'eusse jamais vue, plus mûre, plus complètement épanouie que n'importe quelle jeune fille. Mais j'étais resté seul si longtemps... La solitude coulait dans mes veines, pesait sur mon bas-ventre comme du fer glacé. Je pensais ne pas être capable de bouger.

– Je crois que tu le peux, dit Sarah. (Elle s'approcha, se

coula dans les bras de bois que je tendais.) Je crois que tu peux...

Elle pressa sa nudité contre moi en oscillant au rythme de la musique et de son sang, cambra le dos, frotta ses seins sur ma poitrine. Son visage se nicha au creux familier de mon cou, et je sentis ses larmes, son souffle tandis qu'elle murmurait des mots que je ne pouvais entendre. Mes bras se refermèrent sur elle, mes mains trouvèrent le creux doux et chaud de ses reins, la plaquèrent contre mon ventre.

– Aide-moi, s'il te plaît, chuchota-t-elle. Tu peux m'aider, Shep ?

Le pouvais-je ? Comme animé d'une volonté propre, mon corps se pressa contre le sien, oscilla au même rythme. Le pouvais-je ? Le sang glacé pouvait-il se réchauffer, le cœur éteint s'embraser ? Le corps pouvait-il retrouver les figures d'un ballet oublié depuis longtemps ? L'amour sans espoir, affamé et banni depuis si longtemps, pouvait-il recouvrer sa force ?

En sanglotant doucement, Sarah me fit tomber avec elle sur le sofa. Son petit corps se tortilla sous le mien jusqu'à ce qu'il eût trouvé mon point le plus intime et s'ouvrit, chaud, humide, impatient, pour m'accueillir enfin...

Le téléphone retentit à l'autre bout de la pièce, et je sus sans l'ombre d'un doute qui m'appelait. Alors même que je plongeais, encore et encore, dans Sarah, libéré des ténèbres et de la solitude d'un quart de siècle, je le savais. Dans mes muscles, mes os, mon sang et ma peau. Mon cœur le savait, et aussi mon souffle haletant. Et mon pénis, qui perdit sa tumescence. Je demeurai allongé sur Sarah, les yeux clos, le corps flasque, un goût amer de désolation dans la bouche.

Sarah savait, elle aussi. Elle se dégagea d'un mouvement brusque, le visage livide, les yeux aveugles, et se rhabilla avant que je ne sois capable de me redresser. Sans dire un mot, elle alla à la porte de la gloriette et je la regardai. Elle semblait aussi vieille que Dorothy – plus vieille, même. Elle paraissait morte, cadavre animé venu visiter les vivants sans remords dans le manteau de vison de sa mère.

– Je ne t'importunerai plus, promit-elle d'une voix cadavérique elle aussi. J'avais oublié. Vraiment oublié. Mais cela ne m'arrivera plus.

Au moment où elle se retournait pour partir, les cloches de la cathédrale Saint-Philip se mirent à sonner dans la nuit fracassée. Sarah tourna à nouveau la tête vers moi et ajouta, sur le ton de la conversation :

– Je regrette que Red Chastain ne l'ait pas tuée quand il en a eu l'occasion.

Et elle disparut dans le premier matin carillonnant d'une nouvelle année.

Le téléphone retentit à nouveau au moment où la porte claquait. Je le laissai sonner une quinzaine de fois puis me dirigeai vers l'appareil d'un pas lent et décrochai.

– Salut, Gibby... (Silence. Longue exhalation de fumée.) C'est Lucy, chéri. Bonne année !

26

Lucy ne sut jamais qu'elle m'avait condamné à l'échec avec Sarah – du moins, je crois qu'elle ne le sut pas dans son esprit. Ses attaques conscientes avaient toujours été plus directes. Le coup de téléphone qui avait éteint les cendres rougeoyantes de l'espoir entre Sarah et moi était une coïncidence : Lucy me téléphonait à minuit le soir du réveillon depuis des années.

Mais ce qu'elle savait dans son sang, c'était autre chose. Dans ce Styx sombre qui avait soutenu Lucy Bondurant Chastain Venable tout au long d'une vie semée d'horreur, il y avait quelque chose qui connaissait chaque pouce de mon être, parfaitement. Un quart de siècle après avoir aimé Sarah Cameron pour la première fois, je l'avais à nouveau perdue, irrévocablement, et même si l'on tenait compte de ma propre défaillance, Lucy en était cause.

Dorothy Cameron savait, elle aussi. Peu de temps après le Nouvel An, je lui apportai la première mouture des *Géorgiens accomplis* et me sentis aussi timide et emprunté que lorsque je venais chercher Sarah pour l'emmener danser, quand j'avais quinze ans. Ben avait eu une mauvaise journée ; il avait fallu lui donner des calmants et le conduire à l'infirmerie. Nous étions donc installés en bas, dans la véranda de Carlton House, buvant du thé parmi les meubles en bambou, les plantes tropicales et les oiseaux en cage qui, je le soupçonnais, s'inspiraient de ceux de la véranda du

Cloister de Sea Island afin de donner une dimension de luxe familier et de fête à ce dernier cloître du troisième âge fortuné. Dans la lumière gris-blanc traversant les murs de verre, la moitié des résidents de Carlton House prenaient le soleil d'hiver comme de vieilles tortues.

– Alors, le voici, dit Dorothy en soupesant l'épais dossier du manuscrit dans ses mains fines. La maison des Cameron vue avec les yeux d'un Bondurant. Combinaison insurpassable. Je suis navrée que ce soit la seule qui nous unira jamais.

Je sus alors que Sarah avait raconté à sa mère ce qu'il s'était passé le soir du réveillon, du moins en partie. Ce qu'elle n'avait pas dit, Dorothy l'avait probablement deviné. Je me souvins que bien des années plus tôt, juste avant que je n'entreprenne ce voyage fatal à travers l'Amérique pour répondre à l'appel frénétique de Lucy, Dorothy Cameron m'avait mis en garde contre elle. « Lucy est un danger pour elle-même et plus encore pour toi. » A son honneur, elle ne me rappela pas cette conversation.

– Je suis navré, moi aussi, murmurai-je.

J'ouvris la bouche pour poursuivre, justifier, expliquer, redonner espoir, puis la refermai. Il n'y avait rien d'autre à dire.

– Au moins, ces années terribles n'auraient pas été vaines, reprit Dorothy.

Sa voix avait son ton habituel, mais lorsque je regardai son visage, j'y découvris une détresse que j'y avais vue seulement à la mort de Ben Junior et au début du long déclin de Ben Senior. Elle avait les yeux clos.

« Oh ! Lucy, tant de vies brisées », pensai-je avec lassitude. Je ne parvenais pas à être furieux contre elle, nous avions dépassé aussi le stade de la colère.

– Mais c'est formidable, mon chéri, formidable, déclara-t-elle d'un ton gai.

La détresse avait cédé la place au plaisir que lui procurait le manuscrit, et j'en éprouvai une exaltation stupide.

– Oui, n'est-ce pas ? fis-je. J'ai réussi, bon sang. Et sans même quitter Atlanta. La plupart du temps, quand on veut être un génie – ou un homo, ou un monstre, n'importe quoi en dehors des normes – il faut partir.

– Tu n'es pas parti. Tu t'es caché comme un opossum dans un arbre creux mais tu n'es pas parti.

– Rectificatif, annonçai-je. Si l'on veut être tout cela ou heureux, on ne peut pas rester ici.

Dorothy sourit.

– Est-ce qu'on n'est pas toujours obligé de faire des choix, où que l'on vive ? argua-t-elle.

– Peut-être, répondis-je, vaguement agacé. Mais je ne connais pas beaucoup d'endroits où l'existence même fait l'objet d'un choix.

– Si c'est à toi que tu songes, tu as eu beaucoup d'avantages, fit-elle observer.

– Des avantages que l'on paie sacrément cher, dans cette ville, m'obstinai-je sans savoir pourquoi. Prenez Lucy...

– Prenons Lucy, puisque tu insistes, me lança Dorothy sèchement. Que lui est-il arrivé d'épouvantable qu'elle n'ait pas provoqué elle-même ? Elle recevait amour, protection, soins...

– Pas suffisamment, coupai-je. Et pas la sorte d'amour qu'il aurait fallu. Le pacte originel selon lequel son père s'occuperait d'elle a été rompu, et Lucy a passé toute sa vie à tenter alternativement de lui plaire ou de le punir. Sa situation de privilégiée ne lui a été d'aucun secours.

– Ce pacte est rompu pour de nombreux autres enfants, fit observer Dorothy d'une voix douce et implacable.

La femme qui avait éprouvé du chagrin et de la pitié pour la petite Lucy Bondurant avait disparu depuis longtemps.

– Pour une raison ou une autre, Lucy ne s'en est pas remise, dis-je. Lorsqu'elle prit conscience que son père ne reviendrait pas s'occuper d'elle, elle reçut en même temps un message lui signifiant qu'elle ne valait rien, qu'elle ne méritait pas qu'on l'aime, que rien de ce qu'elle ferait seule ne suffirait à la préserver. D'où la colère, la dépendance, l'autodestruction.

– Qui lui a envoyé ce message ? demanda Dorothy, qui s'agitait nerveusement sur son fauteuil en rotin.

– Son père, répondis-je. Le Sud. Le Sud parlant par la bouche de Willa et de toutes les autres femmes de son entourage.

– Mais il y avait des femmes de caractère autour d'elle, objecta Dorothy Cameron avec impatience. Ta mère était une femme forte, à sa manière. La vieille Martha Cater était un roc. Moi-même, je suis plutôt coriace.

– Oui, mais vous êtes fortes dans un monde d'hommes. Ma mère était l'épouse d'un homme puissant, du moins en apparence ; Martha était domestique dans la maison de cet homme. Vous, vous étiez une lionne dans l'hôpital où vous travailliez, mais c'étaient des hommes qui le dirigeaient. Lucy voulait tout à la fois. Sans précédent, pour une femme du Sud.

– Qui lui a fait croire qu'on pouvait tout avoir à la fois ? répliqua Dorothy avec aigreur. Personne, homme ou femme, ne garde cette idée en tête après l'âge de treize ans. Inutile de me répondre. C'est son côté Bondurant, bien sûr. Vous avez toujours été les gens les plus exigeants que je connaisse.

– A part moi, dis-je.

– Oh ! Shep, surtout toi ! Tu ne te rappelles pas toutes les passions que tu avais quand tu étais petit ? Regarde-toi : cela fait vingt-cinq ans que tu boudes parce que tu as perdu une partie de ce que tu voulais. Tu t'es dit : « Si je ne peux tout avoir, je ne veux rien. » Et tu as laissé passer un tas de bonnes choses. Il n'y a pas deux semaines, tu as laissé passer tout un monde. Ce n'est pas Lucy la victime, c'est toi. Et il n'est pas en ton pouvoir de changer, maintenant.

– Dures paroles, commentai-je après un silence.

– Il ne reste guère de gens sur cette terre pour qui je prendrais la peine de les prononcer. Je t'aime beaucoup, et depuis longtemps. Je voulais pour toi plus que ce que tu as toi-même choisi.

– Et ça, qu'est-ce que c'est ? dis-je en m'efforçant à la désinvolture.

Je tapotai le manuscrit posé sur ses genoux.

– C'est formidable, convint-elle. Un tour de force. Et pour les vingt-cinq prochaines années ?

– Je n'y ai pas vraiment songé.

– Alors dépêche-toi de le faire, conseilla la mère de Sarah d'un ton terre à terre. Parce que je suis fatiguée, que je voudrais m'en aller bientôt mais que je ne le ferai pas avant que tu n'aies trouvé quelque chose pour t'occuper. Ce sera ta faute si je deviens une misérable centenaire vagissante.

– Dorothy, je crois que je préférerais mourir en même temps que vous, déclarai-je en toute sincérité.

L'idée d'Atlanta sans elle m'était insupportable. Elle demeura un moment silencieuse.

– Vis, je t'en prie, murmura-t-elle finalement d'une voix infiniment lasse. (Des larmes apparurent au coin de ses grands yeux d'ambre aux paupières lourdes.) Trouve enfin une façon de vivre, je t'en conjure.

Je pris congé d'elle. En courant le long de Peachtree Road pour regagner le 2500, dans l'ombre perpétuelle des hauts immeubles aux yeux aveugles qui la bordaient de chaque côté, je songeai que, lorsqu'elle ne serait plus là, il ne resterait que peu de gens dans mon monde à qui le terme d'« excellence » pourrait s'appliquer. Seul le nom de sa fille me vint à l'esprit.

Lucy continuait à se comporter si bien au travail et à la ferme que Malory me téléphona juste avant le Noël de sa deuxième année à Wellesley pour me demander si, selon moi, elle pouvait amener chez elle son ami de Boston et de Marblehead.

– Je crois qu'il va peut-être me demander en mariage, ajouta-t-elle avec une joie hésitante.

– Oh ! Mal... commençai-je, sous le choc.

Je m'interrompis à temps pour ne pas brailler : « Non, Non ! Tu es trop jeune ! »

– Il a un nom ? dis-je.

– John Hunter Westcott IV, répondit-elle avec un petit

rire. Terrible, hein ? On l'appelle Jinx, bien sûr. Il est grand, blond, beau, et si bien élevé qu'on pourrait croire qu'il porte « Groton-Harvard-Wall Street » tamponné sur son derrière aristocratique. Ce n'est pas le cas. Ce qu'il a, c'est un cas aigu de trismus-de-Long-Island, et un poste qui l'attend dans l'irréprochable cabinet juridique de son père et de son grand-père. Tu le détesteras sûrement.

– Je suis impatient de commencer, déclarai-je franchement. Je t'assure que je le haïrai de toutes mes forces. Je lui révélerai toutes tes manies, tes vilaines habitudes cachées...

– Seigneur, surtout pas ! s'exclama Malory, plaisantant à demi. Maman suffira. Mais il faut bien qu'il fasse la connaissance de mes parents. Tu crois qu'elle s'en tirera ?

Je réfléchis un moment avant de répondre :

– Je le crois – s'il n'essaie pas de lui compter les dents. Toutefois, à ta place, je ne parlerais pas de mariage. Il vaut mieux que cela reste une visite ordinaire.

– Si je n'en parle pas, elle le saura quand même.

– Probablement. Mais elle n'en sera pas sûre si tu ne lui dis rien.

– Alors, je ne dirai rien. Tu as sans doute raison. Bon, je lui téléphone tout de suite. Je peux amener Jinx te voir le lendemain de notre arrivée ?

– Très volontiers. Je ressortirai ma vieille cravate de Princeton. Tu veux que j'aille vous prendre à l'aéroport et que je vous conduise à la ferme ? Ça rendrait les premières minutes un peu plus faciles.

– Non. Je pense que maman aimera mieux qu'il les voie en premier.

Je n'accompagnai donc pas Malory et son « brahmane* » en tout point parfait à la ferme, et je n'ai cessé de le regretter depuis. Je n'appris ce qui se passa ce soir-là que plus tard, quand Malory était déjà retournée dans le Massachusetts, résolue à ne plus jamais revoir sa mère.

* Surnom donné aux membres des vieilles familles de Boston. (N.d.T.)

Jack était allé les chercher et les avait conduits à Lithonia dans la vieille Ford, et je suis sûr que Jinx Westcott s'était montré aussi discret que consterné au sujet de cette voiture. Lucy avait décoré la ferme du sol au plafond avec des sapins provenant du bois et les guirlandes qu'ils avaient achetées à la naissance de Malory. Dans cette parure de fête, avec la chaleur du feu de bois et la lumière des bougies, la maison paraissait sans doute plus accueillante que jamais, mais elle penchait désormais à un tel point qu'elle avait dépassé la vétusté digne pour sombrer dans le délabrement pur et simple. Je suis toutefois certain que Jinx se montra également discret à ce sujet. Quant à ce qui se passa dans la boîte crânienne distinguée, derrière les yeux bleus nordiques, c'est une autre affaire. Malory ne put rien m'en dire.

Ce qu'elle me raconta, c'est que Jinx déclara à Lucy, qui préparait le repas dans la cuisine avec Malory, tandis que Jack dodelinait de la tête devant la télévision, verre en main :

– Ça a l'air fameux, Mrs. Venable. J'espère que Mal a hérité vos talents culinaires en même temps que votre beauté. Aucune des femmes de ma famille ne sait faire la cuisine et je refuse de passer ma vie à manger chez *Stouffer*.

Lucy tourna ses yeux bleus vers le jeune demi-dieu blond qui avait pénétré dans sa cuisine miteuse.

– Vous êtes un amour, dit-elle de son accent traînant. Je vois que votre maman vous a bien élevé. Soyez gentil, allez demander au papa de Malory s'il veut un autre verre.

Quand Jinx Westcott sortit de la pièce d'un pas viril, elle se tourna vers sa fille.

– Alors, chérie, pas de secrets à me dire ? chantonna-t-elle.

– Je crois qu'il va me demander de l'épouser, maman, répondit Malory d'un ton soumis, le cœur battant.

– En tout cas, il a de belles fesses, remarqua Lucy.

Cela aurait dû leur donner l'alarme. Mais Malory était aveuglée d'espoir, Jack saoul de scotch et de télévision, et personne ne s'aperçut que le niveau de la bouteille qu'il gardait sur le comptoir de la cuisine baissait tandis que Lucy faisait à manger. Au moment du repas, quand Malory et Jinx allèrent dans la cuisine chercher les assiettes pour mettre la table, Lucy se retourna, brusquement ivre, le regard fou et bestial. Marmonnant, trébuchant et riant, elle se laissa tomber contre Jinx.

Sans dire un mot, Malory courut dans la salle de séjour prévenir Jack et mit un certain temps à le tirer de sa torpeur. En revenant à la cuisine, ils trouvèrent Lucy assise à califourchon sur un John Hunter Westcott IV interdit, la jupe retroussée, la culotte sur les chevilles, criant d'une voix aiguë comme le coucou d'une horloge détraquée : « Je veux jouir ! Je veux jouir ! »

Elle commença à hurler quand Malory et Jack tentèrent de l'arracher à Jinx, continua longtemps après que l'ambulance l'eut amenée à Central State – car tous les autres hôpitaux de la région l'avaient déclarée indésirable. Dans sa folie, Lucy griffait, ruait et mordait ; sa rage était infinie. Ses cris résonnaient encore dans la ferme lorsque le taxi de Lithonia vint chercher une Malory livide et un John Hunter Wescott IV d'une politesse arctique pour les conduire à l'aéroport. Je crois que Malory ne cessera jamais de les entendre.

– Je ne la reverrai jamais de ma vie, me dit-elle en sanglotant lorsque je lui téléphonai à l'université, après que Jack, épuisé et à moitié ivre, m'eut annoncé que Lucy avait été à nouveau internée. Je me fiche qu'elle soit malade ! Je ne la reverrai *jamais* !

Elle s'effondra complètement et raccrocha.

Je reposai moi aussi le combiné en me jurant qu'elle ne la reverrait effectivement pas si je pouvais l'empêcher.

A Central State, il arriva quelque chose à Lucy. Encore aujourd'hui nous ne savons pas exactement ce que c'était. Le médecin de l'hôpital jura qu'il n'avait pas découvert la moindre trace d'une attaque et Hub Dorsey, qui intervint à ma demande, le confirma.

– Rien sur l'E.E.G., dit-il. Aucun indice de troubles vasculaires. Ce n'est pas une attaque.

C'était un calme si profond que Lucy n'avait plus besoin des habituels tranquillisants et antidépresseurs. Elle demeurait assise dans le foyer pendant des heures, rêvassant, dodelinant de la tête, fredonnant souvent pour elle-même et presque toujours souriante. On eût dit que quelque chose avait enfin réduit la flamme qui brûlait en elle, même si je voyais toujours dans ses yeux bleus, lorsque je lui rendais visite, une lueur obstinée d'intelligence qui refusait de s'éteindre malgré la souffrance et l'horreur. Elle se déplaçait avec autant d'aisance qu'auparavant mais semblait ne pas décider souvent de le faire. Et elle ne parlait pas. Longtemps on ne sut pas si elle avait perdu la fonction du langage ou si elle considérait simplement que les choses n'en étaient plus au stade du discours. Quoi qu'il en soit, elle paraissait tranquille, docile et la plupart du temps heureuse.

Personnellement, je pensais que le traitement électroconvulsif qu'on lui avait administré à Central State avait tout bonnement court-circuité quelque réseau complexe et vital de son cerveau fiévreux. Je reste persuadé que c'est ce qui s'est passé, même si une armée de jeunes docteurs surmenés nous assurèrent du contraire.

Lucy demeurait donc cloîtrée dans son silence, souriant, pensant à Dieu sait quoi, aussi perdue pour nous sans la passerelle du langage que si elle était morte. Au fond de nous-mêmes, Jack et moi étions secrètement contents de la voir ainsi, je crois. Moi, du moins, j'en éprouvais un grand soulagement. Nous étions comme elle délivrés du tourment de son brasier intérieur.

Au bout de trois ou quatre mois, elle recommença à parler mais uniquement par salves sporadiques, marmonnant des mots et des phrases qui n'avaient pas de sens. J'avais cependant l'impression qu'ils en avaient un pour elle car elle arborait souvent un sourire ravi après avoir lâché une bribe de son galimatias poignant et levait la tête vers moi comme si elle attendait une réponse. Je ne savais que dire. Ne supportant pas les phrases mutilées qui sortaient de sa jolie bouche et tombaient comme des oiseaux blessés, j'avais recours au vieux sédatif de son premier internement.

– Fourre-le-toi dans l'oreille, Lucy ! m'écriais-je gaiement.

Lucy battait des mains, se mettait un doigt dans l'oreille et, les yeux illuminés, croassait à son tour :

– Fourre-le-toi dans l'oreille ! Dans l'oreille, Gibby !

Ce fut la seule phrase cohérente, si l'on peut dire, qu'elle prononça pendant de nombreux mois.

On ne pouvait la garder indéfiniment à Central State car, langage mis à part, elle semblait aller bien – ou du moins aussi bien que possible, désormais. Nous la ramenâmes donc à la maison. Sa docilité sereine persista, et Lucy parut trouver une sorte de plaisir sensuel dans une routine journalière composée dc matinées devant la télévision, siestes l'après-midi, repas copieux, courtes promenades sinueuses dans les champs et les bois.

Jack n'avait pas les moyens d'engager quelqu'un pour s'occuper d'elle à la maison et avait recommencé à donner des cours du soir pour tenter de régler des frais médicaux énormes, mais il n'y avait aucun espoir qu'il y parvienne jamais. Je pensais même que, s'il ne cessait pas de boire le soir, si la léthargie qui le chevauchait comme un succube ne se dissipait pas, il finirait par perdre l'un de ses emplois, voire les deux. La ferme était dans un état innommable – une porcherie. Finalement, ne supportant plus cette situation, je passai outre aux objections de Jack et engageai une infirmière. Deux semaines environ après qu'elle eut pris ses fonctions, je vins voir comment allaient les choses.

L'infirmière était une jeune Trinidadienne vive et intelligente nommée Amelia Kincaid qui s'occupait de Lucy avec une ferme compétence et une gentillesse impersonnelle et inébranlable. A mon étonnement, Lucy la détestait.

– Foutue négresse ! cracha-t-elle en direction d'Amelia en me coulant un regard malicieux. Je hais les nègres.

Le visage brûlant, je me tournai vers l'infirmière.

– Elle ne veut pas dire ça, expliquai-je. Elle a milité toute sa vie dans le Mouvement pour les Droits Civiques...

– Fourre-le-toi dans l'oreille, Gibby ! s'écria Lucy.

– Ce n'est rien, Mr. Bondurant, répondit Amelia Kincaid de son ton chantant. Un truc détraqué dans le cerveau. Je ne prends pas ça au sérieux.

Mais je ne supportais pas ce venin dans la voix belle et profonde de Lucy, qui m'avait raconté tant de merveilles ; je ne supportais pas de l'entendre marmonner :

– Allée au bal, aide-moi, Gibby. Papa ne sera pas content du sang, sang, sang.

Je tournai un regard angoissé vers Jack mais il s'était endormi sur le sofa devant la télévision. C'était la maison du gâchis, du délabrement et du désespoir. Je pensais n'y jamais revenir.

Mais incroyablement, le phénix se releva à nouveau et Lucy s'arracha en partie au brasier de la folie, suffisamment pour se hisser une fois de plus sur une sorte de palier, calme et tendre comme une enfant, apparemment contente de se laisser dériver dans l'instant présent, de recevoir les quelques visiteurs qui venaient la voir, d'engloutir les friandises qu'ils apportaient et de regarder sans cesse la télévision. Elle devint grosse. Amelia coupa ses cheveux devenus ternes et secs pour qu'ils ne traînent pas dans sa nourriture. Chaque après-midi des longues journées d'été et du début de l'automne, elle s'installait dehors sur une chaise longue et un léger hâle rose colora sa peau fine, sillonnée à présent de minuscules rides comme une toile d'araignée. Elle était tout à fait jolie, bien qu'elle ne retrouvât jamais son ancienne beauté à l'éclat inquiétant, et semblait se satisfaire des petits plaisirs que ses journées vides lui apportaient. Jack put enfin donner congé à Amelia Kincaid, et avec elle disparut la dernière rage étrange de Lucy. Avec la visite quasi quotidienne d'une Little Lady soupirante, Lucy put à nouveau rester seule à la ferme.

Je ne crois pas qu'elle fut malheureuse.

J'en suis venu à considérer l'année suivante comme celle

où nous trouvâmes tous un accommodement avec notre vie, aussi amère fût-elle. Non pas que nous parvînmes à la sérénité, mais plutôt que nous cessâmes de lutter, tous les trois – Lucy, Jack et moi. Ou peut-être dois-je dire Lucy et moi. Jack avait arrêté de lutter des années auparavant. Je crois que c'est pour cette raison qu'il était encore en vie.

– L'âge mûr, c'est quand on abandonne la lutte, me dit Dorothy Cameron après que je me fus confié à elle. La sagesse conventionnelle soutient qu'on ne devient adulte qu'à quarante ans, mais les vieux savent que mûrir consiste en fait à renoncer. La maturité, c'est la passivité en robe de soirée.

– C'est une horrible façon de se dégonfler, vu sous cet angle, déclarai-je. Lâcher les rênes comme ça, après avoir dirigé sa vie pendant tant d'années...

– Mais on ne l'a pas dirigée. On devient enfin adulte lorsqu'on comprend qu'on ne l'a jamais fait. On cesse de se tortiller comme une grenouille embrochée, on se laisse emporter par le courant. On arrive aussi vite et on se sent beaucoup mieux pendant le voyage.

En quittant Dorothy, je me sentis nettement moins admirable et beaucoup plus mou mais je me rendis compte que la dérive à laquelle nous cédions tous était peut-être plus douce que nos efforts angoissés, désespérés pour devenir meilleurs. Nous ne ferions ainsi le bonheur de personne – et surtout pas le nôtre – mais pour moi comme pour Jack et sans aucun doute pour Lucy, dont le feu était enfin éteint, cette stase avait une certaine douceur, comme un port sans attrait où l'on aborde après des années d'une magnifique tempête. Je crois que si j'avais alors entendu un dernier grand appel à la vie et à la gloire, j'aurais fait demi-tour et me serais enfui.

L'université qui s'était montrée intéressée par *Les Géorgiens accomplis* accepta de le publier et envoya une nuée d'érudits avides et fantomatiques s'entretenir avec moi. Après des semaines de siège courtois, de « oui, en fait... » et de « mais vous ne pensez pas que peut-être... », ils me laissèrent m'atteler à la tâche agréablement longue de la révision.

« Dorothy, au moins vous n'avez pas à vous soucier de l'année prochaine, pensai-je en m'installant à mon bureau pour commencer à déchiffrer les notes des spécialistes. Ce travail devrait m'occuper jusqu'à l'automne et, avec un peu de chance, je le ferai durer jusqu'à Noël. »

Il eut un effet calmant, ce retour au pays des Cameron défunts. Les vivants de cette famille ne m'offraient plus guère à présent que de la peine. Dorothy s'était cassé le genou en été et l'os ne se ressoudait pas bien autour de l'implacable tige d'acier qu'on y avait mise. Elle ne pouvait plus descendre au salon de Carlton House et les fois où je pouvais monter à l'appartement se firent de plus en plus rares car Ben nous avait presque totalement quittés par l'esprit, abandonnant et réintégrant son corps rageur et aveugle de manière incohérente. Je la vis de moins en moins et sa voix, quand je lui téléphonais, semblait l'avoir précédée dans un autre pays qui m'était encore fermé.

Quant à Sarah, je ne la voyais plus du tout. Peut-être avait-elle changé d'itinéraire pour faire ses courses à Buckhead, peut-être les faisait-elle à présent dans une autre partie de la ville.

Au printemps, Martha Cater eut une légère attaque pendant la nuit et se réveilla sans savoir où elle était ni qui était le pauvre Shem complètement désemparé. Cette dysphasie cessa à midi mais mit en lumière ce que je m'étais jusque-là refusé à admettre : Martha et Shem avaient passé l'âge de servir dans la maison de Peachtree Road – même si elle n'abritait plus à présent qu'une vieille beauté et un reclus – et il fallait prendre des dispositions à leur sujet.

Je leur proposai de rester dans l'appartement situé au-dessus du garage qui avait été leur seul foyer pendant une si grande partie de leur vie, mais Martha ne pouvait grimper l'escalier sans risque et Shem grimaçait en le montant quand il croyait qu'on ne l'observait pas. En outre, Martha refusait obstinément de vivre dans un endroit où elle ne pourrait travailler quand elle en aurait envie.

– Je ne vais rester là sur mon derrière pendant que vous et Miss Willa vous essayez de vous débrouiller tout seuls, déclara-t-elle d'un ton menaçant. Vous ne savez même pas allumer le gaz. Vous seriez morts de faim au bout d'une semaine.

Ce n'était pas exact mais je me rendais compte que, si elle restait, Martha Cater mourrait comme elle avait vécu, au service des Bondurant, et je ne voulais pas de cela. Voyant qu'ils ne voulaient pas – ou ne pouvaient pas – me dire ce qu'ils désiraient, je me rendis avec Tom Carmichael et Marty Fox à Forest Park, où Toto la mollassonne vivait avec sa nichée d'enfants taciturnes, et acquis un pavillon neuf en briques, de trois chambres, situé près d'un centre commercial, encadrai le titre de propriété, l'accrochai au- dessus de la cheminée et y installai les Cater. Tous deux déclarèrent qu'ils détestaient cette maison mais les yeux laiteux de Shem s'embuèrent quand il vit, parquée dans l'allée, la Buick 1972 impeccable que Marthy avait dénichée. C'était la voiture la plus grosse et la plus lourde que nous ayons pu trouver et Shem aurait l'air d'un gnome perché sur un tabouret quand il la conduirait, mais les années passées au volant de la Rolls lui avaient laissé un profond mépris pour ce qu'il appelait « les petites bagnoles en toc ».

Martha pleura et me serra contre elle lorsqu'elle vit sa cuisine. J'avais décrété qu'elle devait ressembler le plus possible à celle du 2500, et Marty avait cherché pendant plus d'une semaine avant de trouver le pavillon qui abritait ce que nous désirions. J'avais ensuite acheté des appareils et ustensiles identiques à ceux dont Martha se servait, avais ajouté pour faire bonne mesure un petit poste de télévision et le vieux rocking-chair en rotin de notre cuisine, qui n'accueillait plus maintenant que l'ample derrière de Martha. C'était la seule chose à faire et j'y avais pris plaisir. Même si je vis jusqu'à cent ans – ce que je ne souhaite pas –, je n'accomplirai plus d'acte aussi juste et bon. Je souris encore quand je songe à Shem et Martha dans leur premier et tardif véritable foyer.

Mais le vide qu'ils laissèrent fut profond. La maison de Peachtree Road pleura leur départ comme elle ne l'avait pas fait pour ma mère et mon père. En remplissant un devoir agréable, j'avais privé ma maison de son cœur. Je m'aperçus que je ne supportais pas les femmes de ménage blanches en salopette qui descendaient comme des clowns de leur camionnette PROPRETÉ-SERVICE deux fois par semaine et s'abattaient sur la maison. Elles avaient l'air de ménagères de banlieue faisant de l'aérobic – ce qui était probablement le cas.

Après une première rencontre, je les évitai soigneusement. J'avais à peine un peu moins d'antipathie pour la mince mulâtresse élégante que Willa avait engagée comme femme de chambre, qui arrivait à dix heures et déambulait dans la maison avec une expression de profond ennui jusqu'à cinq heures environ, heure à laquelle elle servait le xérès et les petits gâteaux au fromage pour Willa Slagle Bondurant et ses invités. La jeune femme avait l'allure de Jane Fonda, s'habillait comme elle et portait un grand sac à main qui ne me plaisait pas. Outre le fait que ce fût un vrai Gucci, il devait contenir sa part de Lalique et de Tiffany appartenant aux Bondurant quand il disparaissait dans la jolie petite Honda de sa propriétaire. Mais tante Willa aimait bien cette fille, était satisfaite de ses services, et je laissai aller les choses. Une Willa satisfaite était une Willa qui ne m'importunait pas. Elle avait boudé pendant des semaines, avec l'expression d'une martyre bien née du XVIe siècle, lorsque j'avais refusé d'engager un chauffeur pour la Rolls.

– J'aurais l'air idiote au volant de cette énorme voiture, avait-elle argué. Et à mon âge, ce n'est pas prudent de conduire.

Comme elle invoquait son grand âge uniquement pour obtenir quelque chose et que je la savais aussi solide qu'un cheval T'ang, je lui répondis en souriant :

– Marty assure qu'il se fera un plaisir de t'emmener là où

tu voudras. Il est quasiment libre l'après-midi depuis que nous avons embauché Fred Perry, et c'est un bon chauffeur.

Willa conduisit la Rolls – je savais qu'elle s'y résignerait. Elle aimait mieux risquer d'avoir un accident ou de paraître ridicule dans la vieille Rolls que de se faire conduire dans Buckhead – même le Buckhead braillard et clinquant que nous rejetions – par un petit avocat juif de Newark. En la regardant descendre majestueusement l'allée au volant de la Rolls, comme une vieille reine chevauchant un glacier, je me demandai quand et comment, au cours de son séjour parmi nous, tante Willa avait appris à conduire. A quatre-vingts ans, elle restait une créature pleine de surprises – dont un petit nombre aussi plaisantes que celle-là.

Dans sa ferme, Jack Venable buvait et dormait. Lucy restait assise à la lueur du poste de télévision ou au soleil printanier et retrouvait lentement une intégrité fragile. En juin, elle reparla normalement, bien que ce qu'elle dit eût perdu une grande partie de sa « lucidité » ; en août, elle sut à nouveau lire ; en septembre, elle put écrire un peu. La première chose qu'elle écrivit fut une lettre à Malory. A ma connaissance, ce fut le premier échange entre mère et fille depuis ce terrible Noël. Ni Jack ni moi ne sûmes ce qu'elle disait dans cette lettre ni si Malory y répondit.

Malory avait tenu parole et n'était pas revenue à la ferme depuis le dernier spasme convulsif de Lucy. Elle n'avait ni téléphoné ni écrit. Jack me confia que Lucy ne parlait pas de sa fille. Elle n'avait pas dit un mot à son sujet depuis sa dernière crise. C'était comme si elle l'avait perdue, dans sa tête et dans son cœur. Cela ne semblait pas la rendre malheureuse. Jack, qui marinait dans la fatigue, l'apathie et le scotch comme un vieux sachet de thé, n'entendait pas compromettre sa tranquillité rance en prononçant le nom de Malory. C'était comme si elle n'avait jamais vécu avec eux.

Chaque semaine, elle m'écrivait des lettres où elle énumérait toutes ses activités sans parler d'elle-même, et je les transmettais à Jack. Elle ne téléphonait pas. Quand je l'appelais, elle se montrait polie et même cordiale, mais ce n'était plus la Malory Bondurant Venable que j'avais connue et je cessai de téléphoner, malheureux mais résigné au brouet tiède des lettres. Elle doit se couler à nouveau dans son moule après avoir été brisée par Lucy, pensai-je ; elle doit revenir à moi en volant de ses propres ailes. Je songeais constamment à elle et une vaste plaine vide battue par le vent s'étendait en moi là où elle n'était pas, mais je répondais à ses lettres respectueuses par de courts mots frivoles ne disant fondamentalement rien, et j'attendais de voir ce qu'elle ferait, qui elle deviendrait.

Parce qu'elle ne voulait pas rentrer chez elle, Malory participa à l'université d'été, ce qui, conjugué à son programme accéléré, lui permit d'obtenir son diplôme fin août, avec trois trimestres d'avance. J'ignorais ce qu'elle envisageait de faire ensuite – quelque emploi juridique, peut-être. En juillet, elle m'avait téléphoné et sa voix était celle de l'ancienne Malory, avec en plus une dimension nouvelle que je ne pouvais qualifier. Elle tenait énormément, m'avait-elle dit, à ce que je vienne à la remise des diplômes. Jack aussi, s'il en avait envie.

– Et ta mère ? avais-je demandé.

– Non, Shep. Je t'en prie.

Le soir, j'avais appelé Jack pour lui rapporter notre conversation.

– Tu trouveras une façon de prévenir Lucy ? m'étais-je inquiété.

– Sans problème. Elle sait que la date approche et n'a pas demandé à y aller. Elle aurait été contente d'y assister mais le brasier est éteint, Shep. Pour de bon, je crois. Et je pense que je n'irai pas non plus, pour ne pas laisser Lucy seule. Tu pourras l'expliquer à Malory ?

– Elle comprendra, avais-je assuré, content de ne pas avoir à lui dire que Malory ne se souciait pas qu'il vienne. Cependant, je ne suis pas ravi d'être le seul d'entre nous à y aller, avais-je ajouté sincèrement. J'ai l'impression d'usurper votre rôle.

– Tu ne l'usurpes pas, tu l'assumes. Et de plein droit. Tu

as fait plus que nous pour la préserver et la rendre heureuse. Ne sois pas mal à l'aise. J'irais là-bas si j'en avais vraiment envie. La vérité, c'est que je suis content de ne pas avoir à le faire. J'aime Mal, bien sûr, mais je suis trop fatigué.

Je retournai donc à Wellesley au mois d'août. J'attendis Malory sur un banc de pierre en face de son dortoir, sous un vieux lilas, et lorsqu'elle tourna le coin du bâtiment et courut vers moi, les bras tendus, ce fut comme si un jeune soleil étrange et terrible venait de surgir, embrasé, des brumes d'une pluie éternelle.

Sa douleur et son anéantissement lorsque je lui avais vraiment parlé pour la dernière fois, les longs mois de silence et de fragilité qui avaient suivi ne m'avaient pas préparé à la femme radieuse et épanouie que je tenais dans mes bras. Sa ressemblance avec Lucy au même âge était à couper le souffle, et cependant il y avait en elle une altérité qu'on ne faisait que deviner auparavant : une force, une intégrité utilisées à bon escient, touchantes chez un être aussi jeune, une sorte de gravité tendre pour le monde qu'elle témoignait, dans une moindre mesure, depuis qu'elle était enfant. Dans le visage de Lucy – yeux bleus d'octobre, peau rose thé, noir soyeux de la chevelure, des sourcils et des cils – mon menton têtu, mon nez aquilin me renvoyaient mon image. Mais naturellement, Malory pouvait légitimement revendiquer les traits des Bondurant par sa mère et son grand-père.

– Oh ! Shep, s'exclama-t-elle. (Son visage trouva au creux de mon épaule la cache familière de Sarah Cameron, bien qu'elle dût pour cela se baisser un peu.) Jamais de ma vie je n'ai été aussi contente de voir quelqu'un !

Je remarquai alors le jeune homme de haute taille qui se tenait à côté d'elle et sus instantanément, sans l'ombre d'un doute, que Malory Venable avait trouvé son avenir.

Il était dans la façon dont leurs regards se croisaient et ne pouvaient se détacher. Il était dans les frôlements des doigts et des épaules. Il était dans les sourires ravis qui flottaient perpétuellement sur leurs lèvres. Je sentis un coup de poignard de souffrance purement physique, comme une crise cardiaque, mais, par-dessus, une joie immense, un soulagement infini. Avant même de savoir son nom, de serrer sa main moite et calleuse, je compris que Malory serait en sécurité avec lui. Il y avait là une grande force, mêlée à de l'humour. Étrangement, derrière les verres épais de lunettes à monture d'écaille, c'était Charlie Gentry qui me regardait en souriant.

Il s'appelait Peter Hopkins Dallett. Il était mince, bien découplé et d'une couleur noix de muscade – les cheveux, les yeux, la peau bronzée –, presque laid. Il avait obtenu en juin le diplôme d'architecte de Yale après cinq ans de bourse et avait déjà construit un premier immeuble. Il vivait dans le nord du Maine, sur la côte de Penobscot Bay, dans un hameau si petit qu'il n'avait ni nom ni bureau de poste. La ville de quelque importance la plus proche était Ellsworth, à une vingtaine de kilomètres. Il était le plus jeune des quatre fils d'un pêcheur de homards qui tenait aussi une petite épicerie pendant la saison. Sa mère était morte quand il avait douze ans. Malory et lui avaient fait connaissance en mars au mariage d'un ami commun dans le New Hampshire, et avaient depuis passé tous les week-ends ensemble. Il ne faisait aucun doute qu'ils se marieraient – je le sus avant même qu'un mot eût été prononcé. La seule question, c'était de savoir quand, et où ils vivraient ensuite.

– Vous l'emmènerez loin de nous ? demandai-je à Peter Dallett pendant un repas d'huîtres.

Personne n'avait faim mais nous bûmes pas mal de mauvais champagne, Peter ayant insisté pour offrir et commander joyeusement une bouteille correspondant à ses moyens. Ce n'était certes pas du Taittinger mais il coulait dans nos veines comme un feu douceâtre.

– Je ne sais pas encore, répondit-il. J'aimerais beaucoup descendre jeter un coup d'œil à Atlanta. L'idée ne plaît pas à Malory, et je comprends pourquoi, mais je saurais prendre soin d'elle. Tout irait bien. Et la meilleure architecture du pays vient de la Sunbelt...

Je grimaçai involontairement. Malory enchaîna aussitôt :

– Je ne crois quand même pas que nous le ferons, Shep. Peter a déjà d'excellents contacts, ici.

Elle ne doit pas revenir, hurlait mon esprit. Elle ne doit pas revenir.

– Ce n'est pas à négliger, fis-je remarquer d'un ton aussi détendu que possible. Je crois que vous risqueriez de découvrir que ladite Sunbelt n'est pas aussi formidable qu'on le prétend.

– C'est une nouvelle frontière, fit Peter Dallett. Il n'y a rien de comparable : c'est une région largement ouverte à une nouvelle sorte d'architecture. Je voudrais beaucoup participer à cette aventure.

J'aimais l'enthousiasme de sa voix, je le redoutais plus encore.

– Si vous appréciez les centres commerciaux, les banlieues interminables sans véritable centre urbain, ça vous plaira, promis-je. Mais vous auriez dû voir Atlanta quand c'était une vraie ville, quand j'avais l'âge de Malory...

– C'est fini, trancha-t-il avec l'implacabilité désinvolte de la jeunesse. Maintenant, c'est la Sunbelt. Énorme vitalité. Potentiel de croissance infini. Ensemble radicalement nouveau de problèmes et de solutions. Personne n'y a jamais travaillé dans cette optique.

– Mais pourrez-vous y vivre ? répliquai-je. C'est un détail qui a son importance, vous savez.

Il rit ; ses lunettes glissèrent sur son nez court et bronzé et je vis qu'il pelait.

– Je n'en sais rien, reconnut-il. En fait, les gens n'y vivront pas. Ils habiteront à proximité. Les villes de demain, en particulier dans la Sunbelt, seront des villes de banlieusards. Quoi qu'en disent les urbanistes. Il y a de magnifiques terrains nus près d'Atlanta.

– Tate... fit Malory avec douceur, comme si elle savourait le mot.

Tate. Vert, silencieux, baigné de soleil et solitaire, rêvant dans son éternité appalachienne au flanc de la Burnt Mountain, inchangée et immuable. Malory dans le soleil de

Tate sur le plancher du vieux chalet, entièrement sous le charme. Tate...

– Je pourrais vivre à Tate, dit-elle. Je pensais que je ne voulais jamais revoir Atlanta mais je pourrais vivre à Tate...

Elle posa ses yeux bleus sur moi, les baissa.

– Maman va bien ?

– Oui, répondis-je. Elle t'embrasse, elle est très fière de toi. Tu pourrais peut-être lui écrire pour lui dire... ce qui se passe. Quand tu t'y sentiras prête, bien sûr. Une lettre de toi la comblerait.

– Elle... elle a besoin de moi ?

J'entendis le fantôme de l'ancienne voix anxieuse.

– Non, dis-je. Pas vraiment. Elle a juste besoin de te savoir heureuse et en sécurité. C'est la seule chose qui compte pour nous tous.

– Je le suis, déclara-t-elle en souriant. Je le suis vraiment. Shep... je crois que nous aurons juste un mariage très simple, probablement dans la petite église de la famille de Peter, en automne. Nous partons là-bas demain. Son père m'a demandé de venir. Le mieux, c'est d'attendre que la saison touristique soit terminée et qu'il puisse fermer le magasin. Il n'y aura personne d'autre que la famille proche... A moins que tu penses que nous devrions nous marier à Atlanta. Je sais que... Maman... ne peut pas voyager...

– Non, répondis-je. Fais comme ça. Viens plus tard, quand elle aura eu le temps de s'habituer à l'idée. Je les préviendrai tous les deux, si tu veux. Et écris-lui. Ce sera moins pénible pour elle, de cette façon. Pour toi aussi.

Elle me regarda dans la lumière d'août puis son jeune visage grave et beau se décomposa ; des larmes se mirent à couler de ses yeux bleus qui étaient et n'étaient pas ceux de Lucy. Elle se jeta dans mes bras.

– Merci, Shep. Merci pour tout, murmura-t-elle.

Le week-end suivant, j'emmenai Lucy et Jack à Tate. Il me semblait que leur annoncer le mariage de Malory là-haut, dans les collines fraîches et bleues, loin de la chaleur et de la fièvre de la ville épuisée par septembre, désarmorcerait le caractère explosif de la situation – si caractère explosif il y avait. Jack ne poserait pas de problème, je le savais, et en regardant Lucy assise à côté de moi à l'avant de la voiture dans la lumière changeante de la fin d'après-midi, je ne pouvais imaginer la folie et le désir envahissant ce visage calme et vide. Mais quand même, il valait mieux être à Tate...

Nous réchauffâmes les pizzas que j'avais achetées pour le dîner, et Jack et moi bûmes un chianti âpre tandis que Lucy se contentait de l'éternel café qui avait supplanté l'alcool et accompagnait les cigarettes. A dix heures, nous étions tous au lit. On eût dit que, lorsque nous avions franchi les grilles barrant la route pour plonger vers Tate, la main malveillante qui nous tenait captifs avait desserré son étreinte. Allongé, j'écoutai les bruits de la nuit de ces vieilles montagnes érodées – peu nombreux dans l'air las du début de l'automne : quelques cigales et grillons attardés, un chien aboyant à l'ouest, sur une crête lointaine – puis sombrai dans un sommeil si profond que lorsque je m'éveillai, les premiers rayons du soleil baignant mon visage, j'étais dans la même position qu'au moment où je m'étais endormi.

J'étais assis devant la vieille table balafrée de la cuisine et buvais mon café en contemplant, par-delà le pré, le lac embrumé et calme comme un miroir lorsque Jack apparut, ventru et hébété dans un sweat-shirt et un pantalon trop grands pour lui. Le visage lourd et gris dans la lumière tendre, il traversa la cuisine d'un pas traînant avec le même air fatigué que la veille. Des poils blancs parsemaient son menton pâle ; ses yeux bleus étaient ternes, à demi clos. L'idée me vint, avec un serrement de cœur, qu'il était exténué jusqu'au tréfonds de lui-même. Exténué et peut-être atteint d'une de ces maladies que le désespoir fait naître.

– J'espérais que tu dormirais au moins jusqu'à midi, dis-je en lui versant du café de l'un des vieux pots en métal argenté.

– Lucy a eu un de ses cauchemars, maugréa-t-il. Elle s'est agitée et a crié dans son sommeil. C'est drôle, elle ne manifeste pas d'agitation quand elle est éveillée. Et ce n'est pas parce qu'elle le dissimule – je le sais toujours quand elle fait ça. Non, elle est vraiment calme. Mais une ou deux fois par mois, elle a un cauchemar. Je me demande à quoi elle rêve. Elle dit qu'elle ne s'en souvient pas.

– Elle en a toujours eu, rappelai-je. Lorsqu'elle était petite, elle rêvait qu'elle était perdue, ou abandonnée, ou en danger de mort. Nous avions beaucoup de mal à la rassurer. Je pensais qu'elle s'était débarrassée de ces cauchemars en grandissant.

– Pauvre Luce, soupira Jack avec douceur. Ses démons ont grandi avec elle. Elle a affronté l'ennemi, et c'était elle-même. Tu sais, au début, j'ai vraiment cru que je pouvais l'aider. Etre le roc dont elle avait besoin, la personne sur qui elle pourrait s'appuyer. Mais au bout d'un moment, je ne supportais plus de la porter à bout de bras. Je n'ai jamais voulu la laisser choir. Je me serais dégoûté si j'avais fait ça. Mais je... je n'étais pas à la hauteur.

– Personne ne l'aurait été, Jack.

J'avais le cœur envahi de pitié pour cet homme las et vidé dont l'ardeur n'avait pas résisté aux exigences du Mouvement pour les Droits Civiques et de Lucy Bondurant. Le mot tragédie n'était sans doute pas exagéré dans son cas.

– Probablement, dit-il. Mais comme j'aurais voulu l'être ! Et maintenant, je la regarde, elle qui est presque devenue un légume nageant dans le bonheur, et qui reste pour moi toujours aussi belle. Au lieu de regretter toute cette lumière, toute cette magie perdues, je remercie Dieu pour le légume heureux et je me rendors.

– Ne t'accable pas. Nous avons tous béni son état à un moment ou à un autre. Et prié comme un lâche pour qu'il dure.

– Il durera, affirma Jack. Le diable est exorcisé pour de bon, j'en suis certain. Une chance pour nous, peut-être. Mais pas vraiment pour Lucy.

– J'espère que tu as raison, du moins pour le moment. Il

va falloir lui annoncer aujourd'hui quelque chose qui me terrifie. Je voudrais d'abord te mettre au courant.

– Malory, dit-il sans relever les yeux de sa tasse de café.

– Oui. Elle se marie bientôt avec un jeune architecte du Maine qu'elle a rencontré cet été. Le mariage aura lieu là-bas, avec juste les parents du garçon. Je crois que la famille est pauvre. Mais il est solide comme un roc – je l'ai vu à la remise des diplômes. Il te plaira, Jack. Et il plaira à Lucy aussi, je crois. Malory sera en sécurité avec lui. Elle en est folle, et lui l'adore. Je... personne de nous trois n'ira là-bas mais elle téléphonera à sa mère, ou elle écrira, quand je l'aurai prévenue que Lucy est au courant.

Le visage de Jack s'éclaira.

– C'est bien, approuva-t-il en souriant, un sourire triste et blessé, comme le reste de sa personne. C'est bien pour Malory. Je veux qu'elle soit heureuse, même si je n'ai jamais réussi à le lui faire sentir. Curieusement, tout ce que j'avais en moi est allé à Lucy.

– Alors, tu penses que je peux lui annoncer sans risque ?

– Oh ! oui. Comme je te le disais, le brasier est éteint. Il n'y a plus aucun danger. Tu peux lui parler de n'importe quoi.

– Tu tiens à être présent quand je le ferai ?

– Non. Ça t'embête ? Je n'ai pas peur, je suis juste... fatigué. Je crois que je vais remonter me coucher.

Il dormit une grande partie de la journée et Lucy elle-même ne s'éveilla qu'à midi. Elle me surprit en exprimant le désir de faire le tour du lac par la route en terre battue tachetée de soleil.

– Tu t'en sens capable ? demandai-je.

– Oui. Si nous marchons lentement et si nous nous arrêtons en chemin. Oh ! oui, Gibby. Arrêtons-nous à tous les endroits familiers. Prenons des sandwiches, nous pique-niquerons dans la prairie. Emporte aussi ta clarinette. Elle est dans le chalet ?

– La vieille, répondis-je. Celle avec laquelle j'ai appris à jouer. Elle doit être complètement rouillée. Mais je la prends quand même.

Nous partîmes. Vêtue d'un jean et d'une ample chemise écossaise que quelqu'un avait laissée dans un placard, Lucy avait l'air reposé et presque jeune si l'on n'y regardait pas de trop près, et il s'en fallait de peu qu'elle ne soit à nouveau belle. Elle avançait lentement, appuyée sur moi. Comme elle se fatiguait effectivement vite, nous fîmes de fréquentes haltes mais, lorsque nous nous assîmes dans l'ombre épaisse d'un bosquet de noyers, cernés par les parois fauves des montagnes sous le bleu éclatant du premier ciel d'automne, elle fut aussi ravie qu'elle l'avait été, enfant, dans les lieux où s'étaient forgées notre magie et notre malice.

– Raconte-moi le défilé du 4 juillet, Gibby, s'écria-t-elle.

Et je décrivis pour elle dans le silence ensoleillé la joyeuse procession d'enfants, d'adultes, d'adolescents et de bébés, de chiens, de drapeaux, de banderoles et d'instruments de musique braillards.

– Raconte-moi la baignage !

Et tout à coup, nous étions là, minces, souples et luisants comme de jeunes loutres, jappant sous le chaud soleil et dans l'eau froide du petit lac indigo, et la petite Sarah Cameron semblait épinglée sur un ciel de cobalt au sommet de l'arc de son plongeon, belle comme une mouette.

– Raconte la fois où le cerf a sauté au-dessus de moi !

Et le jour s'obscurcit, se fondit dans cette nuit lointaine, magique et terrible, silencieuse et marbrée de clair de lune. Devant moi, sur cette même route, une petite Lucy Bondurant vive comme un feu follet se ruait joyeusement dans une mare de noir absolu, et l'ombre fantomatique du cerf s'abattait sur elle comme la malédiction d'une méchante fée.

Ce souvenir me fit frissonner. Ne voulant plus invoquer les spectres perdus de Tate, j'entraînai Lucy au soleil dans la pâture et jouai du mieux que je pus sur la clarinette couinante d'où, il y avait quelques années, *Frenesi* s'écoulait comme une eau cristalline. Je rejouai *Frenesi*, puis *Amapola, In the Mood* et plusieurs autres airs sur lesquels nous avions dansé, Roses et Gods, sur le parquet ciré d'une demi-douzaine de clubs.

Lucy demeurait silencieuse, étendue sur le dos dans les derniers rayons obliques du soleil qui doraient son visage et embrasaient sa chevelure brune.

– Merci, Gibby, dit-elle enfin.

Je lui parlai alors de Malory, la gorge serrée, les yeux rivés sur son visage calme. Mais lorsque j'eus terminé, elle s'exclama simplement :

– Oh ! Gibby, vraiment ? C'est formidable ! Parle-moi de lui.

Je le fis.

– Il la rendra heureuse ? demanda-t-elle.

– Merveilleusement heureuse. Toujours.

– Alors, c'est bien. C'est tout ce qui compte.

Elle se tut, et quand je fus sûr qu'elle n'ajouterait rien, je risquai :

– Lucy, je ne pense pas qu'aucun de nous doive y aller. Je n'irai pas. Il y aura juste la famille de Peter.

– Oh ! non, fit-elle en levant vers moi ses yeux insondables. Je ne comptais par y aller. Je ne le mérite pas.

– Lucy chérie, dis-je, le cœur serré, ce n'est pas ça...

– Si, c'est ça, affirma-t-elle d'un ton calme. (Dans sa voix profonde il n'y avait plus de pathos et je retrouvai un peu de l'indomptable petite fille qui refusait de s'apitoyer sur son sort.) J'ai été abominable, je le sais. Je l'ai fait fuir. Je ne mérite pas d'assister à son mariage. Mais c'est fini, cette partie de moi. Peut-être que, après quelque temps, elle s'en apercevra et nous amènera son... mari.

– Oui. Elle m'a déjà dit qu'elle en a l'intention, confirmai-je.

Lucy retrouva soudain son ancien sourire, vif et malicieux, merveilleux à voir.

– Je promets de garder ma culotte, ce jour-là, dit-elle.

– Je t'aime, Lucy Bondurant, déclarai-je.

C'était vrai. Je l'aimais, en ce moment, plus que je ne l'avais jamais aimée.

– Je t'aime, Gibby Bondurant.

Assis dans l'herbe, nous regardions le soleil descendre, rouge et gonflé, vers l'épaule de la Burnt Mountain. Au loin, le nuage de suie d'Atlanta, éructant dans ses propres effluves, s'éclaircit.

– Et elle, tu l'aimes encore ? demanda Lucy en montrant la ville.

– Non. D'ailleurs, je crois que je ne l'ai jamais aimée. Aujourd'hui, je ne la reconnais même plus. Elle est braillarde, elle pue, elle est cinquante fois trop grande. Elle n'a plus de grâce. Mais j'ai besoin d'elle. On n'a pas besoin d'aimer quelque chose pour en avoir besoin. Je ne sais comment t'expliquer.

– Inutile. Je sais. Ce n'est plus ma ville non plus, mais elle a... une résonance. Une passion, une énergie... Une désinvolture. Une indifférence. Elle se fiche de ce que tu es, de ce que tu fais. Elle a du pouvoir – un pouvoir immense. Pourtant je ne l'aime pas. Et je crois que je n'aimais pas l'autre, non plus, maintenant que j'y pense...

Elle alluma sa dernière cigarette, emplit ses poumons d'une fumée qu'elle rejeta ensuite dans l'air lavande en regardant à travers le panache l'haleine cuivrée de la ville.

– Mais comme il faisait bon y être jeune, n'est-ce pas ? ajouta-t-elle avec un pâle sourire.

Trois semaines plus tard, la nuit du premier samedi d'octobre, la sonnerie stridente du téléphone me tira d'un sommeil profond et calme. La chambre était plongée dans le noir et je fis tomber le combiné de son socle avant de réussir à l'approcher de mon oreille. Je n'avais aucune idée de l'heure qu'il était.

– Gibby ? (Silence, longue expiration de fumée.) C'est Lucy, chéri.

– Lucy, bredouillai-je. Quelle heure est-il ? (Mes yeux trouvèrent alors les chiffres lumineux du réveil posé sur la table de chevet.) Bon Dieu, presque quatre heures ? Quelque chose qui ne va pas ?

Je connaissais déjà la réponse. A cause de l'heure, bien sûr : Lucy me téléphonait invariablement entre dix et onze heures du soir, après que Jack s'était endormi. A cause aussi de sa voix, où coulait le miel de l'ancienne folie.

– Gibby, tu es au courant ? Malory se marie la semaine prochaine ! s'exclama-t-elle d'un ton d'enfant boudeur.

– Mais oui, Lucy, répondis-je prudemment. Et toi aussi tu es au courant. Rappelle-toi, je te l'ai appris à Tate, il y a deux ou trois semaines. Nous en avons longuement parlé.

– Tu en as manifestement parlé à quelqu'un d'autre, parce que je n'en savais rien. Je n'étais absolument pas au courant avant que Jack y fasse allusion ce soir, par hasard, en buvant son quatre cent millième scotch. Je suis réellement furieuse contre lui. Et contre toi aussi, si tu le savais.

Une infinie lassitude se posa lentement sur moi, tel un immense filet de toiles d'araignée, et je songeai que ce devait être ce que Jack Venable éprouvait depuis longtemps. Oh ! mon Dieu, non, pas encore, suppliai-je silencieusement.

– Je t'en ai parlé, Luce, insistai-je. Tu as même dit que c'était merveilleux et tu es tombée d'accord avec moi : aucun de nous trois ne devait y aller. J'étais très fier de la façon dont tu prenais la chose.

– Prenais, mon cul, répliqua-t-elle. Tu te gourcs de bonne femme, mon gars. Je trouve pas ça merveilleux du tout. Cette gosse n'est pas en âge de se marier ! Elle ne m'en a même pas parlé – je pourrais lui apprendre un ou deux trucs sur le mariage. Et je ne suis pas d'accord pour ne pas y aller, nom de Dieu ! Bien sûr que j'y vais ! C'est même pour ça que je te téléphone. Je veux que tu viennes me chercher pour me conduire à l'aéroport. Je suis prête – et pas grâce à Jack, je peux le dire. Il a catégoriquement refusé de me conduire. Il s'est montré grossier, brutal...

Sa voix s'était transformée en gémissement d'enfant blessé.

– Passe-moi Jack, Luce, demandai-je d'un ton neutre. Il est éveillé ?

Après un silence, elle pouffa.

– Non, fit-elle. Je ne pense pas qu'on puisse dire ça. En fait, je suis à peu près sûre qu'il est mort, le salaud. Je lui ai tiré une balle dans la tête avec son revolver. Ne pas m'emmener au mariage de mon bébé !

Elle avait dans sa folie tant de fois menti au sujet de la brutalité de Jack que mon premier mouvement fut de raccrocher. Mais un doigt glacé courant le long de ma colonne vertébrale m'en empêcha.

– Tu me dis la vérité, Lucy ? demandai-je d'une voix qui sonna haut perchée et stupide à mes oreilles.

– Oh ! oui. Il saigne comme je ne sais quoi. Il y en a partout. C'est aussi pour ça que je veux que tu viennes, Gibby : je ne peux pas nettoyer toute seule.

Un tremblement naquit au fond de moi, partit de mon ventre pour gagner mes bras et mes jambes. Même ma tête, mes lèvres se mirent à trembler et je fus un moment incapable de parler.

– Lucy, j'arrive tout de suite, articulai-je enfin malgré le tressautement de ma bouche. Laisse-moi juste le temps de m'habiller. Maintenant, écoute-moi bien : ne téléphone à personne d'autre avant mon arrivée. Tu as déjà appelé quelqu'un d'autre ?

– Non, évidemment, répondit-elle, indignée. Je n'ai aucun ami dans ce bled. Je ne permettrais à aucun de ces bouseux de me conduire à l'aéroport pour le mariage de mon bébé !

– Alors, ne touche plus au téléphone. Fais du café, assieds-toi et attends-moi. Tu peux faire ça ?

– Bien sûr, idiot ! chantonna-t-elle d'une voix ravie. Je ne suis pas infirme. Tu me conduis, alors ?

– Je te conduis, répondis-je par-dessus le grondement qui s'était élevé dans ma tête.

– Oh ! Gibby, j'ai toujours pu compter sur toi !

C'était la voix de l'enfant des fées délivrée, blottie dans le coin de l'étroit lit métallique d'une mansarde obscure, en haut d'une vaste et belle maison, attendant que je vienne terrasser ses cauchemars.

– Je pars, annonçai-je.

Ce fut seulement lorsque la voiture émergea du tunnel des bois pour s'engager dans la cour et que je découvris la ferme illuminée que je me rendis compte que j'avais espéré la trouver obscure, abritant le sommeil paisible de Lucy et Jack. Mon cœur tressaillit dans ma poitrine.

Lucy n'avait pas menti. Dans la salle de séjour baignée d'une lumière chaude, elle m'attendait, assise dans son fauteuil habituel, les pieds joints et les mains croisées sur les genoux, comme Margaret Bryan nous avait appris à le faire bien des années auparavant. Sur l'écran tremblotant de la télévision, George Raft s'agitait silencieusement dans un vieux film en noir et blanc. Lucy portait l'ensemble de laine bleue, de bonne qualité mais trop grand, qu'elle réservait pour les occasions fastes – cadeau de Little Lady qui l'avait probablement acheté à la vente de charité de la paroisse. La jupe droite, la courte veste ornée d'un col rappelaient tristement Jackie Kennedy. Une valise cabossée en fibre de verre était posée sur le sol à côté de Lucy. Bien qu'un ventilateur électrique gémissant et poussif fût tourné vers elle, la sueur coulait de son front et accrochait des perles à son menton. Elle avait enfilé des gants de coton blanc mais avait gardé aux pieds des pantoufles sales, et sa chevelure noire était emmêlée – un nid de corbeau.

Ses jambes étaient nues, tachetées jusqu'aux genoux de sang séché. Ses yeux bleus dansaient. Elle sourit mais ne dit rien ; son regard se détacha de moi, parcourut la pièce ; le mien le suivit au prix d'un monstrueux effort.

Je ne fus pas même capable de tressaillir devant ce que je découvris.

Jack Venable gisait sur le vieux sofa bancal, les genoux relevés, le visage tourné vers les coussins souillés. Je l'avais vu allongé ainsi maintes fois, plongé dans ses longs sommeils. Ses pantoufles rangées l'une à côté de l'autre attendaient par terre que leur propriétaire se lève et les emmène au pied du lit d'un pas traînant.

Mais Jack ne se lèverait pas de ce sommeil. Le sang qui avait jailli de la tempe pressée contre le sofa avait traversé le coussin et coulé sur le vieux tapis couleur de foie de veau, où il formait une flaque.

Je ne m'approchai pas pour l'examiner. La blancheur absolue de la peau de son cou et de ses bras, l'immobilité désespérante de son corps, la couleur et l'épaisseur de son sang proclamaient que Jack Venable était mort.

Mes yeux revinrent à Lucy. Sur ses genoux, un petit sac de soirée couvrait en partie un revolver noir à canon court. Elle ne m'avait pas menti, pour l'arme, pensai-je confusément. Il en possédait bien une.

Elle me regarda d'un air malicieux, la tête penchée, et sourit.

– Salut, Gibby, me lança-t-elle.

Mes genoux se dérobèrent alors sous moi et je m'effondrai à ses pieds. Mon cœur battait si lentement, si faiblement, que j'avais l'impression qu'il allait s'arrêter. J'avais froid jusqu'aux os, jusqu'à la moelle malgré la chaleur épaisse et malodorante de la pièce. Une nausée glacée monta dans ma gorge quand je sentis une odeur de brûlé, d'alcool, de sueur, et celle, douce-amère, du sang en train de tourner.

Les yeux fixés sur le tapis, je vis le minuscule désert lunaire d'une brûlure de cigarette, puis la tache de liquide sombre. D'une voix sortant péniblement de ma gorge, je croassai :

– Lucy, qu'est-ce que tu vas devenir, maintenant ? Je ne peux pas arranger ça. C'est impossible. Qui s'occupera de toi, à présent ?

– Mais toi, Gibby. Et Malory. Malory viendra. Mon meilleur soupirant et notre jolie fille. Tu le savais, n'est-ce pas, qu'elle est notre fille ? Bien sûr, que tu le savais. Nous sommes un même sang, nous trois. Alors vous devez vous occuper de moi, tu comprends. Téléphone à Malory, Gibby. Elle viendra.

Je regardai le doux sourire dément, pris conscience que je ne savais absolument pas et ne saurais jamais si elle mentait ou non au sujet de Malory. Malory... Oui, Malory viendrait. Comme un jeune et farouche faucon tournant de plus en plus haut dans le soleil pour finalement répondre à l'appel du fauconnier et piquer droit sur le gantelet. Malory viendrait.

Et moi, pensai-je. Oui. Tant que Lucy vivrait, je viendrais aussi.

Je nous vis tous trois enchaînés en une troïka démente de deuil, de gâchis et de sang. A jamais. A jamais...

Je m'agenouillai avec la raideur d'un vieillard, pris le revolver sur le giron du Lucy et le lui glissai dans les mains. Elles tremblaient légèrement, comme la gorge d'un oiseau chantant. Je levai à nouveau les yeux vers son visage et elle sourit encore, d'un sourire d'enfant sage, douce et simple. Au-dessus, ses yeux brillaient. Les extraordinaires yeux bleus noyés de lumière de la fillette qui, dans le vestibule de la maison de Peachtree Road, avait fait battre follement mon cœur contre mes côtes par sa seule présence et avait déclaré d'une voix semblable à du miel sombre : « Il y a quelque chose qui pue. »

– Fourre-le-toi dans l'oreille, Lucy, murmurai-je.

Elle partit de son merveilleux rire impudique, profond, approcha le revolver de son oreille. Elle continuait à rire, déversant sur moi de ses yeux bleus la lumière apaisante de la rédemption.

– Appuie sur la détente, dis-je.

Elle le fit.

27

Nous nous retrouvions donc une nouvelle fois à Oakland, comme Freddie l'avait prédit. Les Buckhead Boys vieillissants et leurs filles, venus enterrer l'une des leurs.

J'éprouvai le désir fou de me précipiter sur quelqu'un pour dire d'un ton pénétré : « Il faut vraiment que nous arrêtions de nous réunir comme ça. » Mais les trois personnes qui auraient le plus apprécié la remarque et qui en auraient ri étaient maintenant sous terre. Ben Cameron Junior. Charlie. Et à présent Lucy.

Semailles trop riches pour un champ qui ne donnerait jamais de récolte.

Je me souvins de cette soirée dans la somptueuse maison neuve du Chattahoochee Triangle où une Nordiste mécontente m'avait demandé où elle pourrait trouver le véritable Vieil Atlanta, et je lui avais répondu, plaisantant à demi seulement : « Au cimetière d'Oakland. »

Nous étions à présent le Vieil Atlanta, nous les Roses et les Gods désenchantés d'un Buckhead plus mort que Pompéi.

Et qui n'arrivent pas à la cheville de ceux qui nous précédèrent, me dis-je comme je l'avais fait à l'enterrement de mon père.

Je fus presque le dernier à quitter le cimetière. Malory, anéantie et muette, était remontée dans la limousine avec la main ferme et brune de Peter pour la soutenir et m'attendrait à la maison avant de repartir pour le Maine. Elle était effondrée, bien sûr, terriblement traumatisée. Je sentais ses blessures dans ma chair et dans mon cœur, par-dessus les miennes. Mais cet effondrement cesserait, je le savais, alors que l'autre naufrage aurait été sans limite et sans fin. Elle se remettrait, elle serait libre. Qu'elle revienne ou non à Atlanta, cela m'était égal. Je soupçonnais qu'un jour elle s'intégrerait d'une manière ou d'une autre à cette ville inimaginable qui ne faisait plus partie de moi, mais je n'aurais pu justifier ce sentiment et j'étais content de ne pas avoir à l'analyser.

« Je suis désolé, Mal », murmurèrent mes lèvres, mais mon cœur n'était pas désolé. J'éprouvais peu de choses en dehors d'une impression de vide et d'attente. Attente de quoi ? Je n'aurais su le dire.

La vieille Willa Bondurant, traînant sa Little Lady chérie derrière elle comme un pékinois, s'arrêta devant moi et me lança un regard matois – le regard d'une ennemie de toujours. Je savais qu'elle ne se rappelait plus le jour où, dans le vestibule du 2500, elle avait pleuré de soulagement quand je lui avais dit de descendre ses affaires des mansardes pour les mettre dans la chambre de ma mère morte. Elle n'aurait pu se permettre ce souvenir.

– Je suis une vieille coriace, tu ne crois pas, Shep ? me dit-elle de son accent distingué durement acquis. J'ai survécu à Jim Bondurant et à deux de ses trois enfants. Dieu sait que c'est terrible de vieillir et de perdre sa beauté... (Elle tapota ses cheveux bleu acier laqués, de l'air d'une femme qui sait qu'elle n'a perdu que peu de ses attraits.) Mais on peut au moins prendre sa revanche en survivant à tout le monde.

Quelque chose que je croyais mort depuis longtemps remua en moi.

– Comment savais-tu que l'oncle Jim était mort ? demandai-je.

Le sourire d'iguane s'élargit ; les vieilles fossettes bâillèrent follement.

– Parce qu'il a écrit à Lucy pendant des années, répondit-elle avec une épouvantable mine de conspirateur. Depuis qu'elle avait neuf ou dix ans. Naturellement, je brûlais les lettres. Je n'aurais jamais laissé cet animal toucher ma fille de quelque façon que ce soit. Mais il continuait à les envoyer, ces saletés, alors j'ai fini par lui écrire pour lui dire d'arrêter, sinon je le dénonçais à la police pour désertion, et ma lettre revint de sa dernière adresse avec la mention « Décédé ».

Je la dévisageai. Parler m'était impossible. Brûlé. Elle les avait brûlées. Elles avait brûlé les lettres qui auraient pu sauver Lucy, qui sait ? Il y avait peut-être dans ces mots si longtemps attendus une délivrance, quelque chose qui aurait assouvi cette faim monstrueuse, qui aurait ouvert et curé ce bourgeon de folie.

Oui, nous fabriquons nos propres monstres, mais ils prennent invariablement leur revanche.

Je suivis des yeux la silhouette qui s'éloignait. Elle se retourna et me sourit à nouveau, aussi vieille et dépourvue d'âme qu'une tortue des Galapagos. Je savais qu'elle rentrerait maintenant à la maison fraîche, tranquille et belle de Peachtree Road – où elle, la prétendante, avait régné si longtemps – pour fumer une de ses rares cigarettes, boire un excellent xérès servi dans un verre de cristal par son élégante mulâtresse, et trouver le réconfort de vieilles femmes comme elle. Vivante.

Vivante.

Je regagnai la file de voitures garées sur l'étroite chaussée. Lorsque je parvins à la Rolls, Little Lady et Carter étaient partis. J'étais le dernier à quitter Oakland.

En arrivant à la maison, je laissai la Rolls dans l'allée, portière ouverte, me précipitai dans la gloriette, décrochai le téléphone et composai le numéro de Carter Rawson. Pour une fois, il répondit lui-même.

– Carter ? Écoute, j'ai changé d'avis à propos de la maison. Appelle Marty Fox demain et fais-lui ta meilleure offre. Il n'y aura pas de problème de zonage.

Je raccrochai avant qu'il pût dire un mot.

Je fis ensuite le numéro du bureau du maire, à l'hôtel de ville. Lorsque la secrétaire de Glenn Pickens m'informa qu'il était en réunion et se ferait un plaisir de me rappeler, je répondis :

– Dites-lui simplement que Mr. Bondurant tient à lui faire savoir que la dette a été totalement remboursée et qu'il peut l'annuler.

Elle répéta après moi, soigneusement.

– C'est tout ? demanda-t-elle.

– Oui, c'est tout.

« Willa, fis-je à voix haute dans l'air immobile et ensoleillé de la gloriette, fourre-le-toi dans l'oreille. »

A sept heures et demie ce soir-là, je me tenais contre le parapet du vieux pont de fer de la Chattahoochee où, près de trente ans plus tôt, Lucy avait crié mon nom dans un ciel d'avril devant les Roses et les Gods d'Atlanta rassemblés. Il n'y avait pas de circulation sur la vieille route et le chaud silence n'était rompu que par le concert des cigales dans la frange d'arbres bordant la rivière, et le rire étouffé de l'eau lente et brune.

A travers la bulle de silence suspendu qui m'enveloppait depuis deux jours, je pris soudain conscience de l'obliquité des rayons du soleil sur mon visage et de la brise crépusculaire qui soufflait de la rivière. Elle était douce à mes bras, à ma poitrine et à mon visage, bien que les os pointus de l'hiver se fissent sentir juste en dessous. Je portais un short de jogging, pas de chemise, et j'étais pieds nus car je partais pour un très long voyage et je ne voulais rien sur moi qui pût briser le vent de mon départ. Ni heureux ni malheureux, j'étais seulement conscient d'être, ainsi que le monde autour de moi, tout à fait immobile, figé sur quelque grand axe, sans savoir ni me soucier de savoir si lui ou moi repartirions un jour. L'arche bleu pâle du ciel vespéral se reflétait parfaitement dans l'eau tout comme en ce lointain jour de printemps.

Je demeurai un moment immobile, sans penser à rien, puis

grimpai sur le parapet et baissai la tête vers l'eau. Le ciel tournoyait au-dessus et au-dessous de moi ; je fermai les yeux pour lutter contre le vertige. J'entendis distinctement, venant d'en bas et d'un endroit hors du temps, la voix argentine et joyeuse de Lucy : « Allez, Gibby, sinon t'auras l'air d'une tapette ! Allez ! Suis ma pi-i-iste ! »

Entrouvrant les yeux, je vis sur la rive bordée de saules l'éclat d'une chair blanche, la forme exquise, sous une crinière brune mouillée, d'un joli crâne.

Je renversai la tête en arrière, portai les mains à ma bouche et criai dans le néant bleu tourbillonnant :

– Lucy ! Lucy Bondurant ! Tu m'écoutes ?

Seul le silence répondit. Elle était partie, me laissant le vide des arbres et de la rivière. Vide, vide... Mes genoux fléchirent, la nausée monta dans ma gorge.

Une autre voix s'éleva alors, surgissant elle aussi de notre enfance.

« Shep Bondurant ! Je te suis, *moi* ! »

Sarah Cameron Gentry se tenait en bas sur le sentier envahi d'herbe, sa petite Dodge bleue garée tout près de ma Rolls, son foulard rouge et ses cheveux noirs flottant au vent. La coupe de sa main protégeait ses yeux de la lumière du soir, et même à cette distance, je pouvais voir qu'elle riait.

Un sentiment de légèreté m'envahit ; la joie s'éleva dans ma poitrine comme une alouette dans la prairie de Tate. Le monde eut une secousse, bascula, se remit à couler comme le flot de la marée. L'espace tournoyant autour de moi résonnait de joie. Je brandis le poing à la manière des Noirs faisant le vieux salut du *black power* et, porté par un grand éclat de rire, plongeai dans le ciel.

"A travers les révoltes,
les amours et les
épreuves de Lucy Bondurant
j'ai souhaité écrire
l'histoire d'une jeune fille
du Sud, mais aussi celle d'une
femme de notre temps."

Anne Rivers Siddons

FICHE D'IDENTITÉ

Née à Atlanta en 1936, Anne Rivers Siddons est la fille unique d'un père avocat et d'une mère au foyer. Elle a passé son enfance à Fairburn, en Géorgie. Diplômée de la Campbell High School en 1954, elle y tient le journal de l'établissement, remporte le concours annuel d'orthographe du comté de Fulton ainsi que le concours littéraire organisé par le plus grand quotidien d'Atlanta.

En 1958, elle obtient son diplôme d'illustration à l'Auburn University d'Alabama. Elle participe activement à la vie de l'université, en particulier par sa collaboration au journal estudiantin.

En 1959, elle s'établit à Atlanta et, de 1961 à 1963, travaille dans le service publicité d'une grande banque locale. Elle occupe le poste de rédactrice en chef de l'*Atlanta Magazine* de 1964 à 1967. Ensuite elle est nommée rédactrice en chef d'une grosse agence de publicité jusqu'en 1974, date à laquelle elle décide de se consacrer à plein temps à la littérature. Elle a depuis publié une dizaine de livres, dont *Peachtree Road* en 1988 (*La Géorgienne*), *Heartbreak Hotel (Une jeune fille du Sud)*, *The House next door* et *Homeplace* (à paraître en France prochainement). Elle collabore en outre régulièrement à plusieurs grands magazines américains.

Mariée et mère de quatre enfants, Anne Rivers Siddons réside à Atlanta, la ville qui l'a vue naître.

« LA GÉORGIENNE » :

HISTOIRE D'UN AMOUR TORTURÉ

« Le Sud a condamné Lucy Bondurant Chastain dès le jour de sa naissance. Et elle a agonisé jusqu'à maintenant... Tuer nos femmes, c'est ce que nous faisons le mieux. Ou les estropier, en faire des monstres, ce qui est peut-être pire encore... »

C'est par cette réflexion de son cousin sur Lucy, ensorcelé par elle alors qu'ils n'étaient encore que des enfants, qu'Anne Rivers Siddons commence son nouveau roman, *La Géorgienne*.

Le thème du livre est venu à la célèbre romancière au cours d'une discussion avec son ami Pat Conroy, l'auteur du *Prince des marées*. « Je parlais d'une amie dont la vie était un véritable désastre, et j'ai dit : "Le Sud l'a condamnée." Pat m'a aussitôt assurée que ce devait être la première phrase d'un roman qu'il me fallait écrire sur Atlanta. » C'est effectivement devenu le point de départ de *La Géorgienne*.

Ce roman est la relation passionnante de l'amour torturé qui unit Shep et Lucy Bondurant et les conduit à une inéluctable autodestruction dans le décor profondément bouleversé d'Atlanta pendant les quarante années qui ont suivi la Deuxième Guerre mondiale. C'est une histoire que Anne Siddons ne pouvait situer que dans le Sud, et elle s'en explique :

« Pendant des années, j'ai réfléchi au prix terrible que le

Sud exige des femmes qui y vivent, dit-elle. Je suis révoltée par ce qu'on impose à des femmes comme Lucy. Les femmes sont différentes, et elles se rebellent contre ce monde figé dans les traditions surannées. Il est beaucoup plus difficile pour une femme de réussir sa vie dans le Sud que n'importe où ailleurs. »

Si jusqu'à maintenant Anne Siddons a pris le Sud pour décor de ses romans, parmi lesquels *Heartbreak Hotel* (*Une jeune fille du Sud*), *The House next door* et *Homeplace* (à paraître bientôt en France), elle refuse l'étiquette « d'écrivain du Sud », terme qu'elle trouve limitatif et légèrement péjoratif. « Quand un auteur vient de cette région et remporte un certain succès, ce cliché apparaît presque toujours. Pourtant, il ne viendrait à l'esprit de personne de qualifier John Updike "d'écrivain de la Nouvelle-Angleterre" ! »

Tout aussi inévitables sont les comparaisons avec *Autant en emporte le vent*. « On a dit des personnages de *La Géorgienne* qu'ils étaient les petits-enfants de Scarlett O'Hara. Dans un sens, c'est peut-être vrai. Mais la vision d'Atlanta qu'offre le livre de Margaret Mitchell est très romantique. Ce n'est pas la mienne. »

Anne Siddons décrit une ville plus sombre, une « mégalopole qui broie, bouscule et tyrannise » ceux qui y vivent, une cité cupide, gouvernée par l'argent. « Atlanta est calculatrice, insensible, intolérante, vulgaire... mais elle vit ! », dit Shep, le narrateur de *La Géorgienne*, pour expliquer le lien qui l'unit à cette ville qu'il déteste mais qu'il ne voudrait quitter pour rien au monde.

La vie de l'étudiante Anne Siddons a été fortement marquée par le mouvement de protestation pour les droits civiques des Noirs qui a éclaté dans les États du Sud, et à Montgomery en particulier, à la fin des années cinquante. L'impact qu'il a eu sur la région et ses habitants est un des thèmes principaux de ses livres. « C'était une période extraordinaire, se souvient-elle. Brusquement, votre esprit s'ouvrait à d'autres considérations, vous vous preniez à rêver au changement. Vous vous sentiez exalté. C'était un mouvement jeune et dynamique. Je m'y suis plongée totalement. Après les années 60, rien n'était plus aussi simple ni aussi clair. Mais toute cette vitalité s'est perdue pendant les années 70. »

Aujourd'hui, elle retrouve cet investissement complet de sa personnalité dans la rédaction de ses romans. « C'est quand j'atteins la moitié d'un livre que je me sens la plus heureuse. Parfois, la vie de mes personnages me semble plus réelle que le monde dans lequel je vis, ce qui rend quelquefois ma compagnie assez difficile. Par bonheur, mon mari me comprend très bien et m'aide beaucoup. Ce qui ne l'empêche pas de se moquer gentiment de moi : "Une seule chose est pire que de vivre avec toi quand tu écris, me dit-il. C'est vivre avec toi quand tu n'écris pas !" Bien sûr, c'est une existence très particulière. Je m'immerge complètement dans la création. Ce n'est certainement pas une façon très répandue de concevoir le bonheur, mais je suis très heureuse. »

Pour écrire, Anne Siddons applique une méthode très stricte. « Je travaille à mes romans chaque jour de 10 h jusqu'à 14 ou 15 h. Je commence toujours par un scénario très détaillé. Celui de *La Géorgienne* faisait 150 pages. D'une certaine façon, un schéma aussi construit me libère. J'ai déjà défini tant d'éléments, en particulier sur le caractère de mes personnages, que je connais à l'avance leur façon de réagir aux situations. Si l'un d'eux me surprend, et que le roman prend une tournure inattendue, je peux leur faire confiance. »

Dans *La Géorgienne*, par exemple, elle a été surprise par l'identité masculine du narrateur qui s'imposait sous sa plume. « J'avais prévu d'écrire le roman à la troisième personne, et certainement pas d'un point de vue masculin. Je n'étais pas certaine de pouvoir écrire de cette façon quand elle s'est imposée à moi. Mais c'était la bonne. Shep est la seule personne qui pouvait raconter l'histoire de Lucy, car c'est aussi la sienne. »

Un film a été tiré d'un de ses romans, *Heartbreak Hotel* (*Une jeune fille du Sud*). Elle a récemment passé quelque temps sur les plateaux de tournage de Hollywood. « Quelle expérience ! » se souvient-elle en riant. Elle en est repartie convaincue qu'elle ne se sentait bien que sur la côte Est, où elle pouvait écrire paisiblement. Ses innombrables lecteurs ne s'en plaindront certes pas.

Faisant l'éloge des romans de Anne Rivers Siddons, James Dickey a écrit : « Ses personnages sont si réels qu'on s'attend à les rencontrer dans la rue, surtout si cette rue est celle d'une ville du Sud. » Pat Conroy, autre écrivain à qui elle est souvent comparée, dit de son dernier roman, *Homeplace :* « Son écriture possède une telle beauté lyrique que vous avez envie de lire ses romans aux gens que vous aimez. »

Aubin Imprimeur

LIGUGÉ, POITIERS

Cet ouvrage a été imprimé
sur du Bouffant Or des papeteries Vizille
et relié par la Nouvelle Reliure Industrielle à Auxerre

Achevé d'imprimer en novembre 1990
pour le compte de France Loisirs
123, bd de Grenelle, 75015 Paris
N° d'édition 19759 / N° d'impression L 36625
Dépôt légal, novembre 1990
Imprimé en France